KB083995

엘리자베트 루디네스코 지음
양녕자 옮김

JACQUES LACAN
자크 라캉

1 라캉의 시대

새물결

옮긴이 양녕자
제주 출생으로 이화여자 대학교를 졸업했다. 역서로『모네』(창해 출판사)와
『자기를 찾는 아이들』(새물결)이 있다.

라크라캉 — 1 라캉의 시대
지은이 엘리자베트 루디네스코 | 옮긴이 양녕자
펴낸이 조형준 | 펴낸곳 새물결 출판사
첫번째 펴낸 날 2000년 12월 7일 | 세번째 펴낸 날 2010년 7월 15일
등록 서울 제15-52호(1989.11.9)
주소 서울특별시 마포구 연남동 565-31 우편번호 121-869
전화 (편집부) 3141-8696 (영업부) 3141-8697 | 팩스 3141-1778
E-mail sm3141@kornet.net
ISBN 978-89-88336-65-6
ISBN 978-89-88336-64-9(세트)

일러두기

1. 이 책은 Elisabeth Roudinesco의 *Jacques Lacan. Esquisse d'une vie, histoire d'un systéme de pensée*(Fayard, 1993)를 번역한 것이다. 따라서 〈부록〉에 실려 있는 모든 자료들은 1993년을 기준으로 한 것이다.

2. 이 책을 옮기는 과정에서 Barbara Bray의 영역본인 *Jacques Lacan*(Columbia University Press, 1997)과 Hans-Dieter Gondek의 독일어 번역본인 *Jacques Lacan*(Verlag Kliepenheuer & Witsch, 1996)을 참고했다. 영역본이나 독일어 번역본에 들어 있는 번역자 주는 따로 영역자 주 또는 독일어본 역자 주 등으로 표시해두었다.

3. 본문에서 이탤릭으로 강조되어 있는 부분은 고딕으로 처리했다.

4. 주요 개념어의 경우에는 루디네스코와 Michel Plon이 공동으로 편집한 『정신분석학 사전』을 참조했다. 하지만 많은 번역어가 기존에 국내에서 통용되는 것들과는 차이가 있다. 예를 들어 '상징계' 대신 '상징적인 것'으로 번역한 것 등이 그러한 예이다. 하지만 많은 번역 용어가 아직은 확정적인 것이기보다는 잠정적인 것이라는 점을 밝혀둔다.

자크 라캉
1 라캉의 시대

【차례】

자크 라캉
2 라캉과 정신분석의 재탄생

이 책을 원했던 올리비에 베투르네에게

로베스피에르의 추종자들이여, 로베스피에르의 적대자들이여,

간청하노니, 우리를 불쌍히 여겨, 제발

로베스피에르가 어떤 사람이었는가를 말해다오.

— 마르크 블로크

라캉과 그의 시대

이 책은 프랑스의 정신분석가이자 사상가인 라캉의 전기 Jacques Lacan. *Esquisse d'une vie, histoire d'un systéme de pensée*(Fayard, 1993)를 번역한 것이다. 원제 그대로 이 책에서 저자는 라캉의 일생과 사상 체계를 역사적 흐름에 따라 긴밀하게 연결시켜 가면서 그려내고 있다.

이미 국내에서도 라캉에 대한 연구는 어느 정도 이루어져 있고, 그에 대한 입문서도 많지는 않지만 여러 권 소개되어 있다. 그러나 현대 사상의 발전에 끼친 영향에 비해 그에 대한 이해는 아직도 상당히 부족한 편이다. 특히 대부분의 책들이 역설적으로 라캉이 평생 투쟁 대상으로 삼았던 미국식 관념에 따라 변주된 소개서들이어서 오히려 라캉의 생각을 '햄버거 식으로' 소화하기에만 편하게 만들어놓은 감을 떨치기 어렵다. 또 많은 책들이 정신분석(학) 내부가 아니라 바깥에 있는 문학이나 철학을 경유한 접근 방식을 택하고 있기 때문에 다소간 본말이 전도된 소개였음을 부인하기 어려울 것이다. 이 때문인지 라캉은 지독하게 난해한 사상가로 알려져 있다. 하지만 이 책을 읽어보면 이러한 오해가 얼마나 잘못되었는가를 금방 이해할 수 있을 것이다. 프랑스 정신분석학계의 '이너 서클'에 속해 있기 때문에 이 책은 라캉에 대한 본질적인 이해에 다가갈 수 있도록 해주는 매우 귀중한 소개서 역할을 해줄 것이다. 뿐만 아니라 이 책은 동시에 라캉의 사유 형성 과정을 추적하면서 '지식인의 세기'라고 할 수 있는 20세기, 특히 지식의 꽃이 만발했던 프랑스 지성계의 내부 풍경을 비추어주는 흥미진진한 현장 보고서이기도 하다. 따라서 이 책은 우리에게 라캉의 독특한 사유 체계뿐만 아니라 90년에 영어권을 통해 주로 소개되어, 너무 쉽게 난해한 것으로 치부되고 관심권 밖으로 사라져버린 듯한 프랑스 사상을 종합적이고 역사적으로 성찰해볼 수 있는 기회를 제공해주기도 한다.

이 책의 저자인 엘리자베트 루디네스코는 이미 『프랑스 정신분석사』(전2권)를 저술한 뛰어난 정신분석사가이자 본인이 정신분석가이기도 하다. 뿐만 아니라 그녀의 어머니인 제니 오브리는 이 책에서도 몇 번 언급되는 것처럼 라캉과 동시대인으로서 여러 가지 면에서 이 책의 주인공과 직접적인 관련을 맺고 있던 사람이었다. 이런 면에서 루디네스코가 쓴 이 라캉 전기가 출판 당시 많은 사람들의 관심을 끈 것은 당연한 일이었다.

이 책의 특징은 무엇보다 프랑스 정신분석사 및 라캉에 대한 방대한 자료들을 바탕으로 하고 있다는 점에서 찾을 수 있다. 라캉의 가족사에서 시작해 학창 시절과 의사 시절을 거쳐 정식으로 정신분석가가 되는 과정, 결혼과 재혼, 그의 수많은 이론과 주장들이 나오게 되는 배경, 그의 죽음과 그 이후 프랑스 정신분석학계의 동향에 이르기까지를 루디네스코는 정신분석사 연구에서 얻은 여러 가지 실증적인 자료를 바탕으로 서술하고 있다. 두 번째 특징은 이처럼 방대한 자료를 토대로 라캉의 일생과 사상 그리고 그 영향을 매우 구체적으로 설명하고 있어 마치 한 편의 소설처럼 흥미롭게 읽힌다는 점이다. 그것은 라캉의 정신적 편력이 하나의 지적 모험이었기 때문이기도 하겠지만 라캉의 면모를 솔직하게 보여주고 있는 루디네스코의 서술 태도에도 기인한다. 그래서 이 책은 라캉에 대한 이해와 함께 진정한 공감을 이끌어내고 있다.

책의 두께만큼이나 라캉의 삶은 파란만장하고 다채로웠다. 이 책을 읽는 독자들은 우선 그의 지칠 줄 모르는 지식욕과 성취욕에 감탄을 금치 못할 것이다. 그는 한시도 사유를 멈추는 때가 없었다. 열 다섯살 무렵 스피노자의 철학을 접한 이후 여든살에 세상을 떠날 때까지 그의 머릿속을 거쳐간 생각과 이론들은 실로 엄청나다. 그에게 관심의 대상이 되지 않았던 영역은 없었다고 말할 수 있을 정도로 그는 모든 분야를 섭렵했던 것이다. 철학, 과학, 수학, 언어학, 문학, 예술, 심지어 패션에도 그는 관심을 기울였다. 그리고 이처럼 다양한 지적 관심을 자신의 정신분석 연구와 결합시켜 정신분석의 놀라운 발전을 이루었으며 이러한 성과는 포스트모더니즘, 마르크스주의, 현상학, 여성학 등 수많은 분야에 영향을 끼치게 된다. 이 책은 이러한 그의 이론적 성과가 왜, 어떤 경로로 이루어지게 되는가를 정신분석의 역사와 연결시켜 가면서 보여준다. 또한 동시에 라캉이 코제브, 코이레, 사르트르, 레비-스트로스, 야콥슨, 하이데거, 바타이유, 알튀세 등과 같은 철학자들 뿐만 아니라 피카소나 달리 같은 20세기 예술의 거장들, 제임스 조이스나 브르통과 같은 20세기 문학의 혁명가들과 가졌던 다양한 종적·횡적 교류 속에서 프랑스 현대 사상이 어떻게 형성되고 있었는가도 정말 흥미롭게 보여준다.

1993년에 프랑스에서는 이 책의 출간을 계기로 『마가진 리테레르』(1993년 11월호)에서 라캉을 특집으로 다루었다. 이 특집에서는 정신분석가, 철학자, 사상가, 교수, 연출가 등 라캉을 가까이에서 지켜보았던 동료나 제자들이 그와 그의 이론에 대해 평가하는 글들이 실렸다. 파리 정신분석 연구소장을 지낸 앙드레 그린은 여기에 실린 글에서 이렇게 말하고 있다.

라캉이 특출한 인물이었다는 것은 분명한 사실이다…… 어떻게 말해야 할까? '뛰어나다'는 말로는 부족하다. '천재적'이라는 말로 표현해본다. 날카롭고 기교가 뛰어난 지력, 신랄한 비판 감각, 자신에게 가장 유리한 관점을 찾아내는 아주 날카로운 수법 등. 라캉은 분명 특출한 인물이었다. 의사 출신인 그가 의료진 양성의 모든 한계를 벗어 던지는 데 성공했다는 점에서도. 그는 나에게 종종 이렇게 말했다. 의료진 양성은 지성을 가장 저하시키며 가장 효과적으로 황폐화시킨다. 의료진 양성이 의학적 실천에 대해서는 유용하다고 볼 수도 있지만 지성에 대해서는 살인자나 마찬가지이다…… 게다가 라캉은 동시대의 정신분석가들과는 다른 차원의 이론을 세울 수 있을 만큼 풍부한 지적 호기심과 교양을 갖고 있었다. 그는 그들을 훨씬 앞서갔고, 나 자신도 뿌리칠 수 없을 정도로 남을 설득하고 매료시키는 재능을 타고났다.

프로이트는 세상을 바라볼 때 사회적 규칙들을 준수하는 아주 부르주아적인 태도를 유지했던 반면에 라캉은 자신의 욕망을 실현시키는 데 아무런 한계도 설정하지 않았다…… 라캉은 가치들을 파괴하는 전복적인 힘을 갖고 있었다.

또 『테오의 여행』이나 프랑스 지성사를 소설로 풀어놓은 『악마의 창녀』로 국내 독자들에게도 잘 알려진 카트린느 클레망 — 그녀는 라캉의 세미나를 직접 들은 바 있으며 루디네스코와는 오랜 친구로서 철학 교수이자 저널리스트이다 — 은 이 특집에서 라캉에 대해 이렇게 말하고 있다. "라캉은 네로 황제와 비슷한 인물이다. 그러나 우리에게 익히 알려진 폭군이 아니라 최근 역사가들에 의해 새롭게 알려진 바로 그 네로 황제이다." 그리고 카트린느 클레망은 루디네스코를 그 네로 황제의 새로운 이미지를 용감하게 밝혀낸 역사가로 평가하고 있다.

2001년이면 라캉이 태어난지 백 주년이 되는 해이다. 아마 이를 계기로 국내에서도 그에 대한 연구가 좀더 활발해지리라 예상된다. 부디 이 책이 라캉을 이해하는 데 도움이 되길 바란다. 마지막으로 라캉과 관련된 전문 용어의 경우 많은 것이 아직은 잠정적이라는 것을 밝혀둔다. 아직 전공자들도 많지 않은데다, 전문가들간에도 번역어에 대한 합의가 이루어져 있지 않은 상황 때문이기도 하다. 하지만 상상계나 상징계 등 분명히 잘못된 용어들은 상상적인 것, 상징적인 것 등으로 바꾸었다. 그리고 scansion을 절분으로 번역한 것 등은 아직은 확정될 수 없는 다분히 시험적인 용어 선택이었음을 미리 밝힌다. 따라서 이 분야를 전공하는 다른 분들의 좋은 제안 또는 지적이 있는 경우 언제라도 수정할 수 있음을 알려드린다. 이와 관련해 독자 여러분들의 많은 질정을 고대한다.

　끝으로 이 번역서가 출간될 수 있도록 기회를 마련해주고 세심하게 읽어준 새물결 출판사의 조형준 씨와 김태환씨 그리고 편집부 여러분에게 진심으로 감사의 말을 전한다. 그리고 번역 과정에서 많은 어려움을 겪고 있던 역자에게 여러 가지 설명과 자료로 많은 도움을 주었던 안찬수 시인과, 그리고 뱃속에서 엄마의 스트레스를 고스란히 받았을 아기 동준이에게 미안함과 함께 고마움을 전한다.

2000년 9월

양녕자

서문

자크 라캉은 당대의 온건화된 프로이트주의에 페스트와 전복, 그리고 탈(脫)질서를 끌어들이려고 했다. 파시즘을 견뎌낸 프로이트주의가 민주주의에 너무나 쉽게 적응한 나머지 초창기의 활력을 거의 찾아볼 수 없게 되었기 때문이다. 자크 라캉에 관한 아래의 이야기는 프랑스적이고 발자크적인 열정에 관한 이야기이다. 이것은 루이 랑베르의 청년기, 오라스 비앙송의 전성기, 그리고 발타사르 클라에의 노년의 이야기이다.* 하지만 이것은 동시에 프로이트의 사유와 결합해 인류를 종교와 온갖 꿈, 신비의 세계로부터 구해내려고 노력한 한 원리의 역사이기도 하다. 물론 그렇게 하려면 이성, 지식, 진리는 전혀 무기력하다는 것을

---

* 루이 랑베르는 발자크의 동명의 단편소설의 주인공으로서, 뛰어난 학자인 그는 이미 젊었을 때부터 천재성을 보인다. 오라스 비앙송은 탁월한 의사로서, 그의 허구적 경력은 발자크의 소설 27권에서 소개된다. 발타사르 클라에는 『절대의 추구La Recheche de l'absolu』의 주인공으로 현자(賢者)의 돌(보통의 금속을 금으로 만드는 힘이 있다고 믿어 연금술사들이 애써 찾던 돌 — 옮긴이)을 찾으려는 생각에 골몰해 있다.

고스란히 드러낼 수밖에 없는 경우도 있었다.

나는 이전에 내놓은 『프랑스 정신분석의 역사*Histoire de la psychanalyse en France*』(전2권)에서 이러한 프로이트주의의 백 년간의 역사를 살펴보았다. 즉 프로이트가 살페트리에르 병원에서 샤르코를 처음 만난 1885년부터 프랑스 식의 프로이트주의가 한편으로는 국제주의적 정통파와 다양한 라캉주의로 분열된 1985년까지의 백 년의 역사를 검토해보았다. 이 두 권의 책과 독립적으로 읽어도 무방한 이 세번째 책 또한 이와 동일한 시기를 배경으로 하고 있으며 앞의 두 권에서와 동일한 방법을 택하고 있다. 즉 여러 갈등, 영향, 다양한 세대들, 개념들, 거장들, 제자들, 그룹들, 치료들, 그리고 동쪽으로부터 서쪽으로의 영원한 이주 등에 관한 이야기를 새롭게 조명해볼 생각인 것이다.

필요할 때마다 앞의 두 권의 책에서 언급된 사실이나 사건은 각주나 본문 안에 표시해두었다. 새로운 전거가 어떤 사실을 완전히 새롭게 조명해주거나 이전과 전혀 다른 각도에서 문제를 바라보도록 해주는 경우에는 해당 문장을 다시 쓰는 쪽을 택했다. 내가 이처럼 이전에 지나갔던 길을 다시 걸어가는 것은 하나의 학설의 창조자로 유명한 한 대가의 생애를 다시 들려주기 위해서가 아니다. 나는 오히려 이 책에서 한 역사적 시기 전체에 걸친 지적 여정을 통해 그 대가가 현대, 즉 아우슈비츠 이후의 세계가 프로이트 혁명의 본질을 억압하고 애매하게 만들고 김을 빼버렸다는 믿음 하에 어떻게 자기만의 독특한 사유 체계를 정교하게 만들었는가를 보여주려고 한다.

감사의 말

이 책을 쓰는 내내 언제나 기꺼이 면담에 응해주고 자신의 기억과 서가를 마음껏 이용할 수 있게 해준 시빌 라캉에게 커다란 감사의 인사를 드린다.

또 빈번한 대화와 긴 편지를 통해 10여 년 동안 나의 일을 도와주고 있는 마르크-프랑수아 라캉에게도 감사드린다.

또 친절하게 맞아주고 개인적 일화를 들려주는 등 많은 도움을 준 티보 라캉에도 큰 감사를 드린다.

마지막으로 이 책을 쓰는 데 여러모로 큰 기여를 한 시릴 로제-라캉, 파브리스 로제-라캉, 브뤼노 로제, 그리고 마들렌느 라캉-울롱에게도 감사를 드리지 않을 수가 없다.

나는 또 이 책의 출간이 가능하도록 도와준 아래의 분들에게도 감사드린다.

조르주 베르니에와 프랑수아 발의 개인적 설명은 이 책에서는 없어서는 안 되는 것이었다.

앙겔 데 푸르토스 살바도르는 글로 된 라캉의 다양한 텍스트들에 대한 박학한 지식을 마음껏 사용할 수 있도록 해주었다.

또 쇠유 출판사 관계자 여러분은 1986년 이후 내내 모든 문서를 마음껏 이용할 수 있도록 해주었다.

장 볼라크는 라캉적 로고스를 해석하도록 도와주었다.

올리비에 코르페와 프랑수아 부다에르는 IMEC에 있는 알튀세 문고를 이용할 수 있도록 해주었다.

카트린느 돌토-톨리취와 콜레트 페르슈미니에르는 프랑수아즈 돌토의 문고를 이용할 수 있도록 해주었다.

마들렌느 샵살, 올레시아 솅키에비츠, 셀리아 베르탱, 마리아 안토니에타 마치오키 그리고 카트린느 밀로도 여러모로 친절하게 도와주었다.

디디에 에리봉은 자기 노트들을 볼 수 있도록 해주었을 뿐만 아니라 연구 결과를 건네주고 많은 전거를 알려주었다.

얀 물리에-부탕은 많은 유익한 대화를 나누어주었다.

디디에 앙지외, 안느 앙지외 그리고 크리스틴느 앙지외는 마르그리트 이야기를 들려주었다.

르네 에와 파트릭 클레르부아는 앙리 에 문고를 이용할 수 있도록 해주었다.

페터 쇠틀러는 뤼시앙 페브르에 대한 연구를 도와주었다.

앙리 페브르는 귀중한 증언을 해주었다.

미셸 쉬리아는 조르주 바타이유에 대한 연구를 도와주었다.

파멜라 타이텔, 미셸 토메, 프랑수아 루앙 그리고 장-미셸 바프로는 이 책의 마지막 장을 쓸 수 있도록 해주었다.

뮈리엘 브루케는 여러모로 조언과 지원을 아끼지 않았다.

도미니크 오프레는 알렉상드르 코제브의 일부 원고를 사용할 수 있도록 해주었다.

카테리나 콜타이는 이 책을 쓰는 내내 여러모로 협조를 아끼지 않았다.

셀린느 조프루아는 원고를 검토해주었다.

미셸-에드몽 리샤르는 자크 라캉의 가계를 작성하는 데 도움을 주었다.

페르 마그누스 요한손은 여러모로 유익한 조언을 해주었다.

엘리자베트 바딘터는 원고를 읽어주었다. 클로드 뒤랑은 파야르 출판사에 이 책을 소개해주었다. 자크 세다는 교정을 보아주고 자신의 장서와 문고들을 이용할 수 있도록 해주었다.

이 책을 쓰면서도 나는 『프랑스 정신분석의 역사』에서 사용한 문고와 개인의 이야기, 문서들을 그대로 사용했다. 이와 관련해 특히 아래의 분들이 도움을 주었다.

故 제니 오브리.

故 로랑스 바타이유.

故 세르주 르클레르, 블라디미르 그라노프, 자크 데리다, 폴 리쾨르, 장 라플랑슈, 르네 마조르, 장-베르트랑 퐁탈리스, 로베르 퓌졸, 다니엘 비들뢰혀, 솔랑주 팔라데, 무스타파 사푸앙, 故 실비아 라캉, 자크-알랭 밀레, 故 쥘리앙 루아르, 코스타스 악셀로스, 故 조르주 캉길렘, 크사비

에 오두아르, 모 마노니.

책을 통해 도움을 주거나 개인 소장 자료를 제공해주신 다른 분들에
게도 감사드린다.

쥘리앙 그린,

클로드 레비-스트로스,

아카데미 프랑세즈의 루이 르프랭스-랭게.

스타니슬라스 학교의 장 밀레 신부,

워싱턴 의회 도서관의 헨리 코헨과 피터 스웨일즈,

런던의 프로이트 박물관의 마이클 몰나.

장-에릭 그린, 플로랑스 벨라이슈, 도미니크 보네, 실비아 엘레나 탕
들라, 엘렌느 그라시오-알팡데리, 장 알루슈, 스방 폴랭, 故 폴 시바동,
자크 포스텔, 주느비에브 콩지, 클로드 뒤메질, 레옹 폴리아코프, 프랑
수아즈 베르나르디, 도미니크 드상티, 장-투생 드상티, 스텔라 코르뱅,
크리스티앙 장베, 제프리 멜망, 존 포레스터, 故 앙리 F. 엘랑베르제, 미
셸 엘랑베르제, 뮈리엘 드라지앙, 플라비 알바레즈 데 톨레도, 故 나디
아 파파크리스토폴루스(본명은 파스트레), 프랑수아 쇼에, 르네 질송, 가
브리엘 부알라, 장 자맹, 프레데릭 프랑수아즈, 자니 캉팡, 바버 요한센,
피에르 레이, 프랑수아즈 지루, 로베르 조르쟁, 라파엘라 디 앙브라, 프
랑수아즈 드 타르드-베르제레, 르노 바르바라, 데이르드르 베르, 장 슈
스테, 장-밥티스트 불랑제, 폴 로아장, 이렌느 디아망티, 플로랑스 들레
이, 마들렌느 들레이, 나딘 메스풀레, 장-피에르 부르제롱, 클로드 셰르
키, 안느-리즈 슈테른, 우다 오몽, 파트릭 오몽, 테레즈 파리소, 장 파
리, 프랑수아 르길, 피에르 비달-나케, 파트릭 발라, 세르주 두브로프스
키, 모 마노니, 마리오 시팔리, 미셸 코당스, 베르트랑 오질비, 피에르

마슈레, 미셸 플롱, 디디에 크롱푸, 마리-막들렌느 샤텔, 다니엘 아르누, 기 르 고페, 에릭 포르주, 클로드 알모, 로베르토 하라리, 드니 올리에, 폴 앙리, 자크 르 리데, 롤랑 카엥, 미셸 프랭켈, 쥘리아 보로사, 장 라쿠튀르, 피에르 베레, 장-피 라피에르, 다니엘 보르디고니, 샤를 르 강, 에드몽드 샤를-루, 피에르 모렐, 장 스피르코, 미셸 루상, 티에리 가르니에, 알랭 바니에, 필리스 그로스쿠르트, 장-피에르 살가, 프랑수아즈 가데, 자클린 피농, 산드라 바쉬, 앙드레 하이날, 모리스 드 강디악.

1부 아버지의 모습들

거세당한 아버지
그리고 무서운 아버지의 아버지

1 식초 상인

오래된 오를레앙 지방에서는 초기 카페 왕조가 지배할 때부터 식초 제조 비법이 철저히 비밀에 붙여져왔다. 그래서 19세기 말까지도 식초 전문가들조차 이곳의 식초 제조 과정에는 인분이 사용된다는 끔찍한 전설을 여전히 믿고 있었다. 그래서 도마시 같은 진지한 사람도 제조업 자들이 일꾼들에게 포도주 통에 용변을 보도록 하는 멋진 생각을 했다 고 전하고 있을 정도였다. 며칠 안에 그 액체가 진미 식초로 변하고, 발효에 쓰인 물질의 흔적은 전혀 남지 않을 거라는 것이었다.

물론 식당 주인이나 요리사, 식초 상인, 겨자 상인들은 대대로 이 소 문을 반박하려고 온갖 노력을 기울였다. 이 소문이 아득한 옛날로 거슬 러 올라가는 수공업 전통의 권위를 떨어뜨렸기 때문이다. 동업자들은 이러한 도전을 물리치기 위해 가장 유명한 사람들을 조상으로 내세웠 다. 한니발이 코끼리를 타고 알프스를 넘어갈 때도 눈 위에 식초를 뿌 린 덕분에 알프스에 처음으로 길이 뚫리지 않았는가? 예수 또한 골고

다 언덕에서 술 취한 병사가 내민 식초 묻힌 타월을 적셔 갈증을 달래지 않으셨던가? 식초는 포도주만큼이나 오래되었고, 가난한 자들과 부랑자들 그리고 외인 부대 병사들에게는 포도주나 다름없었다.

오랜 세월 동안 식초 제조인들은 통 제조인과 포도 재배자들과 협력해왔다. 통 제조인들은 자기 작업장에서 식초 통을 수리했고, 포도 재배자들은 포도 저장실에 여남은 개의 식초 통을 함께 저장했다. 길드가 이러한 거래를 관리하면서 사업가들의 간섭으로부터 장인들을 보호했다. 그러나 앙시앵 레짐 시대의 이러한 전통은 프랑스 혁명과 곧이어 등장한 경제적 자유주의에 의해 깨끗이 사라져버렸다.

1824년에 그레피에-아종 회사의 고용인이었던 샤를 프로스페 드소는 식초 제조업의 기계화에 힘입어 자기 회사를 세웠다. 이리하여 34살에 그는 옛날 고용주의 주요 경쟁자가 되었다. 그러나 2년 후 효율성을 제고하기 위해 두 사람은 힘을 합치기로 결심한다. 그리고 협력의 표시로 자식들의 결혼을 주선한다. 그래서 이제 막 어린아이 티를 벗은 샤를-로랑 드소가 어린 마리-테레즈 에메 그레피에-방데와 결혼을 약속하게 되었다. 두 회사는 합병했고, 새로운 왕국의 운영은 드소 집안에서 맡기로 했다. 아버지와 아들은 뜻이 잘 맞았고 사업은 번창했다.

19세기 초부터 오를레앙 지방의 식초 제조인들은 샤프탈 방식을 도입했는데, 이것은 초산이 만들어지는 과정에 대한 라부아지에의 설명을 그대로 따른 것이었다. 이 방식의 도입은 루아르 산(産) 백포도주의 뛰어난 품질과 아울러 이들의 제품이 세계적 명성을 얻는 요인이 되었다. 전세계적으로 널리 인정받은 오를레앙 지방의 유명한 식초 제조 비법은 '초산 점액균'이라는 박테리아를 번식시키는 데 있었는데, 이 박테리아가 포도주의 알코올을 산화시키는 역할을 했다.

오를레앙 지방의 모든 식초 제조업자들이 가입한 길드는 1821년부터 성모승천 축일마다 식초 축제를 열었다. 잔 다르크와 성모 마리아를 숭배하는 루아르 강가의 아름다운 옛 도시는 전 시민이 가톨릭 신앙을 따르고 있다는 사실을 자랑스럽게 과시하려고 했다. 그러나 이런 열광과 일치된 신앙도 정치적 분쟁으로 인한 이 지방의 여러 가문들의 가정 불화를 막을 수는 없었다. 은퇴할 나이에 이른 샤를-프로스페는 애통하게도 두 아들이 앞으로는 절대로 얼굴을 마주보지 않으리라는 것을 사실로 받아들일 수밖에 없었다. 큰아들인 샤를-로랑은 나폴레옹 파였고, 둘째아들인 쥘은 공화파였기 때문이다. 가족 사업이라는 측면에서 보면 형제간의 이런 불화는 큰 재난이었다. 창립주인 아버지가 여러 번 화해를 시도해보았지만 집안이 분열되는 것을 막을 수는 없었다. 1850년에 쥘은 형에게 드소 가문 자식으로서의 의무를 모두 맡기고 경쟁사를 설립한다. 1851년 12월에 루이 나폴레옹이 쿠데타를 일으키자 샤를-로랑은 환호했고, 제2제정(1852년 12월~1870년 9월) 하의 생활 방식을 기꺼이 받아들였다. 게으르고 사나운 기질을 갖고 있던 그는 사냥과 방탕을 일삼았고 회사 운영을 독식했다. 16년 동안 회사를 운영하다가 파산 직전까지 내몰린 그는 큰아들인 폴 드소를 회사 운영에 참여시켰다.

파스퇴르의 실험에 의해 식초 제조술이 근본적으로 바뀌고 있던 바로 그 시기에 포도밭은 포도나무뿌리진디에 의해 황폐화되고 있었다. 파스퇴르는 초산 발효에 관한 유명한 강의에서 점액균이 산화 작용을 한다는 증거를 제시했다. 이를 계기로 정상적인 초산화 과정을 방해하는 수많은 질병을 유발하는 효모들을 급속 살균하는 방법이 연구되기 시작했다.

포도 재배자들이 애써 포도나무를 다시 심고 식초 제조인들은 파스퇴르의 발견을 이용하려고 하는 사이 시장에는 강력한 경쟁 상품이 침입해 들어왔다. 알코올 산(酸)이 바로 그것이었다. 맹렬한 경쟁이 시작되었다. 그리하여 이 와중에 포도주로 식초를 만드는 전통적인 방식을 고집하던 수많은 제조사들은 문을 닫아야 했다.

바로 이때 폴 드소가 이른 나이에 급사했다. 그러자 동생 뤼도비크 드소가 아버지 회사의 운영을 맡게 되었다. 그는 천재였다. 30년 동안 악착같이 일하면서 아버지의 식초 회사를 현대적인 공장으로 변모시켰다. 투르-뇌브 가 17번지에 자리잡은 공장들은 일종의 작은 섬을 이루었다. 검은 돌로 지어져 거대한 자태를 드러내는 건물들이 집결되어 있던 이곳에서 귀한 '고급 포도주'가 생산되고 저장되었다. 사장인 뤼도비크는 노동자들이 밤낮으로 일하는 회사 내의 간소한 가옥에서 가족과 함께 살았는데, 1900년이 되면 노동자 수는 무려 180명에 이르게 된다.

그는 경쟁사들을 누르기 위해 자신의 양조통으로 직접 알코올 산을 만들어보려는 과감한 생각을 한다. 그 결과 전통도 계승하고 회사도 살릴 수 있었다. 드소 사의 알코올 산은 오이 통조림에 이용되었고, 포도 산은 식탁과 부엌에서 소비되었다.

상품 유통을 강화하기 위해 그는 새로운 대중적 의사소통 방식인 광고에 뛰어들었다. 드소 피스 사가 1789년에 설립되었음을 알리는 거짓 상표를 붙인 덕분에 그는 프랑스의 모든 식료품 가게에 자사 브랜드의 지위를 공고히 할 수 있었고, 다음에는 식민지 시장의 정복을 시도할 수 있었다. 상표가 유포되면서 이 회사의 창업자인 샤를-프로스페가 프랑스 혁명이 일어난 해에 회사를 설립했다는 전설이 어느 정도 사실인 것처럼 퍼지게 되었다. 하지만 그는 1790년 이전에는 아직 태어나지도 않았다. 그리하여 어쨌든 그는 꾸며낸 연대기에 따라 실제 그와는 다른 인물이 되었다. 왜 그렇게 했을까? 아마도 제3공화정의 수립 직후 뤼도비크가 드소 피스 사가 그레피에-아종의 오래된 가계에서 생겨나 곧 그 회사를 합병했다는 사실을 대중에게 상기시키고 싶었기 때문이 아니었을까?

뤼도비크 드소는 노동조합 운동의 성장과 사회주의 사상의 보급이 가져올 위험을 깨닫고는 예비적 개혁 프로그램을 도입함으로써 이에 보조를 맞추었다. 기계화가 급속히 진행되면서 여남은 명의 사람만으로도 통 제조 기계를 밤낮으로 돌아갈 수 있게 해 24시간 내에 4만 리터의 식초를 생산할 수 있게 되었다. 숫자상으로 15배나 많은 나머지 노동자들은 관리, 감독, 행정 업무를 맡았다. 뤼도비크는 노동자들을 통제하고, 1871년의 파리 코뮌 이후 확산되기 시작한 '혁명적 메시아주의'의 영향을 피하기 위해 온정주의와 함께 도덕과 종교에 기반한 체제를 만들어냈다. 그래서 1880년에 그는 13개 조항으로 구성된 사규를 발표했는데, 특히 회사의 정상적인 운영에 필수불가결하다고 판단된 기본적인 미덕, 즉 경애심과 청결, 시간 엄수가 핵심적인 슬로건이 되었다. 노동자들은 하루에 열한 시간씩 일 주일에 6일을 일해야 했다. 매일 아침 기도문을 암송해야 했고 근무 시간에는 절대 잡담을 해서는 안 되었다. 포도주와 술, 담배는 금지되었고 복장은 엄격하게 검열받았다. 그래서 자유로운 복장이나 짙은 색상, 떨어진 스타킹은 금지되었다.[1] 이처럼 20세기의 벽두에도 드소 피스 사는 여전히 단조로움, 침묵, 편협함 등 침체된 회색빛 세계 속에 빠져 있었다.

뤼도비크의 누나인 마리 쥘리 드소는 21살이 되는 1865년에 에밀 라캉을 만난다. 에밀 라캉은 샤토-티에리 출신으로서 그의 집안은 그곳에서 수세대에 걸쳐 시트와 식료품 장사를 하고 있었다. 그는 여행을 좋아했다. 그래서 드소 피스 사에 영업사원으로 취직했다. 성실하고 검소하며 고집센 에밀은 사장 누나와 결혼하게 되면 성공할 수 있을 뿐만 아니라 오를레앙 시에서 가장 존경받고 있는 가문의 일원이 될 수 있다는 것을 금방 눈치챘다. 식료품 상인의 아들인 그에게 그러한 신분 상승은 대단한 것이었다.

뤼도비크는 누나의 결혼에 찬성했다. 그래서 자신의 세 아들, 즉 폴, 샤를, 마르셀을 회사 운영에 참여시키는 데 누나의 반대를 피할 수 있었다. 하지만 누나도 언젠가 자기 자식을 회사 운영에 참여시켜 계속 가족의 이익에 깊이 관여하고 싶어했고, 뤼도비크도 누이의 계획에 반대하지 않았다. 그래서 1866년 1월 15일에 결혼식이 치러지고 9개월 후 자식이 태어났다. 그들은 아이에게 르네라는 이름을 지어주었다(이 아이는 28세에 요절한다). 그후 마리 쥘리는 세 명의 아이를 더 낳았다. 두 딸 마리, 외제니와 아들 알프레드였다. 알프레드로 알려진 샤를 마리 알프레드 라캉은 부모가 결혼하면서 자리잡은 포르트-생-장 가 17번지의 부르주아 가문에서 1873년 4월 12일에 태어났다. 그는 요절한 엄마의 삼촌 이름과 외할아버지 이름을 함께 물려받았다. 외할아버지는 가문의 시조에게서 직접 자기 이름을 땄다. 그리고 마리는 예수의 어머니이자 오를레앙 식초의 수호신 이름을 딴 것이다.

19세기 말엽 뤼도비크는 식민지에 지점들을 세웠다. 그는 오이 피클과 겨자, 술, 식초를 서인도 제도에 팔았다. 마르티니크 섬에서는 럼주를, 그리고 과들루프 섬에서는 커피를 수입했다. 그래서 그는 식료품 분야에서 거상이 되었다. 한편 에밀 라캉은 여전히 회사 영업사원으로 여행을 다니다가 오를레앙을 떠나 파리 중심가에 정착해 1853년에 세워진 보마르셰 가 95번지의 으리으리한 건물에 살게 되었다.

1층에 있는 특허 등록소는 이 평온한 지역에 살고 있는 공증인과 연금생활자들, 그리고 에밀과 같은 영업사원들의 순응주의를 아주 훌륭하게 표현하고 있었다. 조금 떨어진 생-클로드 가의 모퉁이에는 일명 주세페 발사모라고 불리는 불운의 모험가 칼리오스트로*의 옛 저택이 있었다.[2]

---

* Cagliostro, 18세기에 유럽에서 이름을 날린 이탈리아 태생의 사기꾼이자 모험가. 특히 파리 상류 사회에서 사기술로 대단한 명성을 떨쳤다. 이탈리아인인 칼리오스트로(주세페 발사모, 1743~95)는 오스트리아인으로서 '동물자기학'의 창시자인 프란츠 안톤 메스메(1734~1815)와 항상 혼동되어왔다. 프랑스 혁명 전에 두 사람은 모두 프리메이슨 단원이었으며 괴짜들과 어울렸다. 하지만 메스메는 진짜 의사이자 과학자로서 초기의 역학적 정신의학의 창시자였다.

1860년대에 이 구역(선정적인 연극이 공연되었기 때문에 '범죄 소굴'로 알려진 탕플 가까지)에는 수많은 장터 무대들이 들어서곤 했다. 이곳에서 어릿광대들은 곡예를 부리면서 하층에 속하는 난쟁이들과 피골이 상접한 사람들, 재주부리는 개들, 복화술사들 등과 경쟁하며 사람들의 관심을 끌었다. 근처에는 민중주의 소설가 폴 드 콕이 살고 있었다. 젊은 여공들의 우상이었던 그는 항상 파란색 플란넬 옷차림에 손에는 코안경을 들고, 머리에는 빌로드로 만든 빵 모자를 쓴 채 거리를 활보하고 다녔다.

그러나 보불 전쟁과 파리 코뮌을 거치면서 이 거리도 변화를 겪었다. 급부상한 부르주아 계급은 변두리의 프롤레타리아 계급의 평등에 대한 희망을 꺾기 위해 법과 질서를 내세워 그들을 짓밟았다. 어릿광대와 복화술사들은 쫓겨나고, 부르주아 계급은 계산된 안락함을 만끽하며 은근히 자신들의 근면함과 공인된 힘에 자부심을 느꼈다.

에밀 라캉은 독단적이고 까다로운 사람이었지만 아내에게는 꼼짝못했다. 아내는 가톨릭 교리를 엄격하게 준수했다. 그래서 알프레드는 노트르-담-데-샹의 작은 신학교 기숙사로 보내졌다. 그는 가정의 따뜻함을 빼앗아간 부모를 원망하며 그곳을 뛰쳐나왔다.[3]

일할 나이가 되었을 때 그는 한창 번창하고 있던 드소 사에 들어가게 되었다. 입사하자마자 그는 금방 이 회사의 이상을 완벽하게 수행할 뛰어난 대표자로서의 자질을 발휘했다. 그는 문화적인 취미는 거의 없었고, 경영과 회사의 이익만을 생각했다. 콧수염을 기른 통통한 모습의 그는 벨 에포크(Belle Epoque) 시대의 평범한 소상인의 모습으로 전능한 아버지의 권위에 짓눌려 있었다.

1898년경 알프레드는 에밀리 필리핀느 마리 보드리를 알게 되었다. 그녀의 아버지는 금박 제조공이었지만 지금은 부동산 투자 수익으로 살아가고 있었다. 보드리의 집은 보마르셰 가 88번지에 위치한 라캉의 집과 같은 건물에 있었다. 신학교에 다닌 그녀는 어릴 적 친구였던 세실 가지에에게서 얀센 파의 영향을 받았다. 그녀의 아버지 샤를 보드리는 상냥했지만 과묵한 편이었으며, 어머니 마리-안느 파비에는 독실한 신앙인이었다. 23세의 에밀리 역시 간소한 복장을 좋아했다. 마른 편이었던 그녀는 검은 눈빛에 항상 검은색 옷을 입고 있어서 마치 기독교의 이상을 위해 사는 것처럼 보였다. 이것은 드소 가의 시골티 나는 평범한 종교심과는 좋은 대조를 이루었다.

그녀와 알프레드는 1900년 6월 23일에 생-폴-생-루이 교회에서 결혼한다. 열 달 후인 1901년 4월 13일 오후 2시 반에 그녀는 첫아이를 낳았다. 그리고 아이에게 자크, 마리, 에밀이라는 세 개의 이름을 지어주었다. 아버지와 두 할아버지가 그를 파리 제3구역 시청에 데리고 가서 출생 신고를 했고, 생-드니-뒤-사크르망 교회에서 세례를 받도록 했다.

에밀리 보드리-라캉은 산후 조리를 마치자마자 또 임신한다. 그래서 1902년에 둘째아들 레이몽을 낳는다. 하지만 그 아이는 2년 후 간장염으로 죽게 된다. 그후 1903년 4월에 그녀는 또 임신 사실을 알게 되고 12월 25일 새벽 1시 반에 딸 마들렌느 마리 엠마뉴엘을 낳는다. 27일 아침에 아버지는 세바스토폴 가에 있는 상점 여주인과 아기의 외할아버지를 증인으로 세우고 출생 신고를 한다. 그때 에밀리는 27세였다. 그녀는 1908년에 네번째 아이 마르크-마리(나중에는 마르크-프랑수아라고 불리게 된다)를 임신해서 12월 25일 새벽 0시 10분에 낳는다. 마지막 임신으로 기운이 다 빠진 그녀는 배에 고통을 느껴 수술을 받아야 했다. 수술 후 그녀는 더이상 임신할 수가 없게 되었다.

자크가 태어나자 에밀리는 폴린느라는 이름의 젊은 여자 가정교사를 고용했다. 그녀는 세 아이를 모두 좋아했지만 곧 어린 '마르코(Marco)'를 눈에 띄게 편애했다. 그래서 자크(흔히 '자코'라고 불렸다)는 어머니의 편애를 받고 있으면서도 동생을 질투했다. 그는 아주 어릴 때부터 변덕스럽고 폭군적인 성격을 보였고, 맏이임을 내세워 끊임없이 먹을 것과 돈, 선물 등을 졸라댔다. 그는 마르코에게 항상 아버지처럼 행동했다. 마치 쇠약한 아버지 알프레드를 대신하려는 것처럼.

겉으로 보기에 세 아이는 종교에 의해 단합된 화목한 가정에서 생활하는 것처럼 보였다. 하지만 실제로 보마르셰 가의 같은 건물에 살았던 두 집안은 갈등을 빚으면서 점점 관계가 멀어졌다. 에밀리는 시어머니 마리 쥘리와 뜻이 맞지 않았다. 그녀는 시어머니가 남편에게 너무 권위적이라고 생각했고, 시누이들인 마리와 외제니의 옹졸함을 참을 수 없어했다. 그 바람에 알프레드는 아버지와 사이가 틀어지게 되고, 아버지는 은퇴해서 오를레앙으로 내려갔다. 아들은 아버지 자리를 물려받아 이제 여기저기 돌아다니는 대신 파리에 머물면서 드소 사의 파리 지점장이 되었다. 친절하고 재기발랄했던 그는 고객들과도 훌륭한 관계를 유지할 줄 알았고 파리 상인들의 관례에도 정통했다.[4]

겉으로 보기에는 평범하게 관례를 추종하는 가정에서 보낸 어린 시절에 대한 자크의 기억은 끔찍한 것이었다. 숨막히는 신앙심과 가족간의 끊임없는 갈등 속에서 자란 그 역시 할아버지와 끊임없이 싸웠다. 그는 할아버지를 경멸했고, 아버지가 죽은 지 1년이 되었을 때는 공개적으로 할아버지를 전대미문의 폭력가로 묘사했다. "'내 할아버지는 내 할아버지이다'라고 말한 의미는 이렇다. 그 노인은 가증스런 프티 부르주아로서 그 끔찍한 분 덕분에 나는 어려서부터 신을 철저히 저주하는 법을 배울 수 있었다. 그는 내 아버지의 아버지로 공식적으로 호적에 기재된 바로 그 사람이다. 그가 내 아버지의 어머니와 결혼했을 때부터, 그리고 내 아버지의 탄생이 여기서 문제되는 문서에 기록된 때부터."[5] 그는 부권의 품위에 먹칠을 한 아버지였던 에밀을 용서하지 않았다. 동생 마르크-프랑수아는 이렇게 쓰고 있다. "형은 할아버지 때문에 에밀이라는 이름을 갖게 되었다. 할아버지는 형이 아버지-의-이름을 발견하는 데서 아버지보다 더 중요한 역할을 했다." 그리고 "할아버지가 형을 아버지다운 자애로움으로 타이르지 않고 구석에 세워 벌을 줄 때마다 형은 '저런 사람이 아버지라면 모든 아버지들을 저주할 거야.'라고 말했다. 그러나 진짜 아버지 알프레드는 자식들을 사랑했고 또 자식들의 사랑을 받았다".[6]

에밀이 오를레앙으로 돌아가자 알프레드 역시 가족과 함께 보마르셰 가를 떠나 몽파르나스 가로 이사했다. 자크를 스타니슬라스 학교에 통학생으로 입학시키기 위해서였다. 이 학교에는 그랑 부르주아 계급과 중상류 계급에 속하는 가톨릭 집안의 최고 자제들이 다녔다. 자크를 이 학교에 보내기로 한 결정은 정교 분리 정책이 채택된 지 꽤 시간이 흘렀음에도 불구하고 라캉-드소-보드리 집안이 여전히 교권주의에 심취해 있었고, 세속주의와 공화국의 가치에 적개심을 품고 있었음을 보여준다.

알프레드는 오랫동안 아버지와 사이가 틀어져 있었지만 1차 세계대전이 발발하기 전까지는 처갓집 식구들과 생애 중 가장 여유로운 시기를 보냈다. 그는 베르사이유 변두리에 있는 주이-앙-조사에 안락한 집을 하나 빌렸는데, 막내아들의 이름을 따서 '마르코 빌라'라고 불렀다. 에밀리는 남동생 조세프와 여동생 마리, 동생의 남편 마르셀 랑글레와 함께 시골에서 소풍을 하며 즐거운 시간을 보냈고, 조카들(로제, 안느-마리, 장, 로베르)은 삼촌인 알프레드와 함께 재미있게 구주희(九柱戱) 놀이를 했다. 한편 '자코'는 아버지가 산 멋진 자동차를 보고 너무나 기뻐했다. 벌써부터 자동차 속도의 매력에 빠져버린 그는 겁도 없이 핸들을 잡고 운전하는 시늉을 내거나 운전사인 가스통의 옆에 의기양양하게 앉아보기도 했다.[7]

스타니슬라스 학교는 1848년 혁명 이후 크게 부흥하기 시작했다. 민중봉기에 위협을 느끼게 되자 전에는 그렇게 종교에 회의적인 교권(敎權) 반대론자를 자처했던 지배층이 거리의 바리케이드와 민중봉기에 놀라 자식들을 종교 학교에 입학시켰던 것이다. 그후 몇 년 동안 스타니슬라스 학교의 학생 수는 천 명을 넘었다. 19세기 말경에 마리아 회 신부들은 학교를 운영하면서 새 건물을 더 지어 계단 강의실과 연구실, 신체 단련실 등을 만들었다.

엄격한 전통도 세워졌다. 과학과 문학 아카데미가 세워졌고, 회원들은 기념일마다 금색으로 테를 두른 녹색 현장(懸章)을 어깨에 둘렀다. 그리고 1월 28일, 즉 학교의 수호성인인 샤를마뉴의 축일에는 최우등 학급 학생들을 위한 축제를 열었다. 이날에는 최우등 학생들이 동급생들 앞에서 철학이나 문학에 관련된 연설문을 발표했다.

하지만 1901년 7월에 마리아 회가 교육을 하려면 공식적으로 허가를 얻어야 한다는 법률이 제정되면서 전반적인 상황이 바뀐다. 하지만 허가 신청은 승인되지 않았다. 그러자 곧바로 이러한 결정을 철회하기 위한 대대적인 서명 운동이 벌어졌다. 일부 졸업생들은 부동산 회사를 세워 건물과 교육 설비를 구입하고, 학교(collège)라는 사명(社名)을 얻었다. 이를 계기로 스타니슬라스 학교는 재속 신부와 평신도인 선생들이 교육을 맡는 사립 가톨릭 학교가 되었다.[8]

『르 시옹Le Sillon』지의 창립자이며 단명한 시옹 파 기독교 민주주의 운동의 설립자인 마르크 상니에 신부가 여기에 동참해 새 이사회의 이사장으로 선출되었다. 이리하여 파리에서 가장 보수적인 종교 학교 중의 하나였던 스타니슬라스 학교가 라므네*의 정신적 계승자의 개입으로 구원되었다. 하지만 그는 곧 1910년에 보수주의적이고 정통파적인

---

* Lamennais, 1782~1854, 프랑스의 사제로 프랑스 혁명 이후 정치적 자유주의와 로마 가톨릭 신앙을 결합시키려고 하였다.

생각을 가진 가톨릭을 계몽주의 정신으로 물들이려 했다고 바티칸으로부터 비난받게 된다.[9]

1903년에 상니에가 이사장직을 물러나자 포토니에 신부가 교장이 되었다. 그의 임기는 17년 동안 지속되었는데, 이 시기는 어린 라캉의 동급생들에게 잊지 못할 추억을 남겼다. 수학 교사 자격을 갖고 있던 이 신부는 학교 운영보다 방정식에 더 익숙했지만 그가 책임지고 있는 어린 학생들에게 혼신의 힘을 쏟았다. 그는 학생들을 부를 때 항상 이름을 불러주었고, 공부만큼이나 학생들의 건강을 걱정했다. 그리고 학교를 졸업한 후에도 그들의 변화를 계속 지켜보았다. 그는 자기 지갑을 모두 털어 가난한 부모들을 도왔을 뿐만 아니라 가난한 대학생들이 스타니슬라스 학교 상급생들의 자습을 감독하면서 학사 자격 시험을 준비할 수 있도록 교칙을 바꾸었다. 1차 세계대전 전에 이 학교를 다닌 젊은이들 중에서 몇 명은 유명인이 되었다. 샤를 드 골은 1908년에서 1909년까지 2년 동안 이 학교에 다니면서 에콜 드 생-시르(육군사관학교 —옮긴이) 입학 시험을 준비했고, 드 골보다 나이가 어렸던 조르주 기느메르는 짓궂은 장난꾸러기로 유명했다.[10] 그는 비행사로서 전쟁 영웅이 되었는데, 1917년 비행기가 격추됨으로써 생을 마감한다.

1908년에 장 칼베 신부가 스타니슬라스 학교에서 상급생들을 위한 문학 수업을 맡았다. 그는 카오르(Cahors)의 유명한 신학교에서 페르낭 달뷔를 스승으로 두었는데, 윤리 교수였던 달뷔는 영국 국교회와 그리스 정교회를 화해시키려고 시도했었다. 칼베는 보쉬에 식으로 말했고 공자를 생각나게 했다. 소르본느 대학에서 귀스타브 랑송과 에밀 파게의 지도를 받은 그는 프랑스 고전주의 전문가가 되었다. 그의 문학 수업은 합리주의적이면서도 옹졸한 성직자의 기질 그대로 이루어졌다. 17세기의 루이 14세 시대 작가들이 가장 강조되었다. 파스칼과 보쉬에가 선두에 있었고, 다음에는 라신느와 말레르브, 라 퐁텐느가 있었다.

18세기 문학과 에른스트 르낭의 저서들은 그냥 지나쳤다. 근대시는 보들레르와 말라르메가 아니라 프뤼돔므와 에드몽 로스탕으로 대표되었다. 보들레르는 '병적인 시인'으로 취급되었고, 말라르메는 언급조차 되지 않았다. 학감이었던 보사르 신부는 항상 걱정스런 모습으로 소위 문학의 유혹과 싸울 준비를 했다. 그는 랭보처럼 되기를 꿈꾸는 학생들에게 이렇게 말하곤 했다. "명심하십시오, 여러분의 정신이 신경쇠약에 걸리지 않도록 말입니다."[11]

철학 수업에서는 데카르트가 가장 높이 평가되었다. 젊은 라캉은 이처럼 오래된 기독교의 요새 안에서 학창 시절 내내 고전 교양 수업을 받았지만 이 수업은 계몽주의와는 전혀 무관했으며 현대 사상과도 차단되어 있었다. 대신 모든 것은 학교의 교훈에 반영되어 있는 기독교적인 데카르트주의에 집중되어 있었다. '프랑스인은 두려움을 모르며, 기독교인은 비난받을 일을 하지 않는다.' 라캉의 동기생 중에는 나중에 아카데미 프랑세즈 회원이 된 루이 르프랭스-랭게와 도지사가 된 자크 모란느, 유명한 의사가 된 폴 드 세즈, 작가이자 쥘리앙 그린의 절친한 친구가 된 로베르 드 생 장이 있었다.

1915년 이후 라캉 집안의 단조로운 생활은 전쟁에 의해 깨졌다. 알프레드는 중사로 동원되어 군대 식량 공급처로 배치되었다. 그러자 에밀리가 남편을 대신해 드소 사의 대리인 자리를 맡았다.[12] 스타니슬라스 학교의 일부는 군 병원으로 개조되었고, 운동장에는 전방에서 후송된 부상병들의 숙소가 마련되었다. 라캉은 아마 이들의 절단된 팔다리와 몽롱한 시선들을 보면서 의사가 되려는 생각을 하게 되었을 것이다. 하지만 이 시기에 그는 특히 자기 자신에게 몰두해 있었던 것 같다. 그는 무엇에나 일등이 되려고 악착같이 노력했다. 로베르 드 생 장은 이렇게 쓰고 있다. "선생들까지도 라캉을 두려워했다. 그는 항상 일등이었다. 예민한 눈, 비웃는 듯한 근엄한 태도. 그는 아무도 모르게 학우들과 적당한 거리를 두었다. 휴식 시간에도 그는 우리가 하는 인디언 잡기 놀이에 절대 끼지 않았다. 언젠가 프랑스어 작문에서 딱 한 번 그가 일등을 놓친 적이 있었다. 그의 반응은 이랬다. '네가 왜 이겼는지 잘 알지? 넌 세비녜 부인*처럼 쓰잖아!'"[13]

그는 결코 아이들 놀이에 흥미가 없었다. 사춘기가 되었을 때 거만함은 그의 가장 큰 특징이었다. 하지만 로베르 드 생 장의 말과는 달리 라캉은 일등을 해본 적이 없었다. 일등은 항상 자크 모란느가 차지했다. 그리고 우수상도 타본 적이 없었다. 물론 라캉은 똑똑한 학생이었다. 종교 과목과 라틴어 번역에서 특히 훌륭했다. 하지만 다른 과목들에서는 준우수상을 몇 번 타는 것에 그쳤다. 최고 학년이었을 때 그의 성적은 9~19학점(미국식으로 본다면 C~A$^+$학점) 사이에 들었고, 최고 평균 점수는 15학점(미국식으로는 A학점) 정도였다. 1916~17년 동안 그를 가르쳤던 교사들의 평가를 보면, 라캉은 변덕스러웠고 약간 건방졌으며 가끔은 난처한 행동을 하기도 했다. 특히 시간을 제대로 관리할 줄 몰랐고 다른 학생들처럼 처신하지 않았다고 한다. 건강이 좋지 않아 자주 결석하기도 했지만 여러 번 도망가기도 했고, 무기력과 퇴폐적 쾌락이 뒤섞인 일종의 권태감으로 고통스러워했다.[14]

그는 막내동생에게는 아버지처럼 보호자 행세를 했다. 선생 역할을 자임해 동생이 라틴어 숙제를 암송하도록 했다. "형이 열다섯 살이고 내가 일곱 살이었던 1915년부터 형은 내 라틴어 공부를 도와주었다. 나는 지금도 형이 써준 격(格)과 동사법에 대한 아름다운 글씨들을 간직하고 있다."[15] 이때쯤 그는 스피노자의 저서를 접하게 되었다. 그는 『윤리학』의 구조를 색깔 있는 화살표로 그린 도식을 침대 쪽 벽에 걸어

---

* 1626~96, 프랑스의 작가로 수많은 편지를 남겼다. 사교계의 자잘한 사건들, 유명인사들에 대한 이야기, 그리고 일상생활에서 일어난 작은 일 등을 섬세한 감수성과 자유로운 상상력을 바탕으로 즉흥적으로 써내려간 그녀의 편지는 서간체 문학의 획기적인 모범으로 평가받고 있다.

두었다.[16] 소상인의 세계에서 이것은 전복적인 행위로서 장남이 가업을 계승하기를 바라는 아버지의 희망에 거역하여 자기 희망을 표명한 첫번째 시도였다.

1917~18년 학기에 라캉은 장 바뤼치라는 훌륭한 인물의 가르침을 받는 행운을 얻게 되었다. 훗날 바뤼치는 라캉과 절친한 사이가 된다. 1881년에 태어난 장 바뤼치는 스타니슬라스 학교에서 철학을 가르치면서 요한네스*의 삶과 작품에 관해 박사 논문을 쓰고 있었다.[17]

이 합리주의적인 가톨릭 사상가의 작업은 에티엔느 질송과 알렉상드르 코이레, 앙리 코르뱅과 공통되는 요소를 갖고 있었는데, 이들은 직접적이건 간접적이건 나중에 모두 라캉에게 영향을 미치게 된다. 그의 글은 1886년에 고등연구원(EPHE)에 종교학부(제5학부)가 신설되면서 새로 자리잡기 시작한 프랑스 사상의 흐름에 속했다. 철학과 역사학 연구를 위한 제4학부가 개설된 지 18년 후에 옛 신학부를 대신해 제5학부가 설치된 것이었다. 신학부는 1885년 이후에는 대학에서 사라졌다. 교회와 국가는 분리되었지만 이전에 신학이라는 이름 아래 가르쳤던 과목들에 대한 연구를 계속할 필요가 있었던 것이다. 그러나 이제 종교는 과학과 역사학 그리고 비교 연구의 대상이 되어야 했다. 따라서 이런 방식의 종교학부의 신설은 한편으로는 가톨릭 신도들과 다른 한편으로는 좌익 교권 반대론자들의 공격을 받을 수밖에 없었다. 가톨릭 신도들은 성스러운 텍스트에 대한 연구를 신앙과 신의 계시 문제와 분리시키는 것을 거부했고, 좌익들은 종교는 미신으로서 대학에서 추방되어야 마땅하다고 생각했다.[18] 그런데 종교학부를 신설한 사람들은 다른 입장을 취했다. 그들은 '가톨릭에 찬성 또는 반대'하는 투쟁 어느 쪽에도 끼지 않았다. 이들은 실용 과학의 도구를 갖고 비판적인 정신으

---

* Johannes, St. John of the Cross, 1542~91, 스페인 태생의 기독교 신비주의자이자 시인으로, 스페인 수도원 운동 개혁자이자 '맨발의 카르멜 회'의 공동 설립자이다.

로 종교 현상을 연구할 필요가 있다고 주장했다. 1931년에 코이레는 이렇게 쓰고 있다. "실제로 종교학부의 교수들 중에는 프로테스탄트 석학들뿐만 아니라 가톨릭 신도들, 그리고 자유 사상가들, 유대교 신도들, 심지어 신부들과 랍비들도 있었고, 지금도 여전히 그렇다."[19]

바뤼치의 연구는 이러한 개념의 종교 연구와 일치했다. 그는 철저하게 세속적이고 반교권주의적인 전통에 맞서면서 "은총의 세계에서 함께 살려고 하지 않으면서 기독교 신비론자를 이해한다는 것은 불가능하다"고 주장했다.[20] 하지만 신학자들과 논쟁할 때는 은총의 교의를 그대로 받아들이는 것을 거부했다.

바뤼치의 가르침은, 일찍 접하게 된 스피노자의 철학과 아울러 라캉의 성장에 변화를 가져왔다. 그는 가정에서 실천되는 독실한 가톨릭 신앙 대신에 박식하고 귀족적인 가톨릭 사상에 눈을 뜨게 되었는데, 이것은 종교와 관련된 여러 문제를 이해하는 데 문화적 기저(基底) 혹은 비판의 도구가 되었다. 여기서 에밀리 보드리의 어릴 적 친구였던 세실 가지에 역시 중요한 역할을 했다. 라캉은 그녀를 진심으로 존경했고, 그녀는 아버지 오귀스탱 가지에가 쓴 얀센 파의 역사에 관한 글들을 라캉에게 보여주었다.[21]

열일곱 살에 자크는 동생 마르크가 신랑측 들러리를 섰던 어느 결혼식에서 처음으로 성을 경험한다. 상대는 아버지의 여자 고객이었다.

마르크는 아주 어렸을 때부터 성직자가 되고 싶다고 말해왔다. 하지만 그런 꿈을 갖고 있던 그도 여사촌을 사랑하게 되었고 그녀와 결혼할 생각까지 하게 되었다. 하지만 사춘기가 되자 그는 수도 생활을 선택했고, 결국 성생활이나 부부 생활과는 멀어지게 되었다. 그는 이렇게 말한다. "어머니는 평생 내가 숭배한 유일한 여자였습니다. 아버지와 달리 어머니는 독실한 기독교 신자이셨습니다. 어머니는 한 번도 나에게 성직자가 되라고 하신 적은 없습니다. 하지만 내 결정에 아주 기뻐하셨습니다. 반면 아버지는 반대하셨습니다."[22]

라캉은 프란시스 굴랭과 로베르 드 생 장과 함께 오데옹 가 7번지에 위치한 아드리엔느 모니에의 서점인 '셰익스피어 & Co.'를 자주 드나들기 시작했다. 둥글고 부드러운 얼굴에 늘 긴 주름 치마를 입고 있던 그녀는 독회를 열어 손님들이 이미 유명해진 앙드레 지드나 쥘 로맹, 폴 클로델 같은 작가들을 만날 수 있도록 해주었다. 라캉은 다다이즘에도 흥미를 느꼈고, 곧 『문학Littérature』지를 통해 새로운 정신과 초현실주의의 초기 주장들을 접할 수 있었다. 그는 앙드레 브르통과 필리프 수포를 만났고, '셰익스피어 & Co.' 서점에서 열린 제임스 조이스의 『율리시즈』의 첫 독회에서는 넋을 잃고 들었다. 당시 심한 우울증에 빠져 있던 그는 자신이 자라온 가족 세계와 기독교적 가치를 과감하게 내던졌다.[23] 그가 처음으로 프로이트의 이론을 접하게 된 것은 1923년경이었다. 하지만 당시 그의 관심을 끈 것은 실제로는 샤를 모라스(우익 잡지인 『악시옹 프랑세즈L'Action française』의 창간자이자 2차 세계대전 동안에는 나치 협력자였다 — 옮긴이)의 사상이었다. 반(反)유대주의 원칙에는 동의하지 않았지만 라캉은 여러 차례 그를 만났고, 『악시옹 프랑세즈』 모임에도 참가했다.[24] 이러한 모임에서 거리낌없이 표출되던 급진주의와 엘리트주의를 접한 그는 그만큼 더 끊임없이 증오했던 가족적 배경과 멀어지게 되었다.

부모는 아들의 이러한 태도를 걱정하기 시작했다. 아들이 자기 출신을 경멸하고, 댄디처럼 옷을 입고, 라스티냑(발자크 소설에 나오는 야심가 — 옮긴이)처럼 되는 꿈을 꾸는 듯이 보였기 때문이다. 어느 날 로베르 드 생 장은 몽소 공원 앞에서 라캉과 마주쳤다. 그는 라캉이 아직도 진로 선택을 두고 망설이고 있는 것을 눈치챘다. "혹시 의학 쪽이니? 아니면 정치는 어떻니?" 실제로 라캉은 어떤 영향력 있는 인물의 비서가 되는 길을 진지하게 생각하고 있었다.[25]

종교의 거부와 신앙의 포기는 라캉이 니체를 독일어 원서로 읽기 시작하면서부터 더욱 구체화되었다. 1925년에 그는 니체 철학에 관한 멋진 찬사의 글을 썼는데, 동생 마르크가 생-샤를마뉴 축제에서 이를 발표했다. 이 글은 스타니슬라스 학교 당국에 대한 명백한 도전이었다. 그는 영국 철학이 공허하다고 비난하면서 독일의 위대한 전통을 강조했다. 젊은 마르크-마리가 형이 준비한 글을 다 읽자마자 보사르 신부가 분개하며 일어서 맹렬한 비난의 목소리로 이렇게 말했다. "니체는 미쳤어!"[26]

1926년에 자크가 자유 사상을 따르고 무신론자의 주장에 동조하고 있다는 이유로 가족들의 비난을 사고 있을 때 마르크-마리는 마침내 수도사가 되기로 결정한다. 성 베네딕트 회의 회칙을 읽고 있던 5월 13일에 신의 부름이 그에게 들렸다. 그는 종이 위에 '베네딕트 회 수도사'라고 썼다. 이 여덟 글자가 그에게는 계시처럼 작용했다. 자크는 동생의 결정에 몹시 격분했다. 그는 동생에게 한 번 더 생각해보라고 하면서 법학 공부를 계속하라고 충고했다. 마르크-마리는 형의 충고대로 일 년 동안 법학 공부를 계속했다. 그후 그는 에콜 드 생-시르에서 여섯 달을 보냈고, 예비역 장교로 군복무를 마쳤다.

1929년 겨울에 그는 오트콩브 수도회로 떠나는데, 먼 과거의 기억을 간직하고 있는 이곳은 베네딕트 교단의 중요한 중심지였다. 부르제 호(湖) 가운데에 있는 이 수도회는 라마르틴느의 비련시 「호수(Le Lac)」를 통해 세상 사람들에게 널리 알려져 있었다. 역의 플랫폼에서 동생을 배웅하던 자크는 기차가 멀리 사라지면서 마르코와 함께 어린 시절의 모든 추억이 사라지는 것을 보며 마음이 혼란스러워졌다. 막내동생의 보호자가 되고 싶어하던 그는 동생이 그러한 속박을 피할 수 있게 하려고 최선을 다했었다. 그래서 그는 세무 감찰관이 되도록 동생을 설득하지 못한 것을 자책했다. 1931년 9월 8일에 동생은 수도 서원을 하고, 아시시의 성인 프란체스코에게 경의를 표하기 위해 두번째 이름을 프랑수아라고 고쳤다. 4년 후인 1935년 5월 1일에 자크가 참석한 자리에서 서품식이 거행되었다. 그후 자크는 두 번 다시 오트콩브에 가지 않았다.

한편 알프레드와 에밀리는 몽파르나스 가의 아파트를 떠나 불로뉴-쉬르-세느로 이사해 강베타 가 33번지에 집을 지었다. 그리고 이해 1월 20일에 마들렌느는 라캉 가문의 또다른 지류의 후손으로 사업가인 자크 울롱과 결혼했다. 이 부부는 오랫동안 인도차이나에서 살았다. 그래서 알프레드의 세 자식은 각각 자기 나름대로 가족의 연을 끊고 살게 되었다. 첫째인 자크는 정신적 불화 때문에, 둘째인 마들렌느는 오랫동안 먼 나라에서 살았기 때문에, 그리고 막내인 마르크는 성직자가 되었기 때문에 아버지로부터 멀어졌다.

1928년 말에 마들렌느는 결핵에 걸린다. 전지 요양소로 보내진 그녀는 기흉(氣胸) 요법 치료를 받아야 했다. 그때 그녀를 방문한 자크는 이를 보고 격분해 치료를 중지시켰다. 그는 동생이 스스로 병을 이길 수 있다고 주장했다. 그가 옳았다.[27]

2 인턴 시절

라캉이 의사 생활을 시작한 시기는 프랑스 사상의 모든 분야에서 프로이트에 대한 관심이 상당히 높아가던 시기이기도 했다. 하지만 프랑스에서 정신분석은 두 가지 상반된 방식으로 소개되고 있었다. 먼저 의학을 통한 접근이 있었다. 이 분야의 선구자들은 1925년에 '정신의학의 발전(EP)'이라는 그룹을 창립했으며, 이어 1926년에는 '파리 정신분석학회(SPP)'를 창립했다.[1] 다른 하나는 인문 분야, 즉 문학과 철학적 아방가르드 쪽에서의 접근이었다. 그런데 프로이트의 발견에 대한 해석은 그룹마다 아주 달랐다. 그러나 이 두 가지 접근 방식 중 어느 쪽도 우위를 차지하지는 못했다. 그들은 서로 엇갈리고 상반되었지만 똑같이 활발하게 발전해갔다.

의학 분야에서 프로이트의 생각들은 다음 세 가지 분야에 도입되었다. 먼저 계몽주의 철학에서 처음 생겨나 20세기 초에 취리히 학파에 의해 새롭게 개조된 역학적(dynamique) 정신의학,[2] 다음으로 샤르코의 옛 제자로서 프로이트의 적수였던 피에르 자네가 창안한 심리학, 마지막으로 프로이트의 개념 전체를 여과하는 기능을 할 앙리 베르그송의 철학. 이 세 분야는 프랑스와 프랑스적인 것들에 대한 이상론에 지배받고 있던 문화의 일부였다.[3] 이 견해에 따르면 소위 라틴적이고 보편적인 프랑스 '문명(civilisation)'이 열등하고 야만적이고 지역주의적인 독일의 소위 '문화(Kultur)'에 비해 우월한 것이었다. 이처럼 최초로 텐느에 의해 정식화되고 1차 세계대전에서의 독일 혐오증으로 한층 더 강화된 프랑스 문화의 우월성에 대한 자부심은 성에 관한 프로이트의 학설과 정면으로 충돌할 수밖에 없었는데, 일부 사람들에게 프로이트의 학설은 범성욕주의만이 아니라 동시에 범게르만주의적인 것처럼 보였기 때문이다.

그런데 역사적으로 볼 때 상당히 역설적이게도 이 학설은 프랑스에서 생겨났다고 할 수 있다. 왜냐하면 프로이트의 학설이 빈에서 단계적으로 체계화되기는 했지만 1885년에 살페트리에르 병원에서 프로이트와 샤르코가 만난 것을 이 학설의 시발점으로 볼 수 있기 때문이다. 처음에 샤르코는 히스테리가 자궁과는 무관한 기능적 신경병임을 증명하기 위해 최면 요법을 이용했다. 이어 그는 성적 병원학(病原學)에 관한 생각을 일절 버리고, 히스테리가 여성뿐만 아니라 남성들에게서도 나타난다는 사실을 증명해 보였다. 프로이트는 나중에 성적 병원학을 다시 도입한다. 물론 그는 병인을 자궁에서 사람의 정신 현상으로 이동시켰다. 이어 그는 전이 이론을 정식화하게 되는데, 이에 따라 그는 이제 최면 요법에 의존하지 않을 수 있게 된다. 그는 1896년에 정신분석을 발명한다. 마지막으로 그는 1905년에 성은 유아기에 구조화된다는 이론을 내놓았다. 이 때문에 프로이트의 적대자들은 그를 '성 제국주의자'라고 의심하게 되었고, 이로부터 범성욕주의(pansexualisme)라는 용어가 생겨났다.[4]

프랑스 정신분석 운동의 초기 선도자는 프랑스 고유의 프로이트주의를 내세웠는데, 실제로 이것은 프로이트 본인의 가르침보다는 자네의 심리학에 더 가까웠고, 진정한 무의식 이론보다는 이상적인 라틴 문명에 관한 프랑스적 생각을 더 많이 따르고 있었다. 그런 식으로 이식된 생각은 순수한 형태로 수용되지 못했으며 프로이트의 사상도 제대로 동화되지 않았다. 상당한 기간 동안 오직 왜곡된 해석들로 짜여진 잘못된 이해만이 존재했다. 물론 정신분석이 모든 종류의 사회에 적용될 수 있는 유용한 치료법일 수도 있겠고, 무의식의 발견이 진정한 보편타당성을 가지는 것일 수도 있다. 그러나 그러한 사실이 나라마다 프로이트를 제 나름대로 해석하는 것을 막을 수는 없었다.

한편 인문 분야를 통한 접근과 의학적 접근에 대한 이데올로기적 응답의 경우 일부 작가와 문학 잡지들이 이를 주도했다. 로맹 롤랑부터 앙드레 브르통을 거쳐 피에르 장 주브에 이르기까지, 초현실주의자들부터 『누벨 르뷔 프랑세즈 NRF』지까지 파리의 현장에서 프로이트주의는 각기 다른 모습으로 전개되었다.[5) 의학계가 쇼비니즘을 택하면서 정신분석을 엄격하게 치료적 관점에서만 수용한 반면 문학계는 성에 대한 확장된 생각을 받아들였고, 프로이트주의를 '독일 문화'로 치부하기를 거부했으며, 정신분석이 오직 의사들에게만 속하는 것은 아니라고 주장했다. 경향을 불문하고 작가와 예술가들은 꿈을 우리 세기의 위대한 사건으로 바라보았다. 그들은 인류를 변화시키기 위해 욕망의 무한한 힘을 이용하려고 했고, 마침내 모든 속박으로부터 무의식이 해방된 유토피아를 만들어냈다. 그리고 인류의 가장 내밀한 충동에 귀기울이기 위해 부르주아적 관습을 무시하고 스캔들과 고립의 위험을 무릅쓴 헌신적인 과학자의 용기를 특히 존경했다.

라캉의 첫 사례 발표는 1926년 11월 4일에 에두아르 피숑의 친구이자 악시옹 프랑세즈 회원인 위대한 신경학자 테오필 알라주아닌느가 이끄는 '신경학회'에서 이루어졌다. 라캉의 사례는 의사(疑似) 연수(延髓)장애를 가진 추체외로(椎體外路) 증후군과 함께 과도한 긴장으로 인해 시선이 고정되어버린 환자를 대상으로 한 것이었다. 자전거를 타다가 갑자기 발생한 장애 때문에 살페트리에르 병원에 입원한 65세의 불운한 남자에 관한 아주 평범한 이야기였다. 이 남자의 시선은 고정되어 있었고, 호흡기 경련이 상습적으로 일어났으며, 코와 턱 사이의 주름살은 오른쪽보다 왼쪽이 더 눈에 띄었다. 의자에 앉으려고 다리를 구부려도 털썩 주저앉기 전에는 의자에 엉덩이가 닿지 않았다. 라캉의 임상 설명은 장황하고 상세하며 아주 기술적이면서도 감정을 드러내지 않았다. 그는 좀 무미건조한 병원의 일반적인 관례를 그대로 따르고 있었다.[6]

공교롭게도 이 사례 발표는 '파리 정신분석학회'가 창립된 바로 그날에 이루어졌다. SPP는 열 명의 회원으로 구성되었다. 안젤로 에스나르, 르네 라포르그, 마리 보나파르트, 외제니 소콜니카, 르네 알랑디, 조르주 파르슈미니, 루돌프 뢰벤슈타인, 아드리앙 보렐, 에두아르 피숑, 앙리 코데 등. 여기에다 나중에 제네바 출신인 샤를 오디에와 레이몽드 소쉬르가 가담하게 된다.[7]

이리하여 프랑스 최초의 프로이트 학회가 창립된 날 라캉의 이름도 처음으로 프랑스 정신분석사에 오르게 되었다. 하지만 스물다섯 살이 된 라캉이 오늘날 가장 오래되고 가장 권위 있는 이 영광스런 학회에 들어가기까지 걸어가야 할 길은 아직 멀었다. 8년 후에야 SPP의 후보 회원이 되었고, 정회원이 되기까지는 4년이 더 걸렸다.

그 동안 그는 신경학에서부터 정신의학까지 통상적인 학업 과정을 모두 마쳤다. 1927~31년까지 그는 가장 뛰어난 정신병원 중의 하나인 생트-안느 병원에서 정신 및 뇌와 관련된 장애들의 임상 치료를 연구했다. 그후 그는 파리 경찰국 특수 의무실에서 근무했는데, 그곳에서는 소위 '위험한' 환자(죄수)들이 응급 처치되고 있었다. 이어 정신의학 연구가 가장 앞서 있던 앙리-루셀 병원에 2년간 있으면서 이곳에서 정식 의사 면허증을 받았다. 1930년 8월에 그는 취리히 대학 부속의 유명한 부르크횔치 클리닉에서 두 달 동안 실습을 받았는데, 바로 이곳에서 오귀스트 포렐과 카를 구스타프 융, 오이겐 블로일러가 20세기 초에 광기에 대한 새로운 개념을 내놓은 바 있었다. 당시 제대로 된 질병 기술학(記述學)과 환자들의 말을 주의 깊게 청취한 결과였다. 이미 역학적 정신의학의 신화적 장소가 된 이곳에서 라캉은 블로일러의 계승자인 한스 마이어 밑에서 일했다. 다음해 그는 생트-안느 병원에 인턴으로 다시 돌아왔다. 그리고 근무실에서 같은 세대의 다른 사람들과 자주 만났는데, 앙리 에, 피에르 말, 피에르 마레샬이 가장 친한 동료였다. 또 그는 앙리 F. 엘랑베르제도 알게 되었다.[8]

1905년에 남아프리카의 프로테스탄트 선교사 집안에서 태어난 엘랑베르제는 어린 시절부터 역사가가 되려는 꿈을 갖고 있었다. 하지만 그의 아버지는 의학 공부를 하도록 강요하며 그를 프랑스로 보냈다. 처음에는 스트라스부르로 갔다가 결국 파리까지 오게 되었는데, 파리에서 인턴 과정을 거칠 때 라캉을 만났다. 그는 이렇게 말한다. "나는 그와 거리를 두고 있었다. 인턴실에서 다른 동료들과 농담을 하고 있는 그를 자주 보았다. 그의 농담은 아주 신랄해서 상대방의 마음을 아프게 했다. 그는 일종의 귀족적인 교만함을 취미처럼 갖고 있었다. 그는 환자들에게까지 가슴 한복판에 가시 돋친 말을 서슴없이 꽂았다. 나는 언젠가 그가 다른 사람에 대해 이렇게 말하는 것을 들은 적이 있었다. '물론 그는 대단하지…… 수위도 알아주잖아.' 하지만 라캉은 사적으로는 아주 호감이 가는 남자였다."

인턴들의 간이 식당에서 그와 다른 몇몇 동료들은 젊은 의사들 중

상류층을 이루었다. 그는 앙리 에의 '작은 테이블'에서 식사를 하곤 했다. 이곳에서는 누구나 현상학의 신조어들을 우아하게 한마디씩 늘어 놓으며 이제는 구식이 되어버린 에두아르 툴루즈의 기관 장애설을 은 근히 멸시했다. 젊은 세대는 10월 혁명을 꿈꾸고 있었고, 초현실주의를 자임하면서 철저한 현대화를 원했다. 폴 시바동은 이렇게 말하고 있다. "라캉은 말을 지나치게 꾸며서 하는 버릇이 있었고, 그가 선택한 희생 양에 대해서는 아주 '사디스트적'이었다. (……) 우연히 앙리 에가 그의 여러 프로젝트를 위해 나를 회계원으로 삼게 되었다. (……) 당연히 이 것은 기부금을 모은다는 의미였다. 결코 땡전 한푼 받아내지 못한 유일 한 사람이 바로 라캉이었다. (……) 인턴실에서 봉사한 환자 콜롱브는 인턴들에게 저렴한 가격으로 담배를 공급했다. 라캉은 그에게 자주 외 상으로 담배를 얻었다. 이처럼 사소한 일들은 바로 그가 '항문'적 성격 을 갖고 있음을 보여준다. 그러나 그는 의사가 막 되었을 때부터 이미 아주 훌륭한 임상의였다."[9]

프로이트와 브로이어의 연구로 정신의학의 병리학이 변화되었음에 도 불구하고 30년대의 요양소는 아직도 대(大)감금 시대의 상황과 다르 지 않았다. 환자들은 모두 환자복을 입어야 했고, 우편물은 검열되었다. 개인 물건은 모두 압수되었다. 여자 환자들은 결혼 전 성(姓)으로 입원 등록을 해야 했기 때문에 종종 입원 전의 신분을 상실했다. 조울증 환 자들은 굴욕감이 느껴질 정도로 끔찍한 구속복을 입어야 했다. 또 정도 가 심한 환자들은 목에 사슬을 묶고 뜨거운 물이 든 욕조 속으로 들 어가게 해서 기절할 때까지 기다렸다.

노망한 환자들은 배설물로 더럽혀진 해초 침대 위에서 처참한 장면 을 연출했다. '정도가 심한 고질 환자들'에게는 여전히 '입마개'가 사용 되었다. 입마개를 치아 사이에 끼워두었다가 강제로 음식을 먹일 때에 만 풀어주었다. 우연히 그런 고문에 재미를 들인 환자들에게는 불쾌감을 주기 위해 입에 깔대기를 끼워 아주까리 기름 한 잔을 가득 부었다. 정도가 덜한 환자들은 주방이나 세탁소에서 일했다. 이들은 놀라운 속도로 야채를 다듬거나 혹은 죄수들처럼 큰 이동 짐차를 밀었다. 하지만 인턴실로 보내졌을 때는 인턴들의 말동무가 되기도 하고, 그들에게 익살을 부리기도 했다.[10]

19세기 빈의 부르주아적 순응주의가 프로이트와 브로이어의 『히스테리 연구』에 잘 반영되어 있다면[11] 30년대의 노동자 계층들의 광기는 프랑스 정신의학의 젊은 세대들이 발표한 모든 사례에서 아주 분명하게 나타났다. 만성적 환각 정신병, 파킨슨 병, 정신적 자동 운동 (automatisme) 증후군, 유전성 매독 등. 젊은 라캉은 생트-안느 병원에서 바로 이러한 질병으로 고통받는 환자들을 목격하게 되었다. 1932년까지 그는 동료나 스승들의 도움을 받아 임상 사례집을 작성했다. 생물학적 정신의학과 관련해서는 아돌프 쿠르투아의 도움을 받았고, 유아 신경정신의학에 관해서는 조르주 외이에, 현대 임상학에 관해서는 장 레비-발랑시의 도움을 받았다.[12]

이 시기에 라캉의 사례 중 가장 흥미로운 것은 친구 모리스 트레넬과 함께 1928년 11월 2일 '신경학회'에서 발표한 「전쟁의 심한 충격으로 인한 보행 불능증」이었다.[13] 이 사례의 장본인은 브르타뉴 지방 여자로, 1915년 6월 폭격을 맞아 집이 파괴된 이후로 히스테리 증상을 보였다. 그녀는 우스꽝스러운 걸음걸이와 춤추는 탁발승을 연상시키는 모습 때문에 파리 병원의 여러 병동에서 유명 인물이 되었다. 집이 무너졌을 때 그녀는 일어설 수가 없었다. 한쪽 다리가 무너진 마루 밑에 깊이 박혀 있었던 것이다. 그녀는 두피와 코, 등에 입은 외상으로 고통을 겪고 있었다. 생-폴 드 베튄느 병원에서 한 군의관이 그녀에게 똑바로 서도록 지시했다. 그러자 그녀는 몸을 앞으로 밀고 좌우로 흔들면서 아이처럼 먼지를 일으키며 걸었다. 나중에 그녀는 이처럼 독특한 안무

법에 다리를 연속적으로 교차시키는 새로운 걸음걸이를 선보였다.

이 이상한 브르타뉴 여인의 사례는 라캉이 정신의학 훈련 기간에 그의 이름을 내건 유일한 히스테리 사례였다. 그는 1933년에 이것을 분명하게 기억하고 있었는데, '히스테리 문제'에 대한 이 조그마한 공헌을 계기로 정신의학에 관한 최근 연구들이 가능할 수 있었다고 강조했기 때문이다.[14] 그때까지 그는 '기관 장애의 원인에서 어떤 신경학적 표시도 보이지 않는' 한 사례가 그의 관심을 신경학에서 정신의학으로 돌릴 수 있게 했다고 믿었다. 즉 그는 이 사례를 프로이트적인 의미에서의 히스테리와 관련된 것으로 보았던 것이다. 그런데 라캉이 프로이트의 작업의 의미를 이해하게 된 것은 1932년이었으므로 1933년에 이 사례를 회상하며 말했던 방식과 이 사례 발표가 실제로 이루어졌던 방식 사이에는 모순이 있었다. 1928년에는 두 명의 발표자 중 아무도 히스테리 개념에 대한 아무런 언급도 하지 않았고, 오직 바빈스키의 용어만을 사용했기 때문이다. 그들은 '암시증(暗示症, pithiatisme)'이라는 용어를 사용했는데, 설득과 치유가능한이라는 의미의 그리스어로부터 새로이 만들어진 이 신조어는 샤르코 이론을 파괴하기 위한 바빈스키의 의도를 함축하고 있었다. 즉 바빈스키는 암시증이라는 단어로 히스테리라는 용어를 대체시키려고 했던 것이다. 이리하여 잘 알려져 있듯이 바빈스키는 이를 통해 현대 신경학의 출발을 가능하게 해주었다.[15] 하지만 동시에 히스테리를 암시에 의해 회복될 수 있는 일종의 꾀병으로 재분류하는 결과를 초래하게 되었다.

그러나 1925년부터 바빈스키의 용어는 적실성을 잃기 시작했다. 신경학이 진정한 과학으로 확립되어가면서 이 신학문의 정당함을 입증하기 위해 히스테리를 희생양으로 삼을 필요는 훨씬 줄어들게 되었던 것이다. 게다가 마리 보나파르트와 루돌프 뢰벤슈타인이 1928년에 번역한 '도라의 사례'가 히스테리 개념을 좀더 제대로 이해할 수 있도록 해주었다.[16] 하지만 1928년에 라캉과 트레넬의 보고서에서도 볼 수 있듯이 암시증은 정신의학 용어에 여전히 생생하게 남아 있었다. 프랑스 정신분석 운동의 선구자들, 특히 정신의학자들의 경우에도 이와 별로 다르지 않았다. 1925년에 샤르코 탄생 백 주년을 기념하기 위해『의학 발전Le Progrès medical』지에 발표한 「프로이트에 대한 샤르코의 영향」이라는 논문에서 앙리 코데와 르네 라포르그는 당시 히스테리에 대한 임상학적 접근을 지배하고 있던 세 가지 입장, 즉 자네의 심리 철학, 바빈스키의 신경학, 프로이트의 학설 중에 어느 하나를 선택해야 할지를 결정하지 못하고 있었다.[17]

사실 정신분석가들보다는 초현실주의자들이 더 샤르코를 기꺼이 따를 준비가 되어 있었다. 이 점은 1928년에 샤르코가 아니라 그의 유명한 환자 오귀스틴느에게 바쳐진 초현실주의자들의 찬사에서도 잘 드러난다. "우리 초현실주의자들은 19세기 말의 가장 위대한 시적 발견인 히스테리의 오십 주년을 기념하고자 한다. 히스테리 개념이 완전히 분해된 것처럼 보이는 지금 이 순간에 말이다. (……) 따라서 우리는 히스테리 개념에 대한 새로운 정의를 제안하고자 한다. 즉 히스테리는 정도차는 있지만 다른 어느 것으로도 환원 불가능한 정신적 상태로 주체와 그가 어떤 실용적 목적에도 불구하고 스스로 속한다고 생각하는 도덕 세계 간의 관계가 전복되는 것을 특징으로 한다. 이것은 모든 종류의 망상과는 무관하다. (……) 히스테리는 병리학적 현상이 아니며, 모든 점에서 최고의 표현 수단으로 간주될 수 있다."[18]

하지만 라캉이 연구에서 초현실주의적인 입장을 고려하고, 이를 통해 프로이트의 발견과 정신의학을 종합하려고 시도하기까지는 2년을 더 기다려야 했다.

3 정신의학의 스승들

정신의학 훈련을 받는 동안 라캉에게 지대한 영향을 끼친 세 명의 스승은 성격이 아주 판이했다. 조르주 뒤마와 앙리 클로드, 그리고 가에탕 가티앙 드 클레랑보가 바로 그들이었다.

소르본느 대학의 정신병리학과 정교수이자 피에르 자네와 샤를 블롱델의 친구인 조르주 뒤마는 대담하게 정신분석에 반대했다. 그는 정신분석의 기이한 개념이나 성에 대한 여러 가지 생각, 게다가 게르만 민족과의 관련성을 비아냥거리면서 끊임없이 정신분석을 조롱했다. 하지만 일요일 아침마다 그의 유명한 임상 사례 발표가 열린 생트-안느 병원의 대강의실에는 철학과 학생과 정신의학부 인턴들이 밀려들었다. 그들은 그의 강의 내용과 방식 모두에 매료되었다. 클로드 레비-스트로스는 그의 모습을 아주 인상적으로 묘사한 바 있다.

연단에 오른 뒤마 교수의 모습은 건강했고, 전체적으로 거칠고 투박한 인상을 주었다. 머리는 물에 담겨졌다가 허물이 벗겨진 뿌리처럼 하얗고 굵은 마디 투성이의 울툭불툭한 모습이었다. (……) 그의 강의에서 어떤 대단한 것을 배울 수 있는 것은 아니었다. 그는 비웃으며 입을 삐죽거리는 모습과 목소리를 동반한 변화무쌍한 입술 표정 연기가 청충을 매료시킨다는 사실을 알고 있었기 때문에 무슨 대단한 강의를 준비한다거나 하는 일은 없었다. 특히 허스키하고 듣기 좋은 목소리는 그의 이상한 억양이 랑그도크 태생이라는 점을 금방 연상시켰고 구어체 프랑스어의 아주 오래된 음악적 양식을 환기시키는 정말 매혹적인 목소리였다. 그래서 그의 목소리와 얼굴은 서로 다른 감각에 호소했지만 모두 투박하면서 날카로운 스타일, 즉 바로 14세기의 인문주의자들이었던 의사들과 철학자들을 상기시켰다. 그는 몸과 마음으로 이들의 계보를 이어가는 것처럼 보였다. 두번째 시간과 가끔 세번째 시간에는 임상 사례가 발표되었다. 이 시간에는 교활한 의사와 보호소에서 수년 동안 이를 위한 훈련을 받아온 환자들의 괴상한 퍼포먼스를 참관할 수 있었다. 청중들이 무엇을 기대하는지를 뻔히 알고 있던 이들은 신호에 따라 이러저러한 증상을 보여주거나 아니면 훈련자의 기술을 증명해주기에 꼭 알맞은 정도로 저항하기도 했다. 물론 청중들은 쉽게 속지 않았다. 하지만 이들은 아주 즐겁게 이처럼 뛰어난 연기에 빠져들었다.[1]

조르주 뒤마의 편협한 반프로이트주의를 배격했던 그의 뛰어난 경쟁자 앙리 클로드는 두말할 나위 없이 생트-안느 병원의 정신병 임상학의 제왕이었다. 1865년에 태어난 그는 1905년에 살페트리에르에서 샤르코의 계승자인 퓔장스 레이몽의 조교가 되었다. 1922년에 에르네 뒤프레가 사망하자 그는 생트-안느 병원 원장직을 맡게 되었다. 그곳에서 그는 '라틴 정신'에 따라 개조된 정신분석의 공식 수호자가 되었다. 그는 르네 라포르그에게 아드리앙 보렐, 앙리 코데, 안젤로 에스나르, 외제니 소콜니카로 구성된 자문단을 맡게 했다. 그래서 역학적이고 유기체론을 따르는 프랑스 학파가 클로드 곁에서 성장했다. 나중에는

앙리 에가 이 학파의 후계자가 된다.[2]

클로드는 임상학을 새로운 방향으로 발전시키기 위해 프로이트 이론을 이용했다. 물론 이 과정에서 그는 프로이트 이론이 '라틴 문명'식으로 구성되기를 바랐다. 그는 이렇게 쓰고 있다. "정신분석은 아직 프랑스인들의 정신을 탐구하는 데는 적합하지 않다. 어떤 조사 방법들은 우리의 미묘한 감정을 제대로 다루지 못하며, 극단적인 상징주의는 다른 민족의 환자들에게 적용될 수 있는지는 몰라도 라틴 임상학에서는 받아들일 수 없는 일반화인 것처럼 보인다."[3]

이러한 배경 하에서 르네 라포르그는 클로드의 국수주의에도 불구하고 뒤마보다는 클로드의 입장을 선택했다. 하지만 프로이트는 이에 대해 비타협적인 태도를 보였고, 그래서 라포르그는 입장을 고수하기가 어렵게 되었다. 결국 1927년에 『프랑스 정신분석 리뷰*Revue française de psychaalyse*』(RFP)지의 창간과 함께 분쟁이 일어났다. 이 잡지는 나중에 프로이트에 의해 1910년에 창립되어 프로이트 운동에서 출발한 모든 정신분석학회들이 가담한 '국제 정신분석학회(IPA)'의 성원이었던 SPP의 공식 학회지가 된다. 원래 이 잡지의 초대 후원회는 지그문트 프로이트가 맡기로 했으나 프랑스 정신분석의 '보호자'인 클로드 교수의 체면을 손상시키지 않기 위해 라포르그는 프로이트에게 이름을 빼달라고 요청했다.

라캉에게 지대한 영향을 끼친 세번째 스승은 그에게 진로 선택의 계기를 마련해준 가에탕 가티앙 드 클레랑보였다. 그는 정신분석에 대해 적대적이지도 않았고(사실 그는 정신분석의 발견들에 대해 아는 바가 없었다), 라틴 방식(그는 관심도 없었다)을 위한 싸움에도 참여하지 않았다. 분명히 그는 라캉과 프랑스 정신분석의 초기 역사에서 가장 화려하고 또 가장 역설적인 인물이기도 했다.

철저한 여성 혐오자였던 그는 여학생들의 수강 신청을 받아들이지 않았고, 숭배자들에 둘러싸여 지내면서 숭배와 복종을 요구했다. 앙리 클로드의 영향력을 시기한 그는 클로드를 평범한 신경학자로 평가했다. 그는 경멸하는 투로 이렇게 말했다. "성은 없이 두 개의 세례명만으로 이름을 날리고 싶어하는 사람이 있습니다!"

그는 라캉보다 삼십 년 전에 스타니슬라스 학교를 졸업했고, 법학을 공부하다가 의학으로 진로를 바꿨다. 모로코 군대에 입대한 그는 아라비아 풍의 드레스에 열광했고, 동양 여인들이 천을 묶거나 몸의 곡선을 따라 흐드러지게 그냥 걸치는 등 얼마나 능숙하게 드레스를 만드는지를 자세하게 묘사하기도 했다. 그래서 그는 1차 세계대전 동안 목각 인형을 만들고 자기가 만든 인형에 천으로 옷을 입히면서 시간을 보냈다. 그리고 그 인형들을 평생 동안 간직했다.[4]

제대 후 클레랑보는 파리 경찰국의 정신병원 원장으로 임명되었다. 그는 1934년에 자살하기까지 온갖 허세를 부리며 그곳에서 군림했다. 형식주의자이고 심미가로 광기를 일종의 투시력으로 보았던 그는 당시 클로드가 이끌던 그룹이 이와 정반대 입장을 취하고 있을 때 정신적 자동 운동 증후군이라는 아주 인상적인 이론을 세웠다. 분명히 역학설은 일반적인 정신병이 체질적인 성질, 다시 말하자면 유전 형질에 의한 것일 수 있다는 생각을 포기하게 했다. 정신병의 분류에 일관성을 부여하려고 노력했던 클레랑보는 정신적 자동 운동이라는 한 가지 공통적인 요소에 입각하여 정신병을 규정했다. 그는 증후군의 뿌리가 기관에 남아 있지만 그에 따른 장애가 갑자기 바깥으로부터 환자를 공격해 겉으로 보기에는 '자동 운동'처럼 나타난다고 생각했다. 이러한 측면에서 클레랑보의 입장은 구조적으로 프로이트의 입장과 다르지 않았다. 그러나 그는 치료 방식에서의 어떠한 개혁도 배격했다. 그는 임상의학은 어쩔 수 없이 감금과 억압의 체계를 갖출 수밖에 없다고 보았던 것이다. 경찰국 정신병원 원장이었던 그는 끊임없이 체제를 개선하려고 했다. 하지만 그는 환자의 고통에 무관심했고 환자를 동정하지도 비난하지도 않았다. 환자에게 억지로 고백하게 만드는 것이 유일한 목적이었기 때문이다.

이 세 명의 정신의학 교수에 대한 라캉의 태도는 각기 아주 달랐다. 큰 성공을 거두었으면서도 포용력이라고는 찾아볼 수 없는 부르주아였지만 명성이나 영향력 면에서는 앞으로 도움이 될 만한 인물인 앙리 클로드에게는 순종적인 학생처럼 행동했다. 라캉은 빈정거리는 오만한 태도로 항상 그가 옳다고 인정하면서 그의 나르시시즘을 만족시켜주었다. 다른 한편 조르주 뒤마는 아주 존경했다. 그는 뒤마의 천재적인 임상 기술을 존경했고, 그의 관심을 끌기 위해 부단히 노력했다. 그리고 클레랑보에 대해서는 사랑과 증오가 뒤섞인 모순적 관계를 유지했다.[5]

천이나 바느질, 재단에 대한 열정, 아라비아 여성의 옷차림에 대한 특별한 관심 이외에도 클레랑보에게는 또다른 열정이 있었다. 바로 색광증에 대한 관심이 그것이었다. 정신 자동 운동 증후군에 의거해 그는 환각적 정신병과 열광적 망상을 구별하면서, 색광증으로 불리는 사랑받고 있다는 환상을 열광적 망상 속에 포함시켰다. 색광증의 주원인은 성에 관한 과도한 자부심에 있었다. 이야기는 항상 불운에 휘말려 들어가는 로맨스의 수많은 여주인공 이야기와 똑같았다. 색광증 환자들은 남자든 여자든 자기가 순수하게 욕망하는 대상, 흔히 유명한 인물 즉 배우나 왕 또는 학자의 사랑을 받고 있다고 믿는다. 예를 들어 어떤 부인은 웨일즈 왕자가 그녀에게 치근거리고, 따라다니고, 지키지 못할 약속을 남발하고 있다고 확신한다. 그녀는 그러한 행동에 분개하고, 그가 자기를 속인다고 비난하면서 현장에서 그를 잡기 위해 영국으로 간다. 파리로 돌아온 그녀는 거리에서 어느 경찰을 공격한다. 그러자 경찰이 치료를 위해 그녀를 정신병원 원장실로 데려간다.

클레랑보는 색광증을 병적이기는 하지만 '논리적'인 현실의 표상으로 설명했다. 그는 이론적으로 보수주의적이었음에도 불구하고 광기와 진리, 이성과 부조리, 일관성과 불규칙성이 아주 가까이 있다는 점에서는 프로이트와 초현실주의자들과 생각을 같이했다.

라캉이 1931년 7월에『파리 병원 주보(週報)』에 발표한 첫 이론적 텍스트를 보면 클레랑보가 라캉에게 얼마나 지대한 영향을 끼쳤는지가 분명하게 나타난다.[6] 「편집증적 정신병의 구조」라는 제목의 이 논문은 앞으로 다가올 어떤 것을 암시했고, 아주 개성적인 문체로 1932년의 논문을 예고해주는 것이었다.

라캉은 에밀 크레펠린과 폴 세리외, 조세프 카프그라에게 경의를 표하면서 글을 시작했는데, 이들의 연구 덕분에 편집증을 구별해낼 수 있었다는 것이다.[7] 하지만 곧 그는 이러한 유산을 비판하면서 현상학적 의미에서의 '구조' 개념을 제시한다. 이 개념은 먼저 일반 심리학과 병리학 사이, 그리고 다양한 망상들 사이에서 나타나는 연속성 속의 일련의 단절을 보여주기 위해 사용된다. 그런 다음 라캉은 임상학적 관점과 법의학적 관점을 구분하고 나서 편집증적 정신병을 편집증적 체질, 해석적 망상, 열광적 망상으로 구분했다.

라캉은 첫번째 유형을 설명하기 위해 고전적 설명들을 아무런 비판 없이 그대로 소개했다. 그런 다음 그는 편집증적 체질을 만드는 네 가지 요소를 제시했다. 바로 병리학적 자아 과대망상증, 지나친 의심, 불완전한 판단력, 사회적 부적응이 그것이었다. 그리고 철학자 쥘 드 고티에의 저서와 정신과 의사 제날-페랭의 저서를 인용해 '보바리즘'(여성의 감정적, 사회적 욕구불만 — 옮긴이)을 여기에 추가했다.[8]

플로베르의 유명한 소설에 등장하는 여주인공의 이름에서 비롯된 '보바리즘'은 1902년에 쥘 드 고티에의 저서에서 처음으로 철학적으로 소개되었다. 니체주의자인 고티에는 다른 사람이 되는 환상에서부터 자유 의지에 대한 믿음에까지 이르는 온갖 형태의 자아에 대한 환상과 욕구불만을 이 용어를 중심으로 설명했다. 범죄를 저지른 광인들을 형사 처벌이나 사형에서 구하기 위해 정신병 전문의들은 이 용어를 사용해 광인들이 자기가 저지른 범죄를 책임질 수 없음을 암시했다. 그리고 1925년에 제날-페랭은 고티에가 처음 쓴 이 전문용어를 받아들여 편집증과 보바리즘을 서로 연결시켰다. 그는 정상 상태에서 병적인 상태로의 이행은 단계적으로 이루어지며, 따라서 편집증적 체질은 병리학적 보바리즘의 극단적인 형태라고 주장했다.

라캉은 1928년에 바빈스키가 제안한 이론적 도구를 갖고 히스테리에 접근한 데 이어 1931년에도 여전히 편집증의 구조를 설명하기 위해 불과 일 년 뒤에 스스로 부정하게 될 보수적인 이론을 이용한다. 예를 들어 그는 편집증 환자를 '미숙한 사람'이나 항상 꾸지람을 듣는 학생, 무지한 자들의 존경을 받는 독학자, 단지 망상의 증상에 지나지 않는 '범신론적 자유'를 욕망하는 애처로운 반항자로 묘사했다. 그는 이렇게 쓰고 있다. "편집증 환자는 만일 행운이 따라주었다면 사회나 문화의 개혁가, '위대한 지성인'이 되었을 사람이다."[9]

이 글의 마지막 부분에서 라캉은 처음으로 프로이트의 발견을 언급했다. 하지만 라캉은 단계 이론을 거론하면서도 즉시 신성불가침한 체질론을 방어하는 쪽으로 나아간다. 그는 또한 '무의식의 기술자들'에 대해 말하지만 신속하게 이들이 편집증을 설명할 수는 있을지라도 치료까지는 할 수 없다는 것을 보여주려고 한다. 이처럼 라캉은 아직도 1930년대 초에는 프로이트 이론을 전혀 실제로 이용하지 않았다. 그는 곧 스스로 파괴하게 될 클레랑보의 이론을 칭찬하면서 동시에 클로드의 이론에 동조했으며, 정신질환자들을 정신병원에 가두는 데 반대하며 광인의 언어를 무의식중에 나타나는 숭고한 시적 표현으로 보았던 초현실주의자들과도 교류했다.

난처한 상황이었다. 라캉은 클레랑보가 절대 충성을 요구하는 폭군이라는 사실을 잘 알고 있었다. 클레랑보는 또 자기 이론을 누가 훔쳐 가거나 모방할까 봐 의심이 많았다. 그래서 클레랑보의 이론을 인용할 때 라캉은 잊지 않고 하단에 주를 달았다. "이 이미지는 M. G. 클레랑 보 교수님의 구두 강의에서 인용한 것이다. 우리는 우리 문제와 처리 방식의 많은 부분에서 교수님에게 빚지고 있기 때문에 표절의 위험이 없도록 그분이 우리가 사용하는 모든 표현의 전거임을 밝혀둔다."[10]

이처럼 과장된 경의의 모호함에 큰 충격을 받은 정신병원 원장은 즉 각 라캉과 절교했다. 이 논문이 출간되자 몹시 화가 난 그는 '의학-심 리학회' 모임에 뛰어들어가 표절했다고 비난하면서 라캉이 그에게 헌 사한 논문들을 라캉의 얼굴에다 집어던졌다. 앙리 엘랑베르제는 이 사 건을 이렇게 회상하고 있다. "그는 라캉에게 표절자라고 했다. 그러나 라캉은 너무나 뻔뻔스럽게 오히려 자기가 아니라 늙은 정신과 의사가 그를 표절했다고 말했다. 이 사건은 대소동을 일으켰다. 라캉은 광고에 대한 놀라운 감각을 갖고 있었다."[11]

라캉은 클레랑보를 칭찬하면서도 클로드의 후원 하에 정신의학의 길을 개척해나갔다. 그가 1931년 5월 21일에 '의학-심리 학회'에서 '동시에 일어나는 광기들'에 관한 두 가지 사례를 발표한 것 또한 클로 드와 피에르 미고와 함께였다. 전통적 이론에 따르자면 이런 상황에서 는 유도적 망상과 유도된 망상이 있다. 그리고 유도된 망상은 유도적 망상이 제거될 때 사라진다. 그러나 특수한 두 사례에서는 어떤 유도도 일어나지 않았다. 환자들은 두 쌍의 모녀로서 편집증적 망상이 가장 두 드러진 양상을 띠었다. 44세의 블랑슈에게서 망상은 아주 기묘한 형태 를 띠었다.

그녀는 자기가 녹색 눈에 머리가 네 개 달린 괴물이라고 생각한다. 그녀 가 그렇게 생각하게 된 이유는 피에서 향기가 난다고 느꼈기 때문이다. 고

온에서 빨갛게 된 그녀의 피부는 단단해지며 금속으로 변한다. 그러면 그녀의 피부가 진주로 덮이고 보석 조각들이 나온다. 그녀의 성기는 독특하다. 꽃처럼 암술이 있다. 머리는 다른 사람들보다 네 배는 더 단단하고, 그녀의 난소는 훨씬 더 튼튼하다. 그녀는 씻을 필요가 없는 세상에서 유일한 여자다. (……) 그 환자는 이상한 버릇들을 고백한다. 그녀는 월경 피로 묽은 수프를 만든다. "난 매일 조금씩 그것을 마셔요. 그것은 기운을 돋우는 음식이에요." 그녀는 각각 대변과 소변을 담은 다음 단단히 뚜껑을 막은 작은 병들을 기이한 수가 놓여진 천으로 싸서 병원에 들고 왔다.[12]

'동시에 일어나는 광기들'에 관한 사례들 이후 라캉은 문자 장애에 관심을 돌렸고, 1931년 11월에는 레비-발랑시와 미고와 함께 여성 편집증의 또다른 사례를 발표했다.[13] 이것은 색광증을 겪는 34세의 초등학교 교사 마르셀의 사례였다. 그녀는 자신을 잔 다르크라고 생각했고, 프랑스를 재건국하고 싶어했다. 그녀는 자기가 쓴 글이 혁명적인 가치를 가진다고 생각했다. 그녀는 이렇게 말했다. "나는 언어를 혁신시키고 있다. 낡은 형태들은 모두 떨쳐버려야 한다." 그녀의 열광적인 망상은 바로 전해에 죽은 그녀의 직장 상사들 중의 한 사람에 관한 것이었다. 그녀가 성적·지적 박탈과 욕구불만에 대한 보상금으로 정부에 2천 프랑을 요구하자 클레랑보는 그녀를 생트-안느 병원으로 보냈다. 아래의 글은 그녀가 '영감을 받아 쓴 글'의 일부를 보여주고 있다.

1931년 5월 14일 파리
새앙이 든 빵과 남프랑스의 음유 시인들 속에서 휴가를 보내고 계신
공화국의 대통령 폴 두메에게

열성적인 공화국의 대통령님
저는 그래서 겁쟁이와 시험용 대포로 쥐를 만들어드리기 위해 모든 것을

알고 싶지만 알아맞히기에는 너무나 오랜 시간이 걸립니다. 다른 사람들에게 한 짓궂은 짓들로부터 어떤 사람은 나의 발스 거위 다섯 마리가 조그만 병아리들이고, 대통령께서는 성모 마리아와 시험용 용서의 중산 모자라는 사실을 알아맞힐 수 있습니다. 하지만 우리는 오베르뉴의 어휘에서 모든 것을 추론해야 합니다. 왜냐하면 바위 샘에 손을 씻지 않으면 마른 침대를 조금 적시게 되기 때문인데, 마들렌느는 타협 없이 깨끗하게 면도한 이 모든 사람들의 창녀입니다. 완전한 삶은 해치지 않으면서 tougnate를 욕했더라면 좋았을걸. 또 어떤 사람이 대가 없이 탐정 일을 했더라면 좋았을걸. 하지만 barbenelle의 저주받은 녀석이 되기 위해 사람들을 놀라게 해야 하고, 침대 없이 어떤 사람은 tougnate를 합니다.

발표자들은 마르셀의 글 중 어떤 것도 해석하려 하지 않았다. 그들은 단지 이 글에 들어 있는 편집증적 구조를 의미와 문체, 문법 장애로 분석했을 뿐이다. 그들은 전통적 정신의학의 모델보다는 초현실주의의 경험에서 영감을 받았다. 그들은 정신 자동 운동 증후군이 체질에서 비롯되는 것이 아니라 브르통과 엘뤼아르, 페레, 데노의 시 창작법과 비슷한 과정의 결과라고 보았다. 즉 그것은 일부는 무의식적이고, 또다른 일부는 고의적인 것으로 이해되었다.[14]

이 '영감을 받아 쓴 글'과 『파리 병원 주보』에서 몇 달 전에 소개된 텍스트를 비교해보면 라캉이 당시 정신의학의 상반되는 두 경향에 동시에 가담하고 있는 것을 볼 수 있다. 한편에서 그는 '편집증적 구조' 개념을 체질주의적 정신병 개념과 연결시켜 어떤 규범의 존재와 이 규범으로부터의 일탈을 억압할 필요성을 인정하고 있었다. 다른 한편으로 그는 광기가 절반은 '다른 어느 곳에서 연출되고' 다른 절반은 의도적으로 이루어지는 언어 창작 행위와 비교될 수 있다는 생각에 동의하고 있었다. 이처럼 그는 이상하게 모순된 입장을 동시에 취하고 있었다. 클레랑보의 가르침과 프랑스 및 독일 고전에 대한 독서를 통해서 그는 구조 개념을 끌어냈다. 이것은 그가 여전히 체질 개념을 고수했다는 것을 의미했다. 그리고 역학적 접근으로부터는 광기의 언어 연구를 빌려왔다. 그런데 실제로 이것은 체질론의 포기를 암시했다.

또한 마르셀 사례의 발표자들은 정신분열증에 관한 페르스도르프와 길렘 뮐리에의 연구와 실어증에 관한 헤드의 연구, 언어와 사고에 관한 앙리 들라크루아의 연구를 인용했다. 20세기의 처음 25년 동안 이들은 정신병과 구어 및 문어에서의 장애들 간에 존재하는 관계를 연구해왔다.[15] 1913년에 크레펠린이 'schizophasie'라는 용어를 도입하는데, 이것은 언어 장애를 최초의 증상으로 해서 나타나는 정신분열증 상태를 가리키기 위한 것이었다. 여기서 라캉과 그의 동료들이 '영감을 받아 쓴' 글과 관련해 비슷한 상황을 표현하기 위해 사용한 'schizographie'라는 용어가 나왔다. 그러나 가장 흥미로운 언급은 1930년에 출간된 들라크루아의 저서에 관한 것인데,[16] 왜냐하면 이것은 당시 젊은 라캉이 어떤 책을 읽고 있었는지를 잘 보여주기 때문이다. 사르트르의 철학 선생이었던 들라크루아는 실어증에 관한 자기 생각을 뒷받침하기 위해 1915년에 제네바에서 출간된 페르디낭 드 소쉬르의 『일반 언어학 강의』에 의존했다.[17]

따라서 이제 아래와 같은 사실에는 아무런 의심의 여지가 없다. 즉 라캉이 20년 후 자기 이론에 아주 유용하게 이용하게 될 소쉬르의 언어 이론을 처음으로 접한 것은 오늘날은 잊혀져버린 바로 이 저자의 글을 통해서였던 것이다.

2부 미친 여인들

광기—
세상의 부조리를 이해할 수 있는
유일한 열쇠

1 마르그리트 이야기

개인적인 발전의 바로 이 시기에 라캉은 1930년 7월에 발표된 『혁명을 위한 초현실주의*Surréalisme au service de la Révolution*』 창간호에서 핵심적인 논문을 접하게 된다. 이를 계기로 라캉은 체질론을 버리고 언어와 정신병의 관계를 전혀 새로운 방식으로 이해하는 단계로 넘어가게 된다. 「버릇없는 당나귀(L'âne pourri)」[1]라는 제목의 살바도르 달리의 논문이 바로 그것으로, 여기서 달리는 편집증에 관한 색다른 주장을 내놓았다. 이때쯤이면 이미 초현실주의의 일단계는 막을 내리고, 앙드레 브르통은 「2차 선언」에서 현실의 삶과 꿈 사이의 모순을 해결해줄 수 있는 '정신의 지점(point de l'esprit)'을 탐색할 필요가 있다고 선언했다. 최면으로 유도된 잠과 자동적인 글쓰기 실험은 이제 과거의 것이 되었고, 실험의 새로운 분야는 정치적 행동에서 발견되어야 한다. 인류를 변화시키려는 과거의 망상은 구체적인 형태를 취해야 한다. 이리하여 현실을 이해하기 위한 새로운 기술이 필요했다.[2]

살바도르 달리는 바로 이러한 시점에서 편집증–비평이라는 유명한 개념을 초현실주의에 선사했다. 그는 이렇게 쓰고 있다. "이중적인 이미지를 얻을 수 있었던 것은 명백한 편집증적 과정을 통해서였다. 여기서 이중적인 이미지란 어떤 대상의 표상이 해부학적이나 형상적으로 어떠한 변형도 없이 동시에 완전히 다른 대상의 표상이 될 때, 그리고 이 제2의 표상도 어떤 안배에 의해 이루어진 변형이나 비정상성을 지니지 않을 때 성립한다."[3]

달리에 따르면 편집증은 환각과 똑같은 방식으로 작용한다. 다시 말해 현실에 대한 망상적 해석으로 작용하는 것이다. 이것은 유사 환각 현상으로서 바로 이것이 이중적 이미지를 탄생시키며(가령 말[馬]의 이미지는 동시에 여성의 이미지가 될 수도 있다), 이러한 이중적 이미지의 존재는 편집증이란 판단의 '오류'이며 미쳐버린 '이성'이라는 정신의학의 고전적 관념을 무너뜨린다. 다시 말해 모든 망상은 '이미' 현실에 대한 해석이고, 모든 편집증은 논리적 창조 활동인 것이다.

한참 프로이트를 읽고 있을 때 달리의 이러한 관점은 라캉이 편집증에 관한 임상 체험을 이론화하는 데 꼭 필요한 요소를 마련해주었다.[4] 그래서 그는 만나자는 약속을 하고 호텔방으로 달리를 찾아갔다. 달리는 코에 작은 반창고 조각을 붙인 채 그를 맞았다. 달리는 방문객이 질겁하기를 기대했지만 라캉은 태연했다. 그는 달리가 설명하는 이론을 가만히 경청했다.[5]

다른 한편 라캉은 『프랑스 정신분석 리뷰』에 1922년에 출판된 프로이트의 「질투, 편집증, 동성애에서 나타나는 몇몇 신경병적 메커니즘에 관하여」라는 글을 번역해 실었다.[6] 이 논문의 주제는 새로운 편집증 개념을 찾아나선 라캉의 노력과 결부되어 있었는데, 라캉의 번역은 프로이트의 선집을 발간하려는 SPP의 기획의 일부가 되었다.[7]

라캉은 실제로 독일어를 말하지는 못했지만 이론적으로는 독일어에 대한 뛰어난 지식을 갖고 있었다. 스타니슬라스 학교에서 독일어를 배운 덕분에 그의 번역은 훌륭했다. 그는 프로이트의 문장 구성을 최대한 그대로 유지하고 의미를 왜곡하지 않으면서 형태도 최대한 원문에 충실하게 번역했다. 이 번역문은 또한 라캉이 당시 프랑스 정신분석 운동에서 사용되던 용어를 얼마나 완벽하게 수용하고 있는지도 잘 보여준다. 동시대인들처럼 그는 Trieb(충동)를 instinct로 번역했고, Trauer(비탄)를 tristesse로, Regung(움직임)을 tendance로 번역했다. 그는 또 RFP지에 정신분열증에 관한 오토 페니헬의 책 중에서 한 장을 번역하기로 약속했다.[8] 하지만 이 작업은 결코 완성되지 못했다.

이처럼 1931년은 그에게 과도기였다. 왜냐하면 이때부터 그는 편집증에 입각해 세 가지 분야의 지식, 즉 임상학적 정신의학, 프로이트 이론, 제2단계의 초현실주의를 종합하기 시작하기 때문이다. 철학, 특히 스피노자, 야스퍼스, 니체, 후설, 베르그송에 관한 그의 놀라운 지식도 청년기의 위대한 작품인 의학 박사 논문을 완성하는 데 기여했다. 그리고 그의 학위 논문인 『인성과의 관계에서 본 편집증적 정신병』은 1932년 겨울에 발표되어 라캉을 한 학파의 지도자 자리에 올려놓았다.

라캉과 그가 나중에 에메(Aimée)라고 부르게 되는 한 여자 사이의 이야기는 1931년 4월 18일 오후 8시 30분에 시작되었다. 그날 저녁 38세의 마르그리트 팡텐느는 가방에서 식칼을 꺼내 생-조르주 극장에 도착한 여배우 위게트 뒤플로를 암살하려 했다. 이 여배우는 이 극장에서 공연되고 있던 앙리 장송의 연극 <만사형통>의 주인공역을 맡고 있었다. 이 연극은 이미 삼 일 전부터 공연되고 있었다. 툭하면 눈물을 흘리는 귀부인과 가난하지만 걱정이 없는 그녀의 애인, 그리고 너무나 따분한 돈 많은 금융가가 등장하는 그저 그런 부르주아 희곡인 이 지루한 연극은 30년대 프랑스가 경제 공황과 극우파의 출현에도 불구하고 모든 면에서 이 세계에서 최고 중의 최고였음을 보여주려고 했다.

위게트 뒤플로는 무대 입구에서 자기를 기다리고 있는 살인자와 마주치자 냉정을 잃지 않고 칼날을 움켜잡고는 칼부림을 피했다. 그러다가 오른손 새끼손가락에 깊은 상처를 입었다. 그 사이 마르그리트는 밧줄에 묶여 경찰서로 호송되었다. 그후 그녀는 특수 의무과에 보내지고 이어서 생-라자르 여자 감옥으로 보내졌다. 그곳에서 그녀는 20일 동안 망상적 상태에 빠져 있었다. 그후 1931년 6월 3일에 그녀는 트뤼엘 박사의 다음과 같은 진단에 따라 생트-안느 보호 수용소에 입원하게 된다. "해석 망상에 기인하는 체계적인 피해망상증. 과대망상적 경향과 색광적 기질도 보임."[9]

살인 미수 사건이 있은 다음날 여러 신문이 마르그리트 팡텐느의 슬픈 이야기를 상세히 실었다. 사회적 지위가 낮은 이 시골 여자는 소설을 많이 읽고 자기 이야기를 책으로 출판할 생각에 흥분해 있는 상태였다. 『주르날Journal』지의 기자는 이렇게 쓰고 있다. "이 오베르뉴 여자는 강인한 외모를 지니고 있으며, 털옷 안에 빳빳한 칼라를 달아 남성적인 면을 부각시키려고 했다. (……) 그녀는 루브르 중앙 우체국의 우편 주문 부서에서 일하고 있는데, 일 년에 18,000프랑씩을 버는 좋은 직장이다. 그녀의 집을 방문하는 사람은 두 명의 여교사를 제외하고 거의 없다. 그녀는 그들과 함께 시험을 준비하고 음악을 연주한다. 그녀는 좀 이상하게 보이긴 했지만 자신이 박해받고 있다고는 생각하지 않는 것 같았다."[10]

이 우체국 여직원의 행동에 대해 『르 탕Le Temps』지로부터 질문을 받게 된 에두아르 툴루즈는 평소처럼 유전적 정신박약이라는 옛날 용어를 사용해 자기 견해를 밝혔다. "분명 박해에 의한 광기의 사례라고 생각된다. 아마 주위 사람들은 틀림없이 눈치챘겠지만 생활의 난잡함이나 괴벽으로 이미 이것은 분명하게 드러났을 것이다. 모든 범죄자는 어느 정도는 타락한 자라는 것이 내 생각이다. 범죄자의 비정상성은 보통 친척이나 이웃들의 주의를 끄는 괴상한 언동으로 드러난다. 나는 이 경우에도 평소 내 지론을 다시 확인하게 된다. 그런 환자들은 스스로를 위해서 돌출행동을 하고 자기가 처한 상황을 우리에게 알리려 하는 것이다. 따라서 범죄 예방은 가능할 뿐만 아니라 아주 쉽다."[11]

다른 한편 피에르 브누아라는 소설가는 마르그리트를 만난 좀 이상한 상황에 대해 이야기했다. "그 범인은 나를 만나기 위해 정기적으로 내 출판업자의 사무실을 찾아오곤 했다. (……) 어느 날 실제로 나는 그녀를 만났다. 이 불행한 여자는 분명 정상이 아니었다. 그 여자는 여러 권의 책에서 내가 자기를 화제로 삼았다고 항의했다. 그리고 위게트 뒤플로가 내게 그렇게 제안했다고 계속해서 주장했다. 아마 그 매혹적인 여배우에게 가한 공격은 사실은 나를 향한 것이었을 것이다."[12]

정통 우파에 속하는 작가 피에르 브누아는 1918년에 내놓은 『쾨니히스마르크Koenigsmark』로 세상에 알려졌다. 그는 이국적인 장소나 프랑스 내의 소위 '후진' 지역을 배경으로 전통적인 플롯을 전개하는 식으로 일종의 대량 생산 방식으로 책을 썼다. 모든 책의 상황과 면수가 비슷했고, 여자 주인공의 이름은 모두 A자로 시작되었다.

1919년에 내놓은 『아틀란티스Atlantide』는 그 유명한 플라톤의 신화를 현대에 옮겨놓은 소설로, 아프리카의 식민지가 소설의 배경이었다. 가상의 사막을 찾아나서는 것은 온갖 모습과 형태로 나타나는 '여성'에 의해 대변되는 악마의 유혹을 뿌리칠 수 없는 현대인의 비극을 보여주는 실례로 그려졌다.[13] 이 책에서는 식민지 군대를 이끄는 덕망 있는 장교가 안티네아라는 이름의 악마 같은 동양 여인의 수중에 농락당하는데, 그녀가 바로 '아틀란티스'로서 서양을 유혹해 타락시키려고 한다. 그녀는 길을 잃은 여행자들을 사하라 사막 한가운데에 있는 호가르(Hoggar) 궁전으로 유혹해 이들에게 마법을 씌운 다음 미라로 만들어버린다. 마르그리트 팡텐느가 비난한 것은 바로 이런 작품을 쓴 저자였다.

에르망스 에르가 본명인 위게트 뒤플로는 신체적으로 이 안티네아를 닮았다. 1891년에 튀니스에서 태어난 그녀는 파리 음악원에서 공부했다. 코메디-프랑세즈의 정회원인 동시에 유명한 무성 영화 배우였던 그녀는 도도하고 신비로우면서도 상처받기 쉽고 애절한 여인의 이미지를 갖고 있었기 때문에 멜로 드라마의 인물을 잘 소화해냈다. 그녀는 각각 코메디-프랑세즈와 남편을 상대로 한 소송으로 항상 화제에 올랐는데, 결국 자기 명성의 희생양이 되고 말았다.

정신착란 상태에 빠져 있는 동안 마르그리트는 계속해서 이 여배우에 대한 증오의 말을 퍼부어댔다. 그녀는 기자들에게 자신에 대한 대중의 비난을 수정해줄 것을 요구했다. '장래 여류 문인'이 되려는 자기 진로에 장애가 될 수도 있기 때문이라는 것이었다.[14] 또 그녀를 박해하고 있는 여배우와 작가들에 대한 불만을 토로하기 위해 자신의 호텔 지배인과 영국 황태자에게 편지를 보내기도 했다. 그러나 그후 정신착란 상태에서 벗어나자 흐느껴 울면서 이전과는 상반되는 태도를 보였다. 위게트 뒤플로는 조금도 그녀에게 해를 끼칠 생각이 없으며, 어느 누구도 그녀를 박해하려고 하지 않는다고 말했다. 어쨌든 여배우는 소송을 제기하지 않았고, 모두가 이 불행한 우체국 여직원에 대해 너그러운 태도를 보였다.

라캉은 1931년 6월 18일에 처음으로 그녀를 만났다. 그는 즉각 이 사례에 흥미를 느끼면서 클레랑보의 유명한 문체를 흉내내 2주 진단서를 작성했다. "편집증적 정신병. 최초의 정신착란이 살인 미수에까지 이름. 강박관념은 공격 행동 후 해소된 듯함. 몽환적 상태. 아주 중요하고 광의적이고 구심적인 해석들이 하나의 주도적인 의견으로 수렴됨: 아들에 대한 위협. 감정의 몰두: 아들에 대한 의무. 불안에 의해 초래된 다형(多形)의 충동들: 작가와 미래의 희생양이 된 여배우에게 접근. 글을 써야 할 긴급한 필요. 결과물은 영국 왕가에 보냄. 논쟁적이거나 목가적인 다른 글들. 커피 중독. 정도를 벗어난 다이어트 등."[15]

그날부터 계속해 일 년 동안 라캉과 마르그리트 팡텐느는 떨어지지 않았다. 이미 이때쯤 뛰어난 정신과 의사가 되어 있던 라캉은 엄청난 조사를 통해 '사례'를 작성하기 위해 이 여자의 운명을 이용했다. 그는 이 사례에 여성의 광기에 관한 자기 이론뿐만 아니라 환상과 가족에 대한 자신의 강박관념들도 함께 투사했다. 그는 잔인할 정도로 탐욕스럽게 마르그리트가 쓴 글과 사진, 그녀의 삶에 관한 모든 이야기들을 훔쳤고, 결코 그녀에게 돌려주지 않았다. 따라서 두 사람의 관계는 계속 뒤틀려 있었고, 차가웠으며, 도저히 회복할 수 없을 정도로 적대적이었다. 라캉이 그녀에게 관심을 보인 이유는 단지 편집증에 대한 이론을 구체적으로 설명하고 자신을 새로운 프로이트 담론의 창시자로 만들어줄 이론서를 쓰기 위해서였다. 그러나 그녀는 그가 강요하고자 했던 역할을 끊임없이 거부했다. 그녀는 그의 관점에 항의했고, 자신을 정신의학적 방법의 타당성을 뒷받침하기 위한 대상으로 삼은 것에 대해 평생 그를 비난했다. 그녀는 정신의학이 억압적이라고 비난했다.[16]

전혀 평범할 수 없는 이 사건은 이제야 참고할 수 있게 된 다양한 증거와 자료들 덕분에 전모를 소개할 수 있게 되었다.

첫째딸 마르그리트 팡텐느는 1885년 10월 19일에 캉탈 지방의 모리아크라는 시골에서 태어났다. 그녀는 장-밥티스트 팡텐느와 잔느 안나 도나디외의 딸이었다. 이들은 마르그리트가 태어나기 8개월 전에 샬비낙에서 결혼했다. 마르그리트를 낳은 후 잔느는 두 딸을 더 낳았다. 1887년 9월에 낳은 둘째딸 엘리즈는 외제니 혹은 '넨느'라는 애칭으로 불렸다. 그리고 그로부터 11개월 후에는 셋째딸 마리아를 낳았다. 그런데 1890년 12월에 이 시골 가정에 참혹한 비극이 일어났다. 일요 미사를 올리기 전 마르그리트가 막내동생이 보는 앞에서 횃불처럼 타버렸다. 오간디 모슬린 소재의 아름다운 드레스를 입고 있던 그녀가 난롯불과 너무 가까이 있었던 것이다. 이 참사 후 잔느는 또 임신했지만 1891년 8월 12일에 유산이 되었다. 그리고 11개월 후인 1892년 7월 4일에 다섯째 아이가 태어났다. 부모는 그 아이에게 죽은 마르그리트의 이름을 붙여주었다. 이 아이가 바로 39년 후 라캉을 만난 마르그리트였다. 그녀의 아들은 이렇게 쓰고 있다. "어머니가 평생 지옥의 불길을 피하기 위한 방법을 강구하는 데 몰두하신 것은 우연이 아니다······ 그것은 그녀의 비극적인 운명을 완수하기 위한 것이라고 할 수 있다. 어머니의 경우 그것은 정말 비극적인 것이었다."[17] 마르그리트를 낳은 후 잔느 도나디외는 아들 세 명을 더 낳았다.

마르그리트는 사계절이 계속 바뀌고 똑같은 일이 반복되는 농삿일 속에서 목가적인 어린 시절을 보내는데, 이러한 시골 생활은 그녀에게 몽상과 고독의 취미를 심어주었다. 다른 사람들이 살짝 미쳤다고 생각한 그녀의 어머니 잔느는 너무나 민감했기 때문에 마을 사람들과의 관계가 원만치 못했다. 그녀는 불안감이 심해지면 의심하는 경향이 있었다. 가령 옆집 여자가 아픈 동물이 곧 죽을 것 같다고 말하면 그녀는 그 이웃이 동물에게 독약을 먹이려 한다고 확신했다. 그녀는 종종 자신이 감시당하거나 박해받는다고 생각했으며, 모든 것을 자신을 해하려는 의도의 징후로 해석했다. 마르그리트는 그런 어머니의 사랑을 가장 많이 받았고, 그래서 많은 특권을 누리면서 자매들의 질투심을 샀다. 마르그리트는 아버지와 남자 형제들에게는 거칠고 반항적인 태도를 보였으며, 이런 식으로 폭군적이라고 판단한 권위에 저항하려고 했다.

마르그리트의 언니인 엘리즈 팡텐느는 쇠약해진 어머니를 대신해 가사를 도맡아하게 되었다. 그러나 1901년 열네 살이 되던 해 그녀는 도시에서 식료품을 운영하는 삼촌 기욤므의 가게에서 일하기 위해 마을을 떠났다. 그리고 1906년에 엘리즈는 그와 결혼했다. 다른 한편 마르그리트가 학교에서 아주 뛰어난 성적을 받아오자 부모는 그녀를 멀리 있는 학교로 보내 딸이 교사가 되기를 꿈꾸었다. 하지만 시골과 다른 환경에 처하게 된 그녀는 실망했고 학생들을 소홀히 대하는 비종교적 선생들을 비난했다. 그리고는 종교적 윤리의 위대함을 동경했다.

1910년에 그녀는 결혼한 언니 집에서 살게 되었다. 이때 그녀는 18세의 성숙한 처녀로서 큰 골격에 고집세고 지적이며 감수성이 예민하고 아름다웠다. 그녀는 우체국에 입사하기 위해 학업을 중단했고, 그래서 교사의 꿈을 포기해야 했다. 곧 그녀는 이 지방의 '돈 후안'에게 유혹받게 된다. 라캉은 이렇게 쓰고 있다. "순진한 사람에게 특유한 맹목성과 열광을 모두 보여준 이 사건은 3년 동안 그녀의 마음의 행로를 모두 결정하게 된다."[18] 벽촌으로 전근을 가도 여전히 마르그리트는 그 유혹자를 사랑했고, 그가 아닌 다른 어떤 것도 생각할 수 없었다. 그녀는 이러한 감정을 동료들에게 숨기면서 그에게 비밀 편지를 보냈다. 그녀의 사랑은 3년간 지속되었는데, 그후로는 사랑이 증오로 변해 이전의 '돈 후안'을 한심한 놈으로 여기게 되었다.

그후 마르그리트는 믈룅으로 전근을 가 1917년까지 그곳에서 근무했다. 그런데 그녀는 그곳에서도 또 사랑에 빠졌다. 이번에는 여자였다. 바로 N. de C. 양이라고 하는 우체국 동료였다. 라캉이 '교묘한 음모가'라고 부른 이 젊은 여자는 귀족 가문 출신이었지만 이제는 영락해 먹고 살기 위해 직장에 다니고 있었다. 그녀는 우체국 직원이라는 자기 직업을 경멸했고, 동료들에게는 멋을 잘 내는 사람으로 행세했다.

마르그리트는 좋은 먹이감이 되었다. 그 여자는 마르그리트에게 분명 『보바리 부인』에서 따왔을 이야기들을 재미있게 들려주었다. 마르그리트는 이 여자를 통해서 처음으로 위게트 뒤플로와 사라 베른하르트에 대해 알게 되었다. 위게트 뒤플로는 그 여자의 아줌마와 같은 층에 산다고 했고, 사라 베른하르트는 수녀원에서 그 여자의 어머니와 만났다고 했다. 그런 얘기들을 들으면서 마르그리트는 우체국 여직원들의 세계를 은근히 경멸하게 되었다. 그리고는 플라톤적 이상과 남성적인 힘 그리고 로맨스로 가득 찬 더 나은 세계를 꿈꿨다. 그녀가 신분 상승을 위해 갑자기 같은 우체국 직원과 결혼하기로 결심했을 때 그 여자는 그녀에게 사치스러운 소비를 부추겼다. 이처럼 거의 최면적인 암시는 4년이라는 오랜 기간 동안 지속되었는데, 그 '교묘한 음모가'가 다른 우체국으로 전근갈 때에서야 비로소 끝난다. 하지만 두 여자는 편지를 주고받으면서 계속 관계를 유지했다.

르네 앙지외는 프랑스 남부 해안에 위치한 세트에 있는 빵집 아들이었다. 12살에 고아가 된 그는 짧은 기간에 우체국 직원의 여러 직급을 거쳐 감찰관이 되었다. 자전거로 여기저기 여행하기를 좋아한 그는 어디서든 지도를 발견하면 아주 좋아했다. 상류 사회에서 사용하는 컬러 지도, 해도, 철도 지도 등 어떤 것도 상관없었다. 운동을 좋아하면서도 침착하고, 실용주의자이며 단순한 그는 균형 잡힌 성격을 가진 것처럼 보였다. 모든 면에서 마르그리트와는 반대였다. 그녀가 운명적인 선택이라고 생각하면서 그와 결혼하기로 결심했다고 말했을 때 그녀의 가족은 반대했다. 가족들은 확실히 그녀의 우둔함과 지나치게 몽상적인 취미, 독서에 대한 괴벽 때문에 그녀가 부부 생활을 하는 데 맞지 않을 것이라고 했다. 하지만 여러 사람들의 경고에도 불구하고 두 사람은 결혼을 결심했다. 그들은 서로 과거를 고백했고, 드디어 1917년 10월 30일에 결혼식을 올렸다.

마르그리트는 가정에 신경을 많이 쓰려고 노력하지만 금방 불화가 생겨났다. 르네는 사색적인 태도를 싫어했고, 아내가 독서와 외국어 공부로 시간을 보내는 것을 참을 수 없어했다. 그녀 쪽에서도 역시 자기가 관심을 갖고 있는 것에는 도대체 무관심하다는 이유로 남편을 비난했다. 부부는 결혼하기 전의 고백을 들추어대면서 서로의 과거에 대한 질투심을 드러냈다. 아내의 성적 불감증도 남편의 공격성을 전혀 완화시켜줄 수 없었으며, 곧 이처럼 잘 어울리지 않는 부부 관계는 파국을 향해 치닫게 되었다. 마르그리트는 불안한 행동을 보이기 시작했다. 실없이 웃기도 했고, 충동적으로 걸어다니기도 했다. 그리고 손이 더러워질까 봐 계속 씻는 버릇이 생겼다.

이때 기욤므 팡텐느가 전쟁에서 입은 부상으로 사망했다. 과부가 된 엘리즈는 이미 4년 전에 자궁 절제술을 받았기 때문에 자식을 얻을 수 없는 상태였다. 어떻게 해야 할지를 모르게 된 그녀는 믈룅에 있는 여동생 마르그리트와 함께 살기로 생각했다. 이리하여 동생 집에서 살게 된 그녀는 집안일은 도맡으면서 원래 마르그리트가 남편 르네를 위해 해야 할 일을 대신하게 되었다. 마르그리트는 전에도 그런 역할을 잘했던 것은 아니지만 언니에게 그 자리를 빼앗기면서 남편과 더욱 멀어졌고, 병적인 증상과 함께 싸울 힘마저 잃어버렸다. 부부 사이에 끼여들어 끊임없이 잔소리를 늘어놓는 언니 때문에 자존심이 상했지만 그녀는 우체국의 음모녀에게도 그랬던 것처럼 그냥 언니의 지배에 자기를 내맡겨버렸다. 반대 감정이 양립하는 그녀의 태도는 바로 여기에서 비롯되었다. 어느 때는 자기가 무능력하다고 생각하며 엘리즈의 장점을 말하는가 하면, 또 다른 때는 언니의 압력에 침묵으로 항의하기도 했다. 결과는 끔찍했다.

1921년 7월에 그녀는 임신한 사실을 알게 되었다. 하지만 그 '행복한' 사건을 계기로 그녀는 우울증 증세를 동반한 피해망상적인 행동을 보였다. 라캉은 이렇게 쓰고 있다. "동료들이 하는 이야기는 그녀를 두고 하는 얘기 같았다. 그녀의 행동이 방정하지 못하다고 욕하면서 그녀의 품행에 대해 헐뜯고, 그녀의 불행을 예고하는 것 같았다. 그녀가 거리를 지날 때면 행인들은 수근거렸고, 경멸적인 시선으로 그녀를 보았다. 그녀는 신문에는 자신에 대한 적대적인 언급들이 실려 있다고 믿었다."[19] 산달이 다가오면서 혼란은 더욱 가중되었고, 낮 동안의 피해망상증이 밤까지 지속되었다. 어떤 때는 죽는 꿈을 꾸기도 했고, 또 어떤 때는 자리에서 일어나 르네의 머리에 다리미를 던지기도 했다. 어느 날에는 동료의 자전거 바퀴를 칼로 찔러 바람을 빼버리기도 했다.

1922년 3월에 그녀는 딸을 낳았다. 그러나 태어나자마자 죽었다. 탯줄로 인한 질식사였다. 그녀는 이러한 불행이 적들이 저지른 짓이라고 주장했다. 그래서 마침 옛 동료인 그 '교활한 음모가'가 안부 전화를 걸어오자 그녀는 갑자기 그 여자에게 불행의 책임을 덮어씌웠다. 시간이 흐르면서 그녀는 점점 마음을 닫게 되었다. 말이 없어지고, 이제까지 착실하게 준수해오던 종교적 습관도 버렸다.

두번째 임신을 했을 때도 다시 우울증 증세를 보였다. 하지만 1923년 7월에 아기가 태어나자 아기에게 열성을 보였다. 아기는 남자아이였는데, 디디에라는 이름을 붙여주었다. 마르그리트 본인이 첫째딸 마르그리트가 유산된 다음에 태어나 이전의 마르그리트를 대신하게 되었듯이 이 아들 역시 사산된 누나 바로 다음에 태어났다. 나중에 그는 이렇게 말하고 있다. "부모님의 첫번째 실패를 의미했던 죽은 누나는 오랫동안 부모님의 생각과 말 속에 살아 있었다. 이어서 내가 태어났다. 부모님은 큰딸을 앗아간 불행한 운명으로부터 보호하기 위해 온갖 정성을 다해 나를 보호하고 보살폈다. 나는 불행이 되풀이되지 않을까 하는 부모님들의 두려움을 감당해야 했다. 이러한 부모님의 노심초사가 정당하다는 것을 증명하기 위해 나는 어떻게든 살아남아야 했다. 하지만 그들은 내 목숨이 아주 불확실하다고 보았다. 그들은 아주 사소한 소화 불량이나 미풍도 내게는 위험하다고 보았다. 부모님의 이런 태도는 나를 아주 특이하고 힘든 상황으로 몰았다. 나는 죽은 누나를 대신해야 했던 것이다."[20]

수개월 동안 마르그리트는 아들을 유일한 열정의 대상으로 삼았다.

14개월까지는 다른 사람이 아들 가까이 가거나 우유를 먹이지도 못하게 했다. 어떤 때는 아들에게 토할 정도로 너무 많이 젖을 물리기도 하다가 또 어떤 때는 젖 주는 시간을 잊어버리기도 했다. 아들이 바깥 바람을 절대 못 쐬도록 하기 위해 배내옷으로 꽁꽁 쌌다. 어린 시절을 되돌아보면서 나중에 그는 어릴 적에 자기는 여러 겹으로 싸여 있는 양파심 같았다고 이야기했다. 그녀는 주위 사람들과 싸우기 시작했고, 다른 사람들이 말하는 것은 모두 위협적인 것으로 해석했다. 어느 날에는 아이에게 바깥 바람을 쏘여주기 위해 끌고 나온 유모차와 너무 가깝게 스쳐 지나갔다는 이유로 자동차 운전수들을 고소하는가 하면, 또 어느 날에는 아이의 존재를 까맣게 잊어버린 채 아이가 마차 바퀴에 묻은 더러운 기름을 빠는 것을 그냥 놔둔 적도 있었다. 그래서 디디에의 대모인 엘리즈는 아이를 맡아 키우기로 결심했다. 조카를 어머니처럼 돌보면서 결코 실현시킬 수 없었던 자식에 대한 욕망을 보상받을 수 있으리라 생각했던 것이다.

그때부터 마르그리트는 주위 환경으로부터 고립된 이방인처럼 느꼈다. 그래서 그녀는 미국으로 떠날 꿈을 꾸면서 페이롤스라는 이름으로 여권을 만들었고, 우체국에 사표를 제출했다.[21] 미지의 땅에 가서 행운을 만나 소설가가 될 수 있다고 생각했다. 엘리즈와 르네의 위협에도 불구하고 그녀는 이처럼 괴상한 생각들을 포기하지 않았다. 그러자 그들은 그녀를 에피네 정신병원에 보내기로 결정했다.

정신병원에 갇힌 그녀는 맹렬히 항의했다. 그녀는 이렇게 쓰고 있다. "……내가 항상 희생양이 되고 항상 이해받지 못하는 존재가 되는 것을 마침내 나는 즐기게 되었다. 성모 마리아여, 내게 벌어지는 일들을 모두 생각할 때! 당신도 알지 않는가. 세상 모든 사람들도 알고 있다. 그들은 끊임없이 나를 헐뜯는다. 나는 당신의 책을 통해 당신이 불의를 좋아하지 않는다는 것을 알았다. 그러니 나를 위해 뭔가 조치를 취해주시길 간구한다."[22]

정신병원에 있는 동안 마르그리트는 현실과의 접촉을 잃어버리고, 과대망상증적인 태도에 빠졌다. 처음에 '정신박약, 환각, 피해망상증을 가진' 정신착란 환자로 판명된 그녀는 6개월 후에야 가족의 요구로 풀려났다. 얼마 동안 휴식을 취하고 난 그녀는 다시 아들을 돌볼 수 있게 되었고, N. de C. 양을 방문해 자기가 그 동안 이 여자에게 저질렀다고 생각한 잘못에 대해 마음속으로 용서를 빌었다. 물론 그 N. de C. 양은 자기가 마르그리트의 박해자 역할을 맡았다는 사실을 모르고 있었다. 1925년 8월에 마르그리트는 가족을 버리고 믈룅을 떠났다. 아들을 해치려 하고 있다고 그녀가 상상하는 사람들을 추적하기 위해 파리 전근을 요청했던 것이다.

그녀는 곧 기이한 생활을 시작했다. 한편에서는 우체국 직원으로서의 일상적인 생활을 유지하며 현실에 적응했다. 다른 한편에서는 꿈과 망상으로 가득한 환상 속에서 살았다. 직장은 루브르 가에 위치한 중앙우체국이었고, 집은 생 앙드레-데-자르 가에 위치한 누벨 프랑스 호텔이었다. 말하자면 직장은 세느 강 우안에 있고 생활은 좌안에서 했던 것이다. 퇴근을 하면서부터는 그녀는 지성인이 되었다. 개인 교습을 받았고, 도서관을 자주 드나들었으며, 커피를 즐겨 마셨다. 하지만 부단한 노력에도 불구하고 그녀는 시험에 여러 번 낙방했다. 전문 직업 시험에는 한 번, 그리고 바칼로레아에는 세 번.

이런 이중 생활이 계속되면서 정신착란 증세는 훨씬 더 악화되었다. 어느 날 누군가 위게트 뒤플로에 대해 얘기하는 것을 들은 그녀는 그 '교묘한 음모가'와 나눴던 옛날 대화를 떠올렸다. "나는 그 여자를 헐뜯었어. 모든 사람들은 그 여자가 기품 있고 우아하다고 말하는데도 말이야. (……) 하지만 나는 그 여자가 창녀라고 말했지. 그 여자가 내게 악감정을 갖고 있는 것은 바로 그 때문일 거야."[23]

그래서 마르그리트도 여배우가 자기를 박해하려 한다고 믿게 되었다. 파리 신문들이 항상 위게트 뒤플로와 코메디-프랑세즈 간의 분쟁에 대해 크게 다루는 것을 보면서 그녀는 신문이 연예인을 그렇게 중시하는 태도에 분개했다. 그녀는 두 번이나 장차 제물이 될 여배우의 얼굴을 꼼꼼히 지켜보았다. 처음에는 피에르 브누아의 소설을 각색한 『쾨니히스마르크』에서 그녀가 대공작 부인인 오로르 역을 연기하는 것을 보았다. 그리고 이어 레옹스 페레의 영화에 등장한 그녀를 보았다. 영화의 줄거리는 수단(繡緞)과 미장널(벽에 둘러친 대리석)과 낭하가 실물 같은 착각을 일으킬 정도로 솜씨 있게 그려진 고딕 식 궁전을 배경으로 벌어지는 음울한 살인 사건에 관한 것이었다. 이 여배우의 이름은 작가의 이름과 함께 널리 알려졌다.

마르그리트는 파리 극장의 다른 두 사람의 유명 인물도 자기를 박해하고 있다고 믿었다. 사라 베른하르트와 콜레트가 바로 그들로 이 두 여배우는 많은 사람들의 사랑을 받았고, 큰 성공을 거두어 부를 누리며 살고 있었다. 두 사람은 또하나의 이상을 구현하고 있었는데, 아주 고통스럽게 그리고 간신히 획득해 많은 대가를 치러가며 지켜야 하는 자유라는 이상이 그것이었다. 마르그리트도 바로 이러한 이상을 동경했지만 사회적으로든 지적으로든 전혀 아무런 성공도 거두지 못했다. 위대한 배우 사라는 1923년에 사망했다. 그녀는 졸라처럼 열정적인 드레퓌스 파였고, 무대에서는 명배우로 로스탕의 <에글롱L'Aiglon>에서는 결핵에 걸린 왕자로, <테루아뉴 드 메리쿠르Théroigne de Méricourt>에서는 우수에 잠긴 여주인공으로 열연했다. 여전히 활발하게 활동하면서 인기 절정에 올라 있던 콜레트는 1923년에 처음 본명으로『덜 익은 밀Le Blé en herbe』이라는 책을 발표했다. 53살이던 그녀는 16세 연하인 진주 상인과 살면서 스캔들을 일으키고 있었다.

마르그리트의 정신착란은 책을 읽다가 우연히 일어났다. 그녀가 자기의 사생활에 관한 '암시들'을 보려면 신문을 펼치기만 하면 되었다. 그러던 중 1923년에 일어났던 한 침울한 사건이 그녀에게 살인과 복수에 대한 환상을 조장했다. 알퐁스 도데(『물방앗간의 편지Lettres de mon moulin』와 『타라스코의 허풍쟁이Tartarin de Tarascon』의 저자)의 손자이며 레옹 도데(우파 기자)의 아들인 필리프 도데가 무정부주의자인 친구들에게 자기 아버지를 암살하도록 설득하다가 실패하자 자기 머리에 총을 쏘고 자살한 사건이 있었다. 그러나 알퐁스 도데는 손자가 자살했다는 것을 인정하지 않고 무정부주의자들이 손자를 살해했다고 고소했다. 마르그리트는 이처럼 혼란스런 사건을 자기 이야기로 생각해 러시아 비밀 경찰인 GPU(KGB의 전신 — 옮긴이)가 아들인 디디에를 죽이려고 계획하고 있다고 믿었다.[24]

파리에 온 첫해부터 마르그리트는 아카데미 프랑세즈 회원인 피에르 브누아를 만나기 위해 온갖 방법을 다 시도해보았다. 그가 자주 다니는 서점 현관에서 여러 번 그를 기다리기도 했다. 그녀가 실제로 그에게 접근해서 자기 사생활을 세상 사람들에게 폭로한다고 비난하자 그는 그녀를 무례하면서도 수수께끼 같은 여자라고 생각했다. 그는 자존심이 몹시 상했지만 그녀와 함께 불로뉴 숲을 산책했다. 그때 그녀는 그의 최근 작품의 여주인공인 알베르트에게서 자기 모습을 발견했다고 항의했다.

확실히 브누아의 작품은 이처럼 평범하지 않은 독자의 광기에 불을 지피기 위해 기획된 것처럼 보였다. 『알베르트Alberte』는 사위가 딸을 죽인 사실을 까맣게 모른 채 그를 정부로 삼은 어머니 이야기였다. 딸이 죽고 10년이 지난 후에 사위의 범죄 사실을 알게 된 어머니는 근친상간을 범한 것을 수치스럽게 생각하며 자기 자신과 살인자를 고발했다. 이처럼 음울한 사건이 자기 운명을 반영한 것이라고 믿었던 마르그리트는 라캉에게 이렇게 말했다. "내가 그 어머니인 동시에 그 딸이기도 했어요."[25]

이 지점에서 우리는 마리-펠리시테 르페브르 이야기를 떠올리지 않을 수 없는데, 마리 보나파르트는 *RFP*지 첫 호에서 이 사건을 소개하며 논평한 바 있다.[26] 나중에 라캉도 경탄하며 이 사례를 언급하는 것을 잊지 않는다.

1923년 8월에 마리-펠리시테는 임신한 며느리를 권총으로 쏘아 죽였다. 두아이 법원은 그녀가 자기 행동에 대해 책임을 질 수 있다고 판단해 사형을 구형했다. 마리 보나파르트는 정신분석의 이름으로 용감하게 이 사건에 개입했다. 그녀는 살인범이 예전에 자기 어머니와의 관계에서 품었던 죽음의 소망을 정신착란 상태에서 무의식적으로 행동에 옮기게 된 것이라고 주장했다.

피에르 브누아의 이야기에서는 아내를 죽인 남편이 장모와 잠자리를 같이했고, 르페브르 부인의 사례에서는 어머니가 자기 어머니에 대한 증오심과 아들이 새로운 후손을 낳지 못하도록 하려는 의도에서 범죄를 저질렀다. 이 두 이야기에는 불우한 삼인조가 등장하는데, 어머니와 딸들의 위치는 서로 바뀔 수 있었다. 여기서 딸은 항상 희생자였으며, 아들은 살인하는 남편이 되기도 하고 소극적인 남편이 되기도 했다.

그해 내내 마리-펠리시테 르페브르 이야기가 세간의 화제가 되었지만 마르그리트는 그 이야기에 대해 결코 언급하지 않았다. 『알베르트』 읽기, 브누아와의 만남, 콜레트의 화려한 생활 방식, 위게트 뒤플로의 법정 분쟁 등은 그녀의 정신착란을 부채질하기에 충분했다. 그녀는 브누아를 자기가 증오하는 로베스피에르라는 이름으로 불렀고, 기자들과 예술가들, 시인들이 볼셰비즘과 전쟁, 가난, 사회 부패에 대한 책임이 있다고 주장하면서 이들을 비난했다. 그녀는 자신을 민족간의 형제애의 이상을 회복하기 위해 이들에 맞서 싸우는 십자군 전사로 보았고, 영국 황태자의 보호를 요청하기 위해 그에게 시와 익명의 편지를 보냈다. 그녀는 혁명가들의 선동과 신문에서 '이탤릭체로 인쇄된' 그에 대한 음모를 경계하라고 경고했다. 그녀는 색광증의 대상인 황태자의 생활과 여행에 관한 신문 기사들을 오려 방의 여기저기에 붙여놓았다.

그녀는 반볼셰비키였음에도 불구하고 한 공산주의 신문에 접근하여 콜레트에 반대하는 기사들을 발표하고 이렇게 해서 자기 자신의 주장과 불평을 퍼뜨리려고 시도했다. 동시에 그녀는 피에르 브누아와 플라마리옹 출판사를 자신이 사는 구역의 경찰서에 고발했다. 그후 작가라는 목표에 좀더 전력하기 위해 가족과 함께 보내는 휴가도 포기했다. 그래서 특수한 사명을 부여받고 있다고 생각한 그녀는 거리를 지나가는 행인들에게 다가가 엉뚱한 이야기를 늘어놓곤 했다. 그녀가 다가간 사람들 중 조심성 없는 몇몇 사람과는 호텔 방에서 다시 만나기도 했는데, 그녀는 용무가 끝났다 싶으면 곧 가까스로 빠져나오기도 했다.

여배우를 습격하기 8개월 전인 1930년 8월에 그녀는 두 편의 소설을 연이어 써서 타자를 쳐달라고 맡겼다. 영국 황태자에게 헌정된 첫번째 작품인 『중상가*Le Détracteur*』는 계절의 흐름에 따라 시간이 전개되는 시골의 순수한 사랑에 관한 이야기였다. 마르그리트는 방언을 사용해 루소 식으로 자연의 흐름에 따라 사는 삶이 얼마나 아름다운지를 열정적으로 토로했다. 전원 생활은 이상화되었고, 도시는 타락과 퇴폐의 근원지로 묘사되었다. 다비드라는 이름의 주인공은 젊은 농부로 그의 어머니는 '탁한 물'을 마신 후 죽었다. 그는 에메라는 이름의 소녀를 사랑했다. 그녀의 모습은 지방에서 전승되는 지식과 용어를 적절히 뒤섞은 말로 묘사되고 있다. "에메는 진짜 농부처럼 열심히 일한다. 그녀는 헌옷의 실을 '풀' 줄 알고, 수확 후에는 산더미 같은 빨랫감을 빨아 깨끗하게 '다림질'할 줄도 안다. 또한 '체'로 물을 빼 최고의 치즈를 만들 줄 알고, 고깃살이 너무 질긴 암탉은 잡지 않는다. 낟알을 '손대중으로' 잴 줄도 알고, 추위에 민감한 가축들을 위해 잎사귀와 나뭇가지를 모아 우리를 만들어주기도 한다. 닭 요리를 해서 아이들이 먹기 좋게 잘게 찢어주기도 하고, 아이들에게 빵과 판지로 인형을 만들어주기도 하며, 다양한 종류의 과자도 만들어준다. 특별한 경우에는 품위 있는 요리를 할 줄도 안다. 크림 소스를 곁들인 민물 송어 요리, 밤을 채워넣은 닭 요리, 생선 스튜 등."[27]

그런데 여름에 한 낯선 남자와 화류계 여자처럼 보이는 여자가 마을에 나타나 에메네 집안에 불화의 씨를 뿌린다. 그 여자는 '꽃잎이 떨어져 검게 앙상해진 가지에 너무나 싱싱한 장미꽃이 피어난 가을의 장미나무처럼 짙게 화장을 했다'. 그녀는 '걷기에는 적당해 보이지 않는 구두'를 신었다. 그녀는 마치 '그로테스크한 분위기가 감도는 아주 새롭고 괴상한 모델들의 박물관, 수집소' 같았다. 악마처럼 보이는 이 부부가 온 마을에 나쁜 기운을 퍼트려 곧 동네에는 밀담과 음모, 모의 등이 가득 차게 된다. 가을이 되자 에메의 집안에 불행이 닥쳤다. 형제들은 쇠약해지고, 어머니는 자리에 눕게 되었으며, 그녀 자신은 비방의 대상이 되었다. 그녀는 꿈속으로 도피했다. 그녀는 거리에서 행복한 가족이 지나는 모습을 부러워하는 눈길로 지켜보았다. 자랑스런 남편과 젖을 문 채 엄마에게 미소를 건네는 아이를 안고 있는 아내. 겨울이 오자 이 방인들은 마을을 떠났다. 소설은 에메의 죽음과 어머니의 절망으로 끝난다.

이 이야기에는 마르그리트의 광기와 관련된 중요한 인물들이 등장한다. 피에르 브누아의 소설에 나오는 것과 똑같은 이름을 가진 상사병에 걸린 여주인공, 질시와 사랑을 한 몸에 받는 유명한 여자를 상징하는 화류계 여자, 음모를 꾸민 중상가, 사악한 남녀에 의해 파괴된 가정.

두번째 소설인 『실례지만 *Sauf votre respect*』역시 영국 황태자에게 헌정되었다. 이 소설은 『중상가』와 같은 이야기이지만 인물은 반대로 되어 있다. 이 소설의 여주인공은 시골에서 그냥 도시의 침입자들의 제물이 되기를 기다리지 않는다. 그녀는 단검을 차고 두건을 쓰고 말을 몰아 파리와 아카데미 프랑세즈를 정복하기 위해 나선다. 그녀는 위롱에서 타락한 문명의 현장을 목격했고, 이어서 그녀의 주요 박해자인 필리뷔스티에와 마주쳤다. '썩지 않는 나무로 된 엉덩이'라는 별명을 가진 그는 기요틴 참수인이었다. "그는 술을 마시지도 않았고, 먹지도 않았고, 여자도 없었다. 하지만 그는 비겁하게 수천 명의 여자들을 죽였다. 그 피는 트론느 궁전에서 바스티유까지 흘렀다. 보나파르트가 파리에 총구를 겨눌 때까지 그 학살은 멈추지 않았다."[28] 공산주의자들과 기요틴 참수인들이 득실거리는 지옥 같은 도시의 음울한 거리를 돌아본 여주인공은 '그녀의 허수아비를 만들어 죽이고' 싶어하는 작가와 거리의 광대들과 함께 공화국 자체에 이 모든 책임을 돌렸다. 그들에 반대해 그녀는 군주제를 옹호했고, 종교를 비난했으며, 기적을 암시의 결과로 해석했다. 그녀는 이렇게 쓰고 있다. "모든 기독교인들에게 기적이 일어나지는 않는다. 하지만 의학마저도 인정하고 있는 명백한 사실을 당신들이 이해하기 쉽게 설명하는 것은 어렵다. 당신들의 우상이 당신들에게 고통을 잊게 해주고 새로운 기운을 북돋워줄 정도로 큰 영향을 끼치기 때문에 당신들은 틀림없이 아주 감동하며 그 우상에게로 다가간다. (……) 친구가 재미있는 이야기를 들려주면 당신의 편두통은 틀림없이 조만간 회복될 것이다. 이처럼 만일 당신이 뒤얽힌 감동을 고결한 감정에 맞추어 조절한다면 당신은 기적을 볼 수 있을 것이다……"[29] 이 이야기는 어린 시골 여자가 자신의 샘과 목장 그리고 목가적인 가족의 품으로 돌아가는 것으로 끝난다.

1930년 9월 13일에 마르그리트는 이 두 원고에 처녀적 성으로 사인한 후 플라마리옹 출판사에 보냈다. 2개월 후 편집부에서 원고가 출판에 적당하지 않다는 의견을 보내왔다. 이 소식을 들은 그녀는 출판사로 찾아가 편집책임자를 만나게 해달라고 요청했다. 다른 업무들로 시간이 없던 그는 문학 담당 편집자를 시켜 대신 그녀를 만나게 했다. 그러자 마르그리트는 편집부에서 보낸 거절의 편지를 휘두르며 책임자 이름을 대라고 소동을 피웠다. 문학 편집자가 거부하자 그녀는 그에게 달려들어 거의 목을 조르면서 "이 암살자 같은 놈들, 아카데미 회원 같은 놈들!"이라고 외쳐댔다.[30]

요란한 소리를 내며 문밖으로 쫓겨난 그녀는 자기의 모든 희망이 우롱당했다는 사실을 참을 수 없었다. 오랫동안 방황하던 그녀는 마음속에서 강렬한 복수심이 차오르는 것을 느꼈다. 이로 인해 그녀는 1931년 4월에 범죄를 저지르게 된다. 그녀는 집주인에게 권총을 빌려달라고 부탁했다. 그가 거절하자 그녀는 '그 사람들(편집자들)을 겁주기' 위해 지팡이를 부탁했다. 마지막으로 그녀는 황태자에게 소설 두 편과 자기 이름으로 사인한 편지를 보내면서 보호를 요청했다.

그녀는 아들이 습격받지 않을까 두려워하면서 아들을 보호하기 위해 매일 플룅에 갔다. 1월에 그녀는 언니에게 이혼 의사를 밝혔다. 그녀는 남편이 자신과 아들을 때린다고 비난했다. 3월에는 코킬리에르 광장에 있는 가게에서 사냥칼을 하나 샀다. 4월 17일 버킹엄 궁전의 비서관이 공문서 서식과 함께 그녀의 편지와 소설들을 되돌려보내왔다. 그녀는 감옥 안에서 그것들을 받았다. "비서관은 A 부인이 친절하게도 저희에게 보내주신 원고를 되돌려보냅니다. 개인적으로 알지 못하는 사람들로부터 선물을 받는 것은 영국 왕실의 규칙에 위배되기 때문입니다."[31]

2 편집증에 대한 찬사

라캉은 생트-안느 병원에서 일 년 동안 자기 학대 증상을 보이는 편집증 사례를 연구하기 위해 가능한 모든 방법을 동원했다. 하지만 그는 마르그리트 팡텐느의 실제 상황보다는 자신의 이론적 관심사에 더 몰두했다. 살해하려다 미수에 그치고 만 마르그리트는 편집증의 실제 증상들을 보여주었으며, 확실히 피해망상과 과대망상증을 보이는 수수께끼 같은 인물이었다. 그러나 이 편집증이 라캉이 주장하는 것과 똑같은 구조로 되어 있거나 구성되어 있음을 증명해주는 것은 아무것도 없었다. 하지만 그는 결국 마르그리트의 실제 운명보다 더 많은 진실을 담고 있는 병력 기록을 후대에 남겼다. 그래서 그녀의 진짜 이름은 정신병동의 익명성 속으로 묻혀버리고, 개인 신상은 오랫동안 망각 속에 잊혀지게 되었다.

마르그리트를 대하면서 라캉은 임상학적 정신의학에서 사회학적 연구로, 심리학적 탐구에서 의학 시험으로 자유로이 움직였다. 그러나 결코 그의 가설들을 확인시켜줄 수 있는 것 이외의 진리에는 귀기울이려 하지 않았다. 그는 환자의 신분을 숨기기 위해 마르그리트를 그녀가 쓴 소설의 주인공의 이름을 따 에메라고 불렀다(앞에서 살펴보았듯이 그녀는 이 소설을 출판하려고 했지만 실패했다). 그는 그녀를 철도청 직원으로 만들었고, 그녀의 삶과 관련된 인물이나 장소들은 이니셜로 표시했다. 그는 또 지금도 의도적인 왜곡과 진짜 실수를 구별하기 어려울 정도로 일부 사건들을 변형시켰다. 그는 저명한 사회학자의 아들인 친구 기욤므 드 타르드에게 자기 환자의 글씨를 보여주며 필적 감정을 부탁했다. 타르드는 예술적 감각과 교양, 어린애 같은 성격, 불안, 흥분, 복수심 등을 지적했다. 그러나 그는 정신병에 대해서는 전혀 언급하지 않았다.[1]

라캉은 편집증 현상을 정의하기 위해 다섯 가지 요소를 제시했다. 인성, 심인적 특성, 과정, 불일치, 평행론이 바로 그것이다. 그는 조르주 폴리체의 이름을 언급하지 않은 채 구체적 심리학에 관한 그의 연구, 특히 1928년에 출간된 『심리학 원리 비판La Critique des fondaments de la psychologie』을 이용했다.[2] 하지만 인성은 라몽 페르낭데에게서 빌려온 용어였다.[3] 그는 인성이 세 가지 축에 의해 작용한다는 것을 증명하려 했다. 먼저 일대기적 발달이 있는데, 이것은 주체가 자기 역사를 살아가는 양식을 가리킨다. 두번째는 자기 자신이라는 개념으로서, 이것은 주체가 자기 자신의 이미지를 의식으로 이끄는 방식을 가리킨다. 세번째는 사회적 관계들이 가하는 긴장으로서, 이것은 주체가 타인 앞에서 영향받는다고 느끼는 표상적 가치를 가리킨다.[4]

이런 정의를 통해 라캉은 이전의 프로이트처럼 아주 독특한 생각을 하나 소개하게 되는데, 이것은 그의 지적 여정을 따라 계속 되풀이되어 나타난다. 1932년에 그는 주체란 그저 다른 사람들 그리고 사회 일반과의 관계에서 변증법적으로 작용하는 의식적·무의식적 표상들의 총합일 뿐이라고 생각했다. 즉 이것은 정신의학적 현상학의 의미에서의 주체이다. 다른 한편 인성에는 현상학적 관점을 수정하는 특수한 구조가 주어졌다. 라캉은 정신 자동 운동에 관한 앙리 에의 비판을 참고해 이 구조를 '심인성(psychogénie)'이라고 이름붙였다. 라캉은 일부러 이 용어를 '정신발생학(psychogénèse)'이라는 용어보다 더 자주 사용했는데, 이 용어가 체질론과 더 많은 거리를 두고 있었기 때문이다. 이 용어는 확실히 기관(器官) 형성론이나 정적인 기능은 전혀 함축하고 있지 않으면서 역동성의 관념을 통합시킨 것이었다.

증상이 '심인적' 특성을 가지려면 세 가지 조건이 필요했다. 첫째 원인이 되는 사건이 주체의 개인사와 관련해 규정되어야 한다. 둘째 증상 자체는 주체의 심리적 개인사의 상황을 반영해야 한다. 셋째 치료는 주체의 삶의 환경 변화에 따라 달라져야 한다. 라캉은 기관 원인론을 완전히 배격하지는 않았지만 그것이 심인성의 범주에 포함되지는 않는다고 주장했다. 이를 통해 그는 동시에 세 가지 다른 가설들을 반박하게 되었다. 첫째는 세리외와 카프그라의 주장으로서, 이들에 따르면 정신 착란에는 어떤 핵심을 이루는 확신이 있다. 둘째는 정신 자동 운동 증후군에 관한 클레랑보의 주장. 그리고 셋째는 네 가지 핵심적인 신호가 편집증의 발생을 알려준다는 어네스트 뒤프레의 주장. 라캉에 따르면 편집증과 일반 정신병의 원인은 주체가 세계와 맺는 구체적인 개인사와 관련되어 있으며, 기관에서 유래하는 증상이 연관되어 있는 경우에도 마찬가지다.

이런 접근 방식은 외젠느 민코프스키의 연구에서 끌어온 것으로, 라캉은 찬사와 함께 그의 글을 인용했다. '정신의학의 발전'(EP)의 창립 회원인 민코프스키는 후설과 루드비히 빈스방어의 현상학적 개념들을 전후 프랑스 정신의학계에 소개했다.[5] 이미 1923년부터 그는 우울증 사례를 연구하면서 정신병에 관한 포괄적인 이론을 이용했는데, 이 이론은 주체가 시간과 공간 그리고 다른 사람과 맺게 되는 관계에서 일어나는 주체의 실존적 개인사에 초점을 맞추고 있으며, 이러한 관계들에 나타나는 변화의 개념을 도입했다. 이러한 관계는 정적인 것이 아니라 동적인 구조로 인식되었다.

그러나 라캉이 이 용어를 언급한 이유는 곧 이 용어를 거부하고 야스퍼스의 용어에 중요성을 부여하기 위한 것이었다. 그는 야스퍼스에게서 '과정'이라는 개념을 빌려왔다. 1928년에 프랑스어로 번역되어 나온 『일반 정신병리학』은 큰 반향을 불러일으켰다. 윌름 가에 있는 고등 사범학교 학생이었던 폴 니장과 사르트르가 이 프랑스어 번역을 준비하는 데 참여했다.[6]

1913년에 베를린에서 출판된 이 중요한 저서에서 야스퍼스는 정신의학적 사고가 어떻게 정신병들 사이에서 나타나는 임상학적 차이를 바탕으로 조직될 수 있는지를 보여주었다. 이를 위해 그는 의미의 적용과 원인의 과학을 구분했다. 의미의 적용은 단순한 이해 영역에 속하며(verstehen), 원인의 과학은 설명의 영역에 속한다(Erklärung). 이해의 영역에서 각각의 상태는 이전의 다른 상태에 좌우된다. 가령 연인은 속았을 경우에는 그 반발로 질투하게 된다. 수험생은 시험에 떨어지게 되면 불행해하고 통과하면 희열감으로 행복해진다. 다른 한편 설명의 영역에서는 이해되지 않는 것이 있다. 따라서 이것을 이해하려면 사실에 대한 반응 논리와는 다른 논리를 이용해야 한다. 환청으로 들은 목소리나 편집증 환자가 상상하는 박해 이야기들은 인과의 연쇄적인 고리로 연결되어 있기 때문에 설명될 수 있는 영역에 속한다. 여기서 과정이라는 개념이 나오는데, 정신적 삶의 변화를 암시하는 이 개념은 정신착란에 특유한 무의미한 이야기를 합리적으로 설명해준다는 점에서 이해의 관계를 벗어난다.[7]

라캉이 인성의 과학을 형성하는 데서 이러한 개념이 얼마나 도움이 되었는지는 쉽게 상상할 수 있을 것이다. 이 개념 덕분에 그는 의미의 단순한 이해를 벗어나 인과 관계의 형식 논리에 우위성을 둘 수 있었다. 하지만 프랑수아 르길이 지적하는 대로 라캉은 야스퍼스의 저서를 '편파적으로 이용'했다.[8] 그는 이미 프로이트의 발견의 주요한 원칙들을 자기 것으로 흡수했기 때문에 이해할 수 있는 것과 설명할 수 있는 것 사이에 이분법을 설정해야 할 이유는 없었다. 그는 그것들이 연결되어 있다는 것을 알고 있었다. 그래서 그는 '세 가지 원인'론을 제안했다. 이 이론은 철저하게 프로이트적이지는 않았으며 야스퍼스의 관점과도 크게 달랐다. 어쨌든 이 이론은 이분법과는 완전히 상충되는 것이었다. 이 문제는 뒤에서 다시 다루기로 한다.

그런데 라캉이 결국엔 다른 사람들의 연구를 골격에서만 고수하고 나머지는 버리면서도 왜 그토록 열심히 그들의 연구를 인용하고, 또 자기 주장이 거기에 기초하고 있다고 주장했는지를 좀더 자세히 알아볼 필요가 있다.

라캉은 그가 영향을 받았던 대부분의 저자들과 똑같은 방식으로 야스퍼스를 다루었다. 라캉은 어떤 개념을 받아들이거나 어떤 생각을 참조하거나 어떤 이론을 고찰할 때 언제나 이를 자기 자신으로부터 더 멀리 나아가는 계기로 삼았고, 이로써 낡은 가치의 파괴자, 오래되고 소중한 전통의 계승자, 새로운 과학의 고독한 개척자 역할을 동시에 맡을 수 있었다. 이해할 수 없는 희대의 인물이었던 그는 항상 현대화에 고전주의를, 조상 숭배에 전복을 대립시켰다. 그리고는 곧 스스로 자기 이론의 반대자로 변신했다. 그리고 이 모든 것은 존재와 부재의 변증법을 공간과 운동의 논리학과 연계시키는 바로크 풍 문체로 전달되었다.

라캉이 마르그리트에게 매력을 느낀 것 역시 숨박꼭질 놀이 같았다. 그는 포목상, 식초 상인, 식료품 영업 사원으로 이어지는 오랜 상인 집안의 자손이었다. 하지만 그는 상점 경영을 거부하고 지적인 영광과 권력을 꿈꾸었다. 그에게서는 성공에 대한 의지가 자기 정체성을 바꾸려는 보바리 부인의 욕망처럼 가장 중요한 의미를 가졌다. 어떤 면에서 마르그리트는 그의 분신과 같았다. 그보다는 덜 부유했고, 더 시골 출신이었지만 그래도 그녀 역시 평범한 프랑스 사람이었다. 그녀도 라캉과 똑같이 지적인 성공과 명성을 갈망했다. 1931년에 라캉은 편집광적인 남자들을 비난하면서 이들을 광기의 지옥에 돌려보냈지만 일 년 후 독학을 하고 있는 한 고독한 여자 때문에 태도를 바꾸게 되었다. 만일 라캉이 의사가 되지 않고 방황과 망상 속에서 살아왔다면 그녀의 운명은 바로 그의 운명이 될 수도 있었기 때문이다. 아마 라캉의 편집증 환자는 여성일 필요가 있었을 것이다. 그녀가 제시한 거울에 투영된 자기 가족의 역상(逆象)을 주의 깊게 볼 수 있도록 하기 위해서 말이다. 그의 가족은 지극히 정상적이었지만 비정상적인 광기가 오랫동안 일상적인 사랑으로 위장된 채 존재했던 세계였다. 라캉은 아마 아래와 같은 글을 쓸 때 성직자가 된 동생을 생각하면서 또한 에메의 범죄 욕망을 생각했을 것이다.

현대 사회는 개인을 정신적 고립이라는 잔인한 상태에 빠지게 하는데, 이러한 상황은 특히 너무나 불확실하고 모호해 영원히 내적 갈등의 근원이 되기도 하는 몇몇 직업에서 특히 커다란 고통을 가져다 준다. 나말고도 다른 많은 사람들이, 전혀 부당하게 열등한 자로 취급받는 사람들, 즉 남녀 교사, 여자 가정 교사, 이급의 지적 활동에 종사하고 있는 여자들, 온갖 종류의 독학자들이 편집증에 이른다는 사실을 강조해왔다. (……) 따라서 이런 유형에 속하는 주체는 개인적인 능력에 따라 이러저러한 종교 단체에 가입함으로써 가장 많은 도움을 얻을 수 있을 것 같다. 게다가 그곳의 규칙에 복종함으로써 자기 처벌적인 경향에 대한 만족을 얻을 수 있을 것이다. 이런 이상적인 해결책이 없을 경우 이러한 조건을 어느 정도 충족시키는 모든 단체들, 가령 군대, 전투적인 정치 및 사회 단체, 사회 봉사 단체, 도덕적 고양을 위한 단체, 철학 단체 등이 이와 똑같은 효과를 제공할 것이다. 게다가 잘 알려진 대로 그러한 종류의 사회적 진출은 승화된 형태를 띠고 있어 억압된 욕망의 의식적인 폭로로 이어질 가능성이 적기 때문에 동성애적 성향을 억누르고 있는 사람들에게 특히 큰 만족을 안겨준다.[9]

에메 사례에 대한 라캉의 설명은 이 논문의 첫 부분에 대한 예증이자 그의 논지 자체를 지탱해준 주축 역할을 했다. 라캉은 에메 사례를 다루면서 정신의학의 영역에서 정신분석(학)의 영역으로 옮겨갔다. 이때부터 그는 프로이트와 그의 제자들에게서 임상학적 개념들을 빌려왔으며 동시에 자기 연구의 이론적 틀을 잡기 위해 철학에 기대기 시작했다. 무엇보다 먼저 그는 편집증적 테마의 무의식적 의미가 큰언니가 어머니를 대신하는 2인 망상(délire à deux, 두 사람이 공통의 망상에 빠져 있는 상태 — 옮긴이) 메커니즘에서 어떤 식으로 나타나는지를 논증한 다음 마르그리트의 편집증은 첫아기를 사산한 것과 동시에 나타났으며, 마지막으로 그녀의 색광증은 동성애와 연관되어 있다는 것을 보여주었다.

한편으로 에메는 유명한 여자들을 동경했다. 그들이 그녀의 자아의 이상형(Ichideal)을 대표했기 때문이다. 그리고 다른 한편으로는 영국 황태자에게 열중했다. 그것은 자기가 이성애 관계를 거부하는 것을 정당화하는 동시에 동성에 대한 충동을 가리기 위해서였다. 그녀는 희극 여배우를 공격함으로써 바로 자기 자아의 이상형을 공격한 것이다. 라캉은 이렇게 쓰고 있다. "하지만 그녀가 공격한 대상은 단지 순수한 상징적 가치만을 지닐 뿐 이러한 행동은 어떠한 심리적 위안도 가져다 주지 못한다. 그럼에도 불구하고 법 앞에서 자기를 죄인으로 만든 공격을 통해 에메는 자신을 공격했던 것이다. 그리고 그녀는 이런 행동을 통해 욕망이 충족되었다는 만족감을 얻게 되었으며 망상은 이제는 무가치해지고 곧 사라지게 된다. 내게는 치료의 속성이 질병의 속성을 보여주는 것처럼 보인다."[10] 자신을 공격하고, 그래서 자기 처벌을 실현함으로써 에메는 만족을 향한 편집증적 요구를 **자기처벌**의 편집증으로 변형시킨 것이다. 그래서 라캉은 이 메커니즘을 훌륭한 전형으로 삼았는데, 그래서 그는 이 유형을 '이미 방대해진 정신의학의 병리학에 새로운 실체'로 추가하고 싶어했을 정도였다.[11]

마르그리트 사례에 이러한 식으로 접근하면서 라캉은 다시 '세 가지 원인'론을 채택한다. 그는 에메의 정신병의 작용인은 언니와의 도덕적 갈등에 있다고 보았다. 이것이 증상의 구조와 영구성을 결정했으며, 그녀의 인성 발달이 형제 콤플렉스 단계에서 정지되는 결과를 낳았다. 여기에 우발인이 추가되었는데, 이것이 주체의 구조에 변화를 가져왔다. 그리고 또 특수한 원인이 추가되었다. 이것은 구체적이고 반응적인 경향을 띠었다. 에메 사례에서 이것은 자기 처벌적 충동으로 나타났다. 이 세 가지 원인론을 통해서 라캉은 정신병이 한 가지 기원을 가진다고 하는 모든 주장을 논박했다. 이와 반대로 그는 다(多)원인론을 강조했다.[12]

질병이 한 가지 원인에서 기원하는 것이 아니라면 동시에 그것은 단 하나의 본질도 갖고 있지 않다. 왜냐하면 질병의 속성은 치료의 속성을 통해 나타나기 때문이다. 다시 말해 광기는 삶에서 생겨나며, 따라서 삶의 유물론적 연관에서 생겨난다(여기서 유물론이란 '역사적 유물론'을 가리킨다). 그래서 라캉은 인성의 개인사에 특별한 중요성을 부여했다. 이러한 맥락에서 편집증은 인성의 개조나 자아의 변동, 혹은 이전 상황과 광기의 발병 사이의 간극처럼 보였다. 다른 한편 자기 처벌 편집증의 독특한 특징은 치료될 수 있다는 데 있었다. 따라서 이처럼 특수한 형태의 정신병이 치료될 수 있다면 광기 자체가 치료될 수 있고 예방될 수 있다는 훌륭한 생각을 부활시키지 않을 이유가 없지 않겠는가?(이것은 프랑스 혁명 직전에 필리프 피넬이 이미 내놓았던 생각이다. 그러나 그것은 보호 수용소가 많아지고 정신병은 특정한 신체 기관에서 유래한다는 믿음이

커짐에 따라 그의 후계자들에 의해 포기되었다).

그러나 라캉은 이 방향으로 나아가지 않았다. 백과전서파와 계몽주의 정신에 적대적이었던 그는 결코 도덕적 치료의 가치를 주창하지 않았다. 그는 광기가 복합적 원인들로 이루어진 그물처럼 인간의 마음에 내재해 있다고 생각했다. 하지만 그는 광기 속에 언제나 광기를 극복할 가능성이 있는 이성의 잔재가 있다는 생각을 믿지 않았다. 그는 프로이트의 혁명과 무의식의 우위성이라는 방향에서 광기의 영역에 접근했다. 그리고 프로이트의 혁명이 자유와 정신이상의 관계라는 골치아픈 문제를 해결했듯이 — 인간은 자유롭지만 자기 집의 주인은 아니다 — 라캉 또한 그가 보기에 의학의 역사를 지배하는 철학적 편견들 전반에 이의를 제기했다. 그래서 그는 신체와 영혼 사이에 '생명력'이 있다는 생기론(vitalisme)과 삶을 동적인 힘들간의 단순한 상호 작용으로 환원시키는 메커니즘 이론을 똑같이 격렬하게 배격했다. 라캉은 피넬, 아스클레피아데스, 갈레노스, 그리고 특히 그가 정신의학의 '계부(parâtre)'라고 평가했던 에스키롤 대신 히포크라테스를 정신의학적 관찰의 진정한 선구자로 내세웠다.[13]

그래서 그는 심리학자들과 기관 원인론자들을 혹독하게 공격하기 위해 주저하지 않고 23세기를 훌쩍 뛰어넘어 자신이야말로 의학의 '신', 특히 그리스 신의 직계손이자 진정한 후계자라고 자임했다. 그러나 그는 올림푸스 산을 떠나 평범한 지상 세계로 내려가야 했기 때문에 질병의 속성에 맞는 치료를 권하게 되었다는 것이다. 그래서 그는 현명하게도 아직 클레랑보를 지지하고 있을 때 채택했던 억압적인 태도를 버리고 정신분석적 치료와 예방 그리고 관용을 높이 평가했다. 결국 그는 본의 아니게도 계몽주의 시대의 정신병학과 역학적 정신의학이라는 주류에 접근하게 되었는데, 이 흐름은 프랑스에서 클로드 학파와 EP와 SPP의 창립자들에 의해 대표되었다.

하지만 라캉은 이들과 똑같은 인식론 영역에 서있지 않았다. 그보다 이전 세대인 프랑스 정신의학과 정신분석학의 1세대는 프로이트 이론을 유전과 퇴행 이론을 수정해서 만들어낸 정신의학에 도입했다. 즉 그들은 정신의학에 프로이트의 이론을 '통합'시켜 정신의학을 수정했던 것이다. 그런데 라캉은 프랑스 정신분석 운동의 역사에서 처음으로 이러한 과정을 전도시켜 역동적 정신의학과 프로이트주의 간의 아주 새로운 만남을 만들어냈다. 이것은 앞의 것과는 전혀 다른 유형의 긴밀한 만남이었다.[14] 그는 정신분석을 정신의학에 통합시키는 것을 거부했을 뿐만 아니라 정신의학에서 끌어낸 모든 병리론에서 프로이트의 무의식을 가장 우위에 놓아야 한다고 강력하게 주장했다.

게다가 그는 철학과 정신의학적 사유에서는 프랑스보다 독일이 우위에 있다고 서슴없이 주장했다. 이리하여 그는 진정 과학적인 연구를 위해서는 선배들의 국수주의와 소위 신화적인 '라틴' 문화의 고전 전통에 대한 믿음을 버려야 한다고 믿은 동세대인들의 대변자가 되었다. 라캉은 프로이트의 무의식의 중요성을 강조하고 반국수주의적 입장을 취하면서 프로이트 이론에 대한 초현실주의자들의 입장에 다가가게 된다. 이처럼 그는 프랑스에 프로이트주의를 도입한 두 가지 주류를 통합시킴으로써 프랑스 정신의학과 정신분석학 2세대의 선구자가 되었다.

그런데 이러한 전복을 막 시작할 때도(이를 통해 그는 프랑스 정신분석 운동의 선구자가 된다) 그는 당시 이 분야를 지배하고 있는 정통적인 논리에 부합하는 프로이트 용어를 사용했다. 그는 이렇게 쓰고 있다. "정신병의 치료 문제는 무의식의 정신분석보다는 자아의 정신분석을 더 필요로 하는 것처럼 보인다. 다시 말해 주체의 '저항'에 관한 연구를 진척시키고 그것을 조작하는 새로운 실험을 통해 기술적인 해결책들을 찾아낼 수 있을 것이다. 우리는 이러한 해결책들이 아직 발견되지 않은 데 대해 아직 초보 상태에 있는 기술을 탓하지는 않을 것이다. 제어할 수 있는 다른 어떤 심리 치료 방법도 제시할 수 없는 무능력한 우리로서는 그럴 만한 권리가 없다."[15]

라캉이 이처럼 무의식의 탐구보다 자아 분석과 저항에 일차적인 중요성을 둔 것은 이 시기에 그가 여전히 무의식 이론에 대한 특정한 해석에 기반한 프로이트 이해에서 벗어날 수 없었기 때문이다. 프로이트의 무의식 이론에 대해서는 1920년 이후 두 가지 해석이 가능했다. 하나는 무의식적 결정이 주체에 최고의 힘을 발휘한다는 생각을 부활시키는 것을 목표로 한 반면('이드'가 '자아'보다 더 '강하기 때문이다') 다른 하나는 이와 반대로 자아에 가장 중요한 영향력을 부여했다. 그런데 양차 대전 사이에 이 두번째 해석이 IPA 내부에서 주류로 통용되게 되었다. 왜냐하면 이것이 정신분석가 훈련에 필요한 소위 '표준화된' 기술적 규칙들을 세우는 데 용이하다고 생각되었기 때문이다.[16] 그리고 라캉이 프로이트 이론은 아니더라도 정신분석의 실천을 발견한 것은 바로 이 두번째 해석을 통해서였다.

따라서 그가 정신의학계에 가져온 이론적 발전과 이 발전을 가져오기 위해 그가 사용한 용어 사이에는 차이가 있었다. 이 시기에 라캉은 자신이 프로이트적 관점에서 시도한 정신의학의 수정 시도를 프로이트 이론에 관한 그의 수정과 프로이트의 무의식 이론에 관한 적절한 해석과 일치시킬 수 없었던 것처럼 보인다. 1932년 6월에 라캉이 뢰벤슈타인에게 정신분석을 받기 시작한 것도 그러한 불일치와 무관하지 않을 것이다.

어쨌든 라캉은 에메에게 프로이트 식 치료를 행할 수 없다는 점에 대해 아주 불안해했다. 그는 이렇게 쓰고 있다. "환자에게 정신분석을 실행하지 못한 나의 부주의는 의도한 것은 아니지만 내 연구의 범위와 가치를 동시에 한계지을 것이라는 점을 마지막으로 적어두고자 한다."[17] 라캉은 분석에 들어가기 일 년 전인 1931년 6월에 마르그리트에게 관심을 갖기 시작했다. 그가 실제적인 치료가 이루어지지 않았다는 사실을 언급하고, 자신이 그것에 대해 책임이 없다는 것을 강조할 필요를 느꼈다는 사실은 그가 그의 논문을 자신의 발전 도정에서 어떤 자리에 놓았는지를 잘 보여준다. 그것은 이미 정신분석적 글인 동시에 여전히 정신의학적인 저서였다. 우리는 지금 마르그리트의 이야기에 관한 장 알루슈의 책에 디디에 앙지외가 쓴 후기 덕분에 라캉에게서 분석받기를 거절한 것은 바로 그녀였다는 사실을 알 수 있다. 앙지외는 이렇게 쓰고 있다. "일련의 면담을 가지면서 어머니를 연구하고 있었을 때 라캉은 아직 전문적인 정신분석가가 아니었다. 그는 환자에게 정신분석 요법을 시도한 적이 없었고, 그런 시도였다면 어머니도 그것을 거절했을 것이다. 어머니께서 나와 내 아내에게 여러 번 말씀하시길, 라캉은 신뢰하기에는 너무 유혹적이고 광대 같다고 하셨다."[18]

3 스피노자 철학에 입문하다

라캉은 박사 학위 논문의 서두에서 스피노자의 『윤리학』 제3부, 명제 57을 라틴어 원문으로 인용하면서 이를 강조하고 있다. "*Quilibet unius cujusque individui affectus ab affectu alterius tantum discrepat, quantum essentia unius ab essentia alterius differt.*" 그리고 결론에서는 다시 이 문장으로 돌아와 이에 대한 번역과 논평을 제시하고 있다. 이에 대해 로베르 미스라이는 이렇게 쓰고 있다. "따라서 마치 라캉의 논문이 전적으로 스피노자의 후원 속에서 씌어진 것 같고, 라캉의 이론이 스피노자의 저서와 똑같은 정신에서 영감을 받은 것처럼 보인다."[1]

분명히 라캉은 스피노자 철학을 인성에 관한 학문을 설명할 수 있는 유일한 이론으로 소개했다. 그가 『윤리학』 제2부에 들어 있는 **평행론(parallélisme)**'을 내세운 것은 바로 이 때문이다. "관념들의 질서와 연쇄는 사물들의 질서와 연쇄와 동일하다. (⋯⋯) 따라서 우리가 자연을 연장(Etendue)의 현현으로 보든 사유(Pensée)의 현현으로 보든 또는 다른 어떤 것의 현현으로 보든 우리는 하나의 유일하고 동일한 질서, 다시 말해 원인들의 유일하고 동일한 연쇄, 즉 같은 사물들이 서로를 뒤따르고 있음을 발견하게 될 것이다." 혹시 이때 라캉은 보마르셰 대로에 있었던 아파트의 벽에 붙여둔 도식과 색깔 있는 화살표들을 떠올리지 않았을까?

1932년에 라캉은 이와 다른 평행론 개념, 즉 이폴리트 텐느가 지능에 관한 연구들을 모아 책(『지성론De l'intelligence』, 1870, 전2권)을 낸 이후 유전적 퇴행 학파의 오래된 역사와 함께 프랑스에서 일반적으로 통용되고 있던 평행론과 싸우기 위해 스피노자의 개념을 이용했다. 정신과 육체의 합일을 설명하기 위해 스피노자는 진정한 평행론이란 육체와 신체적 과정 간의 일치만이 아니라 정신적인 것과 물리적인 것 사이에 번역(traduction) 관계와 비슷한 '일치'가 있을 때 성립한다고 주장했다. 이처럼 진정한 평행론은 정신의학계를 지배하고 있는 심리-육체 평행론, 즉 물리적 현상과 정신적 상태 간의 결정 관계를 설정하는 평행론과는 무관하다. 이러한 평행론은 당연히 인성을 정신 자동 운동(유전주의, 체질론)이나 이원론(현상학)으로 생각하게 했다. 라캉의 관점에 따르면 인성은 "중추 신경계적 과정이나 개인의 육체적 과정 전체에 대응되는 것이 아니라 개인과 그의 고유한 환경에 의해 구성된 전체에 대응되는 것이다. 우리가 이러한 평행론의 개념이 평행론의 본래 형태였고 스피노자 철학에서 최초로 표현되었다는 점을 기억한다면 이것만이 그 이름에 값하는 유일한 평행론임을 인정해야 한다."[2]

따라서 라캉은 『윤리학』 제2부, 명제 7을 참고하면서 인성을 독특한 실체의 속성으로 생각했다. 즉 그것은 복합적인 행동의 망으로 구성된 사회적 존재로서의 개인의 실존을 가리킨다. 정신 현상은 이처럼 다양한 요소들 중의 하나일 뿐이다.[3] 이처럼 1932년의 라캉의 스피노자 식 생각은 부정적으로 정의될 수 있을 것이다. 즉 그것은 현상학적이지 않고 존재론적이지도 않고 체질론적인 것도 아니었다. 이러한 생각은 일원론과 유물론 그리고 역사적 인류학으로 나아가는 길을 열어주었다. 그것은 편집증, 그리고 광기 일반을 더이상 비정상성에서 유래하는 어떤 결함이 아니라 정상인의 인성과 비교해볼 때 나타나는 어떤 차이 혹은 '불일치'로 간주했기 때문에 좀더 젊은 정신의학 세대, 초현실주의자들, 공산주의자들은 한결같이 이에 열광했다.[4]

뛰어난 정신과 의사였던 필리프 샤슬랭이 프랑스에 소개한 불일치 (discord)라는 용어는 확실한 정신착란으로 변하기 전까지 서로 독립적인 것처럼 보이는 증상들간에 나타나는 부조화를 가리켰다. 샤슬랭은 정신분열증, 편집증적 착란, 부조리한 언어 착란을 소위 '불일치'의 광기에 포함시켰다.[5] 사실 이 용어는 당시 독일에서 한쪽에서는 블로일러가, 다른 한쪽에서는 프로이트가 사용하고 있던 'schiz(갈라지다라는 뜻)'와 'dissociation(분열)'을 번역한 것이었다. '정신분열증(Schizophrenie)'이라는 용어는 1911년에 독일에서 처음 사용되었다. 그리스어 schizein은 분열을 의미한다. 분열은 독일어로는 'Spaltung'으로 번역된다. 이미 19세기 말의 연구들은 심리 속에 두 그룹의 현상이 공존한다거나 두 개의 인격이 서로 모른 채 공존하고 있다는 점을 인식했다. 이로부터 이중 의식, 분열된 인격, 낯섦이라는 관념이 나왔다.

이를 바탕으로 정신분석적 개념과 정신의학 개념들이 나란히 그리고 가끔은 심각한 혼동을 일으키면서 형성되었다. 블로일러는 Spaltung을 생각의 흐름을 지배하는 관념 연합의 교란이라고 보았다. 그는 이러한 장애의 최초의 출현을 나타내기 위해 '정신분열증'이라는 용어를 사용했다. 1차 증상은 병적 과정 자체의 직접적 표출이었으며 2차 증상은 이러한 병원(病源)에 대한 환자의 반응이었다. 다른 한편 Zerspaltung은 장애만이 아니라 인격의 실질적인 분열을 함께 가리켰다. 블로일러의 용어뿐만 아니라 분열이나 '불일치'를 가리키는 프랑스어에서도 정신병은 결핍에서 기인하는 것으로 설명되었다.

프로이트의 입장은 이와 아주 달랐다. 그는 Ichspaltung(자아 분열)이라는 용어를 내놓았는데, 이 용어는 주체가 자기 자신의 일부 표상들로부터 분리되는 정신적 분열을 가리켰다. 이에 따라 그는 결핍이나 이중성이라는 개념을 버리고 정신 현상의 '위상학'으로 이를 대체하게 된다. 1920년 이후 2차 위상학의 영향 하에 그의 이론적 구상 전체가 변하게 된다. 정신병뿐만 아니라 신경병과 성도착증에서도 발견되는 '자아 분열'은 자아의 두 가지 입장의 공존을 표현하는 용어였다. 즉 현실을 고려하는 정신과 새로운 현실, 첫번째 현실만큼이나 '진실된' 현실을 만들어내는 입장이 공존하고 있는 것이다.[6]

라캉은 논문의 서두에서 인용한 스피노자의 『윤리학』 제3부, 명제 57을 결론부에서 직접 번역하면서 스피노자에 대한 입장을 밝혔다. 그는 스피노자가 사용한 라틴어 동사 *discrepat*을 '불일치'로 번역했다. "한 개인의 임의의 정서(affection)는 그의 본질이 다른 사람의 본질과 다르면 다를수록 다른 사람의 정서와 더 커다란 불일치를 보인다."[7] 라캉의 번역은 샤를 아퓐의 번역과 달랐는데, 1906년에 출판된 아퓐의 번역은 1932년까지 통용되고 있었다. 이것은 라틴어에서 번역한 카를 겝하르트의 번역에 의해 1934년에 수정된다. 스피노자 본인은 discrepat(빗나가다)와 differt(다르다)라는 두 동사를 사용했지만 아퓐은 다음과 같이 한 가지만을 사용했다. "각 개인의 임의의 정서는 하나의 정서의 본질이 다른 정서의 본질과 다른 만큼 서로 다르다."[8]

라캉은 원래 스피노자가 의도했던 구분을 좀더 분명히 하기 위해 아퓐의 번역을 수정했다. 하지만 그가 '불일치'라는 용어를 우연히 선택한 것은 아니었다. 그는 정신의학으로부터 용어를 차용해 의미를 바꾸고, 광기를 평행론의 관점에서 재해석할 수 있는 맥락으로 이 개념을 재도입했던 것이다. "이것은 한편으로는 정신병에서 결정력을 가진 갈등들, 의도적 증상, 충동적 반응과 다른 한편으로는 정상적인 인격의 발달, 해석 구조, 사회적 긴장을 결정하는 이해(理解)의 연관이 불일치한다는 것을 의미한다. 이러한 불일치는 주체의 정서적 내력에 따라 정도가 달라진다.''[9]

다시 말해 소위 '병리학적' 정서와 '정상적' 정서는 이 양자의 불일치를 규정하는 하나의 똑같은 본질을 갖고 있다. 어떤 정서에는 '파토스'가 없고, 어떤 정서에는 정상성이 없는 것이다. 불일치는 정신이상이 있는 개인과 정상적인 인격 사이의 대립을 나타낼 뿐만 아니라 한 명의 주체 안에서도 발견될 수 있다. 이때 이 주체의 보통 인격과 정신이상적 사건 사이의 관계가 불일치로서 정의된다. 이런 식으로 라캉은 스피노자의 저서에서 불일치라는 개념을 따와 이 개념을 '자아 분열'이라는 프로이트의 개념에 접근시켰던 것이다.

아퓐은 『윤리학』을 번역하면서 라틴어 *affectus*에 꼭 맞는 프랑스어가 없다고 생각했기 때문에 이 용어를 affect로 옮기기를 꺼려했다. 또 독일어 Affekt와 똑같은 말을 사용하고 싶지도 않았다. 이리하여 결국 *affectus*를 affection으로 번역했다. 1932년에 라캉은 프로이트의 생각을 따라 affect라는 용어를 사용할 수 있었을 텐데도 아퓐의 번역을 수정하려고 생각하지 않았다. 당시 affect라는 용어는 감정 이완이나 주체의 충동 에너지량의 표현을 가리키기 위해 정신분석 용어로 이미 도입되어 있었다. 따라서 여기에서도 우리는 라캉이 이미 프로이트의 발견의 본질을 이해하고 있었음에도 불구하고 정신분석의 개념적 어휘에는 정통하지 못했다는 것을 알 수 있다. 그가 프로이트주의 전체를 이론적으로 수정하고 프로이트의 재해석을 완벽하게 수행하려면 20년의 세월이 흘러야 했다.

덧붙이자면 철학자 베르나르 포트라의 『윤리학』 번역본이 1988년에야 나오게 되는데, 여기서 그는 프로이트의 Affekt와 라캉의 discord를 동시에 고려하고 있다. 이리하여『윤리학』제3부, 명제 57의 새로운 번역이 또 나오게 된다. "각 개인의 어떠한 정서든 그 사람의 본질이 다른 사람의 본질과 다른 만큼 다른 사람의 정서와 불일치한다."[10]

라캉이 스피노자 철학을 이용한 방식은 다른 텍스트들에 대한 그의 일반적인 접근 방식을 가리켜주는 소중한 지표이기도 하다.『윤리학』의 경우 그는 원전에 들어 있는 개념을 그대로 빌려오기보다는 그것을 '해석한다'. 그는 기존의 개념에 새로운 의미를 부여하는 주석을 붙이고 있는 것이다. 라캉은 이미 다른 요소들을 제껴두기보다는 포섭하는 체계에 대한 선호를 보여준 바 있다. 그는 특정한 모델을 본받거나 해독하는 대신 그 모델에 자기 해석을 부여하고, 그것을 가능한 유일한 해석으로 제시했다. 즉 그는 모든 텍스트에는 유일한 해석을 기다리는 진리가 들어 있다고 생각했다. 이런 관점에서 라캉은 단순한 비판적 접근을 바탕으로 학문의 역사에 접근하는 모든 방법과 텍스트에 대한 모든 역사적 해석에 이의를 제기했다. 그는 어떤 저서 전체가 세월이 흐르면서 그것에 대해 가능한 모든 해석의 총합이 될 수는 없다고 보았다. 오히려 그는 가정된 원전의 진리에 꼭 들어맞지 않는 모든 해석은 상궤에서 벗어난 해석 또는 오류로 거부되어야 한다고 생각했다. 이리하여 그는 어떤 텍스트와 대결할 때 진정한 진리의 해석자이자 번역자를 자임했다. 그가 텍스트를 논평할 때 사용하는 이해 방법은 편집증의 전형적 이해 방법을 흉내낸 것이다. 따라서 그가 초현실주의의 여세를 몰아 편집증의 의미를 소위 정상적인 인격에 대한 '불일치적' 등가물로 복원한 것은 전혀 놀라운 일이 아니다.

1931년에 라캉은 정신분열증을 연구하면서 '성모의 무염시태(無染始孕)'와 관련된 체험을 여전히 자동 운동이라는 고전적 해석으로 설명했다. 하지만 같은 해 달리와 만났던 것이 변화를 가져오게 된다. 달리와의 만남으로 그는 곧 자동 운동을 거부하고 광기의 완전한 인간학적 의미를 인간 정신의 핵심에 위치시키게 된다. 이리하여 1932년 가을에 완성한 편집증에 관한 논문에서는 초현실주의의 입장을 재수용하는 경향이 강하게 나타나고 있다. 하지만 라캉은 이처럼 중요한 영향들에 대한 언급을 피했다. 그는 참고한 자료들에 대해 언급하기를 삼가고, 그에게 영향을 끼친 초현실주의의 위대한 텍스트들도, 달리, 브르통, 엘뤼아르의 이름도 전혀 언급하지 않았다. 자기 장래를 걱정한 그는 문학적 아방가르드를 거부하는 정신의학 분야의 교수들과 그가 아직 따르고 있던 정통 프로이트주의자들의 마음을 언짢게 하고 싶지 않았기 때문이다. 그러나 이것은 잘못된 계산이었다. 이처럼 라캉에 중대한 영향을 미쳤으나 그에 의해 은폐된 사람들이 그에게 처음으로 찬사를 보내고, 이와 반대로 그가 환심을 사고 싶어한 사람들이 가장 먼저 그를 비방하게 되기 때문이다.

생트-안느 병원에 인턴으로 있을 때 라캉은 불로뉴 숲에서 아주 가까운 퐁프 가의 한 아파트 일층에 있는 보잘것없는 가구가 딸린 추하고 어두컴컴한 셋방에서 살았다. 당시 그는 엄격한 과부 마리-테레즈 베르제로의 정부였는데, 그녀는 그보다 열다섯 살이나 더 많았다. 그는 그녀와 함께 플라톤을 읽었고 여러 번 답사 여행도 함께 갔다. 1928년에는 모로코에 가 사디(Saadi) 왕조의 무덤을 답사하면서 이 왕조의 가계를 면밀하게 적어두었다. 이것은 그가 동양에 대해 커다란 호기심을 갖고 있음을 보여준 최초의 사례로서 이를 계기로 나중에 그는 이집트와 일본을 방문하게 된다.[11]

1929년경 라캉은 친구 피에르 드리외 라 로셀의 두번째 부인이었던 올레시아 셍키에비츠와 사랑에 빠지게 되는데, 피에르는 빼어난 빅토리아 오캄포에게 끌려 막 그녀를 저버린 참이었다. 1904년에 태어난 올레시아는 폴란드계 가톨릭 집안 은행원 딸이었다. 그녀의 할머니는 쥘 베른느의 삽화 소설로 유명한 출판업자 에첼과 결혼했었다. 그녀의 대모는 『카멜리아의 부인』의 저자인 소(小)뒤마의 부인이었다. 이처럼 올레시아는 두 언니와 함께 다정다감하고 세련된 분위기 속에서 자랐으며, 파리에 있는 플랜느-몽소의 가족 아파트와 마를리에 있는 뒤마의 성, 에첼에게서 물려받은 벨르뷔에 있는 집을 왔다갔다하며 살았다.

드리외는 이 여인의 쾌활한 기질과 양성적 외모에 열광했다. 그녀는 드리외에게 강한 동성애적 감정을 느꼈다.[12] 그런데 불행한 연애 사건으로 상처받았던 올레시아는 남자들과 어떤 육체 관계도 갖지 않겠다고 결심했지만 능숙한 유혹자인 드리외의 매력에 끌려들게 된다.

여러 달 동안 드리외는 두번째 결혼 생활에 한껏 취해 있었다. 올레시아는 몇 시간 동안 그의 말을 들어주고 원고를 타이핑해주는 등 그를 도왔다.[13] 두 사람이 헤어지게 되었을 때 큰 죄의식을 느꼈던 그는 라캉이 그녀의 환심을 사려고 한다는 사실을 알고 아주 기뻤다. 라캉은 드리외에게 자신이 그녀에게 열정을 느끼는 이유를 설명하는 애매모호한 장르의 편지를 보냈다. 1933년 가을까지 지속되는 그녀와의 교제를 시작할 때부터 그는 비밀스럽고 은밀함이 감도는 전형적인 '이중 생활'에 들어갔다. 그는 공식적으로는 퐁프 가에 살면서 명함에는 불로뉴에 사는 부모 주소를 계속 사용했다. 하지만 라캉은 대부분의 시간을 병원에서 지냈으며 올레시아가 그를 만나러 병원으로 왔다. 그러나 이때도 여전히 그는 마리-테레즈와 계속 교제하고 있었고, 그의 남자 형제만이 사실을 알고 있었다.

라캉은 파리부터 마드리드까지 또 코르시카부터 노르망디 해안까지 함께 여행하면서 금방 올레시아의 마음을 사로잡았다. 아직 운전을 배우지 않았지만 이미 자동차에 열광했던 그는 항상 즉흥적으로 휴가를 내어 여자친구와 함께 프랑스 도로 위를 전속력으로 달리는 것을 아주 좋아했다. 그들은 함께 브르타뉴 지방에 있는 므완느 섬과 몽-생-미셀을 여행했고, 이어서 코르시카 섬을 일주하기 위해 비행기로 아작시오에 가기도 했다.

1932년 6월에 라캉은 올레시아에게 학위 논문을 타이핑해줄 것을 부탁했다. 그는 그녀가 2월에 이사한 가랑시에르 가의 매혹적인 고미다락방의 계단들을 일 주일에 몇 차례고 바삐 오르는 버릇이 생겼다. 그는 처량한 총각 아파트에서 빠르게 휘갈긴 종이 묶음을 그녀에게 가져다 주었다. 원고 작성은 9월 7일에 끝났다. 그래서 올레시아가 마지막 부분까지 타자기로 다 친 다음에야 라캉은 의학 논문 전문 출판업자인 르 프랑수아에게 원고를 넘겨주었다. 한편 마리-테레즈는 이 논문의 인쇄에 재정적으로 막대한 기여를 했는데, 이 논문은 그녀에게 헌정되었다. M. T. B.로 표기된 그녀는 개인적 Bildung(후원)의 상징적인 인물로 소개되었다. 그는 논문에서 그리스어로 다음과 같이 그녀에게 한 줄을 할애했다. "그녀의 도움이 없었다면 지금의 나는 없었을 것이다."

의학 박사 학위 논문 발표는 11월 중순경에 의과 대학의 한 강의실에서 아무런 문제 없이 치러졌다. 한 시간 동안 라캉은 앙리 클로드를 의장으로 구성된 심사위원 앞에서 질문에 대답했다. 그 뒤에는 약 80명 정도로 구성된 청중들이 참관하고 있었는데, 그 중에는 올레시아와 마리-테레즈도 있었다. 한 번도 만난 적이 없던 이 두 사람은 서로의 존재를 모르고 있었다. 그러나 두 사람은 새로운 정신의학의 아방가르드를 대변하고 있는 사람의 이야기를 들으러 온 생트-안느 병원의 동료들은 잘 알고 있었다. 이들은 올레시아가 저녁에 인턴실을 찾아오는 것을 자주 보았다. 이들은 그녀에게 '찬물'이라는 애칭을 붙여주었다. 이 애칭은 루이 주베가 연출을 맡고 피에르 르누아르와 발랑틴느 테시에가 주연한 드리외 라 로셸의 희곡에서 따온 것이었다. 다른 한편 마리-테레즈에게는 '공주'라는 애칭을 붙여주었다. 그녀는 한 번도 병원에서 자지 않았고, 가끔 라캉에게 힘든 아침을 위해 신선한 우유 한 병을 보내주었기 때문이다. 논문 발표는 소근거림과 걱정 속에서 진행되었다. 그것은 마치 여자들이 남자처럼 옷을 입고 하인들은 주인으로 가장할 뿐만 아니라 관람하는 사람들조차 서로를 알아보지 못하는 연극 공연처럼 전개되었다.[14] 관련자 가운데 유일한 불참자는 마르그리트 팡텐느였다.

라캉은 그 논문 발표를 아주 불쾌하게 기억한다. 1933년 8월에 올레시아에게 보낸 편지에서 이미 그는 의학 공부를 하느라 허비해야 했던 몇 년간의 귀중한 시간에 대해 불평하고 있다. 전쟁 후에 열린 본느발의 학술 대회에서 그는 그때를 돌아보며 심사위원 중 한 명이 그에게 완고한 태도를 보였다고 비난했다. 그리고 그후에도 논문이 절판되어 서점에서 구할 수 없게 되었을 때도 재출판을 주저하는 빛을 보였다. 라캉이 이처럼 자기 박사 논문에 대해 점점 더 강하게 거부하는 태도를 보인 것은 이후의 작업 방향이 이 논문에서 암시된 것과 큰 차이가 있었던 만큼 충분히 이해가 된다. 그는 결코 인성에 관한 과학을 만들어내지 못했을 뿐만 아니라 정신의학의 병리학에 라캉 식의 자기 처벌 유형도 추가하지 못했다. 정신분석에 기반한 정신의학은 라캉이 활동할 분야가 아니었다. 그는 나중에 자기 박사 논문이 프로이트주의로 뛰어든 첫번째 시도였다는 것을 까맣게 잊고 그러한 시도가 이루어진 시점을 1936년으로 잡았다.[15]

당시 그의 논문은 프랑스 정신분석 1세대들에게 외면당했다. RFP지에는 서평 하나 실리지 않았다. 에두아르 피숑조차도 라캉의 논문에 대해 전혀 언급하지 않았다. 라캉은 격노했다. 그러나 그는 자신이 정신분석학계에 성공적으로 입성했음을 확신하고는 주저하지 않고 프로이트에게 자기 논문을 보냈다. 그는 거장에게 인정받음으로써 프랑스 프로이트주의자들의 인정을 받고자 했다. 그러나 그는 대단한 실망을 맛

본다. 1933년 1월에 그는 빈으로부터 간단한 답장을 받는다. "보내주신 논문 잘 받아보았습니다." 그 거장은 이름 모를 한 젊은이가 틀림없이 열정에 불타 그에게 헌사했을 원고를 열어보지도 않았을 것이다. 퐁프 가에 살면서도 불로뉴에 주소를 두고 있던 라캉은 두 주거지를 모두 표시했기 때문에 프로이트도 당연히 우편엽서에 두 개의 주소를 다 적어넣는 방식으로 이 문제를 해결했다.[16]

처음으로 반응을 보인 것은 정신의학계였다. 충실한 그의 친구 앙리에가 논문이 출간되기도 전에 『랑세팔르*L'Encéphale*』에 다음과 같이 관대한 논문을 썼다. "나는 정신의학 분야의 여러 문제에 대해 라캉과 같은 시각을 갖고 있고 — 그렇다고 해답에 대해서도 같은 시각을 갖고 있는 것은 아니다 — 그래서 그와 가까운 사이가 되었다. 그러다 보니 이 논문이 나오기까지의 속내 사정이며 그가 이 논문에 쏟아부은 노력에 대해서 잘 알게 되었는데, 그런 내가 라캉의 연구를 검토하는 데 적합한 사람인가 의구심이 없는 것은 아니다. 하지만 우정 때문에 이 분석의 객관성이 떨어지지는 않을 것이다. 오히려 저자에 대한 나의 지식은 오랜 숙고의 결과인 이 논문을 더 잘 이해하는 데 도움이 되고, 아주 압축적이고 복잡한 형식 때문에 꽤 많은 독자들이 아주 추상적이고 어렵게 느낄 이 논문의 내용을 생생하고 구체적으로 이해할 수 있도록 해줄 것이다."[17]

그런데 1933년에 유명한 네 명의 문학계 인물의 도움으로 라캉은 선배 세대들의 국수주의적이고 보수적인 이념을 깨뜨릴 수 있는 프랑스 정신분석계의 차기 주자로 발돋움하게 된다. 이리하여 그는 정통 공산주의자들, 체제 반대자들, 초현실주의자들이 뒤섞여 마르크스주의에 대한 입장 차이로 서로 갈등하고 있던 극좌 지식인들의 정치 무대에 끼어들게 된다. 이와 함께 모라스와 레옹 블로이의 소설을 열렬히 숭배하고 이제까지 정치 참여에 대해서는 무관심했던 라캉은 자신이 정신병의 영역에서 유물론의 전도사로 이해되고 있음을 깨닫게 된다.

첫번째 논평은 폴 니장에게서 나오는데, 그는 공산당 기관지인 『위마니테L'Humanité』지(1933년 2월 10일자)에 이렇게 쓰고 있다. "이 글은 의학 박사 논문이며, 따라서 여기서 논평하기에는 좀 부적절하게 느껴질 수도 있을 것이다. 하지만 이 논문이 학위 논문의 저자에게 강요되는 여러 가지 신중한 태도에도 불구하고 공식적인 과학의 주요 흐름에 반대해 변증법적인 유물론의 아주 확실하고 의식적인 영향을 반영하고 있음을 인정해야 마땅할 것이다. 라캉 박사는 아직 모든 이론적 입장을 명백히 하지는 못했지만 현재 심리학과 정신의학의 모든 연구를 부패시키고 있는 다양한 관념론적 조류를 논박하고 있다. 유물론은 박학을 자랑하는 교수들의 무지와 싸워 승리할 것이고, 과학 발전의 진정한 방법으로 떠오를 것이다."[18]

1933년 5월에는 르네 크르벨이 『혁명을 위한 초현실주의Surréalisme au service de la Révolution』에서 이 논문에 대해 찬사를 보냈다. 공식적인 정신분석에 대한 투쟁에 니장보다 더 깊숙이 연루되어 있던 그는 공산당원이라는 신분과 동성애 문제, 그리고 이제는 서로 적이 되어버린 브르통과 아라공과의 우정 사이에서 몹시 고민했다. 하지만 그는 전통적인 분석 치료에 대한 반격을 시도했다. 르네 알랑디에게 분석받았던 그는 『디드로의 하프시코드Le Clavecin de Diderot』에서 알랑디를 통렬하게 풍자하는 초상화를 그려 보였다. 그는 알랑디를 자리의 풍자극 『위뷔왕Ubu Roi』(1896)에 나오는 멍청한 위뷔에 비유하면서, '수염을 기르고 확고한 자만심을 타고난 희한한 사람'으로 묘사했다. 낡은 정신분석이 부패하고, 부르주아 관념론에 물들어 있다고 생각하고 있던 크르벨은 라캉이야말로 새로운 정신, 즉 자신이 생각하는 '유물론'의 대변자라고 생각했다. 그는 '유물론'이 모든 인간 존재의 개인적 측면과 사회적 측면을 연결해줄 수 있다고 생각했다. 그에게서 '유물론'은 '구체적 분석'

과 동의어였다. 하지만 이 시인은 주로 에메의 슬픈 운명에 관심을 가졌고, 따라서 라캉보다 덜 냉정하고 덜 임상적으로 그녀에 대한 글을 썼다. 그는 그녀를 동성애적 반항아, 여성 프롤레타리아의 히스테리적 화신으로 보았다. "에메는 도중에 멈추거나 타협하지 않는다. 그녀는 완전히 이성을 잃은 놀라운 경련 상태에까지 쭉 내달린다. 그러나 그녀의 충동은 지독히도 이해력이 없는 대중과 부딪친다. 도덕과 지성에 대한 그녀의 욕구는 사방에서 우롱당했다. 그래서 그녀는 '사람들에게 가야 한다'고 생각했다."

이처럼 자기의 여성 분신에 대단한 찬사를 보낸 후 크르벨은 계속해서 프로이트가 공산주의와 소련, 마르크스주의적 분석을 거부하는 오류를 범했으며, 따라서 세계를 혁명적으로 바꾸는 데 실패했다고 주장했다. "그는 너무나 지쳐서 골동품들에 매달리고 있다. 그것에 대해서만큼 우리는 그를 용서할 수 있다. 하지만 그를 이어갈 젊은 정신분석가는 어디에 있는가?"[19]

프로이트주의와 마르크스주의를 통합할 학파의 지도자이자 앞으로 다가올 혁명의 선구자로 이미 환영받은 라캉은 1933년 6월에는 살바도르 달리에게서도 찬사를 받는다. 달리는 『미노토르Le Minotaure』지 첫 호에서 이미 널리 알려져 있는 생각들을 거론한 후 라캉의 논문에 찬사를 보냈다. "우리는 바로 그의 논문 덕분에 오늘날의 정신의학이 빠져있는 기계론의 진창으로부터 벗어나 처음으로 주체를 완전하고 일관성 있게 이해할 수 있게 되었다."[20]

장 베르니에도 똑같은 견해를 표명했다. 그는 『사회 비평La Critique sociale』에 쓴 호의적 기사에서 라캉의 논문을 정신의학사의 맥락 속에서 다루고 있다.

베르니에는 작가이자 기자이며 스포츠 애호가로서 브르통과 아라공과 같은 지식인 세대에 속했다. 이들과 마찬가지로 그도 1차 세계대전의 공포를 경험했으며 이후 부르주아 사회에 대한 급진적인 저항의 길에 참여했다. 그는 최초로 PCF(프랑스 공산당)를 창건했던 보리스 수바린느와 함께 1924년에 열린 제13회 소련 공산당 회의에서 트로츠키를 지지했다. 2년 후 그는 콜레트 페뇨를 알게 되었다. 그녀는 결핵에 걸린 상태에서도 콜호즈(러시아의 집단 농장)에서 가장 가난한 농부들과 생활할 정도로 혁명에 아주 열정적으로 참여했다. 볼셰비즘에 대한 이러한 광적인 열정으로 병은 다시 악화되었고, 그녀는 자살을 통해 베르니에에 대한 열정에서 벗어나려고 했다. 하지만 총알이 심장에서 몇 센티미터 빗나갔다. 레닌그라드에서 그녀는 보리스 필니악과 격정적인 사랑에 빠졌고, 베를린에서는 외설 문학의 거장이자 사디스트이며 아내에게 폭력을 휘두르는 에두아르 트로트네와 함께 살았다.

1931년에 그녀는 보리스 수바린느를 만났다. 두 사람은 함께 『사회 비평』지를 창간했다. 이 잡지는 비판 세력의 어떤 특수한 분파를 따르지 않고 독자적으로 공산주의 좌파의 입장을 표명한 최초의 중요한 공산주의 잡지였다. 두 사람은 레이몽 크노, 자크 바롱, 미셸 레리스, 장 피엘 등등의 작가들과 이전의 PCF 창건자들을 불러모았다. 잡지 『도큐망Documents』을 통한 실험을 이제 막 끝낸 조르주 바타이유도 같은 해에 이 그룹에 가담해 생트-안느 병원에서 있던 조르주 뒤마의 사례 발표에 참석하기로 결정한다. 바로 이러한 배경 속에서 마르크스와 프로이트가 동시에 연구되고, 장 베르니에는 『사회 비평』 팀에 가담하게 된다. 드리외 라 로셸의 절친한 친구였던 그는 올레시아 셍키에비츠의 소개로 당시 논문 출판을 준비중이던 라캉을 만났다.[21]

니장과 살바도르 달리, 크르벨과는 달리 베르니에는 라캉에 대해 비판할 것이 몇 가지 있었다. 그는 라캉을 차세대의 거장으로 보았고, 그의 결론에 대부분 공감했지만 그의 모호한 문체와 에메의 어릴 적 성(性)에 관한 고찰의 부재, 그리고 치료에 대한 관심의 부족을 비난했다.

이런 식으로 베르니에는 정신분석과 정신의학에 대한 '좌파적인' 견해를 표명했는데, 그는 이 두 학문이 정신병의 사회적 차원을 무시하고 개인에 대한 부르주아 사회의 병리적 영향을 충분히 밝히지 못했다고 비난했다.[22]

4 파팽 자매

프랑스 지식인들이 에메 사례를 수용하고 논평한 방식은 젊은 라캉의 미래의 발전 경로에 몇 가지 영향을 미치게 된다. 이 논문이 발표되기 전까지 그의 주요한 철학적 근거는 후설과 야스퍼스로부터 나온 현상학의 형태를 띠고 있었다. 이에 덧붙여 그는 스피노자 철학을 자기나름으로 해석하여 인성에 관한 이론을 세웠다. 하지만 1932년부터 그는 새로운 철학적 관점으로 눈을 돌리게 된다. 아방가르드가 초현실주의와 공산주의의 이름으로 그의 논문을 환영했기 때문에 더욱더 그러했다. 이 두 흐름은 서로의 입장 차이에도 불구하고 헤겔, 마르크스, 프로이트의 저서들로부터 끌어왔다고 주장된 '유물론' 철학을 지지했던 것이다.

베르그송의 유심론, 아카데믹한 신칸트주의, 초기 사상에서 빗나간 데카르트주의 등에 빠져 있던 당시 프랑스 철학의 극심한 빈곤을 비판한 유물론적 아방가르드는 이처럼 개탄스러운 상황을 독일 사상의 우수성과 대비시키기를 좋아했다. 이들은 독일 사상을 헤겔의 사상이자 마르크스의 사상으로 이해하는 동시에 위대한 동시대인들의 혁신적인 발언에 의해 풍부해진 것으로 보았다. 후설은 물론이고 니체, 그리고 유명한 『존재와 시간』을 막(즉 1926년에) 출간한 하이데거도 여기에 포함되었다.

이러한 배경 속에서 유물론자로 불리게 된 라캉은 아방가르드가 그에게 내민 거울을 받아들였다. 그는 '스피노자의 영향을 받은' 인성 이론을 버렸고 — 하지만 다른 몇몇 작업에서는 여전히 스피노자를 참고했다 — 정신의학 식으로 해석된 현상학을 버리고 이와는 전혀 다른 후설의 현상학과 헤겔-마르크스주의적 유물론으로 개종했다. 그러나 그가 코제브와 코이레의 학설을 통해 헤겔의 『정신현상학』과 하이데거의 철학에 입문하기까지는 4년이 더 지나야 했다.

새로운 지평을 향한 라캉의 방향 전환은 『미노토르』지에 기고한 첫번째 논문에서부터 나타났다. 이 글은 문체 문제와 경험의 편집증 형태들에 대한 정신의학적 구상을 다루고 있었다. 이 글은 적어도 내용적으로 볼 때는 에메 사례에서 밝힌 입장과 다르지 않았지만 이전에 라캉이 사용하지 않던 용어가 사용되기 시작했다. 라캉은 여기서 잘못되었다고 생각되는 정신의학적 전통을 직접 공격하는 것을 넘어서 마르크스주의적인 어휘를 통해서 반항의 의지도 함께 보여주었다. 라캉은 처음으로 '이론적 혁명', '부르주아 문화', '이데올로기적 상부 구조', '욕구', '인류학'에 대해 언급했다. 결국 그는 니장과 크르벨, 달리, 베르니에의 메시지를 따르기 시작한 것이다.[1]

바로 이런 배경 속에서 그는 1933년 초에 유명한 파팽 자매 사건에 관심을 갖게 된다. 이 사건은 사회적 파장이 컸을 뿐만 아니라 성격이 아주 기이하고 수수께끼 같았기 때문에 국민들과 언론계, 지성계를 모두 경악시켰다.

2월 2일에 프랑스 북서쪽에 위치한 르 만스 시에서 크리스틴느 파펭과 레아 파펭이 여주인인 랑슬랭 부인과 그녀의 딸인 주느비에브를 잔인하게 살해했다. 두 자매는 가난한 농가에서 태어나 봉 파스퇴르 고아원에서 살다가 이 집의 하녀로 일하고 있었다. 전기 고장으로 크리스틴느는 다림질을 다 끝내지 못했다. 그러자 그녀는 동생을 살인에 끌어들였다. 두 자매는 희생자들의 눈을 도려냈고, 부엌 집기를 사용해 시체들을 조각조각 내며 피와 뇌조각으로 집을 어질러놓았다. 그리고는 현관문을 걸어 잠그고 간단한 실내복 차림으로 갈아입은 후 침대 속에 숨어 경찰이 도착하기를 기다렸다.

이 범죄가 더욱 충격적이었던 것은 이 젊은 여자들이 모범적인 하녀였고, 주인들도 좋은 대우를 해주고 있어 이러한 운명에 만족하고 있는 것처럼 보였기 때문이다. 하지만 겉으로 보이는 이러한 정상성의 이면에는 불안한 몇 가지 사실이 은폐되어 있었다. 이 자매의 아버지는 큰딸의 정부였고, 할아버지는 간질병으로 사망했으며, 사촌 중의 하나는 미치광이가 되었고, 삼촌은 창고에서 목을 매달아 자살했다. 그리고 살인 사건이 나기 얼마 전 두 자매는 자신들이 '박해받고 있다'고 경찰에 고소한 적이 있었다.

전문가로 초빙된 세 명의 정신과 의사들은 이미 범행을 자백한 범인들을 검사하고 그들이 심신 모두 건강하다는 판정을 내렸다. 즉 이들이 저지른 범죄에 대해 충분히 책임이 있다는 결론이었다. 두 자매는 우발적 살인 행위에 대해 한 사람은 교수형, 또 한 사람은 무기 징역을 구형받았다. 수감된 지 5개월 후 크리스틴느는 기절과 환각 증상에 빠졌다. 그녀는 자기 눈을 빼내려고 했고, 십자가에 박힌 것처럼 양팔을 뻗었고, 성적 노출증에 빠졌다. 그녀는 자신이 장차 동생의 남편이 될 것이라고 말하기도 하고, 꿈에서 동생이 다리가 잘리고 나무에 목이 매달려 있는 모습을 보았다고도 했다. 그녀는 구속복(拘束服)을 입고 독방에 격리된 데 대해 몹시 분노했다. 왜 랑슬랭의 딸을 발가벗겼느냐고 묻자 그녀는 얼이 빠진 듯한 표정으로 이렇게 대답했다. "나를 더 강하게 해 줄 어떤 것을 찾고 있었어요." 이 모든 사실에도 불구하고 정신과 의사 는 그녀가 일부러 정신이상자처럼 행동한다고 하면서 그녀를 법정에 세웠다. 그러나 다른 정신과 의사인 벵자매 로그르는 자매를 변호했다. 그는 자매를 검사할 권리가 없었지만 성도착증과 피해망상증으로 히스 테리성 간질을 앓고 있는 등 정신이상이라는 진단을 내렸다.

1933년 9월 29일에 사르트 중죄 재판소에서는 여러 의견들이 대립 했다. 기소자 측에서는 파팽 자매를 인간성을 모두 벗어던진 잔인한 괴 물로 본 반면 다른 측에서는 부르주아의 잔인성의 희생자들로 보았다. 초현실주의 작가인 벵자맹 페레와 폴 엘뤼아르는 로트레아몽의 시 「말 도로르의 노래」(1868년에 처음으로 발표되었다)를 인용하면서 두 여주인 공을 찬양했고, 사르트르는 특히 보수적인 사회의 위선을 폭로했다.

랑슬랭 가족의 변호사는 자매의 책임을 주장하면서 이번 살인이 '반 (半)계획적'인 것이었음을 설득시키려고 했다. 이에 대해 여변호사인 제 르맨느 브리에르는 로그르의 진단을 지지하면서 피고인들의 광기를 주 장했다. 이전에 있었던 조세프 바셰의 소송과 최근의 르페브르 부인의 소송에서처럼 역학적 정신의학의 지지자들은 유전, 체질, 가장(假裝) 이 론을 주장하는 사람들을 논박했다. 이처럼 한창 논쟁이 진행되고 있을 때 자매는 자신들은 죽은 희생자들에게 아무런 불만도 없었다고 고백 했다. 이것은 이 사건에 이들 자매도 이해하지 못하는 숨겨진 의미가 감추어져 있음을 보여주었다. 크리스틴느는 순순히 사형 선고를 받아 들였지만 곧 종신형으로 감형되었다. 일 년 후 다시 정신착란에 빠진 그녀는 렌느 정신 요양원에 보내졌지만 3년 후 정신착란의 악화로 사 망하게 된다. 자기 처벌적 편집증의 과정에 따라 굶어죽음으로써 자기 죄를 응징했던 것이다. 다른 한편 레아는 감옥에서 여러 해를 복역한

후 다시 어머니에게로 돌아간다.[2]

이 사례는 라캉이 1932년에 제시한 이론에 완벽하게 부합되는 범죄였다. 이 사례는 여성의 동성애와 두 사람의 정신착란(délire à deux), 겉으로 보기에는 아무런 동기도 찾아볼 수 없는 살인 행위, 사회적 긴장, 편집증, 자기 처벌 등을 보여주었다. 이 때문에 라캉은 벵자맹 로그르의 용기에 경의를 표하면서 히스테리성 간질이라는 진단을 우선 부정했고, 편집증만이 자매의 행위를 둘러싼 수수께끼를 해결할 수 있다는 것을 보여주었다. 그는 이 정신착란 사고가 일상적인 듯이 보이는 사건에서 비롯된 것 같다고 말한다. 즉 전기 고장. 하지만 틀림없이 이 사고는 이 자매에게 어떤 무의식적인 의미를 갖고 있었을 것이다. 그래서 라캉은 이 '고장'이 오랜 세월 동안 여주인과 하녀 간에 존재했던 침묵을 구체화시켰을 것이라고 암시했다. 실제로 그들은 서로 말을 하지 않았기 때문에 양자간에는 '교류가 이루어지지 않았다'. 따라서 전기 고장으로 인해 촉발된 범죄는 드라마의 주역들도 의미를 깨닫지 못하는 '어떤 말해지지 않은 것'이 폭력적으로 실현되도록 만들었다.

라캉에 따르면 에메가 자기 자아의 이상형을 표상하는 여배우를 공격했듯이, 파팽 자매 또한 똑같은 동기로 랑슬랭 부인과 딸을 살해했다. 범죄의 진짜 동기는 계급적 증오가 아니라 편집증적 구조에 있었다. 살인자는 바로 이런 구조를 통해서 자기 마음속에 있는 주인의 이상을 공격한 것이다. 라캉이 마르그리트의 살인 미수 사건과 파팽 자매의 살인 사건을 같은 방식으로 분석한 것은 바로 이 때문이었다. 그는 이 두 사례에 대해 편집증과 자기 처벌이라는 진단을 내렸다. 하지만 물론 그도 두 사례가 다르다는 것을 간과하지 않았다. 파팽 자매의 사례에서는 보바리즘도 색광증도 나타나지 않았다. 게다가 이 사례는 유명한 여자를 공격하는 익명의 여자의 경우와는 달리 평범한 가정에서 오랫동안 알고 지내던 가까운 여자들 사이에서 일어난 잔인한 도살 사건이었다. 르

만스 시에서 일어난 범죄는 완전한 살인, 즉 존재의 완전한 섬멸을 통해서만 끝날 수 있었다. 이 점이 아주 놀라운 특징이었다. 이 사건은 사회적 현실(계급적 증오)을 반영하는 것처럼 보였다. 하지만 사실상 그것은 다른 현실, 즉 편집증적 정신착란의 현실을 반영하는 것이었다. 마르그리트 팡텐느 이야기가 프랑스의 19세기 소설의 위대한 전통과 맥을 잇고 있다면 파팽 자매 사건은 희랍 비극에 속한다고 볼 수 있었다. 하지만 이와 동시에 이 사례는 점증하는 사회적 · 인종적 · 민족적 증오로 얼룩진 사회의 잔인성을 선명하게 보여주기도 했다. 만일 에메가 피에르 브누아의 멜로드라마에서 생을 마친 플로베르적 인물이라면 크리스틴느는 프랑스 북부 지방의 숲과 들판을 방황하다 다른 가문을 몰살하려는 살인자의 추격을 받아 계급투쟁이 벌어지고 있는 현대 사회로 쫓겨온 아트레우스 가문의 여주인공이라고 할 수 있었다.

이 두 이야기 사이의 차이는 라캉의 글쓰기 방식에 그대로 반영되었다. 그는 파팽 자매의 범죄에 대한 배경으로 아득한 옛날, 즉 신화, 전설, 무의식의 시대로까지 소급되는 잔인성의 광대한 무대를 간단하게 묘사했다. 하지만 라캉의 문체에 변화를 가져온 또하나의 이유는 새로운 철학적 차원으로 입문한 데서 찾을 수 있었다. 에메 사례를 분석하기까지 라캉은 결코 헤겔의 저서를 연구한 적이 없었다. 1932년의 논문에도 헤겔의 이름은 나오지 않았고, 논문에 제시된 현상학적 요소도 정신의학에서 유래한 것이지 헤겔이나 후설, 하이데거를 직접 연구해서 얻어진 것이 아니었다.

이와 반대로 알렉상드르 코제브의 세미나가 시작된 1933년 10월이나 11월부터 라캉은 아직 그의 세미나에 참석하고 있지는 않았지만 코이레의 기사나 다른 자료들을 통해서 헤겔의 '진정한' 현상학을 발견하기 시작했다. 파팽 자매의 사례를 다룬 그의 글에서 이러한 흔적을 찾아볼 수 있다. 그래서 자매의 범죄는 의식들간의 싸움에서 전형적으로 나타나는 주인-노예의 변증법이라는 맥락에서 해석되었다. 다른 한편 광기는 '속박된 의식'이라는 표현으로 정의되었다. 즉 정신착란은 광적인 '의식'이 되었다.[3]

이리하여 라캉은 마르그리트와 크리스틴느의 두 범죄를 다루는 사이에 인성이 정상적인 것과 병리적인 것을 모두 포함하는 전체라는 스피노자적 일원론에서 벗어나 헤겔적 일원론을 받아들였다. 그 결과 그는 인성이라는 관념을 버리고 이를 자의식이라는 개념으로 대체하게 된다. 하지만 라캉이 헤겔 철학을 접하면서 실질적인 성과를 내는 것은 1936년에 뢰벤슈타인에게서 정신분석을 받고 또 코제브의 세미나에도 직접 참석하면서부터였다.

3부   장년기

"나는 평범함이라는 어리석음을
경멸한다."

l

1 사생활과 공적인 생활

라캉은 박사 학위 논문이 출판된 지 40년 후에 자신이 정신분석에 입문하게 된 계기는 에메 사례로서 프로이트주의를 '명확하게 이해하지 못하면서도' 이 사례에 적용시켰다고 말했다.[1] 우리는 이제 진실은 이보다 훨씬 더 복잡했다는 것을 알고 있다. 과거에 대한 라캉의 평가는 모든 인간의 증언이 대개 그렇듯 취약함이 없지 않은 것이다. 실제로 마르그리트 이야기를 글로 쓸 때 그는 프로이트 학설의 원칙들을 '명확히 이해하지도 못하면서' 적용한 것은 아니었다. 이와 반대로 당시 그는 이미 프로이트 이론에 대한 풍부한 지식을 갖고 있었으며, 그것을 아주 의식적으로 이용했다. 만일 노년에 접어든 그에게 40년 전의 자신이 의식적인 프로이트주의자가 아니었던 것처럼 보였다면 이는 그가 무엇이 프로이트적인 것이고 무엇이 아닌지에 대한 생각이 세월이 흐르면서 어떻게 변화해왔는지를 볼 수 없었기 때문일 것이다. 라캉의 프로이트주의가 30년대와 70년대에 달랐다고 해서 그의 주장대로 1932

년에 라캉이 의식적인 프로이트주의자가 아니었다고 말할 수는 없을 것이다.

이에 대해서는 의심의 여지가 있을 수 없다. 그가 프로이트주의자가 된 시기는 마르그리트와 처음 만난 시기와 일치했다. 따라서 그는 에메 사례를 기술할 때 이미 정신분석 이론의 일반적인 접근 방법을 체득하고 있었다고 할 수 있다. 따라서 프로이트를 일관적이고 유기적인 전체로서 실질적으로 받아들인 시기에 대한 라캉의 1972~75년의 증언은 잘못되었다. 다른 한편 에메 사례 연구를 계기로 정신분석을 실질적으로 체험하게 되었다는 말은 옳았다. 1932년 6월에 그는 루돌프 뢰벤슈타인에게 정신분석을 받기 시작했다. 이미 앞에서도 지적했듯이 이 분석은 마르그리트와의 인터뷰를 끝내고 논문의 최종 마무리 작업을 하기 직전에 시작되었다. 따라서 그가 에메 사례에 프로이트의 치료 기술을 이용하지 못한 것을 얼마나 안타까워했는지를 쉽게 짐작할 수 있을 것이다. 논문을 끝내는 단계에서 분석받으면서 그는 더 일찍 분석받았더라면 논문 주제에 대한 이해도가 훨씬 더 높았을 것임을 뒤늦게 깨닫게 된다. 이 점에서 내가 『프랑스 정신분석의 역사』에서 이미 제시했던 가설, 즉 에메가 라캉에게 갖는 의미는 빌헬름 플리스와 안나 O 양이 프로이트에게 갖는 의미와 같다는 가설은 SPP 안에서 이루어진 라캉의 훈련 분석에 관해 오늘날 어떤 새로운 평가가 내려지더라도 여전히 유효하다고 할 수 있다.[2]

라캉은 마르그리트에게 최초의 '일차적 분석'을 시도했는데, 이 과정에서 텍스트들의 해석과 정신병 사례에 대한 청취를 통해 이론적으로나 임상적으로나 프로이트주의자가 되어갔다. 이 때문에 장차 프랑스에 프로이트주의를 새롭게 소개할 수 있도록 해준 이야기의 주인공인 이 특별한 여성뿐만 아니라 여성 편집증 일반에도 항상 특별한 관심을 갖게 되었다. 마르그리트 사례를 계기로 그는 훈련 분석을 받게 되었다. 솔직히 말해 그를 분석한 사람은 결코 프로이트가 자신의 주요 제자들에게 분석가이자 스승이었던 것과 같은 의미에서 라캉의 스승은 될 수 없었다. 라캉에게 그는 기껏해야 30년대 IPA의 전형적인 스타일을 그대로 고수하고 있는 실망스런 스승으로 기억될 뿐이었다.

폴란드가 아직 러시아 제국의 식민지였던 1898년에 폴란드 중부의 로취(Lodz)에서 태어난 루돌프 뢰벤슈타인은 언제나 약속의 땅을 찾아 다니며 반유대주의와 유대인 학살을 피해 동에서 서로 쫓겨다니던 방랑하는 유대인 정신분석가의 대표적 인물이었다. 나중에 라캉을 분석하게 되는 그는 태어난 나라에서 쫓겨난 후 의학 공부를 세 번이나 반복해야 했다. 먼저 취리히에서 그는 새로운 정신의학을 알게 되었다. 그리고 베를린에서는 현대 프로이트주의의 가장 앞선 그룹에 들어가 한스 작스 밑에서 공부했다. 그리고 마지막으로 라포르그의 물질적인 도움과 그의 여선생이 되어 그가 빨리 귀화할 수 있도록 해준 마리 보나파르트의 지원으로 1925년에 파리에 정착하게 되었다. 뛰어난 의사이자 유머와 매력이 풍부했던 뢰벤슈타인은 SPP에서 프랑스 정신분석 1세대와 2세대의 정신분석가를 양성하면서 곧 명성을 얻게 된다.[3]

비록 뢰벤슈타인과 라캉 모두 분석이 진행되는 동안에 일어난 일에 대해 아무것도 밝힌 적은 없지만 지금 우리는 그것이 얼마나 소란스러웠는지를 알고 있다. 라캉이 처음 베르사이유 가 127번지로 찾아갔을 당시 그는 좋은 평을 듣고 있었고, 파리 최고의 인텔리들과 어울릴 수 있었으며, 학교 성적도 아주 우수했다. 게다가 그는 자기가 정신의학 분야에서 동세대뿐만 아니라 스승들보다도 더 우수하다는 것을 알고 있었다. 그는 자기 경력에 도움이 되는 경우가 아니면 프랑스 정신분석 운동의 선구자들도 오만하게 무시해버렸다. 그는 에두아르 피숑의 영향만큼은 진심으로 인정했지만 다른 선배들에 대해서는 거의 공감을 느끼지 못했다. 그들은 사실 대단한 개혁가가 아니었다.

그래서 '뢰브'는 큰 귀를 가진 매력적인 젊은이가 머리를 한쪽으로 기울인 채 흉내낼 수 없는 미소를 띠고 무심한 척하는 걸음걸이로 들어오는 것을 보고 불안한 마음이 들었다. 라캉은 평범한 피분석자가 아니었다. 천재적인 창의력을 가진 그는 공식적인 정신분석의 길을 통해 프로이트주의에 입문하지 않았다. 그와 같은 인물은 야망을 실현하는 데 필요하다고 해도 규율과 속박에 굴복할 것 같아 보이지 않았다. 기질적으로 라캉은 자유로운 인간이었고, 이런 기질은 어떤 구속이나 한계도 또 검열도 참지 못했다. 상승하는 중간 계급의 마지막 자손에게, 조상들이 산업화 시대의 대격변 속에서 근면하게 일하면서 획득한 독립적인 기질은 마치 제2의 천성이 된 것 같았다. 라캉은 인격이나 욕망의 성취에서 어떤 외부의 권위도 인정하지 않았다. 그는 아버지의 명령에 복종할 필요도 전혀 없었고, 자기의 변덕스러움을 조금도 버릴 수 없었으며, 1932년에 니체의 『차라투스트라』를 통독한 후(여기에다 스피노자에 대한 열정이 가해져서) 그의 완강한 권력욕은 더욱 강해졌고, 이는 특히 평범한 어리석음에 대한 극도의 경멸과 결부되어 있었다.

이처럼 라캉은 전형적인 부르주아의 고통만을 느끼고 장년기에 접어들게 되었다. 영원한 불만족에 따르는 고통, 극단으로까지 치달아버리는 조급함, 아직 세계를 지배할 수 없는 데 따르는 고통 등이 그것이었다. 요컨대 통상적인 신경증이 깊어질 때 수반하는 상상적인 고통이었다. 그는 박탈이나 배고픔, 불행, 자유의 부재, 박해 등과 같은 현실적 고통을 경험해본 적이 없었다. 베르됭의 총구 아래서 청춘 시절을 허비하기에는 너무나 젊었던 그는 스타니슬라스 학교 운동장에서 전쟁을 목격했다. 격렬한 칼부림의 광기 속에서 상처입은 팔다리나 죽음을 기다리는 시선을 우연히 볼 수 있었을 뿐이다. 그는 결코 전장의 피냄새로 충격을 받아본 적이 없었다. 그는 현실의 압력에 맞서 싸워야 할 필요가 없었다. 태어나면서부터 점잖은 상인 가문에서 애지중지 키워진 그는 단지 가족의 속박만을 물려받았을 뿐이다. 그리고 이것은 그를 영웅과는 전혀 무관한 사람으로 만들어주었다. 하지만 이러한 영웅주의의 결여는 이와 동시에 어떤 형태의 타협도 거부하는 단호한 태도와 연결되어 있었다. 따라서 라캉은 표준적 상태에는 전혀 들어맞지 않고, 반항적 기질을 타고났으며, 모든 평범한 태도에 복종할 수 없는 일종의 반(反)영웅이었다. 그가 세상의 부조리를 이해할 수 있는 유일한 열쇠인 광기의 담론에 지나치게 집착했던 것은 바로 이 때문이었다.

이 모든 것은 루돌프 뢰벤슈타인의 삶과는 아주 달랐다. 그의 인생 여정은 추방과 증오, 모욕의 역사로 점철되었다. 라캉과는 반대로 그는 현실의 온갖 압제를 온몸으로 겪어야 했다. 먼저 유대인인 그는 러시아에서 교육과 직업 활동상의 차별 대우를 받아야 했고, 이후 조국을 잃어버린 망명객이 되었다. 이 나라에서 저 나라로 방황하는 천형을 선고받았기 때문에 어쩔 수 없이 가는 곳마다 새로운 언어를 배워야 했던 그는 자유의 대가를 잘 알았고, 그래서 자유를 함부로 여기거나 남용해서는 안 된다는 것을 잘 알고 있었다. 긴 여행의 정거장마다 그는 낡은 여권을 유일한 동반자로 삼으면서 다가올 위험을 현실적인 시각으로 바라보아야 했다.

프랑스에 정착한 그는 마침내 마지막 정착지에 다다랐다고 믿었다. 그는 프랑스를 희망의 나라로 보았다. 인권의 탄생지이며, 평등주의 공화국의 요람인 프랑스는 호화로운 우아함과 자랑스런 지성으로 유럽의 최고 자리를 차지하고 있다고 생각했다. 그렇다면 프랑스의 다른 면, 즉 모라스와 리바롤의 프랑스, 반유대주의와 애국 동맹의 프랑스가 무슨 문제란 말인가? 뢰벤슈타인은 그런 프랑스의 이면에 전혀 주의하지 않았다. 그러나 15년 후에 바로 이러한 프랑스의 이면이 다시 그를 자유의 땅 미국으로 망명의 길을 떠나게 한다. 하지만 그가 1925년에 세 사람의 환영을 받으며 파리에 왔을 때 어떻게 그런 프랑스의 이면을 엿볼 수 있었겠는가? 공화국의 공주인 마리 보나파르트와 독일 문화에서 자란 알자스인 르네 라포르그 그리고 드레퓌스 지지자이면서 동시에 악시옹 프랑세즈 회원이었던 천재적인 문법학자 에두아르 피숑, 이 친절한 세 사람의 도움으로 뢰벤슈타인은 프랑스인이 되었다. 그런데 왜 라캉이 뢰벤슈타인에게서 분석을 받기 시작한 첫해부터 두 사람 사이에 알력과 경쟁이 생기게 되었을까?

많은 차이에도 불구하고 두 사람간에는 공통점이 있었다. 두 사람 모두 유물론자였고, 보편주의와 신의 죽음, 종교적 환상에 대한 철저한 비판적 태도 등에 관한 프로이트의 위대한 가르침을 받아들였다. 태어날 때부터 기독교인이었으나 식초 제조인이었던 조상들을 모독하면서 혈통과 멀어진 라캉과 동화된 유대인으로서 혁명적인 그레고리우스 신부의 지지자가 된 뢰벤슈타인 사이에는 평화가 유지될 수도 있었다. 그러나 그렇지 못했다.

라캉은 분석가를 선택할 때 전혀 주저하지 않았다. 뢰벤슈타인은 프랑스에 정착한 지 7년 후에 SPP 최고의 훈련 분석가가 되었을 뿐만 아니라 라캉이 함께 하기를 열망했던 매혹적인 프로이트 세계의 가장 대표적인 인물이었기 때문이다. 더구나 그는 라캉의 유물론에 공감하고 있었다. 그리고 점검 분석을 시작해야 할 시기가 되었을 때 라캉은 같은 성향의 다른 분석가를 찾아갔다. 샤를 오디에가 바로 그였다. 스위스인으로 프로테스탄트였던 그는 베를린에서 프로이트 계보의 아주 중요한 두 인물이었던 카를 아브라함과 프란츠 알렉산더에게서 훈련받았다. 이리하여 고대 프랑스의 중심지인 엔과 루아르 출신의 가톨릭 신자인 라캉은 영원한 망명객인 유대인과 1685년의 낭트 칙령의 폐지 후 프랑스에서 달아난 선조들의 후손인 프로테스탄트에게서 분석 실습을 받게 되었다. 아마 보마르셰 가의 편협함과 최종적으로 결별하기 위해서는 반드시 필요한 단계였을 것이다.

이와 동시에 순수 정통파에 속하는 두 전문가에게 훈련 분석을 받게 되면서 라캉은 한 세대 건너 간접적으로나마 프로이트의 훌륭한 제자 세 명 중 하나가 되었다. 빈 출신의 한스 작스는 뢰벤슈타인을 분석했으며, IPA의 표준 기준을 정한 장본인이었다. 그리고 샤를 오디에의 첫 번째 분석가였던 카를 아브라함은 정신병 전문 의사로서 베를린의 '정신의학협회'의 창시자였다. 그리고 마지막으로 샤를 오디에의 두번째 분석가인 프란츠 알렉산더는 본인이 작스에게서 분석받은 바 있는데, 훗날 치료 시간의 단축을 위한 기술을 발명한다.

정말 이상한 것은 라캉이 점검 분석을 받았다는 사실을 어느 누구에게도 말해본 적이 없다는 점이다. 사위와 가까운 친지들도 제르맨느 게가 1982년 6월에 내게 이 사실을 털어놓기 전까지 이에 관해 한 번도 들어본 적이 없었을 정도였다. 그녀는 라캉이 한때 오디에에게서 '트랑슈tranche'(트랑슈란 이미 활동중인 정신분석가가 경험의 재충전을 위해서 다른 정신분석가(많은 경우 다른 그룹에 속하는 분석가)에게 받는 짧은 분석을 가리킨다 — 옮긴이)를 분석을 받았다고 확신했다. 당시 오디에의 연인이었던 그녀는 몇 달 동안 그의 집에서 일정한 시간에 자주 라캉과 마주쳤다. 그런데 그때가 1935년이었던가 아니면 1937년이었던가? 그녀는 정확한 시기는 기억하지 못했다.[4] 그러나 지금 모든 것을 볼 때 라캉은 진짜 분석 — 이 분석은 뢰벤슈타인의 집에서 실시되었다 — 이 아니라 감수를 받으려고 오디에를 찾아갔던 것 같다. 이 감수 과정은 IPA에 가입하고 활동중인 학회와 비슷한 정신분석 연구소가 프랑스에 세워진 1934년부터 가입 지원자들에게 의무적인 과정이 되어 있었다.

나중에 라캉이 점검 분석을 받은 사실을 언급하지 않는 것이 적당하다고 생각했다고 해서 이것이 그가 점검 분석을 받지 않았다는 것을 의미하지는 않는다. 아마 그는 창시자로서의 자기 위치가 프로이트와 다르다는 사실을 동시대 사람들에게 알리기 위해서는 한 사람의 분석가로도 충분하다고 생각했을 것이다. 라캉은 분석받았고, 게다가 정통적인 정식 분석가에게서 받았다. 그는 죽은 후 어떤 호기심 많은 역사가가 논리적 추론을 통해서든 아니면 살아 있는 목격자의 증언을 통해서든 과거에 묻힌 이 진실을 알아낼 날이 오리라는 것을 잘 알고 있었다. 기억은 항상 '진실에 다다르는 법이다.

아무튼 1932년 6월부터 1938년 12월까지 6년 동안 일 주일에 여러 번 베르사이유 가의 아파트에서 만났던 라캉과 뢰벤슈타인 사이에는 깊은 수렁이 생겼다. 라캉은 자유를 구속받지 않는 욕망의 행사라는 측면에서 이해했지만 뢰벤슈타인은 자유를 정반대 입장에서 바라보았다. 뢰벤슈타인에게서 자유는 싸워서 쟁취해야 할 권리였으며 편협함과 맞서 승리해야 획득할 수 있는 것이었다. 자유가 없었기 때문에 자유의 가치를 알던 그는 욕망에 따르기 위해 자유를 희생할 준비가 되어 있지 않았다. 모든 사람에게 적용되는 규칙들에 의해 설정된 한계 속에서 자유를 조심스럽게 이용하는 편이 나았다. 그리고 이주할 때마다 전에 얻었다고 생각한 모든 것을 버리고 떠나야 했던 뢰벤슈타인에게 규칙들이란 정신분석의 '자유로운' 실행을 위해 IPA가 제정한 규칙들이었다. 이 규칙들은 초국가적인 성격과 함께 1925년부터는 IPA에 속한 모든 학회에 적용되었다는 사실에서 힘을 발휘했다.

양차 대전 사이에 프로이트 제국은 주로 중부 유럽의 유대인들로 구성되었다. 그것은 그 자체로서 일종의 국가를 이루었으며, 전체적으로 합의된 규칙과 관습의 준수를 통해 단결과 평등을 유지했다. 종종 규칙을 위반하는 일도 있었지만 그것은 여전히 사회적 관계와 윤리적 기초에 따라 정신분석 단체가 존재할 수 있도록 해주는 도덕적 틀의 역할을 했다. 따라서 위대한 IPA를 조국으로 삼은 순진한 전문 분석가 뢰벤슈타인은 공동의 신념에 복종했다. 하지만 자신의 열정을 포기하지는 않았다. 그의 연인이었던 공주 ─ 그는 이미 그녀의 아들을 분석했다 ─

를 분석하면서 그는 자신이 수호하고자 했던 바로 그 규칙들을 위반하게 되었다. 이 점에서 그는 가장 위험한 경쟁자인 라캉과 닮았다. 그러나 라캉과는 달리 규칙의 준수가 프로이트 정신분석의 자유로운 실천에 기여할 수 있으리라고 굳게 믿었다. 이제 공화국의 가치들 대부분에 동의할 정도로 프랑스에 애착을 갖게 되었지만 그는 SPP가 반드시 IPA의 거대한 표준화 운동의 일부가 될 수 있도록 최선을 다해야 한다고 확신하고 있었다.

그러나 라캉은 그러한 것들에 아무런 흥미도 느끼지 못했다. 그에게 여행과 국제 관계는 단지 엄청난 호기심을 채우기 위한 수단이었을 뿐 어떠한 규칙에도 복종할 필요성을 느끼지 못했다. 그에게 IPA는 조국도 약속의 땅도 아니었다. 단지 회원들에게 정통 프로이트주의자의 자격을 인정해주는 기관일 뿐이었다. 하지만 IPA의 인정을 받지 못한다면 프랑스 정신분석 운동에서 어떤 활동도 할 수 없었다.

정신분석의 실천에 관한 뢰벤슈타인의 훌륭한 두 편의 글을 읽어보면 라캉에 대한 분석이 어느 정도 '기술적'이었는지를 가늠할 수 있다. 첫번째 글은 1928년 6월 20일에 파리에서 개최된 제3차 프랑스어권 정신분석가 회의에 소개된 보고서이다. 그리고 「정신분석 기술의 요령」이라는 제목의 두번째 글은 1930년에 SPP가 주최한 회의에서 소개된 보고서이다.[5] 이들 보고서에서 뢰벤슈타인은 무의식의 중요성을 강조하면서 정신분석의 기본 규칙을 규정했다. 이에 따르면 정신분석가는 분석 실습에 기초가 된 다양한 규칙들을 설명해야만 했다. 즉 심리 치료사는 메모보다는 기억력에 의지해야 하고, 억압된 것을 찾으려 하기보다는 저항 행위를 분석해야 하며, 환자는 치료받는 동안 정신분석에 관한 책들을 읽어서는 안 된다. 그리고 그는 마지막으로 상담 시간의 길이와 횟수, 그리고 치료의 지연에 대처하는 방법 등에 관해 설명했다. 전이 문제는 긍정적인 극단과 부정적인 극단이라는 관점에서 검토되었다. 치료의 종결은 긍정적인 전이가 해석될 수 있고 이를 통해 환자가 분석가의 영향력으로부터 자유로울 때 가능했다. 한편 '도덕적인' 규칙으로서 뢰벤슈타인은 치료가 환자와 분석가 간에 있을 수 있는 모든 우호적인 관계를 떠나서 이루어져야 한다는 것을 강조했다. 따라서 그가 라캉을 분석할 때 적용한 기술은 이처럼 신중하고 이성적이며 표준화된 기술이었다. 나는 이미 다른 곳에서 라캉이 행동하고 알려고 할 때에는 열광적으로 나오다가도 생각을 구상하고 설계할 때에는 화나게 할 정도로 신중함을 보이는 등 두 가지 상반된 태도 사이에서 계속 오락가락했기 때문에 뢰벤슈타인이 얼마나 참을 수 없어했는지를 강조한 바 있다.

뢰벤슈타인은 라캉을 분석하면서 느낀 문제점에 대해서 글을 통해서는 단지 한 번 부정적으로 암시했을 뿐이다. 하지만 주위 사람들에게 말로는 여러 번 자기 생각을 표현했다. 그에 따르면 라캉은 분석할 수 없는 인물이었다. 확실히 라캉은 그러한 조건에서는 분석이 불가능했다. 개인적·이론적 차이들이 전이를 가로막고 있었던 것이다. 그리고 뢰벤슈타인은 그런 사람을 분석할 만큼 융통성 있는 인물이 아니었다. 그런 그가 어떻게 라캉을 분석할 수 있었겠는가?

어느 날 라캉은 카트린느 밀로에게 분석에 관한 생각을 털어놓았다. 그에 따르면 뢰벤슈타인은 그를 분석할 만큼 그리 지적이지 못했다. 잔인하지만 사실이었다! 라캉은 덧붙이길, 정말 분석받는다고 느꼈던 때는 자기 세미나에서였다고 말했다. 이 점과 관련해 그는 마르그리트가 맡았던 중요한 역할을 결코 간과하지 못했다. 그는 카트린느 밀로에게 자신과 뢰벤슈타인 간의 상황을 설명하기 위해 당시 일어났던 한 사건을 이야기했다. 어느 날 그가 소형 자동차를 운전하면서 터널을 지나고 있었을 때 반대편에서 트럭이 정면으로 다가오고 있었다. 하지만 그는 계속 가기로 결심했다. 그러자 트럭이 양보했다. 그는 뢰벤슈타인이 둘

사이의 전이 관계를 깨닫게 하려고 이 이야기를 했다. 그러나 그는 아무 대답이 없었다. 라캉이 코제브의 세미나에서 묘미를 맛본 격렬한 논쟁은 결국 공개된 충돌로 이어졌다. 라캉은 뢰벤슈타인의 반대에도 불구하고 피숑의 지지를 얻어 SPP의 정회원이 되었을 뿐만 아니라 계속 분석받겠다는 약속을 깨고 그럴 만한 위치에 오르자 금방 분석을 그만두었다. 결국 그는 뢰벤슈타인이 프랑스에서 결코 되지 못했던 지식인 사회의 대가가 되었다.[6]

분석 기간 내내 라캉은 기존의 정신분석계 밖에서 이론 작업을 계속했다. 실제로 그는 SPP의 내부 토론에 참여하기도 하고 동료들과도 자주 만났지만 당시 프로이트 공동체가 소홀히 하고 있던 어떤 지식을 습득해가고 있었다. 따라서 그는 주변적인 인물로 머물 수밖에 없었으며, 그의 발전 과정은 불신의 시선을 받았다. 라캉은 정상적인 정신분석가가 아니라는 견해가 끊임없이 그를 따라다녔다. 스피노자 철학과 현상학, 초현실주의, 역학적 정신의학에 기반한 이론을 구축한 후 그는 프로이트 저서에 대한 철학적 탐구를 훨씬 더 깊이 진척시켰다. 이를 통해 그는 욕망, 주체의 위상, 상상적인 것의 역할에 관한 최초의 이론들을 세울 수 있었다. 그런데 아주 이상하게도 1932년 말과 1936년 중엽 사이, 즉 분석받기 시작한 후 4년 동안 라캉은 중요한 글을 쓰지 못했다. 이 불모의 시기는 마치 정신의학과 프로이트의 발견으로부터 프로이트주의에 대한 새로운 해석을 통한 진정한 의미의 철학적 체계의 수립으로 나아가는 대변혁의 징후 같았다. 그리고 이 '공백기'는 일종의 '잠복기'이기도 했다. 이 시기에 그는 많은 개인적 사건들을 겪으면서 정신적으로 성숙해진다.

1933년 8월 말에 라캉은 올레시아를 파리에 두고 마리-테레즈와 15일간의 휴가를 떠났다. 이들은 생-장-드-뤼에서 살라망카와 부르고스, 바야돌리드를 거쳐 마드리드까지 기차 여행을 했다. 라캉은 파리에 있는 연인에게 정열적인 편지들을 보냈다. 그는 편지에서 독서를 많이 하고 있고, 오래된 탐욕스런 호기심이 다람쥐 쳇바퀴 돌듯 우스운 '임상 연구'에 허비했던 '형편없는 몇 년'을 보낸 후 다시 살아났으며, 올레시아가 자기에게는 과분할 정도로 헌신적인 친구(ami)라고 말했다.[7]

라캉은 사랑하는 여자에게 'ami'라는 남성형 호칭을 사용한 후 또다른 편지에서는 여행이 얼마나 즐거운지를 이야기했다. 그는 극히 '돈키호테적인' 미친 짓을 할 수 있다고 말했다. 그는 기독교에 대한 적대감을 공공연하게 표시했지만 이와 동시에 자신의 '수호성인'인 성 자크드 콤포스텔라를 찾아가보고 싶다고 이야기했다. 그는 스페인 철도의 매력을 자세히 설명하고 나서 산토 도밍고 데 실로스 수도원을 방문했던 얘기를 들려주었다. 바야돌리드에서는 여러 빛깔의 조각 앞에서 황홀해했다. 그 조각들은 '울부짖는 듯, 가슴을 에는 듯하며, 영혼을 마비시키는' 것이었다. 마지막으로 마드리드에서는 프라도 미술관을 방문했는데, 벨라스케즈의 그림이 전과 달리 그리 감동적으로 다가오지 않는 것을 확인했다. 이와 반대로 고야의 지성에는 눈물이 날 정도로 감동받았다. 그리고 고야의 팔레트는 라캉에게 '옛날 베니스의 부름을 들을 수 있게' 했던 화가들을 상기시켰다. 이처럼 서정적인 비상 후에 라캉은 과거를 떠올리며 올레시아에 대한 열정을 되살렸다. 그는 그녀에게 사랑의 말이 섞인 애정 표현을 전하면서 여전히 앞으로 행복하기를 기원했다. 라캉은 정열적인 키스와 황홀의 순간, 탐욕스런 욕망에 대해 이야기했다. 그는 기다려달라고, 그를 위해 아름다움을 유지해달라고, 그의 도피와 계속되는 망설임을 용서해달라고 했다. 그는 포근하고 행복으로 가득 찬 겨울을 보낼 수 있을 것이라고 확신했다.[8]

파리로 되돌아오자마자 그는 정신분석가의 위치로 되돌아갔고, 여행의 흥분은 우울증으로 바뀌었다. 그는 마리-테레즈를 떠나고 싶지도 않았고, 올레시아와는 헤어져 있을 때 더욱 사랑한다는 것을 알게 되었다. 어느 쪽을 선택할지 결정할 수가 없었다. 10월 초에 그는 '스위스 정신의학협회' 모임에서 환각 문제를 토론하기 위해 프랑겐(Prangins)에 갔다. 그는 이때 처음으로 카를 구스타프 융을 만났다. 융은 아프리카의 부족들과 겪은 체험을 발표하기 위해 이 회의에 참석하고 있었다. 라캉은 앙리 에와 함께 정신발생학이라는 관점에서 환각 이론을 해명하는 이론을 다시 주장했다. 그는 환각이 자동 운동이나 '체질'에서 비롯되는 것이 아니라 자기 인격 전체에 대한 환자의 감각이 혼란을 일으키면서 비롯된다고 말했다.[9]

10월 24일에 라캉은 뢰벤슈타인과의 분석 시간 바로 전에 올레시아에게 8월에 보냈던 편지들과는 아주 다른 편지를 보냈다. 두 연인은 파경에 이른 상태였고, 라캉도 우울한 분위기를 감추려고 하지 않았다. 그는 자신이 항상 행복을 놓친다고 한탄했고, 과거의 자기 태도를 비난했다. 그리고 큰 희망을 갖지는 않았지만 그래도 잃어버린 시간을 만회할 수 있기를 바랐다. 그는 베르사이유 가에 있는 오베르주 알자시엔느에서 점심을 먹으면서 악몽 같던 지난해와 자신이 느꼈던 불안감을 회상했다. 그는 그녀에게 자신이 얼마나 불행했는지를 이야기했고, 그녀 역시 무모한 열정 때문에 길을 놓쳤을 것이라는 점을 강조했다. 언제나처럼 그는 잃어버린 시간을 만회하고 싶었다.[10] 그러나 꿈과 욕망에도 불구하고 두 연인 사이에는 아무것도 개선되지 않았다. 그는 불운에서 벗어나려고 노력할수록 새로운 사랑에 눈을 뜨게 되었던 것이다. 마리-루이즈 블롱댕이 그녀였다. 27세의 그녀는 말루라는 애칭을 갖고 있었다.

라캉은 오래 전부터 그녀를 알고 있었다. 그녀는 오랜 친구이자 인턴 동료인 실뱅 블롱댕의 여동생이었다. 실뱅 블롱댕은 1901년 7월 24일에 프랑스 부르주아지에서도 상류층에 속하는 공화주의 가문에서 태어났다. 외가는 샤랑트 출신이었고, 친가는 로렌 출신이었다. 카르노 국립 중고등학교에서 훌륭한 교육을 받은 블롱댕은 아버지처럼 의사가 되기로 결심했다. 1924년에 인턴 시험에서 2등을 차지한 그는 외과를 선택했다. 그는 시립병원(Hôtel-Dieu)에 있는 클리닉에서 일을 시작해서, 일반 병원 의사로 임명되는 1935년까지 그곳에 있었다.

그는 아주 매력적인 남자였다. 키가 크고 날씬한 몸매에 쾌활하고 부드러운 성격이었으며, 나비 넥타이를 좋아했고, 웨이브 진 금발 머리에 모자를 아주 우아하게 뒤로 기울여 쓰고 다니길 좋아했다. 대단한 수집가였던 그는 브라크, 레제, 피카소 등의 현대 화가들의 그림을 사려고 첫 봉급을 다 쓸 정도였다. 수술할 때는 왼손을, 글을 쓸 때는 오른손을 사용했으며, 그림을 그릴 때는 양손을 동시에 썼다. 그는 평생 운전을 배우려고 하지 않았으며, 운전사가 있는 리무진이나 택시를 더 좋아했다.[11]

라캉은 그와 가장 마음이 통했다. 서로의 매력에 끌린 두 사람의 관계는 라캉이 말루와 사랑에 빠지게 되는 한 요인이 되었다. 말루는 오빠를 대단히 존경했다. 이처럼 두 남자의 우정 덕택에 그녀는 존경하는 실뱅의 모든 장점, 즉 재능, 아름다움, 개성, 지성을 라캉에게서 발견할 준비가 되어 있었다. 그리고 그녀는 자기 도취적이고 고집이 세었으며, 스스로에 대해서 숭고하면서도 나약하다는 이미지를 갖고 있었기 때문에 괴상한 언동에 가려진 라캉의 천재성을 알아볼 줄 알았다. 따라서 누구보다도 라캉을 좋아했다. 그녀는 그가 최고를 지향하는 자신의 이상에 맞는 인물이라고 생각했고, 그를 정복하고 싶었다. 프로이트 이론에 대해 조금도 공감한 적은 없지만 라캉이 훌륭한 정신과 의사가 될 것이라고 생각한 실뱅 블롱댕은 아끼는 여동생이 자기와 비슷하다고 생각하는 남자에게 반한 것을 보고 아주 기뻐했다.

아주 날씬한 몸매에 작은 엉덩이를 가진 말루는 눈에 띄게 아름다운 여자였다. 그녀는 드리외를 매혹시킨 젊은 올레시아의 남성적 매력을 지니지는 않았지만 연약한 여성스러움이 신비한 우울함 — 그레타 가르보와 버지니아 울프의 중간쯤 되는 분위기 — 을 엿보이게 하는 그런 여자였다. 말루는 어머니의 딸 또는 사랑하는 오빠의 동생으로 계속 행복할 수도 있었을 것이다. 그리고 이제까지 알고 배워온 이상에 맞는 생활을 할 수도 있었을 것이다. 곧은 성품과 고결함을 지닌 그녀는 이왕이면 의사나 그림 수집가 혹은 학술 후원자와 같은 점잖은 배우자와 결혼해 생-제르맹 근교의 깎은 돌로 지은 집에서 편안하게 사는 교양 있는 부르주아가 될 수도 있었을 것이다. 그러나 그녀는 그러한 길을 선택하지 않았다. 아주 어렸을 때부터 그녀는 그림에 대한 재능과 자신을 꾸미거나 직접 옷을 만드는 독창적인 방법, 독창적인 유머 감각(그래서 무슨 일에서든 우스꽝스런 측면을 간파할 수 있었다) 등으로 주위의 이목을 끌었다. 그리고 이미 고전이 되어버린 전통적인 상송들을 알고 있어서 친구들을 놀라게 했다. 예술적 기질을 보여주는 이 모든 요소들은 그녀가 평범한 아내의 역할만 하도록 내버려두지 않았다. 그러나 이처럼 타고난 반순응주의에도 불구하고 그녀는 완전한 지적 독립성을 갖고 있지는 못했으며 당시 대부분의 여자들이 받아들이고 있던 결혼이라는 관습적 이상을 따랐다. 이처럼 취미와 야망에서는 현대적이었지만 사랑과 가정관에서는 낡은 관습에 매여 있었다.

라캉은 다시 올레시아를 정복하고 싶어했던 1933년 가을에 바로 이 여자와 사랑에 빠지게 되었다. 그리고 그는 자기 분신처럼 경탄해 마지 않는 친구의 여동생을 소유하기 위해 무슨 일이든 할 준비가 되어 있었다. 그는 육체적인 사랑의 경험이 없는 말루 같은 여자는 애인으로 삼을 만한 유형의 여자가 아니라는 것을 알았다. 그래서 곧바로 결혼 말이 나왔다.

1933년 말에 라캉은 로마 가톨릭 교회의 정식 절차에 따라 결혼식을 치르기로 결심했다. 바로 몇 달 전에 자신이 스페인에서 파리에 있는 연인에게 반기독교주의를 열변하는 편지를 보낸 것을 잊었던 것일까? 어쨌건 마리-루이즈 블롱댕과 자크 라캉의 결혼식은 1934년 1월 29일 11시 30분에 제12구 시청에서 저명인사들이 참석한 가운데 치러졌다. 라캉 측에는 앙리 클로드 교수가, 블롱댕 쪽에는 앙리 뒤클로가 참석했다. 앙리 클로드 교수는 라캉의 청으로 정통 프랑스 정신의학을 대표해서 제자의 보증인 격으로 결혼식에 온 것이었다(그는 머지않아 대표 주자의 자리를 이 제자에게 넘겨주게 된다). 앙리 뒤클로는 하원 의원이자 외과 의사로 블롱댕 가문의 오랜 친구였다. 앙리 뒤클로는 1906년 11월 16일에 있었던 말루의 출생 신고 때도 바로 이 시청에 온 적이 있었다. 그의 참석은 젊은 신부에 대한 아버지 같은 애정에 의한 것인 반면 클로드의 참석은 신랑에 대한 사회적이고 직업적인 호의에 의한 것이었다.

시청에서의 결혼식이 정신의학과 외과의 인본주의적 가치가 교차되는 의학적 이상의 후원 하에 거행되었다면 가톨릭을 따른 결혼식은 라캉 가족의 희망대로 이루어졌다. 라캉은 가톨릭 교회의 성대한 의식에 매혹되어 가톨릭의 형식을 거부하지 않기로 결심했고, 또 아들의 결혼식이 세속적으로 치러지는 것을 절대 인정하지 않을 어머니를 실망시키고 싶지도 않았다. 그래서 그는 동생인 마르크-프랑수아가 수도사로 있던 오트콩브 수도원의 로르 수도원장에게 생-프랑수아-드-살르 교회에서 결혼식을 치를 수 있도록 부탁했다.

자크와 말루는 이탈리아로 전통적인 신혼 여행을 떠났다. 그들은 시칠리아 섬까지 갔다. 라캉은 처음 본 로마에 흠뻑 반했다. 로마에 도착하자마자 거드름을 피우기 시작했다. 그는 호텔 수위에게 "라캉 박사라고 합니다"라고 말해 한 번도 그 이름을 들어본 적이 없는 수위를 어리둥절하게 만들었다. 로마에서 그는 베르니니의 조각을 황홀해하며 보았고, 분수들의 바로크 풍 조각 앞에서 너무나 큰 기쁨을 맛본 나머지 죄책감을 느낄 지경이었다. 신혼 여행이 한창이던 2월 10일에 그는 올레시아를 버린 것에 대해 죄의식을 느끼면서 전보를 띄웠다. "친구를 걱정하며. 로마에서. 자크."[12]

아마 말루는 라캉이 그녀 자신이 생각하는 사랑과 정숙이라는 이상과 얼마나 거리가 먼 인물이었는지를 몰랐을 것이다. 그리고 강렬한 열정으로 항상 욕망의 대상을 빼앗기에 바빴던 라캉은 말루와 같은 여자는 결코 그를 다른 여자와 공유하는 것을 받아들이지 않으리라는 것을 깨닫지 못했다. 이리하여 행복할 것처럼 보였던 이 부부는 재앙의 길로 접어들었다. 천성적으로 일부다처의 성향을 지녔으면서도 결혼 생활을 원하고 필요로 했던 라캉은 여전히 자기를 사랑하는 여자를 떠날 수 없었다. 그래서 그는 자기 기질을 있는 그대로 드러내기로 결심하고, 진실과 불가능의 변증법에 따라 삶을 이끌어가기 시작했다. 나중에 그는 이 변증법의 가장 유명한 이론가가 된다. 다른 한편 말루는 존경하는 남편이 그녀의 열망을 채워줄 수 없다는 사실을 너무 늦게서야 깨달았다. 그러나 그녀는 절망의 대가를 치르면서도 자신의 이상에 매달렸다.

하지만 얼마간 라캉은 성공적으로 장년기로 진입한 것처럼 보였다. 이 부부는 말레세르브 가의 으리으리한 아파트로 이사했다. 그곳은 앙리 클로드의 아파트에서 아주 가까웠다. 말루의 우아함과 패션 감각, 생활 태도는 라캉의 행동에 긍정적인 영향을 주었다. 그는 옛날보다 더 멋을 부리면서 당시 최고 스타일의 옷차림을 따랐고, 아주 절도 있고 안락한 환경에 익숙해졌다.

그러나 올레시아와의 결별은 완전히 이루어지지 않았고, 어떤 이별의 말도 오가지 않았다. 단지 서로 만나는 것을 멈추었을 뿐이었다. 올레시아는 또다시 버림받았다. 라캉과의 로맨스가 충분히 진정 어린 것이었지만 그녀는 드리외에게서 느꼈던 열정으로 라캉을 사랑하지는 않았다. 그녀는 라캉을 뛰어난 이론가로 여겼고 그의 지성과 혈기 그리고 매력에 감탄했다. 하지만 드리외는 여전히 병적 집착에 가까운 욕망의 대상으로 남아 있었다. 그녀는 언제나 드리외를 생각하면서 절망이라는 고통스러운 쾌락을 즐기기 위해 드리외에 대한 상실감을 키워나갔다. 그래서 올레시아는 사랑의 순간을 계속 연기하는 사람의 행복보다는 오히려 자신을 원하지 않는 남자를 사랑하는 불행을 선택했다. 라캉도 애인이 평생 동안 다른 남자와 깊이 관계되어 있다는 것을 잘 알고 있었다. 그는 자기를 벗어나는 다른 여자를 쫓아가기 위해 자기가 소유할 수도 있었을 여자를 계속 기다리게 했기 때문에 올레시아가 그런 식으로 체념한 듯이 행동하는 것을 이해할 수 있었다. 얽매임이 없는 은밀한 만남, 즉 즉흥적으로 마련되기도 하고, 때로는 더 흥미로운 일 때문에 지켜지지 않기도 한 약속들은 이들의 사랑을 마리보 류의 부자연스러운 분위기 속으로 이끌었다. 지난 몇 년간 두 사람을 연결시켜준 시간은 잃어버린 청춘의 사랑을 추억할 때마다 항상 느껴지는 흥분과 열정의 후광으로 두 사람을 감싸주었다. 이들은 43년 후에 '라 프티트 쿠르' 식당에서 단둘이 식사하기 위해 다시 만났다. 두 사람은 잃어버린 시간을 만회하고 싶었지만 서로에게 할 말이 아무것도 없었다. 그러나 이들의 이야기는 빅토리아 오캄포의 기억 속에 흔적을 남겼다. 빅토리아 오캄포는 같은 시기에 우연히 파리에 있었고, 친구들에게 라캉과의 만남을 주선해달라고 부탁했다. 다른 사람들이 놀라면서 도대체 어떻게 프로이트주의의 거장에 관심을 가지게 됐는지 묻자 그녀는 이렇게 대답했다. 'Era el amantito de la mujer de Drieu'(그는 드리외 아내의 남자친구였어요).[13]

1934년 5월에 라캉은 정신병원 책임 의사를 선출하기 위한 시험을 치렀다. 그는 구술 시험에서 거만하게 현상학 지식을 과시한 덕에 낙방할 뻔했다. 심사위원들은 그를 '귀찮은 젊은이'라고 평했다.[14] 그는 '환자 검사'라고 하는 테스트에서 다른 사람들을 어리둥절하게 만드는 행동을 함으로써 결국 13명 중 열한번째로 합격했다. 그 테스트는 환자나 그 환자의 병력 기록을 알지 못하는 상태에서 20분 동안 환자의 증세를 설명하는 것이었다. 라캉은 시험에 통과했음에도 불구하고 자기에게 배정된 자리를 집어던졌다. 그는 이미 개인적으로 정신분석가로 활동하고 있었고, 같은 해 11월 20일에 SPP에 정회원 자격을 신청한 상태여서 곧 공식적으로 정신분석가의 길을 가게 되어 있었다.[15] 그러나 병원 의사의 길을 포기했다고 해서 광기에 대한 흥미를 잃은 것은 아니었다. 이와 반대로 그는 항상 광기에 대한 연구로 돌아갔고, 프로이트에 대한 자신의 해석과 정신병에 대한 임상 연구를 결부시키는 것을 결코 잊지 않았으며, 정신병에 대한 임상 연구의 근거가 편집증에 있다는 것도 잊지 않았다.

라캉은 블랑슈 광장에 있는 어느 카페에서 조르주 베르니에를 만났다. 그는 병원 환자들을 제외하고는 향후 몇 년동안 라캉에게서 오랜 기간에 걸쳐 정신분석을 받은 처음이자 유일한 피분석자가 된다. 러시아계 유대인[16]으로서 철학을 공부하던 베르니에는 또한 현대 회화와 아방가르드 운동과 새로운 사상 일반에도 관심을 갖고 있었다. 그는 블랑슈 카페에서 라캉이 앙드레 브르통과 같은 테이블에 앉는 것을 보았다. 그후 그는 1933년 겨울에 소르본느 대학의 계단 강의실에서 라캉을 다시 만났다. 이때 그는 그곳에서 조르주 뒤마의 강의를 빠짐없이 들으면서 심리학 학위를 준비하고 있었다.

라캉은 철학박사 학위를 갖고 싶어한 반면 베르니에는 정신의학 공부를 계속할 생각이었기 때문에 프로이트 식 분석의 필요성을 느끼고 있었다. 그래서 그는 알랑디를 찾아가 몇 번 상담했지만 알랑디가 그리 뛰어나지 않다는 생각이 들자 대신 라캉을 찾아가기로 결심했다. 분석은 1939년 말까지 지속된다. 그후 두 사람은 마르세이유에서 다시 만나는데, 프랑스의 몰락 이후 뒤따른 혼란기였던 당시 이곳에서 이 두 사람은 어떤 사건에 깊숙이 연루된다. 하지만 이에 대해서는 뒤에서 자세히 살펴보기로 하겠다.

처음 몇 번의 분석은 퐁프 가에서 가장 고전적인 방식으로 이루어졌다. 그리고 나서는 말레셰르브 가로 장소를 옮겼다. 분석 시간은 한 시간씩 일 주일에 세 번 가졌다. 라캉은 이 주일이나 삼 주일마다 일종의 종합 시간을 가질 것을 제안했다. 그는 지난주 동안 어떤 일이 있었는지를 설명하고 환자가 계속 앞으로 나갈 수 있도록 돕기 위해 오랫동안 이야기했다. 그런데 이미 이 최초의 분석에 미래의 라캉 스타일의 전형적인 특징들이 들어 있었다. 즉 환자와 일체를 이루거나 전이를 분석하지 않는 것 혹은 책과 물건, 생각들을 환자와 주고받으면서도 우정과 직업적 관계를 엄격히 구분하는 방법이 그것이다.

라캉은 박사 학위 논문의 출판에서부터 당시의 위대한 철학적 흐름들에 대한 나름대로의 수용에 이르는 몇 년의 준비 기간 동안 SPP 회원들과 자주 만났다. 그는 프랑스 정신분석 1세대들과의 이러저러한 만남에서 비중 있는 이론가로 두각을 나타냈다. 특히 뢰벤슈타인과 폴 쉬프, 샤를 오디에, 에두아르 피숑 등과 함께 가장 많은 대화를 나눴다. 마리 보나파르트와의 관계에서는 서로가 지극히 냉담한 태도를 보였다. 그녀는 빈에 강력한 소식통을 가진 공식적인 대표자로서 SPP에서는 여왕으로 군림하고 있었다. 따라서 그녀와 진정한 프로이트 개혁의 창시자가 될 라캉 간에 침묵이 흐른 것은 전혀 놀랄 만한 일이 아니었다. 그녀는 아주 낯선 세계에 속한 이 인물의 중요성을 아직 깨닫지 못한 것 같았다. 그녀는 정신분석 운동의 일상적 문제들을 자세하게 적은 일기(이것은 한 번도 출간된 적이 없다)에서 라캉의 이름을 단 한 번도 언급하지 않았다.[17]

또 이 시기에 개최된 여러 토론에서 라캉이 발표한 글도 특별한 관심을 끌지는 못했다. 어쨌든 그는 SPP 모임에 정기적으로 참석하기는 했지만 1936년까지 편집증에 대해 이미 발표했던 내용을 그대로 반복할 뿐이었다.

하지만 1936년부터 그는 '거울 단계' 문제에 관심을 갖기 시작한다. 그는 앙리 왈롱과 알렉상드르 코제브, 알렉상드르 코이레의 논의를 토대로 주체 이론을 세웠다. 라캉의 주체 이론은 프로이트 혁명에 연결되어 있었으며 여기에 새로운 내용을 제공했다. 1937년과 1938년에 마리 보나파르트, 뢰벤슈타인, 다니엘 라가슈의 질문에 대한 그의 대답을 보면 이러한 변화의 흔적을 감지할 수 있다. 그는 여기서 파편화된 육체, 나르시시즘, 죽음에의 충동에 대해 얘기했다. 변화의 흔적은 1938년 10월 25일에 발표된 「충동으로부터 콤플렉스로」라는 논문에서 훨씬 더 명확해진다. 이 자리에서 라캉은 발표가 너무 길었다는 오디에의 지적을 받고 자기 이론을 간단히 요약했다.[18]

이때 라캉이 뢰벤슈타인에게 받았던 분석이 SPP 정회원들에게 심각한 문제로 받아들여졌다는 점에 유의할 필요가 있다. 1934년에는 라캉을 후보 회원으로 받아들이는 데 어려움이 없었다. 하지만 '정신분석 연구소'의 창립과 정회원 자격에 대해 엄격한 규정들이 정해진 후 상황은 나빠지기 시작했다. 라캉이 당시의 정신분석계로서는 전혀 이해할 수 없어 보이는 이론들을 내놓기 시작한 1936년에 이러한 상황은 더욱 악화되었다. 따라서 그의 지적 혁신을 이해할 수 없었던 다른 사람들은 규칙에 복종하지 않는다는 이유로 그를 거부했다.

뢰벤슈타인과의 분석은 당시 통상적으로 허용된 것보다 더 오래 계속되었을 뿐만 아니라 협박과 반항이 끊이지 않고 교차되면서 무한정 지속될 것처럼 보였다. 뢰벤슈타인은 라캉이 계속 훈련받아야 한다고 생각한 반면 라캉은 이것을 단지 SPP 정회원 자격을 얻는 수단으로만 여겼다. 따라서 이 드라마를 끝내기 위해 피숑이 개입하지 않을 수 없

었다.[19)]

2 파시즘 : 빈 신화의 붕괴

SPP 내부에서 매일 이러한 소소한 비극들이 일어나고 있는 동안 정신분석 운동 전체가 역사 속으로 휘말려 들어가고 있었다. 1938년 3월에 나치가 빈을 점령하자 프로이트와 마지막 남은 그의 동료들은 도피해야 했다. 노령의 프로이트는 최근에 턱의 일부를 제거하는 수술을 받았고 게슈타포에게 여러 번 시달렸지만 침착성과 유머를 잃지 않았다. 빈은 프로이트가 어릴 때부터 줄곧 살아온 도시였고, 그의 중요한 발견들도 이 도시에서 이루어졌다. 그는 최후의 순간까지 자기 자리를 지키고 싶어했다.

어네스트 존스는 한편으로 막스 셔와 윌리엄 불리트, 마리 보나파르트의 도움으로 스승의 도피를 주선하면서, 다른 한편으로는 몇 년 전에 독일에서 실행했던 계획을 여기서도 다시 적용하려고 했다. 존스는 1933년부터 확실한 나치주의자이자 열렬한 반유대주의자로, 에밀 크페펠린의 제자였던 마티아스 하인리히 괴링이 주창한 아리안화(化) 정책을 받아들였다. 이 정책의 목표는 유대인과 프로이트주의 용어가 배제된 정신요법 운동을 만드는 것이었다. 카를 아브라함에 의해 창립된 '독일 정신분석학회(DPG)' 회원 중에는 이러한 계획의 집행에서 특히 두각을 나타낸 두 사람이 있었다. 펠릭스 뵘과 카를 뮐러-브라운슈바이크가 바로 그들이었다. 이들은 이데올로그도 또 나치주의자도 아니었으며, 단지 독일에서 프로이트주의를 선도하고 있던 저명한 유대인 동료들을 질투하고 있었을 뿐이다. 따라서 나치즘이 집권하자 이들은 이것을 출세할 수 있는 호기로 여겼다. 유대인 스승들보다 열등하다고 느꼈던 두 사람은 수치스런 정권의 하수인이 되었다. 다른 한편 DPG의 유대인 회원들은 망명의 길을 떠나야 했다. 그래서 1935년에는 47명 중 9명만이 남게 되었다. 뵘과 뮐러-브라운슈바이크는 자신들의 나치 협력을 다음과 같은 논거로 정당화했다. 즉 나치의 명령을 앞질러 실행하고, DPG의 남아 있는 유대인 회원들을 제명시킴으로써(그들이 자의에 의해 탈퇴했다고 주장하면서) 나치가 정신분석을 금지시킬 만한 어떤 구실도 남기지 않으려고 했던 것이다.

존스도 지지한 이 '구출' 계획은 결국 마지막 남은 유대계 DPG 회원들의 강제 사임으로 이어졌다. 비유대인 중 단 한 명만이 이 수치스런 계획을 거부했다. 그는 베른하르트 캄이라는 인물로, 자발적으로 제명자들과 함께 망명의 길을 선택했다. 이리하여 괴링의 꿈은 실현되었다. 그는 프로이트주의자들, 융주의자들, 어디에도 속하지 않는 독자적인 정신분석가들을 재조직해서 심리 치료 학회를 창립할 수 있었다. 프로이트는 이러한 계획을 받아들이지 않았고, 따라서 뵘이 '구출' 계획의 타당성을 설득하기 위해 빈에 오자 몹시 화를 내며 방을 나가버렸다. 프로이트는 비록 그런 비열한 짓을 비난하긴 했지만 IPA에서 손을 뗀 지 이미 오래였기 때문에 존스가 그러한 일을 추진하도록 내버려두었다. 그것은 무언의 승인으로 해석되었다.[1]

존스는 타협 계획을 집요하게 계속 추진해나갔다. 프로이트와 동료들은 1938년 3월 13일에 빈에서 새 건물로 이사온 지 불과 2년 만에 학회 활동을 끝내기 위해 만났다. 안나가 회의를 주재했다. 이처럼 우울한 시간에 모두가 1936년 5월에 토마스 만이 정신분석의 미래에 관해 했던 그 유명한 강의를 생각하고 있었다. 그때 그는 이렇게 말했다.

정신분석을 일반적인 연구 방법이자 하나의 치료 기술로 창시한 지그문트 프로이트(우리는 바로 이 위대한 정신을 기념해 이 자리에 모였다)는 오로지 의사이자 자연과학자로서 험한 길을 혼자서 헤쳐갔다. 그는 문학이 자신에게 가져다 주었을 위안이나 격려도 몰랐다. 니체의 많은 글 속에는 실로 프로이트적 관점들이 앞서 제시되어 있었는데도 그는 니체를 알지 못했다. 그는 노발리스도 몰랐다. 영감에 가득 찬 환상으로 표현되는 노발리스의 낭만적 생물학은 종종 아주 놀라울 정도로 정신분석적 개념들과 비슷하다. 그는 키에르케고르도 몰랐다. 키에르케고르의 기독교적 열광은 극도로 비극적인 심리학의 발견 앞에서도 수그러들 줄 몰랐는데, 이는 프로이트에게 감동을 주기에 부족함이 없었을 것이고, 자극제로서 그에게 많은 영향을 끼쳤을 것이다. 마지막으로 프로이트는 쇼펜하우어에 대해서도 분명 전혀 몰랐을 것이다. 쇼펜하우어는 환멸의 철학 속에서 본능의 교향곡을 작곡했으며, 이로써 인간 해방을 위해 본능의 진로를 바꾸려고 노력했다. 그는 이전의 직관적 성취들은 전혀 모른 채 오로지 자기만의 방법으로 자기 체계를 방법적으로 달성해야 했다. 이처럼 혹독한 운명은 아마도 프로이트의 연구가 더 강한 추진력을 얻는 데 기여했을 것이다.

학회를 해체하면서 안나는 리하르트 슈테르바에게 그의 계획에 대해 물었다. 이 단체에서 유일하게 비유대인이었던 그는 존스의 의도대로 빈의 정신분석을 '구출'하기 위한 계획을 지휘할 수도 있었을 것이다. 그러나 그는 거절했다. 이에 대해 프로이트는 이렇게 말했다. "티투스 황제가 예루살렘의 성전을 파괴했을 때 랍비인 요나한 벤 사카이는 토라 연구를 위해 야네에 학교 설립 인가를 요청했다. 우리도 그렇게 할 것이다. 우리는 우리 역사와 전통에 의해 박해받는 것에 익숙해져 있다." 그리고 나서 슈테르바를 향해 이렇게 덧붙였다. "한 사람만 제외하고."[2]

1938년 6월 3일에 프로이트는 오리엔트 특급으로 빈을 떠나 다시는 돌아오지 않는다. 그는 로자, 미치, 돌피, 파울라 등 네 명의 여동생을 뒤에 남겼다. 이 동생들은 테레지엔슈타트나 트레블링카(폴란드에 있던 유대인 집단학살 수용소들 — 옮긴이)에서 어둠 속으로 사라졌다. 뉘른베르크 재판에서 한 증인이 수용소의 나치 돌격대 분대장이 프로이트의 여동생 중 한 명을 수용소에 집어넣은 과정을 이렇게 증언했다. "한 묘령의 여자가 쿠르트 프란츠에게 다가가 신분 증명서를 제시한 다음 자기가 바로 지그문트 프로이트의 여동생이라고 말했다. 그녀는 간단한 사무직에 채용되기를 희망했다. 프란츠는 신분 증명서를 자세히 보고 난 다음 아마 착오가 있는 것 같다고 말했다. 그는 그녀를 철도 시간표가 있는 곳으로 안내한 후 두 시간 안에 빈으로 돌아가는 기차가 올 것이라고 말했다. 그녀는 샤워하러 가기 위해 값나가는 물건과 서류들을 그에게 맡겨야 했다. 샤워실로 들어간 그녀는 결코 돌아오지 않았다."[3]

1938년 6월 5일 아침 9시 45분에 동(東)파리 역 플랫폼에서 마리 보나파르트와 윌리엄 불리트는 파리에서 12시간 머무를 프로이트를 마중했다. 이날 늦은 오후에 프로이트는 아돌프-이봉 가에 있는 마리 보나파르트 개인 저택의 살롱에서 몇몇 프랑스 정신분석가들을 만났다. 라캉은 참석하지 않았다. 나중에 그는 마리에게 '비굴하게 추종하고' 싶지 않았기 때문이라고 불참 이유를 밝혔다.[4] 어쩌면 다른 이유가 있었을 것이다. 사실 이 모임은 사적인 것이었고, 라캉은 초대되지 않았다.

어쨌든 그때 그는 빈에서 온 거장과의 만남에서 기대할 것이 아무것도 없었다.

전 유럽이 전쟁의 두려움에 떨고 있던 8월의 혹서 속에서 IPA 회의가 파리 이에나 가에 있는 어느 회의실에서 개최되었다. 존스는 개회사에서 프랑스에 찬사를 보냈다. "프랑스가 현대 심리학의 틀을 세웠다고 볼 수 있습니다. 심리학 일반에 대해 임상적이고 치료적인 관찰의 중요성을 처음으로 발견한 사람은 프랑스 특유의 직관을 가진 프랑스 심리학자들입니다. (……) 이리하여 정상적인 무의식의 발견이라는 중요한 발견을 위한 장이 준비되었습니다. 하지만 정작 발견은 다른 곳에서 이루어졌습니다. 농업에 비유하자면, 백 년 동안 끊임없이 경작되었던 프랑스 땅은 지난 세기말에 완전히 피폐되었습니다. 불모의 조짐들이 분명히 나타났고, 휴지기가 필요했습니다." 4일 동안 프랑스와 외국의 정신분석가들은 다양한 주제를 '제시했다'. 뢰벤슈타인과 피숑, 알랑디, 라가슈, 소피 모르겐슈테른, 마리 보나파르트가 연이어서 연단에 올랐다. 한 남자가 참석하지 않은 것이 눈에 띄었다. 바로 자크 라캉이었다. 존스는 폐회사에서 프로이트 학회들이 존재하는 모든 나라를 대표하는 회장으로서 당시의 상황을 결산했다. 독일을 언급하면서는 자신의 '구출' 방침의 승리를 선언했다. 그는 괴링의 이름이나 나치화 과정, 유대인 회원들의 강제 사임, 정신분석 분야의 최고 지식인들의 대탈출은 언급하지 않은 채 1936년 5월에 창립된 '독일 심리 치료 연구소'의 독립부서가 된 DPG가 '상당한 자율성'을 누리고 있으며 '훈련받은 지원자 수도 지속적으로 증가'하고 있다고 자축했다. 그리고 나서 오스트리아 문제로 화제를 돌려 빈 학회의 불운한 운명을 한탄했다. 그는 대략 이렇게 말한다. "제가 32년 전 이 학회 모임에 처음 참석했을 때 이 학회의 실질적인 해소를 권하는 것이 제 운명이 되리라고는 꿈도 꾸지 못했습니다. (……) 빈 학회의 회장이었던 프로이트 교수는 이 학회의 지휘

권이 DPG로 넘어가야 한다는 제 권고를 받아들였습니다."[5]

이처럼 음울한 연설이 끝나자 회의 참석자들은 공주의 으리으리한 저택 정원에서 열린 리셉션에 참석하기 위해 생-클루에 다시 모였다. 미국으로 가는 도중이었던 빈의 망명객들은 종말 직전에 서 있는 아름다운 유럽에 대해 마지막으로 상념에 잠겼다. 그들은 이 유럽의 찬란함을 다시는 보지 못하게 된다. 프로이트가 찬사를 보냈던 멋진 이베트 기베르는 80세의 나이라고는 도무지 믿기지 않는 매력적인 목소리로 <내가 아름답다고 말해주세요>라는 노래를 불러 청중을 사로잡았다.[6] 라캉은 아마 이 연회에 있었을 것이다. 그러나 단지 군중의 한 사람으로서.

프랑스의 붕괴를 예고한 뮌헨 협정의 서명은 라캉이 피숑의 도움으로 언제 끝날지 모르는 뢰벤슈타인과의 분석에서 빠져나오는 과정에서 중요한 영향을 끼쳤다. 피숑은 '프랑스적인' 정신분석을 위한 싸움에서 패배했다는 것을 의식하면서, 또 이 우울한 시절에 SPP가 전적으로 정통적인 요소에 의해 지배받게 될까 봐 걱정하던 끝에 정회원 자격 지원자들의 명단을 수정하기로 결심했다. 이리하여 그는 나치의 빈 점령 후 파리로 망명한 하인츠 하르트만을 라캉과 '교환한다'. 악시옹 프랑세즈 회원이었던 피숑은 라캉에게 정당한 자리를 마련해주기 위해 거부하는 동료들을 상대로 강압적인 수단을 동원해야 했다. 1938년 11월 15일에 라캉은 정회원 자격 신청서를 제출했고, 12월 20일에 승인되었다.

피숑이 죽기 직전에 취한 이러한 조치의 의미는 그가 그렇게 열성적으로 투쟁했던 프랑스적 전통을 이어갈 수 있는 계승자를 지명하는 것에 그치지 않았다. 그는 또한 잘못을 바로잡았다. 사실 뢰벤슈타인에게서 6년이나 정신분석을 받은 라캉이 정회원 자격을 거절당할 만한 이유는 전혀 없었다. 분석이 종결된 방식에 대한 뢰벤슈타인의 쓰라린 모욕감은 1953년 2월 22일에 마리 보나파르트에게 보낸 그의 원한 어린 편지에 잘 나타나 있다. "당신이 제게 라캉에 대해 한 말은 저를 몹시 비통하게 만듭니다. 그는 항상 제게는 갈등의 원천이었습니다. 그는 한편으로 성격적 결함이 있는 사람이지만 다른 한편으로 그의 지적 자질만큼은 나도 높이 평가합니다. 물론 그의 입장에는 강력히 반대합니다만. 그러나 불행하게도 그는 학회에 가입한 후에도 계속 분석받겠다고 해놓고는 전혀 그렇게 하지 않았습니다. 그처럼 중요한 사실을 어기고도 그냥 넘어갈 수는 없는 노릇입니다. 저는 되는 대로 분석받은, 다시 말해 결코 분석받았다고 할 수 없는 그의 훈련생들이 승인되지 않기를 진심으로 바랍니다."[7]

1967년 9월 12일에 장 미엘에게 보낸 다른 편지에서 뢰벤슈타인은 라캉의 선출 배경과 함께 옛날에 라캉을 분석할 때 가졌던 생각을 그대로 털어놓았다. "라캉은 1937~38년에 정회원이 되었는데, 당시 저는 라캉에 대한 동료들의 반대를 극복하기 위한 결정적인 영향력을 행사했습니다." 그리고 1953년에 있었던 학회 분열에 대해 이렇게 덧붙였다.

라캉의 '훈련' 방법이 받아들여질 수 없다는 것이 분명해졌을 때 그는 잘못을 수정하고 표준 규칙들을 준수하기로 약속했습니다. 하지만 그는 곧 자신이 분석한 엄청난 수의 후보자들을 추천했습니다. 따라서 다시 한번 그가 실시한 훈련이 이단적인 방식임을 인정해야 했습니다. 그가 표준 시간을 줄였기 때문입니다. (……) 라캉의 사상에 대해 저는 그가 시니피앙의 연구에서 아주 타당한 상상력을 보여주지만 시니피에에 대해서는 관심을 갖고 있지 않다고 생각합니다. 지식의 한 분야가 되려는 과학적 담론이 이처럼 중요한 부분이 말소된 상태로 완전하다고 주장할 수는 없는 노릇입니다. 따라서 그의 글을 읽을 때 저는 다음과 같이 생각하지 않을 수 없었습니다. '말, 말, 말.' 그러나 아직 저는 말라르메를 사랑하고 존경합니다.[8]

3 철학 학파 : 알렉상드르 코이레와 그밖의 사람들

『미노토르』지에 기고하고 있을 때 라캉은 의학 연구에 열을 올리고 있었지만 자기 시대의 철학적 화제에도 꾸준한 관심을 보였다. 그래서 그는 공산주의 계열의 학생이었던 피에르 베레와 만나게 되었다. 그는 라캉보다 조금 어렸고, 개인 교습으로 돈을 벌어보려 했다. 소르본느 대학에서 논리학과 일반 철학 교수 자격증을 받고 싶어했던 라캉은 베레에게 철학의 중요한 흐름에 대한 초보적인 강의를 부탁했다. 그는 약 4개월 동안, 즉 1933년 9월부터 1934년 1월까지(이때 그는 조르주 베르니에를 만났다) 이 '교수'를 일 주일에 두 번씩 오후 7시 30분부터 자정까지 퐁프 가로 오게 했다. 두 사람은 가끔 가정부가 미리 준비해둔 식사를 함께 맛있게 먹었다. 베레는 이렇게 쓰고 있다. "미리 설정된 프로그램에 따라 체계적으로 구성된 일반적인 교습이 아니었다. 이와 반대로 그는 쉴새없이 예기치 못한 질문을 던지고 정확한 보충 설명을 요구하면서 당시 신참이었던 나를 꼼짝못하게 하곤 했다. 그는 모든 것에 호기심을 느꼈고, 사실 '교습'을 이끈 사람은 그였다. 감히 비교하자면, 그 교습은 질문에 대한 대답이 다시 새로운 질문을 제기하는 플라톤식 대화와 흡사했다. 그리고 그러한 산파술에서 나는 종종 불쌍한 소크라테스가 되었다. (……) 박사는 내 보수를 조금도 줄이는 법이 없이 훌륭한 식사를 제공했는데, 가끔 논쟁이 곁들여지기도 했다."[1]

그런데 라캉은 논문 출판을 통해, 그리고 장 베르니에와 초현실주의자들과의 교제를 통해 당시 프랑스 지식인 사회를 뒤흔들고 있던 공산주의에 관한 논쟁의 한가운데로 빠져들었음을 깨닫게 된다. 이런 국면 속에서 라캉은 원래는 어떠한 정치 참여에 대해서도 고심해본 적이 없었음에도 불구하고 1933년에 공산주의자들, 초현실주의자들, 보리스 수바린느의 친구들 사이에서 프로이트적 마르크스주의를 둘러싸고 치열하게 진행되던 싸움에 관심을 갖게 되었다. 뮈튀알리테(Mutualité), 즉 대중 집회가 열리곤 하던 라탱 지역의 한 건물에서 열린 강연에서 장 오다르라는 젊은 철학자가 조르주 폴리체로부터 맹렬하게 공격받았다. 이어 두 사람의 대결은 난투극으로 이어졌다. 라캉은 그 자리에 없었지만 오다르의 연설문을 읽고 나서 그를 만나고 싶은 생각이 들었다. 그는 베레에게 이렇게 말했다. "AEAR(혁명 작가 예술가 동맹) 모임에 참석할 수 있다면(이 점에 대해서는 내일 이야기하지) 식사 전에 당신과 오다르와 함께 한잔 하고 싶은데."[2]

오다르의 텍스트는 당시로서는 독창적인 것이었다. 그는 반프로이트주의나 프로이트적 마르크스주의자 중 어느 쪽에 찬성하는 대신 한편으로는 정신분석이야말로 마르크스주의보다 더 '유물론적'이며 마르크스주의의 관념론을 수정해줄 수 있을 것이라고 주장하면서, 다른 한편에서는 러시아 공산주의자들의 마르크스주의가 파리 공산주의자들의 마르크스주의와 다르다고 주장했다.[3]

그러나 파팽 자매에 관한 논문의 발표에서부터 자아의 환상에 관한 첫 이론들을 도출하기까지의 오랜 준비 기간 동안 라캉이 관심을 가졌던 진짜 주제는 정신분석의 유물론적 성격에 관한 논쟁이 아니었다. 실제로 그를 현대 철학에 입문케 하고 후설, 니체, 헤겔, 하이데거를 읽도록 이끈 것은 알렉상드르 코이레, 앙리 코르뱅, 알렉상드르 코제브, 조르주 바타이유였다. 이처럼 현대 철학에 입문하지 않았더라면 라캉은 정신의학적 지식이나 프로이트에 대한 아카데믹한 이해 안에 영원히 갇혀 있었을 것이다.

알렉상드르 코이레는 1892년에 러시아의 타간로그에서 태어났다. 그의 아버지는 식민지 생산물 수입상이었다. 1905년 혁명이 발발하자 그는 어린 나이임에도 불구하고 정치 활동에 참여했고, 결국 투옥되었다. 17세에 그는 괴팅겐 대학에서 후설과 힐베르트 강의를 들었고, 이어 소르본느 대학에서 베르그송과 브룅스비크의 강의를 듣기 위해 파리로 갔다. 러시아로 돌아온 그는 1917년 2월 혁명에 참여했지만 10월 혁명에는 반대했다. 확실한 사회주의자였지만 레닌주의에는 동조하지 않았던 것이다. 그는 1차 세계대전 때 러시아 전선에서 싸운 뒤 1919년에 프랑스로 아주 망명한다.

1914년부터 코이레는 자유 사상가이자 중세 신학 전문가인 프랑수아 피카베의 지도 하에 「성 안셀름 철학에서의 신의 이념」이라는 논문을 준비했다. 이 선생은 코이레에게 신플라톤주의에 대한 열정[4]과 함께 종교 철학사에 대한 비종교적인 접근 방식을 전수했다. 그렇지만 코이레는 1921년에 에티엔느 질송의 강의도 들었는데, 질송의 입장은 피카베와는 아주 달랐다. 엄청난 저서를 내놓은 기독교도 철학자 질송은 원전들에 대한 아주 새로운 해석을 통해 중세 철학 연구를 철저하게 바꾸어놓았다. 수많은 학생들이 그를 찾아와 강의를 들었다. 그의 강의는 처음에는 소르본느 대학에서, 다음엔 EPHE(고등 연구원)의 제5부에서 열렸다. 코르뱅은 이렇게 쓰고 있다. "질송은 라틴 원서들을 읽고는 직접 한 문장 한 문장 번역한 다음 겉으로 드러난 분명한 내용뿐만 아니라 기저에 깔려 있는 내용까지 본질을 꿰뚫는 대가다운 솜씨로 설명해주었다."[5]

이러한 해석 방법을 통해서 어떤 저자나 저서의 관점을 신앙과 철학이 함께 공존하는 역사적 맥락으로 가져오는 것이 가능해졌다. 따라서 에밀 브레이에로 대변되는 비종교적 전통과 정반대로 질송은 한 세대의 연구자들 전체를 기독교 경전도 진정한 철학적 사유의 소재가 될 수 있다는 생각으로 개종시켰다. 앞에서 언급한 대로 스타니슬라스 학교에서 라캉의 철학 선생이었던 장 바뤼치도 수업에 질송의 방법을 사용했다.

코이레는 『데카르트 철학에 나타난 신의 이념과 존재의 증거』라는 논문으로 학위를 받은 후 피카베가 죽자 제5학부에서 임시 강사직을 맡게 되었다. 1929년에 그는 야콥 뵈메에 관한 논문으로 철학 박사 학위를 받았고, 2년 후에는 제5학부의 연구소장이자 현대 유럽 종교 사상사 담당 교수가 되었다. 너그러운 성격을 가진 그는 이렇게 교수직을 시작하게 되었고, 그의 어려운 말투도 독특한 인격과 뛰어난 지성으로 상쇄되었다. 그는 20세기의 가장 위대한 과학사가 중의 하나가 되었다. 폴 탄느리의 정통 계승자인 코이레는 과학사가 독립적으로 다루어질 수 있다는 생각을 버려야 한다고 주장했으며, 인간의 인식이 현실에 점점 더 적합한 모델을 찾아서 진화해간다거나 그러한 현실 존재의 발견을 통해 인간 정신이 일련의 연속적 과정을 거쳐 현실에 접근해가고 있음을 증명할 수 있다는 생각에 반대했다. 기원과 계보의 연대기에 기초한 이러한 접근 방법 대신 코이레는 과학적 탐구들간의 내적인 연관 관계를 넘어서 한 시대의 관념과 믿음 전체를 포괄하는 철학적 과학사를 제안했다. 따라서 그는 과학이 과학에 선행한 것과 과학에 수반된 것을 이해하는 방식은 과학사의 대상 영역 속에 포함시키려 했다. 그는 1951년에 이렇게 쓴다. "연구를 시작할 때 나는 인간의 모든 사고, 특히 가장 수준 높은 형태는 하나의 서로 연결된 전체를 형성한다는 확신을 갖게 되었다. 철학적 사고와 종교적 사고를 칸막이로 분리하는 것은 불가능해 보였다. 철학은 항상 이러저런 식으로 종교와 연루되며 그것에서 영감을 얻기도 하고 혹은 그것과 대립하기도 한다."[6]

코이레는 1935년경에 시작한 갈릴레오 연구에서 과학사에 대한 생각을 훌륭하게 보여주었다. 그는 중세 우주관의 몰락을 가져온 과학의 르네상스는 무엇보다 인간의 세계 이해에서 수학의 역할에 관한 플라톤주의와 아리스토텔레스주의 간의 철학적 대립으로부터 일어났다는 것을 보여주었다. 갈릴레오를 비롯한 플라톤주의자들은 수학이 우주를 지배한다고 보는 반면 전통적인 스콜라 철학을 대표하는 아리스토텔레스주의자들은 수학은 단지 추상성을 다루며 물리학이야말로 실제 과학이라고 보았다.

갈릴레오의 과학은 플라톤주의의 입장에서 우주에 대한 모든 목적론적 설명을 거부하며 우주의 무한성을 주장했다. 이리하여 아리스토텔레스주의의 영향을 받은 중세 스콜라 철학의 관념, 즉 우주는 하나의 엄격한 위계를 형성하고 있다는 관념을 파괴하는 데 일조하게 된다. 무한하고 자율적인 우주라는 개념은 신의 존재에 관한 전통적 증거들을 파괴했다. 이와 함께 인간도 세계의 중심부에서 밀려나 자기 안에서 신을 찾을 수밖에 없게 되었다. 중세의 인간은 진리가 어떠한 철학적 사유의 실천 이전에 계시된 종교의 형태로 '주어진' 공간 속에서 살았다. 그러나 데카르트가 "어느 누구도 전에는 한 번도 철학해보지 않았던 것처럼 철학하라"고 제안했던 시대의 인간, 즉 새로운 갈릴레오의 질서 속에서 살게 된 인간은 근본적인 전환의 도착점이 된다. 사유의 주권은 인간 속에 있다. 사유 이전에 '계시된' 진리를 주장하는 것은 불가능해졌다. 폐쇄적이고 유한하며 계급에 따라 위계 질서가 잡힌 중세의 코스모스의 세계는 무한한 우주에 의해 대체되고 있었는데, 이러한 우주에서 인간은 이제 자기 자신의 이성, 불확실성, 혼란밖에는 의지할 데가 없다.[7]

코이레가 이론화한 근대 과학의 주체에 대한 철학적 표현은 진리와 자유라는 양 극점에 종속되어 있는 데카르트의 '코기토(cogito)' 원리에서 발견된다. 즉 만일 주체가 자유롭고 자기 자신의 외부는 의지할 것이 아무것도 없다면 인간은 선재하는 임의의 권위에 의해서도 아무런 제한을 받지 않는 진리와 직면하게 될 것이다.[8]

현대 과학의 탄생과 코기토의 지위에 관한 그러한 고찰은 코이레의 스승이었던 후설의 위대한 철학적 각성으로부터 나왔다. 후설의 주장은 20년대부터, 특히 '프랑스 철학회'에서 '데카르트적 성찰'이라는 유명한 강의를 하기 시작한 1929년 2월 이후 프랑스에 널리 알려지기 시작했다. 후설의 현상학은 데카르트의 '코기토'로부터 출발하면서, 생각하는 존재인 '나의' 존재를 제외하고는 아무것도 확실하지 않다고 주장했다. '코기토' 단계에서 존재는 생각하는 '나', 즉 '자아'라는 존재로 환원되어야 한다. 여기서 **현상학적 환원**이라는 개념이 나오는데 이것은 '자아'와 사고를 우위에 두고, 자연적 경험을 넘어 세계 의식으로서의 존재를 파악할 수 있도록 해준다. 만일 세계 존재가 '자아'의 존재를 전제한다면 현상학적 환원은 '나의' 존재를 세계 의식으로 만들어준다. 이때 자아는 '초월적인 것'이 되며, 어떤 것을 향한 의식은 '지향적'이 된다. 다른 한편 존재론은 대상에 대한 나의 생각이 진실이라면 대상역시 진실이라고 보는 **자아론**(egologie)이 된다. 따라서 초월적 상호 주체성을 각자의 '자아'를 산출하는 현실로 규정하는 일련의 경험을 통해 '자아'는 '타자'나 '분신'의 감각을 획득하게 된다.

1935년에 후설은 『유럽 학문들의 위기와 초월적 현상학Krisis』에서 이러한 상호 주체성의 추구가 어떻게 인간과학을 비인간성에서 구할 수 있는지를 보여주었다. 다시 말해 초월적 현상학은 '자아'를 과학적 형식주의로부터 보호하고, '자아'를 생명 자체로 바라볼 수 있는 인문과학의 가능성을 보존하려고 했다. 이처럼 서양의 평화를 위협하는 야만과 독재의 득세에 대해 후설의 현상학은 그리스 로마 시대로부터 물려받은 유럽의 철학적 의식, 즉 주체적인 삶을 살고자 하는 사람들의 의식에 호소했다. "유럽의 존재의 위기에서 벗어날 수 있는 방법은 두 가지밖에 없다. 삶에 대한 유럽 고유의 합리적인 감각으로부터 멀어지면서부터 나타난 유럽의 쇠퇴, 즉 정신에 대한 적대감과 야만으로의 추락이냐 아니면 자연주의를 최종적으로 극복하는 이성의 영웅주의를 통한 철학 정신에 의한 유럽의 르네상스냐, 유럽의 가장 큰 위험은 권태이다."[9]

양차 대전 사이에 후설의 저서는 프랑스 지식인 사회를 매료시켰고, 이것은 여러 가지 방식으로 나타났다. 하이데거와 함께, 특히 1927년에 출간된 『존재와 시간』에 비추어 읽혀진 후설의 저서는 존재의 비극적 측면과 존재의 균열을 인간 속에 자리잡게 했고, 이를 통해 자아의 충만함과 약동이라는 베르그송주의의 관념에 결정적인 타격을 가했다. 이로부터 진보 이념에 대한 비판이 나오게 되는데, 다시 이것은 민주주의적 가치보다는 존재의 근원으로의 회귀를 더 선호하거나 아니면 모든 초월성을 빼앗긴 인간 존재의 유한성과 숙명적 결말을 비극적으로 상징하는 허무 개념으로 이어지기도 했다. 그러나 후설의 철학은 또한 현대의 이성에 두 가지 탈출구를 제공하기도 했다. 하나는 서양 정신의 초점을 다시 경험과 주체의 철학에 맞추는 것이었다. 프랑스에서는 사르트르와 메를로-퐁티가 이러한 길을 따라갔다. 그리고 다른 하나는 지식과 합리성에 기반한 철학을 세우는 것이었다. 코이레와 장 카바이에, 조르주 캉길렘이 이러한 역할을 떠맡았다. 라캉은 이 두 가지 방향의 중간 입장을 선택해 주체를 새로이 탐구하고 프로이트의 무의식에 의해 규정되는 인간의 합리성의 형식을 밝히려고 했다.[10]

과학사에 대한 코이레의 관점은 마르크 블로크와 뤼시앙 페브르의 주도로 1929년에 『경제사회사 연보』(흔히 『아날』지라고 함 — 옮긴이)라는 잡지를 막 창간한 역사가들의 관심과 맞아떨어졌다. 이미 1903년에 앙리 베르가 창간한 『종합지Revue de synthese』에서 프랑수아 시미앙은 어네스트 라비스와 샤를 세뇨보의 실증주의적인 방법에 이의를 제기하면서 정통 역사학의 세 가지 우상을 무너뜨릴 것을 제안했다. 먼저, 모든 사회적 사건들을 이 세계의 왕들의 의식적인 결정과 업적들로 환원시키는 '정치적 우상', 둘째, 인류 전체의 역사를 일련의 저명한 인물들의 역사로 가두어버리는 '개인적 우상', 셋째, 지극히 신성한 '자료'에 의해 증명된 사실들을 단순하게 열거해서 서술하는 '연대기적 우상'이 그것이다.

새로운 역사학파를 탄생시킨 『아날』지가 월 스트리트의 대공황이 일어난 해이자 후설 혁명이 인간의 존재 문제에 대한 철학적 재검토를 준비하고 있던 시기에 창간된 것은 전혀 우연이 아니었다. 이러한 역사적 움직임과 철학적 움직임의 중심에는 18세기 철학에서 물려받은 진보 개념에 대한 심각한 회의가 자리잡고 있었다. 영광스런 투쟁 이야기나 영웅들을 이상화하는 것에 기반한 역사 서술 모델은 끔찍한 베르됭 전투 이후 더이상 설득력을 잃었을 뿐만 아니라 역사에 어떤 명백한 의미를 부여하려는 모든 이론적 구성물은 생동하는 역사적 '진실'의 복합성과 모순되는 것으로 느껴지게 되었다. 따라서 사건들에 대한 마니교 식의 이원론적 표상 대신 블로크, 페브르와 동료들은 한 시대 전체의 상상력을 부활시킬 수 있는 서사적 서술을 이용하여 삶의 방식, 관습, 정신 상태, 감정, 집단적 상호 주체성, 사회 집단 등이 모두 포함된 광범위한 복합적 역사를 창조하려는 계획을 세웠다. 그리고 그들은 역사관의 근본적인 탈중심화라는 프로그램을 실현하는 데 있어서 다른 세 가지 분야의 연구로부터 영감을 얻었다. 먼저 지리학을 맹목적인 행정 구분에서 해방시키고 이 학문을 현장에서 진행되는 시각적 과학으로 변화시켰던 비달 드 라 블랑슈의 학설. 사회학을 단순한 사실 수집에서 구조적 유형의 연구로 변형시킨 에밀 뒤르켐의 사회학, 그리고 마지막으로 경제사.

『아날』지의 혁명은 주체의 시공간의 파괴로 향하는 경향이 있었는데, 이것은 후설의 철학과 아인슈타인의 상대성 이론과도 유사점이 없지 않았다. 이처럼 새로운 유형의 역사 속에서 '장기 지속'의 무한한 시간 속에 잠겨 있는 인간은 더이상 자기 운명의 주인이 아니다. 또한 이제 더이상 개인의 지평에 국한되지 않는 사회적 시간과 지리적 시간 사이에 낀 인간은 보편적인 자연 속에서 어떤 자리도 차지할 수 없게 되었다. 왜냐하면 자연은 이제 '상대적'인 것으로서 문화와 시대에 따라 달라지기 때문이었다.

'아날 학파'는 문화적 상대주의를 지지하고, 애국주의나 국가주의적 입장을 취하는 서사적 역사에 반대하면서 서양 문명이 이른바 열등한 문화를 식민화하면서 계속 진보해왔다고 생각하는 오만한 역사관에 도전했다. 그러나 계몽주의 시대의 철학적 유산을 거부하지는 않고 다만 이것을 다른 목적에 이용했다. 이들의 목적은 '반동적'이라든가 '원시적'이라든가 '야만적'이라든가 하는 식으로 아주 오래된 편견에 따라 재단된 사회 구조 형태를 재평가하는 것이 아니라 차이와 동일성, 동일자와 타자, 이성과 비이성, 과학과 종교, 오류와 진리, 불가사의한 것과 이성적인 것을 생각할 수 있는 새로운 방법을 찾아내는 데 있었다. 이리하여 상대주의에 대한 요구와 한 문화가 다른 문화보다 우월하다는 관념의 포기를 통해서 새로운 보편주의가 가능하게 되었는데, 이것은 역사의 영역 속에 당시 한창 급속하게 팽창하고 있던 다른 학문들, 즉 심리학, 사회학, 민족학의 연구를 통합시켜 인간 사회들의 살아 있는 백과사전을 만들어낼 수 있도록 해주었다.[11]

르네상스기의 연금술과 파라켈수스에 관한 강의를 통해 코이레는 페브르와 가까워지게 되었다. 1931년에는 프랑스 과학사가들의 그룹이 형성되었고, 일 년 후에는 아벨 레이가 '과학사와 과학철학 연구소'를 푸르 가에 설립했는데, 코이레는 지도 위원회에서 활동했다. 이제 아날 학파의 구상과 과학 및 철학의 역사에 대한 반성이 결합되었으며, 여기서 사유의 역사가 걸어간 길을 창조적 활동의 계기 속에서 포착하려는 작업이 이루어졌다.

철학사의 가능성에 관한 페브르의 생각은 1937년에 진보 이념의 위기에 관한 조르주 프리드만의 저서에 대한 서평에 가장 잘 나타나 있다. "나는 철학자들이 쓴 것과 같은 철학사와 본래의 역사가들이 이념을 다루는 방식을 비교해보는 것도 유용하지는 않을까 하는 생각이 들었다. 하지만 일단 그렇게 해본 다음 나는 '본래적 의미의 역사가들'이 상이한 경제, 정치, 사회적 배경에 대한 아무런 언급도 없이 새로운 개념들이 마치 자연발생적으로 나타난 것처럼 서술하는 것을 보고는 깜짝 놀랐다. 이들은 개념이 마치 육체에서 분리된 정신에서 생겨나 순수한 이념의 우주 속에서 아주 비현실적인 삶을 살아가는 것처럼 생각하고 있었다."[12] 이에 대해 페브르는 시간을 초월한 사고 체계를 뱉어내는 고독한 편집광들을 보여주는 대신 한 시대의 '심성 장치'에 따라 의식적으로 또는 무의식적으로 새로운 사고를 만들어내는 실제 인간들에 관한 이념의 역사를 제안했다.

뤼시앙 레비-브륄의 연구로 부활된 이러한 심성이라는 개념은 처음에는 어린이들이나 소위 '원시적' 인간들의 논리 이전의 사고 체계와 서양의 좀더 추상적인 소위 현대적 사고 체계를 비교하는 데 이용되었다. 그러나 30년대에 이 개념은 **심성 장치**라는 용어의 사용을 통해 좀

더 구조적인 색채를 띠게 되었다. 블로크의 '상징적 표현들'이건 아니면 페브르의 '심리적 세계'건 또는 코이레의 '개념적 구조'건 항상 개인과 집단의 경험을 조직하는 지각 범주, 개념화 범주, 표현 범주를 근거로 하여 어떤 한 시대에 생각할 수 있었던 것의 모델을 규정하는 것이 목표였다.[13]

이 모든 것은 인간 사회의 구조적 분석에 관한 프랑스적인 접근 방식을 반영하고 있었는데, 그 자취는 이미 1938년부터 라캉에게서도 발견되고, 20년 후에는 새로운 지식인 세대가 소쉬르의 언어학을 배경으로 다시 이러한 태도를 취하게 된다.

장-폴 사르트르는 이렇게 쓰고 있다. "내가 스무 살이던 1925년에는 대학에 마르크스주의 강좌가 없었고, 공산주의 계열 학생들은 마르크스주의에서 나온 생각들을 거론하거나 혹은 글에서 언급하지 않도록 아주 조심해야 했다. 그렇지 않았다면 이들은 모든 시험에서 낙제했을 것이다. 변증법적인 것에 대한 공포가 너무나 컸기 때문에 헤겔에 대해서는 이름조차 들을 수 없었다."[14] 여기서 사르트르는 20년대 말 대학에서 배운 것과 후설, 하이데거를 읽기 시작하면서 스스로 발견한 것 사이에서 철저한 괴리를 느끼고 있던 한 세대의 정신 상태를 묘사하고 있다.

1870년 이후 제3공화국 하에서 교수들은 합리적 인식론을 바탕으로 비종교적 교육에 일련의 윤리적 기준들을 제공하기 위해 칸트 철학과 데카르트주의를 결합시켰고, 이리하여 칸트 철학은 일종의 공식 이데올로기가 되었다. 이러한 합리적 인식론은 베르그송의 '생명의 약동'과 아울러 현대인이 직면하고 있는 모든 도덕적 문제와 함께 세계와의 관계에서 주체가 빠져 있는 모든 이율배반을 해결할 수 있는 것처럼 보였다. 따라서 헤겔 철학은 관념론적이고 반수학적일 뿐만 아니라 무신론,

비도덕주의, 숙명론의 철학이라는 이유로 거부되거나 무시되었다. 사람들은 헤겔 철학이 존재의 무, 생성의 무를 조장하며, 이로써 죽음의 허무에 대한 확실성으로 귀결된다고 비난했다. 이처럼 헤겔 철학은 병적이고 심지어 몽매주의적인 학설로 인식되었다. 여기에 범게르만주의라는 오래된 비난이 덧붙여졌다. 헤겔의 '프로테스탄트주의'는 '라틴적 사고'의 범주들에는 부적합하다고 평가되었고, 그의 법철학은 프로이센 국가에 대한 변호론으로 간주되었다. 그런데 이제 후설의 위대함을 발견하고 하이데거에 의해 비쳐진 새로운 시각에 눈을 뜨게 된 모든 사람들은 의식이라는 현대 학문의 근원으로, 즉 그것의 창시자인 게오르그 빌헬름 프리드리히 헤겔의 저서들로 돌아갈 필요를 느끼게 되었다.

빅토르 쿠쟁이 헤겔주의를 왕정 복고기의 부르봉 왕조에 걸맞는 형태로 적용하려고 시도한 이래(이 과정에서 헤겔주의의 두 가지 기본 이념이라고 할 수 있는 부정성과 절대적 합리성이 제거되었다) 헤겔의 사유는 프랑스에서 비밀스럽게 혹은 비공식적인 경로를 따라 퍼져나갔다. 헤겔의 사상은 뤼시앙 에르처럼 인습에 젖지 않은 대학 교수들이 강의했고, 프루동과 같은 독학자들이 연구했으며, 말라르메나 브르통과 같은 시인들의 작품에 반영됐다. 그러나 장 발, 알렉상드르 코이레, 에릭 베이유, 알렉상드르 코제브가 삼십 년 동안 지속될 '3H 세대'(헤겔, 후설, 하이데거)를 이루면서 상황은 근본적으로 새로운 방향으로 전환되기 시작한다.[15]

코이레는 여기서도 가장 중요한 역할을 맡았다. 그는 1926~27년 학기에 독일의 사변적 신비주의에 관한 세미나에서 처음으로 헤겔의 저서를 강의했다. 그는 불행한 의식, 즉 자유로워졌지만 의심과 고뇌에 시달리게 된 의식이란 종교적 사유가 사라진 정신 진화의 부정적 단계에서 나타나는 종교적 죄의식의 대체물일 뿐이라는 것을 보여주었다. 그

는 이 이론을 '낙천적 인격주의'라고 이름붙였다.[16]

다음해에도 몇 년 동안 코이레는 코메니우스의 철학을, 이어서 얀 후스와 니콜라우스 쿠자누스의 철학을 계속 가르쳤다. 1926년에 파리에 정착한 알렉상드르 코제브는 코이레의 세미나에 정기적으로 참석하기 시작했고, 이어 앙리 코르뱅도 참석했다. 그는 동양학 전문가로 장 바뤼치와 친한 친구가 되었다. 그리고 마지막으로 조르주 바타이유도 세미나에 참석했다. 그는 최근에『사회 비평』지의 기고자로 보리스 수바린느를 참여시켰고, 크라프트-에빙의 저서인『성의 정신병리학 *Psychopathia sexualis*』에 관해 장 베르니에와 논쟁을 시작했다.[17]

1931년의 헤겔 사망 백 주년 기념식은 그의 철학을 부활시키는 좋은 계기가 되었다. 초현실주의자들, 특히 앙드레 브르통은 이미 헤겔 철학을 프로이트 이론과 연결시킨 바 있었다.[18] 다른 한편 조르주 바타이유는 잡지『도큐망』지의 초기 호들에서 헤겔 철학을 '범-논리주의'라고 비난하며 적대적인 입장을 보였다. 그는 인간의 진정한 반항은 '다른 삶'을 만들어내기 위해 추상적인 모순들을 극복하는 데 있는 것이 아니라 모든 이성과 철학의 속박에서 벗어나는 데 있다고 보았다. 따라서 그는 헤겔주의뿐만 아니라 그것에 대한 마르크스주의와 초현실주의적 해석도 함께 비판했다. 바타이유 본인은 그노시스 신학을 부활시키는 일에 참여했다. 그는 그노시스 신학을, 이성이나 이념과는 전혀 무관하며 어둠을 사랑하고 '저급한' 물질을 소중히 여긴다는 점에서 높이 평가했다.[19] 이 점에서 그의 반(反)헤겔주의는 반(反)기독교적 입장에 기반하고 있었는데, 이것은 결국 니체 철학에 대한 옹호로 이어진다. 그러나 1930년 이후부터 헤겔에 대한 바타이유의 시각은 장 발의 주장들, 후설의『데카르트적 성찰』에 대한 바타이유 본인의 해석, 「형이상학이란 무엇인가?」라는 하이데거의 논문의 발견, 니콜라이 하르트만의 논문에 관해 레이몽 크노와 가진 토론 등의 영향으로 변화되기 시작했

다.[20]

1930년 8월 6일에 이제 막 베를린 여행에서 돌아온 앙리 코르뱅은 간결하게 이렇게 적고 있다. "하이데거를 읽었다."[21] 프랑스에 이란의 이슬람 철학을 처음 소개한 그는 하이데거의 『존재와 시간』을 처음으로 번역했다. 그리고 「형이상학이란 무엇인가?」가 코르뱅의 번역으로 1931년 『비퓌르Bifur』지에 발표되었을 때 코이레는 다음과 같이 하이데거에 관한 훌륭한 서문을 썼다.

그는 용감하게도 천상의 철학을 땅 위로 끌어내려 우리에게 우리 자신에 대해 말을 한 전후 최초의 인물이다. 그는 우리에게 아주 '평범하고' 아주 '단순한' 것들에 대해 — 철학자로서 — 이야기했다. 즉 삶과 죽음에 대해. 존재와 무에 대해. (……) 그는 진정한 철학이라면 반드시 부딪히게 될 두 가지 문제, 즉 자아 문제와 존재 문제를 정말 생생하고 박진감 넘치게 다시 제기할 줄 알았다. 나는 누구인가? 그리고 존재한다는 것은 무슨 의미인가? (……) 하이데거는 엄청난 파괴 작업을 시도했다. 그리고 그의 가치와 위대함은 무엇보다 바로 여기에 있다. 『존재와 시간』에 들어 있는 분석들은 파괴적이지만 동시에 해방적인 일종의 카타르시스이다. 인간을 자연 상태에 놓아주기 때문이다(세계-내-존재). 그의 분석은 사물에 대한 인간의 지각, 사물 자체, 언어, 생각, 생성, 시간에 관한 것이다. 그것은 비인칭 주어인 '만인(Das Man)'의 실체를 보여준다. 그것은 결국 우리를 무의 화형장으로 안내한다. 그곳에는 모든 거짓된 가치와 규정, 거짓말이 사라지고 인간은 고독한 존재라는 비극적 위대함 속에서 혼자 서 있게 된다. '진실 속에서' 그리고 '죽음을 향한 채'.[22]

이러한 파괴와 공무화(空無化)의 프로그램은 모든 종류의 신학과, 심지어 부정 신학과도 대립하는 것이었다. 왜냐하면 코이레의 지적대로 하이데거의 무는 신도 아니고 절대도 아니었다. 단지 유한한 인간의 위대함을 비극적 차원으로 만드는 무였다.

「헤겔 변증법의 토대에 대한 하나의 비판」이라는 바타이유의 논문에는 이러한 비극적 차원에 대한 언급이 들어 있다.[23] 하지만 이 논문에서 헤겔로의 회귀는 부정성 개념에 관한 좀더 마르크스주의적인 이해와 결부되어 있다. 그 결과 바타이유는 헤겔 철학을 인류학적으로 해석하면서 거기서 인간 조건에 대한 일종의 계보학적 역사를 읽어낼 수 있게 된다. 그는 이런 이유에서 주인과 노예의 투쟁에 매혹당하고(우리는 이것을 나중에 코제브에게서 다시 발견한다) 부정적 존재로 살게 될 운명을 타고난 프롤레타리아를 옹호하게 된다. 바타이유는 헤겔 철학의 인간화를 통해 프로이트의 정신분석 및 뒤르켐의 사회학적 업적의 변증법을 더 풍요롭게 만들 것을 주장했다.

코이레는 헤겔 사망 백 주년 기념으로 세 편의 중요한 논문을 썼고, 1932~33년에는 '근대 유럽의 종교사상사'를 주제로 열린 세미나에서 헤겔의 저작에 관한 강연을 했다. 첫번째 논문은 프랑스의 헤겔 연구의 상황을 역사적으로 개괄하고 있다. 두번째 논문은 헤겔 저서의 난해함이 역설적이게도 헤겔이 학계에서 쓰는 익숙하지만 너무나 어려운 전문어 대신 일상의 언어로 된 살아 있는 언어를 사용한 데 있음을 보여주었다. 세번째 논문에서는 예나 시기(1802~1807), 즉 헤겔이 『체계의 단편들』(1801)과 『정신현상학』(1807)을 저술한 시기 사이에 한 강의에 대한 상세한 고찰이 이루어진다.[24]

코이레는 소위 '예나 강의' 시기가 헤겔의 사고 체계 발전에서 결정적인 단계라고 말했다. 즉 이 시기는 헤겔이 세계를 개혁하려는 대신 세계를 설명할 필요가 있다는 것을 인식하고 이와 동시에 이러한 '의식'이야말로 정신의 모험의 이면에 자리잡은 변증법적 동력이라는 이론을 정식화한 변증법적 단계였다는 것이다. 바로 여기서 인간 오성에 대한 모든 전통적 개념을 파괴하고 불안이 존재의 바탕이 될 새로운 사고 체계를 만들어내야겠다는 생각이 나왔다. 즉 존재와 비존재, 유동적인 무한과 부동의 영원성, 무화와 생성의 변증법적 존재론을 말이다. 하지만 불안이 존재의 핵심에 자리잡고 있는 것은 변증법이 인간의 시간이라는 관점에서 규정되기 때문이다. 항상 미래로 투사되고 과거에 맞서 승리하는 "정신의 '현재'가 존재하는 것은 우리, 우리의 삶 속에서이다".

하지만 변증법적 시간은 언제나 미완의 상태로 남아 있으며 미래의 관점에서 형성된다. 코이레가 말하는 헤겔의 사고 체계의 모순은 바로 여기에 있다. 인간의 시간은 일종의 완성에 이르러야 한다. 그렇지 않다면 역사 철학은 생각할 수 없다. 그러나 그러한 완성은 미래의 우위와 역사 변증법의 원동력을 파괴할 것이다. 따라서 헤겔적 역사가 가능하려면 역사는 완성이 가능해야 한다. "헤겔은 그것이 가능하다고 생각했을 것이다. 심지어 그는 그것은 체계의 필수적인 조건일 뿐만 아니라 ─ 아테네의 올빼미들은 밤이 되어서야 날기 시작한다 ─ 이런 기본 조건은 이미 실현되어 역사는 분명하게 완성되었으며, 바로 이 때문에 체계를 완성할 수 있다 ─ 있었다 ─ 고 믿었을 수도 있다."[25]

이리하여 코이레는 역사의 종말이라는 가설로 1933년의 헤겔 강의를 끝맺었다. 다시 말해 코이레는 예나 시절 헤겔 체계의 관점이 옛 세계가 무너진 이상 철학은 '미네르바의 올빼미'로 다시 태어나야 한다는 인식이라고 보았다. 이러한 가설은 인기를 끌게 된다. 이해의 세미나에는 코르뱅, 코제브, 바타이유, 크노와 같은 막역한 친구들이 참석했다. 토론은 활기를 띠었고, 세미나가 끝난 후에도 소르본느 광장과 생-미셸 가 사이에 위치한 아르쿠르 카페에서 격렬한 토론이 계속되었다. 코르뱅은 이렇게 쓰고 있다.

누가 우리들의 아르쿠르를 되돌려줄 수 있을까? 전후에 다시 찾았을 때 그곳은 종교 서점으로 변해 있었다. 그리고 지금은 장신구 상점이 되었다.

당시 프랑스 철학의 일부가 시작된 곳은 아르쿠르에서였다. 헤겔 연구는 그 곳에서 부활되어 확대되었다. 코이레 주위로 모여든 사람들 중에는 알렉상드르 코제브, 레이몽 크노, 나, 프리츠 하이네만과 같은 철학자들이 있었다. 그리고 망명온 많은 유대인 동료들도 있었다. 이들의 비통한 이야기는 독일에서 진행되고 있는 상황을 우리에게 알려주었다. 때로 논쟁은 꽤 뜨거웠다. 코제브와 하이네만의 정신현상학에 대한 해석은 완전히 정반대였다. 그리고 종종 후설의 현상학과 하이데거의 현상학 간의 비교도 이루어졌다.[26]

코르뱅과 코이레는 바로 이처럼 철학의 재활성화가 이루어지는 분위기 속에서 1931년에 『철학 연구Recherches philosophiques』지를 창간하게 된다. 이 잡지는 1937년까지 6호가 발간되었다. 앙리-샤를 퓌에슈가 이 기획의 대표였고, 매력적인 알베르 스파이어는 1934년 요절할 때까지 편집차장으로 활동했다. 1883년에 루마니아의 이아시에서 태어난 스파이어는 1914년 프랑스군에 자원했고, 6년 후에는 철학 교수 자격시험에서 일등을 차지했다. 캉에서 수석 강사가 된 그는 프로이트의 열광적인 숭배자가 되어 현상학에 관심을 갖는 모든 정신과 의사와 정신분석가들을 이 잡지로 끌어들였다. 그 중에는 외젠느 민코프스키, 에두아르 피숑, 앙리 에도 있었다. 한편 라캉은 코제브 세미나에 참석하기 시작한 1933~34년부터 이 그룹에 가담했다. 이 잡지의 기고자 중에는 조르주 바타이유, 조르주 뒤메질, 엠마뉘엘 레비나스, 피에르 클로소프스키, 로제 카이르, 장-폴 사르트르가 있었다. 사르트르는 1936년에 이 잡지에 「자아의 초월성: 현상학적 서술의 개요」라는 최초의 긴 철학 논문을 발표했다.[27]

1960~61년 세미나에서 플라톤의 『향연』을 다루면서 라캉은 알렉상드르 코제브와의 만남중에 있었던 일화를 이야기했다. 코제브는 이미 이때에는 국제 정치에서 고위 공무원으로 활동하고 있었지만 여전히 시간을 쪼개어 세 권으로 된 비종교 철학사를 집필하는 데 몰두하고

있었다. 2년 전에 이미 첫 권을 끝낸 코제브는 라캉이 이 책에 대해 물으러 갔을 때는 다음 권을 집필하고 있었다. 코제브는 그에게 플라톤에 관한 자신의 발견에 대해 이야기하면서, 하지만 『향연』에 대해서는 다시 읽어본 지가 너무 오래되어서 할 말이 전혀 없다고 했다. 하지만 플라톤의 재능은 자기 생각을 드러내는 방식에서만큼이나 그것을 숨기는 방식에서도 엿보인다는 점을 강조했다. 코제브는 이러한 생각을 철학에 대한 접근 방식과 연결시켰다. 즉 그는 하나의 텍스트란 단지 그것의 해석의 역사일 뿐이라고 보았다. 그리고 그는 수수께끼 같은 어투로 다음과 같이 덧붙였다. "당신이 아리스토파네스가 왜 딸꾹질을 했는지를 모른다면 결코 『향연』을 제대로 해석할 수 없습니다." 라캉은 이 얘기를 청중들에게 전하면서 헤겔을 자신에게 소개한 최초의 사람이 코제브임을 재차 상기시킨 다음, 그를 흉내내면서 아리스토파네스의 딸꾹질에 대해 주석을 붙이기 시작했다.[28]

코제브는 비상한 사람이었고, 라캉은 그의 가르침에 매혹된 많은 사람 중의 하나일 뿐이었다. 코제브는 능변의 강연자로 슬라브 억양과 부르고뉴 억양이 반반씩 섞이긴 했지만 불어와 독어를 완벽하게 구사할 줄 알았다. 매 학기 세미나마다 그는 『정신현상학』에서 몇 줄을 읽은 다음 텍스트에 숨겨진 의미를 찾고, 철저하게 현대적인 용어로 그것을 표현하는 놀라운 해석을 내놓았다. 거만하고 유머가 풍부하며, 자기 도취적이고 신비스런 그는 자신에 대한 흔들림 없는 확신과 수사적 능력과 사물의 본질을 파고드는 것 같은 무례한 톤의 목소리로 청중들을 흥분시켰다. 조르주 바타이유는 "기분이 상했고, 당황했지만 그 자리에 못 박힌 듯 꼼짝 않고 있었고," 크노는 "숨이 막혔다".[29]

1902년에 모스크바에서 태어난 알렉상드르 코제브니코프는 바실리 칸딘스키의 조카였다. 그의 친할아버지가 칸딘스키의 어머니와 결혼한 것이다. 그의 아버지이자 바실리의 이복 형제인 블라디미르는 1905년

차르 군대가 참패한 러일 전쟁 동안에 만주 전선에서 전사했다. 모스크바로 돌아온 그의 어머니는 남편의 가장 친한 군대 동료와 재혼했다. 그는 어린 아들에게 훌륭한 아버지가 되었다. 코스모폴리탄적이고 자유주의적이고 교양 있는 모스크바의 부르주아 사회에서 소년 코제브는 아르바트 구역에 살면서 메드베니코프 중학교에서 훌륭한 교육을 받는 특권을 누렸다.

혁명이 일어나기 몇 달 전인 1917년 1월에 그는 '아르지뉘즈 열도 전쟁'에 관한 생각을 자신의 '철학 일기'에 기록해두었다.[30] 그것은 육상의 강국 스파르타와 해상의 강국 아테네가 싸운 펠로폰네소스 전쟁의 유명한 에피소드 중의 하나였다. 전쟁은 기원전 406년에 일어났고, 아테네 장군들이 승리했다. 고국으로 돌아가다 끔찍한 폭풍을 만난 아테네 장군들은 그리스 법에 따라 조국에 묻어주기 위해 함께 싣고 가던 전사들의 시체를 어쩔 수 없이 바다에 던져야 했다. 배가 가벼워진 덕분에 장군들은 폭풍을 이겨낼 수 있었지만 아테네에 도착한 그들은 재판을 받고 신성 모독죄로 처벌을 받았다. 왜냐하면 전쟁에서 전사한 영웅들을 매장하지 않았기 때문이다. 그리하여 아테네군은 도시 국가의 법에 따라 참수형에 처해졌다. 이것은 민주주의가 쇠퇴하고 403년까지 '30인의 폭군 정치'가 이어지는 결과를 초래했다. 소크라테스만이 장군들의 처형에 반대했다. 그는 장군들이 전사자들을 희생해서 함대를 구하느냐 아니면 함대를 버리고 전사자들과 함께 난파되느냐 사이에서 하나를 선택할 수밖에 없었음을 강조했다. 두 가지 기로에서 그들은 어쩔 수 없이 매장법을 어기는 죄를 선택했던 것이다. 젊은 코제브는 소크라테스의 결론에 동의했다. 하지만 소크라테스의 추리에 동의한 것은 아니다. 그는 다른 이유에서, 즉 주체가 자기 자신에 대해 떳떳하다는 인식에 기반한 인간 존재의 윤리에 동의한 것이었다. 즉 장군들은 범죄에 대한 욕망 때문이 아니라 공익을 위해서 범죄를 저질렀기 때문

에 그들의 죄를 용서해야 한다고 생각했다.[31]

전쟁, 범죄, 죽음, 무는 단지 청년 코제브의 철학적 고찰의 주제들만이 아니었다. 그것들은 또한 그의 체험들을 나타내는 중요한 시니피앙들이기도 했다. 코제브는 전쟁에서 친아버지를 잃은 지 12년 후인 1917년 7월에 계부가 시골 별장에서 강도 떼에게 죽어가는 것을 보았다. 일년 후에는 본인이 모스크바에서 중학교 동료들과 암거래를 하다 볼셰비키 정부에 의해 수감되었다. 감방에서 그는 인류사에 '뭔가 핵심적인 일'이 일어나고 있음을 깨닫고 공산당에 가입하게 된다. 그러나 부르주아 출신이었기 때문에 학업을 계속할 수 없었다. 그래서 그는 사랑하는 어머니를 뒤에 남겨둬야 하는 슬픔에도 불구하고 주머니에 달랑 몇 개의 보석만을 들고 친구인 조르주 위트와 함께 폴란드로 망명했다.

1920년의 어느 날 밤 바르샤바 도서관에서 늦게까지 공부하고 있던 그는 니체가 실즈-마리아에서 체험했던 것과 비슷한 어떤 '계시'를 듣게 되었다. 동양 문화와 서양 문화를 연구하던 그는 붓다가 데카르트에 대해 '코기토의 아이러니'처럼, 즉 에고의 존재론에 도전하는 비존재처럼 대립한다고 보았다. 이것이 부정성에 관한 코제브의 첫번째 경험이었다. 그는 이렇게 결론지었다. "나는 생각한다. 따라서 '나'는 존재하지 않는다."[32] 이어 독일로 가 하이델베르크 대학에 입학한 그는 후설보다는 야스퍼스의 강의를 더 좋아했고, 산스크리스트어와 티베트어, 중국어를 배웠으며, 헤겔을 읽기 시작했으나 이해하지는 못했다. "나는 『정신현상학』을 네 번 통독했다. 열심히 읽었지만 한마디도 이해할 수가 없었다."[33]

1926년에 마침내 파리에 정착한 코제브는 조금은 우스꽝스런 계기를 통해 같은 나라 출신인 알렉상드르 코이레와 친구가 되었다. 코제브는 코이레 동생의 아내인 세실 슈탁의 연인이었다. 코이레는 자기 아내의 요구에 따라 코제브에게 설교를 퍼붓기 위해 그를 찾아갔다. 그런데 집에 돌아올 때는 그는 입가에 온통 환한 미소를 짓고 있었다. 그는 아내에게 이렇게 말했다. "그자가 내 동서보다 훨씬 더 괜찮은 사람이오. 세실이 그럴 만도 하지."[34]

코이레의 강의에 더욱 열광하게 된 코제브는 코르뱅과 바타이유와 함께 그 유명한 아르쿠르 카페와 『철학 연구』지를 자주 드나들면서 헤겔을 재발견하게 되었다. 코이레는 1933년 말 자리를 떠나야 했을 때 친구에게 EPHE에서 진행되고 있던 헤겔의 종교 철학에 대한 강의를 맡아달라고 부탁했다. 집행부에서 이러한 제안을 받아들이자 코제브는 『정신현상학』을 다시 읽으며 이 유명한 세미나를 준비하면서 1933년 여름을 보냈다. 이 세미나는 이후 6년 동안 계속 월요일마다 오후 5시 30분에 시작되었다. 세미나가 끝나면 '두 K'의 청중 중 일부는 어김없이 아르쿠르 카페에 다시 모여 토론을 계속하곤 했다. 1934~35학기부터 1936~37학기까지 라캉은 이 세미나의 '단골 참석자' 명단에 들어 있었다.[35]

코제브는 코이레 같은 철학적 재능도 또 이론적 능력도 없었지만 철학적 담론을 인류사의 생생한 서사시로 표현하는 남다른 재능을 갖고 있었다. 그는 추상적 개념을 고골리나 도스토예프스키 소설에 등장할 법한 우의적 인물로 변화시키면서 그것을 일상의 현실과 연결시킬 줄 알았다. 그가 스스로를 소크라테스나 아테네의 장군과 동일시하기 시작하면 헤겔의 개념은 역사적 투쟁의 장으로 내려왔다. 왜냐하면 그는 정신, 자기 의식, 절대지, 인정, 욕망, 만족, 불행한 의식, 주인과 노예의 변증법 등에 대해 논하면서 실은 자신과 세미나 청중들의 청소년기에 영향을 미친 사건들에 대해서 이야기했기 때문이다. 따라서 월요일 오후 세미나에 참석한 사람들은 이제 어른의 입장에서 서로 그러한 사건들의 결과를 헤아려 보면서 밤늦게까지 토론했다. 『정신현상학』에 대한 코제브의 소크라테스 식 주해는 독재자들의 등장에 의한 좌절감과 전쟁이 임박하지 않았나 하는 두려움 속에서 초인에 대한 니체의 찬사나 인간의 모든 진보에 대한 부정을 표상하는 하이데거의 '죽음을 향한 존재'와 같은 형태의 새로운 허무주의에 매혹되어 있던 한 세대 전체의 불안감을 신문 문예란의 문체로 표현해주었다.

코이레는 일상 어휘를 사용하는 헤겔의 언어가 어떻게 학계의 전통을 깼는지를 보여주었고, '헤겔 철학을 가능한 것으로 만들려면 역사의 종말이 필요하다'는 가설을 내놓았다. 코제브의 주해도 이러한 두 가지 가설을 그대로 받아들였다.

헤겔은 두 차례에 걸쳐, 즉 1806년 10월과 1807년 5월에 나폴레옹의 공적을 찬양했다. "나는 세계의 정신인 황제가 정찰을 위해 도시를 떠나는 것을 보았다." "내 책은 예나 전투가 일어나기 전날 밤에 결국 끝이 났다." 코제브는 이 두 차례의 찬사를 신중히 생각한 끝에 헤겔의 태도의 중요한 의미에 대한 '계시'를 얻었다. 즉 그의 책은 결과적으로 역사의 종말이 다가오는 상황에서 씌어졌다는 것이다. "나는 다시 『정신현상학』을 읽다가 6장에 이르렀을 때 그것(역사의 종말)이 나폴레옹이라는 것을 깨달았다. 나는 아무런 준비 없이 강의를 시작했다. 나는 그저 책을 읽고 주석을 붙였다. 그러면 헤겔이 말한 모든 것이 명쾌하게 느껴졌다. (······) 이것들은 모두 역사의 종말과 관련되어 있었다. 정말 재미있었다. 헤겔 본인이 그렇게 말했다. 그러나 헤겔 본인이 그렇게 말했다고, 즉 역사는 끝났다고 말했다고 해도 아무도 받아들이지 않았다. 아무도 그것을 받아들이지 않았다. 솔직히 나 자신도 처음에는 그것이 실없는 생각이라고 여겼지만 신중히 고려한 결과 역시 천재적인 생각이라는 것을 알았다."[36]

1937년 12월에 코제브는 콜레주 드 소시올로지(Collège de Sociologie)에서 한 강연에서 역사의 종말이라는 생각을 보완했다. 이날 그는 역사의 종말에 대한 헤겔의 생각이 옳지만 시기적으로 한 세기의 착오가 있었다고 말했다. 역사의 종말을 가져온 사람은 나폴레옹이 아니라 스탈린이었다. 그러나 2차 세계대전 이후 코제브는 다시 입장을 바꾸었다. "아니다, 헤겔은 착각하지 않았다. 그는 역사의 종말의 정확한 시기를 알려주었다. 바로 1806년이다."[37]

헤겔은 의식의 도정이 운동임을 보여주었다. 의식은 정신이 되기 위해서 확실성의 주체가 사라지는 것을 감수해야 한다. 그것은 결국 주체 없는 진리로서의 정신의 작업에 자리를 마련해주게 된다. 마르크스와 하이데거의 영향을 받은 코제브는 이러한 운동을 인류학적으로 해석했다. 그가 목표로 한 것은 공무화(空無化)하는 주체, 투쟁과 노동의 여러 결합 형식을 가로질러 자신의 부정성을 행사하는 주체로서의 역사적 인간에 관한 이론을 세우는 것이었다. 그는 이러한 역사적 인간을 선천적으로 결코 만족할 수 없는 욕망에 의해 움직여지는 주체로 규정했다. 피에르 마슈레는 이렇게 강조한다. "바로 그 점이 코제브의 뛰어난 부분이다. 그는 마르크스와 하이데거 사이에 생겨났을 만한 자식을 우리에게 보여주면서 그것을 헤겔의 것인 양 얼렁뚱땅 넘겨주었다."[38]

주인과 노예의 변증법(라캉은 이것을 완전히 새롭게 정식화하게 된다)에 대한 알레고리적 독해를 거쳐 역사의 종말을 인정하는 이러한 헤겔 해석은 인간 자신이 소멸할 수도 있다는 생각으로 이어졌다. 왜냐하면 코제브는 인간을 불만족과 부정성이라는 관점에서 규정한 후 인간을 '현인'이나 '게으른 부랑자'의 상태에 이르도록 하기 위해 이 두 범주를 모두 부정해버리기 때문이다. 역사는 이런 식으로 끝이 났다는 것이었다. 즉 인간은 동물적 성격의 무로 돌아가고 세계 질서를 왕과 폭군들과 함께 있는 그대로 받아들였다. 이런 관점에서 모든 혁명은 불가능해지고, 철학자-지식인(현인)은 두 가지 태도 중에서 하나를 선택해야 한다. 즉 국가의 익명의 종 — 코제브는 이 길을 선택한다 — 이 되거나 아니면 여전히 이미 지나가버린 혁명을 꿈꾸는 낭만적인 아름다운 영혼 중에서 하나를 말이다.

바타이유는 이러한 딜레마를 거부하면서 코제브가 지식인들에게 '무의미한 부정성'을 강요한다고 비난했다. 다시 말해 현인의 동물적 수동성에 맞서 그는 신성한 공포와 니체의 광기를 결합시켜 다시 한번 사회 질서를 전복시킬 것을 주장했다. 콜레주 드 소시올로지가 바로 그러한 힘이 될 수 있었다.[39]

나는 이미 앞에서 라캉의 사상적 발전에 미친 코제브의 영향이 어느 정도였으며, 특히 그가 뢰벤슈타인에 대한 부정적 전이 관계에서 벗어나는 데 어느 정도 영향을 미쳤는지에 대해 언급한 바 있다.[40] 코제브의 가르침은 라캉의 헤겔 독해에 영원한 흔적을 남겼을 뿐만 아니라 지식의 구두 전달법으로 라캉을 안내했다. 그것은 라캉에게 평생 동안 교수법에 대한 모델이 되었다. 라캉 역시 프로이트 텍스트의 재해석에 집중된 세미나를 통해 하나의 지식인 세대 전체를 휘어잡게 된다. 이 과정에서 라캉 역시 자신의 말을 기록하기 위해 서기의 도움을 받았고, 프랑스의 아카데미 내에서 역설적인 위치, 즉 주변부에 있으면서도 내부에 완벽하게 통합된 위치에 있는 인물이었다.

그러나 코제브의 가르침은 또한 라캉이 모라스를 숭배하던 사춘기 시절에 골몰했던 허무주의를 조장하기도 했다. 이 점에서 라캉은 코제브의 현인보다 더 인습주의자인 동시에 훨씬 더 일관된 테러리스트였다. 코제브의 현인은 항상 인간이 영웅이 될 수 있는 가능성을 믿었다. 그것이 단지 기존의 상황을 그대로 유지하고 말 뿐이더라도 말이다. 그러나 벨 에포크 시대의 허무주의가 어린 라캉에게 가족 생활의 공허감으로부터 벗어날 수 있는 탈출구를 마련해주고, 그가 이러한 이념의 이상들을 극단으로까지 몰고 가긴 했지만 이 이념은 결코 그에게 사회 질서를 변화시키거나 심지어 필요할 때는 저항해야 한다는 진정한 욕망을 불어넣지는 않았다.

이처럼 복잡한 태도는 라캉으로 하여금 신이나 집단 혹은 국가의 전능함보다는 자아의 전능함을 단호하게 요구하도록 만들었다. 물론 그는 이로부터 출발해 자아의 구조 자체를 해체하는 방향으로 나가긴 하지만 말이다. 또 이것은 비관주의, 권태, 데카당스, 모든 종류의 영웅주의에 대한 증오 등의 태도를 배양시켰는데, 이것은 서양에서 아버지 역할이 실추되어 거의 몰락할 지경에 이른 상황에 대한 냉철한 평가로부터 생겨난 태도였다. 그리고 마지막으로 이것은 가장 총괄적인 형태로 라캉에게 과학의 현란한 진보와 경쟁할 수 있도록 인간의 주체성을 현대화하려는 욕망을 불어넣기도 했다. 모라스를 찬양한 라캉이 문학적으로는 레옹 블로이의 작품을 선호한 것은 우연이 아니다. 블로이는 극단적인 언어를 구사하며 프로메테우스적 기벽을 지닌 진정한 의미의 예언자로서, 자유와 프랑스 혁명의 이념을 비난하면서 성경 주석의 전통에서 유래하는 망상적 영감을 토대로 한 광신적인 가톨릭을 설파했다.

블로이는 라캉의 거울상이었다. 이 문학의 거장의 모습에는 프랑스 프로이트주의의 새로운 거장의 양면성이 모두 압축되어 있는 것 같았다. 라캉은 때로는 자기 존재의 부정(성)에 절망하다가 마침내 만족감을 얻었다는 환상에 빠지는 지나치게 과민한 자아에 끊임없이 시달렸다. 지나침을 즐기는 라캉의 성향, 또는 편집증적인 인식에 특징적인 동일시 ─ 라캉은 여성의 광기에 대한 블로이의 열광에 대해서 이런 동일시를 느꼈다 ─ 가 돈과 물건, 즉 희귀 서적이나 예술작품들을 소유하려는 거의 페티시즘적인 애착을 마음속 깊이 남긴 것은 전혀 놀랄만한 일이 아니다. 따라서 정신착란과 페티시즘이라는 정반대의 것을 통해 철학으로 접근하는 이러한 방식은 '쓸모없는 부정성'이라고 부를 수 있는 라캉의 존재 방식이었다. 그것은 하도 조롱투여서 사기에 가까워 보일 위험이 있었지만 또한 진정한 사고 체계를 위한 틀을 제공해주기도 했다.

철학자들과 만나며 코제브의 세미나에서 보낸 시간이 라캉에게 끼친 영향은 1935년에 『철학 연구』지에 쓴 글에서 처음 나타났다. 이 글은 외젠느 민코프스키의 저서인 『체험된 시간: 현상학적·심리학적 연구*Le temps vécu: Études phénoménologische et psychopathologiques*』에 대한 서평이었다.[41] 라캉은 자신의 교육 과정에서도 중요한 역할을 했던 이 책의 저자인 현상학적 정신의학의 거장에게 경의를 표하면서 동시에 당시의 정신의학계 전반에 맹타를 가했다. 그는 이렇게 쓰고 있다.

공식적인 학회에서 발표되는 내용은 모두 직업상 이미 오랜 전부터 가망 없이 한심한 정보밖에 의지할 곳이 없는 사람에게 지적 침체의 가장 비참한 이미지만을 제공한다. (……) 용어만 봐도 내용이 얼마나 무익한지가 금방 드러난다. 이 용어들은 주로 아직도 헛되이 빅토르 쿠쟁에 얽매여 있는 학계의 심리학에서 유래된 것들이다. 이 용어들의 스콜라적인 추상성은 연상 기술을 통해서도 결코 줄어들지 않았다. 그래서 이미지, 감각, 환각, 평가, 해석, 지성 등에 관한 온갖 객설이 나왔다. 그리고 마지막이지만 중요한 것으로, 감정적 현상에 관한 객설도 나왔다. 물론 이것은 발전한 정신의학이 수많은 요술을 부리는 데 한동안 아주 유용한 표어였다.[42]

이어서 라캉은 민코프스키가 클레랑보의 연구의 유용성을 지적한 것이 얼마나 정확했는지를 보여주었다. 이것은 라캉으로 하여금 그가 클레랑보에게 진 빚을 깨닫게 했고, 당시 정신의학의 진정한 개혁자로 자임할 수 있도록 해주었다. 그는 독자들에게 그가 정신의학에 '편집증적 지식'이라는 새로운 개념을 도입했음을 상기시켰다. 마지막으로 그는 정신의학에서 사용되는 현상학 개념의 한계들을 설명하면서 그 대신 '진정한' 현상학에 대한 새로운 이해를 제안했다. 철학사를 혁명적으로 바꾸어놓은 헤겔, 후설, 하이데거의 현상학이 바로 그것이었다.

이런 식으로 라캉은 1932년까지 아주 유용하게 이용했던 정신의학적 현상학을 깨끗이 잊어버리고, 프랑스 과학사와 종교사 학파와의 직접적인 교류에서 배운 새로운 현상학을 제시했다. 이때 그는 처음으로 하이데거의 이름을 언급했는데, 이것은 그가 『정신현상학』에 대한 코제브의 주석을 통해 하이데거를 연구하고 있었음을 보여주었다. "나는 여기서 하이데거 선생의 철학에서 종종 마주치게 되는 하나의 개념을 언급하고 싶다. 난해한 언어와 국제적 검열을 통해 걸러진 채로 우리에게 전달된 이 철학은 확실히 어떤 욕구를 가져다 주었는데, 이 욕구는 아직 충족되지 않은 채로 남아 있다. 민코프스키 선생은 16쪽의 각주에서 자기 생각이 결정적인 형태를 취했을 때까지도 하이데거의 생각을 몰랐다고 말하고 있다. 두 문화(그는 초기 논문들을 독일어로 썼다는 것을 강조한다)에 익숙한 그가 최근 몇 년 동안에 독일 철학계에서 이루어진 거대한 발전을 프랑스 철학에 소개하는 역할을 하지 못했다는 것은 유감스러운 일이다."[43]

이처럼 라캉은 정신의학계가 자신의 가치를 인정했음에도 불구하고 이들과 멀어지면서 새로운 지적 환경 속으로 들어갔다. 그곳에서 그는 몇 년간의 침묵 후에 이루어질 재구성 작업에 필요한 생각들을 끌어내게 된다. 다른 한편 1935년 5월 4일에 앙리 에에게 보낸 편지는 그가 정신의학계의 가장 친한 친구와 가졌던 교류가 완전히 끝나지는 않았음을 보여준다. 그는 이렇게 쓰고 있다. "소중한 친구에게, 물론 우리의 오랜 우호 관계가 다시 꽃피울 수 있기를 바라네. 우리 넷이서 다시 정기 모임을 가질 때가 된 것 같네."[44]

1936년 7월 20일에 라캉이 8월 초에 마리엔바트에서 열릴 IPA 대회에 처음으로 참가해 발표하게 될 거울 단계에 관한 논문을 준비하고 있을 때 코제브는 친구 코이레에게 보내기 위한 것으로 보이는 러시아어로 된 이상한 메모를 남겼다. "헤겔과 프로이트: 해석상의 비교 시도. 1. 자의식의 발생. 시작이 급함. 라캉 박사와 협력해 당신(을 위해) 써야 하고, 『철학 연구』지에서 발표되어야 하기 때문('서문'의 일부분만 씌어져 있다. 여섯 개의 문단으로 된 이 부분에서 헤겔과 데카르트가 비교된다). 끝나지 않았음(일종의 요약이 15+1쪽으로 되어 있다). 시작 20/VII/36."[45]

손으로 쓴 이 메모는 코이레에게 전해지지 않고 코제브의 논문 사이에 끼여 있었다. 코제브의 전기 작가인 도미니크 오프레가 찾아낸 자료들 덕분에 이제 이 글의 의미를 이해할 수 있게 되었다. 그해에 코제브와 라캉은 함께 「헤겔과 프로이트: 해석상 비교 시도」라는 제목으로 논문을 쓰기 시작한다. 이 연구는 세 부분으로 나뉘어질 예정이었다. 1) '자의식의 발생' 2) '광기의 기원' 3) '가족의 본질'. 그리고 '전망'이라는 제목의 장이 덧붙여질 예정이었다. 이 논문은 아마 코이레의 도움을 받아 『철학 연구』지에 발표하기 위한 것이었을 것이다. 코이레는 단지 텍스트를 검토하거나 아니면 그의 관점을 덧붙였을 것이다.

어쨌든 이 계획은 미완성으로 남고 말았다. 코제브만 첫 부분을 작성했다. 손으로 쓴 15쪽 — 여섯 개의 문단으로 되어 있고, 한쪽은 주가 적혀 있다 — 의 미완성 서문이 그것이다. 그는 이 글에서 헤겔의 자기의식과 데카르트의 '코기토'를 비교하면서 철학은 단지 철학자의 욕망일 뿐임을 보여주었다. 그는 이렇게 쓰고 있다. "헤겔에게서 데카르트의 나는 생각한다는 최초의 명제가 나는 ……을 원한다가 되고, 결국엔 나는 철학하기를 원한다가 되는데, 이러한 욕망은 충족되어가면서 근본적인 욕망의 진짜 성격을 드러낸다. 그리고 이어서 계속 이렇게 쓰고 있다.

나는 단지 진정한 의미의 철학에 대한 서론이라고 할 수 있는 헤겔 『정신현상학』의 요지를 보여주고자 할 따름이다. 그리고 이 요지는 데카르트의 나는 생각한다를 나는 ……을 원한다로 대체하는 가운데서 가장 명료하게 나타난다고 여겨진다. 하지만 데카르트의 철학 체계에서 자아는 사고, 즉 의식을 통한 존재의 적절한 발현으로 축소되지 않는다는 것을 명심해야 한다. 자아는 또한 의지이며, 의지는 오류의 근원이다. 다시 말해 철학이 '철학하다'로 전환되는 데 필연적인 불완전성을 초래하는 것이 바로 이 자아-의지로서, 이것은 헤겔의 체계에서 욕망으로서의 자아와 흡사한 역할을 떠맡는다. 따라서 이 두 체계를 비교하려면 무엇보다 먼저 이처럼 비슷하면서도 다른 두 가지 자아 개념을 비교해야 한다.[46]

이처럼 코제브는 나는 생각한다의 철학을 나는 원한다의 철학으로 전환시키면서 생각이나 욕망의 장소인 '나(Je)'와 오류의 근원인 '자아(moi)' 간의 분열을 도입하게 되었던 것이다. 그런데 이 공동 작업에서 라캉의 임무는 분명 코제브가 데카르트의 입장과 헤겔의 입장을 설명한 관점과 비슷하게 프로이트의 입장을 설명함으로써 이 계획을 완성하는 것이었을 것이다. 다른 한편 이 글의 다른 두 부분, 즉 '광기의 기원'과 '가족의 본질'도 아마 이와 비슷한 방식으로, 즉 프로이트와 헤겔에 관한 비교와 비슷한 방식으로 구성되었을 것이다.

하지만 라캉은 아무것도 쓰지 않았고 코제브도 더이상 쓰지 않았다. 하지만 그가 '자기 의식의 발생'의 서문으로 쓴 15쪽의 초고를 보면 라캉이 1938년부터 사용한 세 가지 주요 개념이 나타나 있다. 즉 욕망의 주체인 '나', 존재의 진정한 발현으로서의 욕망, 환상의 장소이자 오류의 근원인 '자아'가 바로 그것이다. 게다가 이 세 가지 개념은 광기의 기원과 가족의 본질이라는 두 주제와 섞인 채로 1936~49년 사이에 주체에 관해 라캉이 발표한 모든 텍스트들, 즉 「'현실 원칙'을 넘어서」와 「가족 콤플렉스」, 「심리적 인과율에 대해」과 「거울 단계」의 재판(再版)에서 발견된다.

이처럼 라캉이 수행한 두번째 거대한 이론적 혁신(이것은 라캉을 정신의학에 대한 프로이트 식 이해로부터 프로이트에 대한 철학적 이해로 이끌었다)이 한 세대 전체를 헤겔로 이끈 '헤겔주의의 스승' 코제브가 욕망, '코기토', 자의식, 광기, 가족, 자아 환상 등에 관한 일련의 '헤겔-프로이트' 식 질문들에 초점을 맞춘 거대한 현상학 전체에 '제자'인 라캉의 생각을 통합시키는 공동 저작 계획에서 비롯되었다는 것은 흥미로운 일이다.[47] 라캉이 분석가이자 지식인 사회의 대가가 될 수 있게 한 전 이 관계는 뢰벤슈타인의 분석과는 별도로 이루어졌다는 점은 아무리 강조해도 지나치지 않을 것이다. 이것은 뢰벤슈타인 분석의 '부정' 속에서, 다시 말해서 공식적인 프로이트 제자들이 고수하는 실증주의적 규범들과는 결코 양립할 수 없는 자의식의 변증법이 작동하는 근본적으로 새로운 공간 속에서 이루어졌던 것이다.

4 마리엔바트

이러한 연구들의 영향을 받으면서 라캉은 처음으로 IPA 대회에 참가했다. 그때 IPA 회장이던 어네스트 존스는 괴링의 연구소가 DPG를 병합하는 것에 동의하고 독일 정신분석가들의 제명 작업을 끝내고 있는 중이었다. 몸이 너무 불편했던 프로이트는 이 대회에 참석하지 못하고 빈에 머물러 있었다. 마리엔바트 시는 오스트리아에서 가까웠기 때문에 비상시에 안나가 아버지에게 빨리 달려갈 수 있도록 선택된 장소였다. 당시 라캉이 '거울 단계'에 관한 논문을 발표한 이 정통 프로이트 학파의 핵심부는 아동 정신분석을 둘러싸고 멜라니 클라인 파와 안나 프로이트 파의 격심한 갈등에 시달리고 있었다. 존스의 지지를 받고 있던 멜라니 클라인 파는 아동 정신분석이 특수한 기법들, 즉 놀이, 모형 제작, 그림 그리기, 오려내기를 이용하는 특수 분야가 되어야 한다고 주장한 반면 안나 프로이트 파는 아동 정신분석을 여전히 교육의 영역과 부모의 권한 하에 — 프로이트가 '꼬마 한스'의 사례에서 했던 것처

럼 — 묶어두고 싶어했다.[1]

모든 위대한 개혁자들처럼 멜라니 클라인도 새로운 발견과 혁신을 자기 자신의 가족을 상대로 검증했다. 그녀는 어린 나이의 딸과 두 아들을 직접 분석했던 것이다.[2] 이런 점에서 그녀는 단지 프로이트를 그대로 따랐을 뿐이다. 프로이트는 딸 안나가 25살 때 심리 치료사 및 훈련 분석가로 진로를 선택할 때 그녀를 분석한 바 있었다. 따라서 프로이트 공동체 안에서의 이론적 논쟁은 셰익스피어의 비극과 거의 흡사한 가족 내부의 갈등으로 번졌다. 이리하여 양차 대전 사이에 열린 IPA 대회는 프로이트 제국의 황태자들이 다양한 소속 학회들로 이루어진 관객들 앞에서 열정을 토로하는 고대의 무대와 같은 기능을 했다. 이런 상황 속에서 '영국 정신분석학회'(BPS)에서 존스 다음으로 권위가 있던 에드워드 글로버가 안나 프로이트와 클라인의 갈등에서 특히 유력한 인물로 모습을 드러냈다. 이 갈등은 마침내 전쟁 동안 런던에서 진행된 그 유명한 '대논쟁(Controversial Discussions)'으로 이어지게 된다.

1888년에 엄격한 장로파 가정에서 태어난 글로버는 카를 아브라함에게서 분석받고 독일에서 돌아온 후 영국 정신분석학회에 가입했다. 그의 형인 제임스는 이미 훈련 분석가이자 과학국장으로 이 학회의 회원이었다. 1926년에 형이 죽자 에드워드는 존스에게 형의 임무를 대신할 수 있게 해달라고 요청했다. 이러한 요청이 받아들여져 그는 형의 직위를 계승했다. 그후 그는 과학 위원회 의장으로 임명되었고, 이어 1934년에는 IPA 훈련 위원회의 서기라는 중책을 맡게 되었다. 그는 신랄한 성격과 사람을 끌어들이는 능력을 갖고 있었지만 그런 그도 자기 삶을 침울하게 만든 가족의 비극을 숨기지는 못했다. 1926년에 태어난 그의 딸은 다운 증후군이었다. 하지만 그는 딸이 비정상이라는 점을 결코 인정하지 않았으며, 여행을 다닐 때도 딸을 데리고 다녔다. 따라서 이 아이는 양차 대전 사이에 아동 정신분석 치료을 둘러싸고 논쟁이

벌어진 IPA 대회에도 참석했다.[3)]

클라인이 아동 분석에 관한 책을 출판하자 글로버는 곧 그녀의 혁신적인 생각의 중요성을 강조했다. 그는 이렇게 쓰고 있다. "나는 그것이 분석학에 한 획을 그을 것이며, 프로이트의 업적에 비견되는 훌륭한 평가를 받을 가치가 있다고 주저없이 말하고 싶다."[4)] 그가 옳았다. 클라인은 프로이트 학파 안에서 아동 분석의 문제점을 생각한 최초의 사람이었다. 그녀 이전만 해도 프로이트와 헤르민 폰 휴-헬무트, 안나 프로이트는 이런 식의 분석을 통해 어린이에게 직접 다가갈 수 있다고는 상상하지 못했다.[5)] 이들은 프로이트가 늑대 인간의 사례를 통해 했듯이 어른이 된 환자의 분석을 통해 어린 시절로 거슬러 올라가거나 부모를 통해서 어린이에게 다가갔다. 유아 성욕에 관한 프로이트의 발견에도 불구하고 소위 '어린이의 순진성'에 관한 금기가 너무 강해 부모의 보호 없이 유아를 분석하는 것은 유아의 장애를 가중시키고 아이의 인성을 더욱 해칠 뿐이라는 믿음이 지배적이었다. 이런 태도는 어린이들은 자기 자신의 장애를 자각하지 못하며 부모에 집착하기 때문에 어떤 전이도 이루어질 수 없다는 확신에 의해 강화되었다.[6)]

따라서 클라인의 대성공은 이 모든 금기를 제거하는 것이었고, 성인 정신분석에 기반한 아동 정신분석의 확립을 방해하는 모든 이론적·실천적 장벽을 깨부수는 것이었다. 이런 점에서 클라인의 작업은 프로이트의 작업의 연장선 위에 있었으며, 우리는 여기서 그녀가 왜 자기 아이들을 분석할 수밖에 없었는지를 쉽게 이해할 수 있다. 아직 아무도 '감히' 어린이를 분석하려 하지 않았기 때문에 다른 도리가 없었던 것이다. 프로이트는 최초로 어른에게서 억압된 어린이를 발견했으며, 부모의 보호 하에 유아 분석을 최초로 실시했지만 어린이에게서 이미 억압되어 있던 유아를 최초로 발견한 사람은 바로 클라인이었다. 그리고 그녀는 이론뿐만 아니라 특히 아동 분석이 실행될 수 있는 틀을 제시했다. 한나 세갈은 이렇게 쓰고 있다.

그녀는 어린이에게 적합한 분석틀을 제시했다. 다시 말해 어린이는 엄격
하게 정해진 상담 시간표 — 55분씩 주당 5회 — 에 따라 상담한다. 상담실
은 특히 어린이에게 적합하게 꾸며져 있다. 방에는 어린이를 위한 작은 탁
자 하나, 의자 하나, 분석가를 위한 의자 하나, 작은 분석용 소파와 같은 단
순하고 튼튼한 가구들만이 있다. 바닥과 벽은 씻을 수 있게 되어 있다. 어린
이마다 특히 익숙하게 다룰 수 있는 자기 장난감 상자를 갖는다. 장난감들
은 신중하게 선택된다. 작은 집과 작은 남자와 여자들(이왕이면 키가 다른
사람이 좋다), 가축과 야생 동물, 집짓기 나무쪽, 공, 구슬, 재료. 그리고 가
위, 끈, 연필, 종이, 찰흙. 게다가 방에는 개수대가 갖추어져 있는데, 분석의
몇몇 단계에서는 물이 중요한 역할을 하기 때문이다.7)

클라인의 혁신적인 생각의 첫번째 출발점은 20년대에 대수술된 프
로이트의 이론, 즉 새로운 이원적 충동 체계(삶의 충동과 죽음에의 충동)
와 2차 위상학(자아, 이드, 초자아)의 도입을 특징으로 하는 이론이었다.
이어서 클라인은 페렌치의 분석에 의거했다. 이 분석을 통해 그녀는 아
주 일찍부터 아동 분석에 관심을 갖게 되었다. 그리고 다음에는 그녀를
두번째로 분석한 아브라함의 학설에 의거했다. 아브라함은 정신병, 특
히 우울증을 연구하면서 그 기원을 아주 어린 시기에서 찾았다. 이처럼
그녀는 성인의 정신병의 기원에 대한 연구와 함께 무의식이 우위를 점
하는 위상학과 죽음에의 충동 개념을 수용함으로써 유아 정신병 연구
로 나가는 길을 열 수 있었다. 이리하여 클라인의 연구는 1935년에 새
로운 방향으로 전환된다. 그녀는 어린이의 심리 발달에서 인생의 초기
몇 년 동안이 차지하는 중요성을 연구하기 위해 정신병에서 출발한 후
정신병의 기원을 더 깊이 파고들어갔고, 프로이트 본인의 이론 수정에
힘입어 최초의 대상 관계가 신생아에게서 발생한다는 것을 발견할 수

있었다.

그녀의 목적은 정신병의 메커니즘이 모든 인간의 다양한 발달 단계에서 존재한다는 것을 보여주는 데 있었다. 클라인에 따르면 주체의 삶의 초기 단계에서 두 가지 충동은 놀이 원칙에 따라 주체와 관련된 대상을 좋은 대상과 나쁜 대상으로 나누어놓는다. 이것이 젖가슴이나 똥, 페니스처럼 부분 대상이든, 아니면 사람과 혼동되는 전체 대상이든 간에 그것은 항상 이마고, 즉 주체가 내투사(introjection)를 통해 자기 자아 속에 흡수한 다음 환상의 위치를 부여하는 실제 대상의 이미지이다.[8]

출생 후 4개월 동안 신생아와 어머니의 관계는 어머니의 젖가슴에 의해 매개되는데, 이때 젖가슴은 파괴적 대상으로 체험된다. 클라인은 이 발달 시기를 편집증적 위치(단계가 아니다)라고 이름붙였고, 이어서 약 8개월 동안은 소위 '우울증적' 위치가 이어진다고 했다. 그리고 이 시기에 양자 사이의 거리가 좁혀진다. 이 단계가 끝나야 어린이는 어머니를 완전한 대상으로 인식할 수 있다. 다른 한편 아이의 불안은 일종의 박해당하는 느낌으로 나타나는 대신 어머니가 파괴되고 어머니를 잃어버리는 끔찍한 강박관념의 형태를 취한다.

이 이론에 따르면 정상과 비정상은 다르지 않고, 단지 구조적 변화에 따른 차이만 있을 뿐이다. 만일 편집증적 위치가 '정상적으로' 극복되지 않는다면 그것은 주체의 어린 시절에 재발되고, 어른이 되어도 계속 나타나거나 재발된다. 그리고 이것은 편집증이나 분열증 상태로 드러난다. 마찬가지로 만일 우울증적 위치가 극복되지 않는다면 그것은 어린 시절에 다시 활성화될 수 있으며, 어른이 되어서도 우울증 상태가 되기 쉽다.

이처럼 클라인은 양차 대전 사이에 모든 동시대인들의 의문에 대답할 수 있는 주체의 구조 이론과 함께 상상적인 것에 관한 이론을 세우기 시작했다. 물론 라캉과 프랑스 정신의학 및 정신분석계의 2세대들도 똑같은 의문을 갖고 있었다. 라캉은 클라인처럼, 그러나 다른 길을 통해 정상과 비정상을 인위적으로 구분하는 체질 이론에 이의를 제기했다. 그녀처럼 그도 정신병 분야에 종사하기로 선택함으로써 광기의 역사를 인간 주체 일반의 역사 속에 포함시켰다. 그녀처럼 그도 대상관계의 가장 초기적인 요소들을 탐구함으로써 인간의 '상상적' 조건들의 수수께끼를 풀려고 노력했다. 그리고 그녀처럼 그도 이미 굳어진 체계에 새로운 자극을 불어넣어야 할 필요성을 느끼면서 프로이트 이론에 접근했다. 하지만 클라인이 프로이트 체계 속에서, 그리고 프로이트가 확립해놓은 개념적 도구를 가지고 이론적 혁신을 수행해나간 반면 라캉은 끊임없이 다른 분야, 즉 정신의학, 초현실주의, 철학 같은 분야에 의지했다. 만일 그가 계속 이런 외부 학문에 의지하지 않았다면 아마 1936년부터 시작된 라캉의 프로이트 재해석은 가능하지 않았을 것이다. 왜냐하면 그가 처음에 접근한 프로이트는 아카데믹한 프로이트였기 때문이다. 그것은 프랑스 프로이트주의의 프로이트로서 때로는 피숑의 프로이트이기도 했고 때로는 뢰벤슈타인의 프로이트이기도 했던 것이다. 어쨌든 그것은 언제나 자아와 저항과 방어 메커니즘의 프로이트, 다시 말해 안나 프로이트의 프로이트였으며, 미래의 미국식 '자아심리학'의 프로이트이기도 했다.

라캉이 1932년의 박사 학위 논문에서 저항에 초점을 맞춘 자아심리학에 기반한 정신병 치료를 선호한 이유는 당시 바로 이런 프로이트에 의지하고 있었기 때문이다. 역시 똑같은 이유에서 그는 1937년 이전까지 클라인이 이룩한 발전에 무감각할 수 있었다. 다시 말하자면 프로이트에 대한 두번째 해석에 도달한 1936년 이후에야 그는 클라인의 연구에 관심을 가질 수 있었고, 그녀가 자기 연구와 비슷하면서도 다른 경로를 통해 똑같은 의문들을 제기했다는 사실을 알 수 있었다. 바로 주체의 위치, 대상 관계의 구조, 오이디푸스 관계의 초기 역할, 인간 지식의 편집증적 위치, 상상적인 것의 장소 등이 그것이었다.

이와 관련해 심리학자 앙리 왈롱에게서 차용한 '거울 단계' 개념이 결정적인 역할을 했다.[9] 이 개념이 얼마나 중요했는지는 그가 왈롱의 이름을 지우고 자신을 이 용어의 유일한 소개자로 내세우기 위해 갖은 시도를 다 한 것만 보아도 충분히 가늠될 수 있다. 이 개념에 대한 라캉의 다양한 정의는 마치 연재소설처럼 전개된다. 그는 이것에 대해 수십 번도 더 열정적으로 이야기했고, 1966년에 『에크리』를 출간할 때는 이 용어가 자기 사고 체계의 발달의 주축 역할을 했다는 점을 다시 한번 강조했다. "나는 '자아'의 이해로 이어지는 환상에 관해 생각하기 위해 지금까지 기다리지 않았다. 내가 1936년에, 그러니까 아직 SPP의 훈련 분석가도 아니었을 때 IPA 국제 대회의 경험도 쌓지 않은 상태에서 거울 단계 이론을 내놓은 것은 상당한 공적이라고 해야 할 것이다." 그리고 그는 짧게 이렇게 덧붙였다. "정신분석 이론에 대한 나의 공헌의 첫 번째 요점이 모습을 드러낸 것은 마리엔바트 학회(1936년 7월 31일)에서였다. 독자는 이 책 184~185쪽에서 이날 회의에 대한 아이러니컬한 언급과 함께 거울 이론이 공식적으로 소개된 시기를 1938년으로 확정 짓게 되는 『프랑스 백과사전』의 해당 권수를 볼 수 있을 것이다."[10]

잊혀지고 소실되고 다른 텍스트 속에 흡수됐다가 결국 1940년에 열린 다른 IPA 대회를 위해 완전히 새로 쓰어진 이 텍스트의 파란 많은 여정을 재구성하기 전에 우선 라캉이 1936년부터 1938년 사이에 발표한 글에 나타난 거울 단계의 초기 개념을 제시할 필요가 있을 것이다.

코제브 세미나에 자주 참석하면서 라캉은 자아 발생 문제를 자기 의식에 대한 철학적 고찰을 통해 접근하게 되었다. 따라서 클라인처럼 그도 프로이트의 2차 위상학을 자아심리학 전체에 정면으로 충돌하는 방식으로 해석하게 되었다. 1920년에 있은 프로이트 본인의 이론 수정

후에 두 가지 선택이 가능했다. 첫번째 선택은 자아를 이드로부터의 점진적인 분화의 산물로 보는 것으로, 여기서는 자아가 현실의 대리인으로 움직이면서 충동을 통제하는 임무를 맡고 있는 것으로 간주되었다 (자아심리학). 이와 반대로 두번째 선택은 자아가 자율적이라는 생각을 완전히 거부하고 대신 자아의 발생을 동일시 관계 속에서 찾으려는 것이었다. 다시 말하자면 첫번째 선택에서는 자아를 이드와 구분시켜 외부 현실에 대한 개인의 적응 도구로 만들려고 시도했던 반면, 두번째 선택에서는 자아를 이드에 좀더 근접시켜 이 자아가 '타자'에게서 빌려온 이마고에 따라 단계별로 구조화된다는 것을 보여주려고 했다. 클라인은 두번째 대안을 선택했고, 라캉 또한 마찬가지 입장을 따르면서 왈롱의 '거울 단계' 개념을 완전히 변형시켰다.

왈롱은 개인이 자연적 변증법의 연속적인 전개에 따라 주체로 변한다는 다윈의 생각에 동의했다. 이런 변화는 아이가 여러 갈등을 해결해나가는 과정이기도 한데, 이 가운데서 소위 거울 단계의 시련은 생후 6~8개월 사이에 일어나는 통과의례로서 아이에게 자기를 인식하고, 자아를 공간 속에서 통합시킬 수 있도록 해준다. 이 과정은 투영된 이미지에서 상상적 이미지로, 이어서 상상적 이미지에서 상징적 이미지로 전개된다.[11]

라캉은 이러한 체험을 단계로, 즉 클라인에 따른다면 '위치'로 변화시킨다. 하지만 그는 주체가 여러 기능을 통합시킬 수 있도록 해주는 자연적 변증법(심리적 성숙이나 지식의 발전)에 대해서는 전혀 언급하지 않는다. 따라서 이때부터 거울 단계는 더이상 진짜 거울이나 (심리발달론적 의미에서의) 어떤 현실적 단계와도 아무 관계가 없으며, 심지어 구체적인 어떠한 경험과도 아무 관계가 없게 된다. 이것은 인간이 어렸을 때 거울 속에서 자기 모습을 보면서 이를 자기와 닮은 사람으로 동일시함으로써 자신을 형성해가는 심리적인, 더 나아가서 존재론적인 작용이 되는 것이다. 따라서 라캉적 의미의 거울 단계는 자아의 상상적인 것이 발생하는 뿌리라고 할 수 있다. 라캉은 1937년에 마리 보나파르트의 강의에 대해 논평하면서 이 '거울 단계' 개념을 가장 정확하게 규정하고 있는데 이 정의는 일 년 뒤 '가족 콤플렉스'에 관한 글에도 나타난다. 그는 이렇게 쓰고 있다. "그것은 내가 국제 대회에서 '거울 단계'에 대해 말하면서 표현하려고 했던 자기애의 표상과 관련된다. 이 표상은 신체의 통일성을 설명해준다. 그러면 왜 통일성이 확보되어야 하는가? 다름아니라 바로 인간이 파편화의 위협을 가장 고통스럽게 느끼기 때문이다. 이러한 불안감은 생물학적 성숙기의 6개월 동안 고착된다."[12]

라캉이 처음으로 상상적인 것에 관한 이론을 세우고 코제브와 함께 프로이트와 헤겔을 비교하는 작업을 구상하고 있을 때 BPS의 내부 갈등은 점점 더 심각해졌다. 클라인의 주장이 하나의 학파를 이루기 시작한 1932년에 그녀의 딸 멜리타 슈미데베르크가 런던에 도착했다. 에드워드 글로버는 클라인의 주장에 찬사를 보내면서도 그러한 주장들은 성인 정신이상자의 분석에 이용될 수 있을 때에만 유효하다고 생각했다. 이처럼 유보적인 입장은 분명한 목적을 갖고 있었다. 즉 의사 자격을 가진 분석가들만이 정신병 분야를 담당할 수 있도록 함으로써 의학 훈련을 받지 않은 클라인이 제자들을 통해 학회를 장악할 수 있는 통로를 차단하려는 것이었다. 하지만 이러한 경쟁을 떠나서도 근본적인 문제는 여전히 남아 있었다. 정신병 치료 영역에서 정신분석의 개입은 어떤 특수성을 갖는가? 이미 앞에서도 언급했듯이 라캉 역시 에메 사례를 연구하면서부터 이와 똑같은 질문을 제기하고 있었다.[13]

엘라 샤르프에게서 분석받은 멜리타가 글로버에게서 두번째 분석을 받기 시작하자 논쟁은 곧 난투극으로 번졌다. 멜리타는 글로버의 도움을 받아 어머니의 학설에 대해 전반적인 공격을 개시한다. 1933년 10월에 BPS 회원으로 선출된 그녀는 후보 자격으로 제출한 세 살 난 딸의 놀이 분석을 다룬 글로 임상실험상을 받았다. 얼마 동안 그녀는 동료들 사이에서 아주 인기가 좋았다. 하지만 클라인의 주장에 대한 신랄한 비판은 자기 어머니를 비방하는 것이었던 만큼 동료들을 더욱 곤란하게 만들었다. 그녀는 어머니가 자기 고객을 '빼앗았다'고 주장하기도 했고, 때로는 채 세 살도 안 된 아이들을 분석했다는 말을 퍼뜨리기도 했다. 그것은 큰 스캔들을 일으켰다.

그러는 동안 안나 프로이트가 이끌던 빈 학파와 이제 클라인 파가 우세하게 된 영국 학파 간의 갈등은 한층 더 심화되었다. 에두아르트 히취만에게서 분석받은 후 1932년에 빈에서 돌아온 윌리엄 질레스피는 두 학파 내부에 팽배한 배척 분위기에 깜짝 놀랐다. 그는 런던의 분석가들에게는 일종의 성서가 되어버린 멜라니의 저서에 대해 빈의 동료들에게서 들어본 적이 없었다. 딸을 지지하는 프로이트를 회유하기 위해 존스는 멜리타를 희생양으로 해 안나 프로이트의 관심을 경쟁자와의 싸움에서 다른 데로 돌리려고 시도했다. 이런 식으로 그는 골칫거리가 되어버린 반대자를 제거해 영국 학회의 통일성을 유지하고, 빈과 런던의 직접적인 충돌을 피하면서 IPA를 프로이트 주위로 단결시켜보려고 했다. 그러나 안나는 존스의 계획에 반대했으며, 더욱이 독일 나치즘의 확산은 존스가 그러한 계획을 실천하는 데 방해가 되었다. 1934년부터 빈 분석가들은 해외로 망명하기 시작했는데, 일부는 영국에 정착할 생각이었다. 따라서 독일과 오스트리아의 병합과 전쟁 발발 이후 갈등은 '영국 정신분석학회' 내부의 사건이 되었다.[14]

정신분석의 치료 효과를 주제로 한 마리엔바트 대회에서 온갖 분파 간의 심각한 충돌이 터져나왔다. 안나 프로이트 파가 클라인 파에 대해 계획적인 공격을 시작하자 에드워드 글로버는 멜리타의 지지를 등에 업고 클라인의 입장과의 결별을 공개적으로 선언했다. 하지만 빈 쪽 사람들은 협회 내의 싸움을 금방 이해하지 못했고, 그래서 얼마 동안 계속 글로버를 클라인 파로 생각했다.

이런 분위기 속에서 라캉은 이 대회의 2차 과학 토론회가 열린 8월 3일 3시 40분에 발표를 시작했다. 그런데 10분 후 갑자기 존스가 라캉의 발표에 끼여들었다. 라캉은 나중에 이렇게 쓰고 있다.

> 나는 1936년 마리엔바트 대회에서 이 주제에 관한 논문을 읽고 있었다. 적어도 런던 정신분석학회 회장으로서 회의를 주재하고 있던 존스가 내 발언을 중단시키기까지 10분 동안은. 나는 그의 영국 동료들 중 어느 사람도 그를 나쁘게 말하는 것을 들어보지 못했는데, 아마도 그러한 사실이 존스가 그런 자리에 오른 것과 관련이 있을 것이다. 그러나 어쨌든 이주하기 위해 새떼처럼 그곳에 모인 빈 학회 회원들은 내 연설을 아주 따뜻하게 받아들였다. 나는 학회 자료집에 텍스트를 제출하는 것을 잊어버렸다. 하지만 1938년에 출간된 『프랑스 백과사전』의 '정신 생활' 편에 실려 있는 가족에 관한 나의 논문을 보면 몇 줄로 이 이론이 요약되어 있는 것을 볼 수 있을 것이다.15)

존스와의 일이 있은 다음날 라캉은 미국 자아심리학의 창시자 중의 하나인 에른스트 크리스의 만류를 무릅쓰고 베를린으로 떠났다.16)

이 유명한 논문은 소실되었지만 우리는 지금 그 내용을 알고 있다. 마리엔바트로 가기 전에 라캉은 SPP에서 이 논문의 골자를 읽었다. 이 날 프랑수아즈 돌토는 그것을 아주 꼼꼼하게 필기했다. 이 노트는 라캉이 이후 가족에 관한 논문에서 사용하게 될 용어와 똑같은 용어를 마리엔바트에서 이미 사용했다는 것을 확인해준다. 이 논문은 여러 부분으로 나뉘어져 있었다. 주체와 나, 신체, 인간 형태의 표현성, 리비도, 신체 이미지, 분신 이미지와 거울상 이미지, 이유(離乳)의 리비도, 죽음의 본능, 생명체의 파괴, 나르시시즘과 그것이 인간 지식의 기본적 상징 체계와 맺고 있는 관계, 오이디푸스 콤플렉스에서 재발견된 대상, 쌍둥

이.

뢰벤슈타인, 오디에, 파르슈미니, 폴 쉬프, 라가슈, 마리 보나파르트는 프로이트의 2차 위상학과 적응 개념에 대한 해석 문제를 논의했다. 라캉은 여기서 이미 미래의 자기 사고 체계의 핵심적인 입장을 강력하게 주장하고 있었다. "인간은 현실에 적응하는 것이 아니라 현실을 자신에게 적응시킨다. 자아는 현실에 대한 새로운 적응을 만들어내고, 우리는 이러한 분신과 결합을 유지하기 위해 노력한다."[17]

존스가 발언을 중단하라고 지시했을 때 라캉이 얼마나 심한 모욕과 격분을 느꼈는지는 쉽게 짐작할 수 있을 것이다. 30년 후에도 그의 분노는 여전히 사그라들지 않아 『에크리』를 출간할 때 그는 그러한 상황이 벌어졌던 시간, 날짜, 장소까지 정확하게 표시하고 싶어했을 정도였다. 프로이트에게 박사 학위 논문을 보냈지만 무시당한 데 이어서, 존스와의 일은 IPA 대회에 처음 등장한 라캉으로서는 굉장한 치욕이었다. 마리엔바트에서 셰익스피어의 비극 같은 소용돌이에 빠져 있던 명망 있는 프로이트주의자들에게는 라캉이 단지 무명의 어린 프랑스인에 불과했다. 아직 아무도 그가 누구인지 알지 못했고, 아무도 그가 발표한 글을 읽어본 적이 없었다. 또한 파리 지식인 사회의 일부에서 그를 프랑스 정신분석의 차기 주자로 보고 있다는 것도 아무도 몰랐다. 라캉이 '거울 단계'를 통해 새롭게 취하기 시작한 방향 전환이 클라인 혁명과 맥을 같이하는 것이었음에도 불구하고 클라인 파든 아니면 안나 프로이트 파든 어느 누구도 이 점을 이해하지 못했다. 그리고 라캉 역시 IPA 회원들이 골몰하고 있던 싸움에 대해 거의 아무런 정보도 듣지 못했기 때문에 자신의 이론적 경향이 내포하고 있는 의미를 이해할 수 있는 유리한 위치에 있지 못했다. 이 점은 그가 빈 학파로부터 환영받았다고 느낀 사실만 봐도 충분히 알 수 있다. 하지만 만일 그가 정말 그렇게 생각했고 또 이 점을 의심할 이유가 없다면 그것은 분명 그의 철저한 오해 탓이었을 것이다. 왜냐하면 그의 주장은 빈 학파의 주장들과는 근본적으로 대립되는 것이었기 때문이다. 따라서 혹시 라캉이 우호적인 대접을 받았다면 그것은 우연한 개인적 공감의 결과였거나 아니면 공통의 영역, 가령 프로이트와 안나 프로이트, 그밖에 다른 많은 이들의 텍스트들에 대한 이해에 대해 뜻을 같이하면서 주고받았던 대화 덕택이었을 것이라고 가정해야 한다. 라캉은 이들의 글을 읽었고, 확실히 빈 학파들에게서 박식함을 인정받았을 것이다. 어쩌면 라캉은 그것을 자기가 말한 것에 대한 인정이라고 착각했을 수도 있다. 그러나 만일 그것이 사실이었다 해도 안나가 그러한 동료들의 의견에 공감하지 않았으리라는 것은 잘 알 수 있다. 그녀는 프로이트 이론의 적법한 대변인이 되고 싶어했고, 그래서 순수한 프로이트 이론을 왜곡시킬 위험이 있다고 판단되는 탈선을 항상 주의 깊게 살폈다. 따라서 그날 마리엔바트에서 그녀는 이미 이처럼 자신만만한 정신분석가의 행동과 태도, 말하는 방법에 주의를 기울였다. 그녀는 그를 좋아하지 않았고, 그의 입장을 경계하기 시작했다.[18]

　반의회주의와 허무주의 성향을 보이던 라캉은 초현실주의와의 만남을 거치면서도 자유에 대한 혁명적 이상을 쟁취하기 위한 어떠한 투쟁에도 관심을 표명하지 않았다. 그는 결코 공산주의자가 아니었고, 어떤 정치적 팜플렛에도 서명하지 않았으며, 인간의 자유라는 이념을 믿는 것 같지도 않았다. 그러나 랭보의 "'나'는 타자이다(JE est un autre)"라는 정신은 그의 초기 저작에 그대로 스며들었다. 마찬가지로 30년대 철학의 르네상스는 라캉의 프로이트 이해에 중요한 양식이 되었다. 이를 통해 그는 문학과 사상의 현대화에 참여했다. 하지만 그것은 그의 저서에만 영향을 미쳤지 그의 삶의 방식이나 의견에는 아무런 영향도 미치지 않았다. 그의 태도나 견해는 관습적이면서도 기상천외하고, 항상 돈에 대해 걱정하지만 동시에 몸과 마음을 열정에 몰입시키기도 하는 부르주아의 그것이었다.

라캉은 비정치적이기는 했지만 정치 문제에 무관심했던 것은 아니었다. 오히려 반대였다. 모든 개인적 참여의 회피는 권력 행사의 가장 극한적인 형태들, 즉 독재자들의 최면 능력, 분석가들의 전이 능력, 폭군들의 조작 능력, 권력을 장악한 광기가 휘두르는 광적인 능력 등에 대한 강렬한 관심과 연결되어 있었다. 요컨대 최고가 되기를 열망했던 라캉은 대중이 어떻게 지도자들에게 사로잡히고, 기꺼이 복종하는지를 관찰하고 논평하기를 즐겼다.

따라서 마리엔바트를 떠난 라캉은 베를린으로 가서 재앙으로 기억되고 있는 제11회 올림픽을 구경한다. 며칠 전 신체의 파편화라는 위협에 직면한 자아의 불안감에 대해 발표했던 그는 그만큼 '거울 단계' 이론에 몰두해 있었기 때문에 이 개념을 발맞추어 행진하는 검투사들의 세계에도 적용하려 했다. 그는 이때 이미 파시즘에 대해 두려움을 느끼며 위험성을 예감했는데, 훗날 파시즘에 대해 아주 불투명한 분석을 내놓는다. 그에 따르면 나치 조직은 이 조직이 지배한다고 주장했던 군중들에게는 불안의 원천이었다. 그리고 라캉은 이러한 불안의 원인을 히틀러가 독일 군대의 계급 구조를 민주화시킨 데서 찾았다…… 이 점에 대해서는 나중에 좀더 자세히 다루기로 하겠다.[19]

마리엔바트 여행과 베를린에서의 체류에서 얻은 영감을 가지고 라캉은 「'현실 원칙'을 넘어서」라는 글을 쓸 수 있었다. 이 글에는 그가 왈롱의 저서와 프로이트의 2차 위상학 그리고 코제브의 학설에서 얻은 모든 주제들이 압축되어 있었다. 요컨대 이 글은 프로이트와 헤겔을 비교하려던 7월의 미완성 계획과 「가족 콤플렉스」에 관한 긴 논문 — 여기서 '거울 단계'에 관한 논의가 최초로 글로 발표된다 — 의 연결고리였다.

라캉은 말루와 휴가를 보내던 누아르무티에에서 「'현실 원칙'을 넘어서」를 썼다. 말루는 그때 임신 5개월이었다. 처음으로 아버지가 될 35살에 그는 정신분석 2세대의 의기양양한 출현을 환영하며 비심리학적으로 프로이트에 접근할 것을 촉구했다. 그것은 이론 투쟁을 알리는 진정한 신호였다. 그리고 수영을 즐기곤 했던 해변가에서 그는 올림픽 축제만큼이나 놀라운 또다른 대중 현상을 목격했다. 바로 처음으로 유급 휴가를 즐기는 공장 종업원들이었다. 1936년 6월자 일기에서 기욤 므 드 타르드는 라캉을 특이하게 묘사했다. "요즈음 라캉은 영원 속에 살고 있다. 지적이고, 그래서 당당하고, 모든 생각에 관심을 두며, 누구보다도 공명 정대한 언어의 마술사이자 천성적으로 모든 일상사나 편견과는 거리가 먼 그가 모든 것을 저 높이서 내려다보고 있는 것이다. 냉혹한 현실과의 싸움에서 계급적 이익을 옹호하려는, 이제는 힘을 잃고 몰락한 이 사람들이 그에게는 분명 꼭두각시들처럼 보이는 모양이다. 감동적이면서도 희극적인 비극의 마지막 장면처럼 얼마나 비참한 광경인가! 그는 이들의 불안감 위에서 위엄 있게 군림하고 있다."[20]

국제 정신분석 운동사에서는 금세기 초에 빈에 몰려든 정신분석의 옹호자들로 구성된 세대를 흔히 1세대라고 부른다. 널리 알려진 선구자들, 즉 아들러, 융, 존스, 페렌치, 랑크, 아브라함, 작스와 아이팅곤에 이어 1918년부터는 프로이트나 그의 측근들 주위에 2세대가 형성되기 시작한다. 앞 세대의 특징이었던 모험 정신과는 이미 거리가 멀었던 2세대는 30년대 IPA의 중심 인물들이었다. 창립자인 프로이트가 여전히 살아 있었지만 IPA는 그의 영향권에게서 벗어났다. 이들의 진정한 중심은 사람이나 도시가 아닌 조직이었다. 그리고 이 조직은 나치 정권 하에서 프로이트주의의 진정한 고향을 대표하고 야만에 대한 저항의 상징이 된 만큼 더욱더 중요해졌다. 이어서 추방된 2세대 회원들에게서 훈련받은 3세대는 프로이트 저서에 대한 해석을 둘러싸고 대 논쟁을 벌이게 된다. 국제 프로이트주의 역사의 관점에서 보면 라캉은 이 3세대에 속한다. 프로이트와의 개인적인 거리로 보나 그가 거친 훈련 과정으로 보나, 또한 프로이트가 더이상 자기 이론을 수정하지 않게 되었을 때 이를 수정한 점으로 보더라도 그러하다.

그러나 프랑스 정신분석사만을 관찰해보면 이러한 정신분석 세대들의 연대기가 모든 경우에 똑같이 적용될 수는 없다는 것을 알 수 있다. 프랑스에서의 프로이트 이론은 유럽의 다른 국가들보다 15년 정도 늦게 발전했다. 이런 관점에서 본다면, 프랑스 정신분석 1세대를 대표하는 열두 명의 SPP 창립자들은 사실상 경력이나 입장에서 국제 프로이트주의 2세대에 속했다. 이 때문에 이들은 어떤 문제들에서 IPA와 부딪히게 된다. 그리고 프랑스 정신분석사에서 라캉은 이미 언급한 대로 2세대를 대표했다. 하지만 이 프랑스 정신분석 2세대는 사실상 국제 프로이트주의 3세대와 연결되어 있었다. 라캉 본인도 이 사실을 알고 있었다.

예상 못했던 모욕을 당하고 마리엔바트에서 돌아온 라캉은 처음으로 '프로이트 혁명'의 필요성에 대한 관심과 가설적으로 상정된 '2세대'에 대한 관심을 연결시키는 글을 발표했다.

새로운 심리학은 정신분석만을 인정하지 않는다. 하지만 새로운 심리학은 정신분석을 끊임없이 전혀 다른 출발점에서 시작하는 다른 학문 분야들의 발전 과정 속에 집어넣으면서 정신분석의 선구적인 가치를 증명해준다. 따라서 내가 다소 자의적으로 정신분석의 2세대라고 부를 사람들은 정상적인 각도에서 정신분석에 접근하고 있다. 나는 정신분석의 자기 반성이 이루어져온 경로를 보여주기 위해 이러한 각도를 정의하려고 한다. 모든 혁명처럼 프로이트 혁명은 당시의 국면들, 즉 당시 유행하던 심리학에서 비롯된다.

그리고 이 심리학은 이러한 심리학의 입장을 표명하고 있던 자료들에 대한 연구를 통해서만 평가될 수 있다.[21]

라캉은 여기서 프랑스 정신분석 2세대의 지도자로 자신을 소개하려던 것이었을까, 아니면 마리엔바트에서 만난 국제 프로이트주의의 뛰어난 두번째 집단의 하나로 자처하려던 것이었을까? 아마 두 가지 다일 것이다. 그의 글의 모호성은 바로 여기서 유래하는 것이었다. 어쨌든 그는 프로이트 이론의 개혁이 프로이트 본인이 1920년에 수행한 이론적 수정과 어떤 대칭적인 관계에 놓이기를 바랐다. 라캉의 '현실 원칙을 넘어서'는 확실히 프로이트가 주장한 '쾌락 원칙을 넘어서'의 필연적 귀결로 제시된 것이었다.

만일 자아의 구조화가 현실에 대한 적응을 위한 것이 아니라면 그것은 심적 동일시가 인지에 구성적인 형식이기 때문이다. 프로이트의 2차 위상학의 세 가지 심급, 즉 자아/이드/초자아를 '인격의 상상적 위치들'이라고 이름붙이면서 네번째 위치인 '나'를 끄집어내려는 라캉의 생각은 여기서 나왔다. 그는 '나'라는 심급에 주체가 자기를 인식할 수 있는 장소의 기능을 부여한다. 이처럼 자아 발생을 클라인과 같이 이마고들과의 동일시에 기초한 작용들의 연속으로 파악하는 라캉의 초기 상상적인 것에 관한 이론이 정식화된 지 얼마 후에 '상징적 동일시' 개념이 추가되었다. 그러나 이 개념은 아직 막연하고 모호하게 정의된 상태였다.

따라서 1936년 가을에 마리엔바트에서의 끔찍한 경험은 긍정적인 이론적 결산을 통해 보상될 수 있었다. 라캉은 코제브의 헤겔 해석을 기초로 프로이트의 저작에 접목시킬 수 있는 주체 이론의 서론을 이미 세워놓고 있었다. 그는 「'현실 원칙'을 넘어서」에서 두 부분의 후편을 예고했지만 이는 끝내 씌어지지 않았다. 하나는 '이미지의 현실'에, 다른 하나는 '지식의 형태'에 관한 것이었을 것이다. 대신 그는 왈롱의 요구에 따라 '가족 콤플렉스'에 관한 글을 썼다. 하지만 그 사이 조르주 바타이유와의 만남으로 인해 새로운 연구 계획에 좀더 니체주의적인 차원이 도입되게 된다.

4부   가족의 역사

아스피린을 복용하는 것처럼
정신분석을 사용한 사람들

1 조르주 바타이유와 그 일당들

조르주 바타이유는 미셸 레리스, 레이몽 크노, 르네 크르벨, 앙토냉 아르토, 그밖의 다른 몇 사람들처럼 프로이트주의의 이론적 모험의 영향도 받고 또 정신분석을 받기도 한 양차 대전 사이의 작가들 중의 하나였다. 그러나 프로이트 이론에 대한 이들의 관심은 실제 분석과는 무관했다. 이들이 프로이트 혁명에 보인 공감은 지적인 차원의 문제였으며, 분석가를 찾아가는 것은 가능한 한 직접 치료받고 싶어하는 것을 보여줄 뿐이었다. 이런 태도는 가령 미셸 레리스가 프로이트의 분석을 단순한 약품으로 보면서도 프로이트의 학설에 대해 엄청난 경의를 표하면서 자신의 소설 기법으로 이용할 수 있었던 이유를 설명해준다. 1934년 8월에 그는 이렇게 쓰고 있다. "아마 정신분석에서 대단한 것을 기대할 수는 없을 것이다. 하지만 아스피린을 복용하는 것처럼 우리는 항상 그것을 취할 수 있다."[1]

나는 이미 바타이유가 아드리앙 보렐에게서 분석받은 사실을 언급할 기회가 있었다. 보렐은 SPP의 창립 회원으로서 호사가적 성향을 가진 정신과 의사였다. 포도주를 좋아하고 미식가인 그는 특히 알랑디와 마찬가지로 예술가와 창조적인 사람들을 환자로 받는 것을 좋아했다.[2] 바타이유가 그를 처음 만나 분석받기로 결심하게 된 것은 도스 박사의 조언 덕분으로 바타이유의 친구인 그는 『사회 비평』에서 그와 함께 일하고 있었다. 특히 도스 박사는 바타이유의 성적 강박증을 우려하고 있었다. 바타이유의 많은 친구들이 그를 '환자'로 여기고 있었다. 그는 노름꾼에 알코올 중독자였고, 사창가를 자주 드나들었다. 레리스에 따르면 그는 심지어 러시아 룰렛에 목숨을 걸기도 했다.[3]

첫 만남에서 보렐은 바타이유에게 루이 카르포가 찍은 사진 한 장을 주었다. 1905년에 찍은 이 사진은 조르주 뒤마의 유명한 『심리학 개론 Traité de psychologie』에도 실렸었다. 사진은 황태자를 살해한 한 중국인이 능지처참당하는 장면을 보여주었다. 카르포와 함께 현장에 있었던 뒤마는 형을 당하는 살인자의 태도가 황홀감에 빠진 신비주의자들의 태도와 닮았다는 것을 지적했다. 하지만 그렇게 된 것은 처형 과정을 연장하기 위해 빈사 상태의 살인자에게 아편을 여러 번 투여했기 때문이라고 말했다. 참으로 끔찍한 광경이었다. 텁수룩한 머리에 조각 난 몸에도 불구하고 끔찍할 정도로 평온한 시선을 보이는 그 남자는 이상하게도 성모 방문에 대한 열광으로 빛을 발하는 베르니니의 동정녀 중의 한 명과 닮았다. 이 사진은 바타이유의 삶에서 결정적인 전환점이 되었다. "문득 머리에 떠오른 것은 이처럼 정반대되는 것, 즉 성스러운 황홀경과 극단의 공포가 사실은 같은 것이라는 사실이었다."[4]

보렐은 바타이유에게 계속 글을 쓰도록 격려했으나 그가 너무나 고통스럽다고 호소한 지적 폭력 상태에 종지부를 찍으려 하지는 않았다.[5] 그럼에도 불구하고 바타이유는 분석을 통해 해방되었다는 느낌을 받았고, 그래서 『눈 이야기』를 쓸 수 있었다. 이 책의 내용은 상담 시간마다 논의되었고 때로는 수정되기도 했다. 그는 마들렌느 샵살에게 이렇게 말한다. "첫 작품은 정신분석을 받은 후에야 쓸 수 있었지. 그렇지, 분석을 끝내면서. 정말 내가 그것을 쓸 수 있었던 것은 단지 그렇게 해서 자유로워졌기 때문이지."[6]

이 분석에서의 전이 작업은 바타이유의 문학적 창조성을 뒷받침해주었고, 이후 그는 육체적으로 이전보다 덜 아프다는 느낌을 갖게 되었다. 그는 보렐과 계속 우정을 나누었으며, 책이 나올 때마다 첫번째로 인쇄된 책 한 부를 보렐에게 죽을 때까지 계속 보냈다. 그가 장차 아내가 될 실비아 마클레스를 만나게 된 것은 이 분석의 결과였다. 두 사람의 만남은 아마 레이몽 크노의 작업실에서 이루어졌을 것이다. 포르트 드 베르사이유에서 가까운 데누에트 광장에 위치한 크노의 작업실에는 많은 작가들이 자주 드나들었다. 두 사람의 만남은 실비아의 언니 비앙카의 소개로 이루어졌다. 비앙카는 프랑스 초현실주의의 네번째 '총사(銃士)'였던 테오도르 프랭켈의 아내였다. 아라공은 이렇게 쓰고 있다. "내가 그〔프랭켈〕를 만났을 때 그는 러시아 원정에서 막 돌아온 후였다. 그는 프랑스 원정군의 군의관 보조였다. 그는 위비 왕처럼 말했다. 그리고 그는 이후 그때의 모습을 한 번도 잃지 않았다. 갑작스럽게 터져 나오는 저음의 웃음소리는 모든 사물과 사람의 콧대를 꺾어버렸다."[7]

비앙카와 실비아의 아버지인 앙리 마클레스는 루마니아계 유대인으로 상인이자 외판원이었다. 그러나 예술과 문화에 개방적이었던 그는 방랑적인 기질을 갖고 있었기 때문에 사업에는 크게 성공하지 못했다. 그는 자주 파산했고, 아내인 나탈리 쇼앙은 평생 경제적 어려움으로 고생해야 했다. 다정다감하고 상냥하며 너그러웠던 그녀는 네 딸, 즉 비앙카, 로즈, 시몬느, 실비아만은 자신이 얻지 못했던 사회적 안정을 얻기를 열망했다.[8] 아들 샤를 마클레스는 아버지를 닮았다.

아름답고 지적인 비앙카는 여성들이 아직 지적인 분야에 진출할 수 없던 시대에 의학 공부를 시작했다. 그녀는 의학부에서 브르통과 아라공, 프랭켈을 만났다. 프랭켈은 세 명 중 유일하게 의사가 되었다. 그는 아주 침울한 성격이었다. 그는 1916년 베르됭 외곽 전선에서 복무하던 당시 놀라울 정도로 정확한 임상적 표현으로 자기 상태를 묘사했다. 그는 이렇게 쓰고 있다. "내 기분의 순환 주기에서는 아무래도 우울증이 특히 우세하다. (……) 그리고 광적인 우울증의 정신병은 단지 지속적인 현상의 과장된 형태일 뿐이다. 나는 종종 지독한 자기 모멸이기도 한 우울증의 극한을 관찰하곤 한다. 광적인 흥분은 자만심으로 표현된다. 정신박약은 인류의 9/10 — 나도 여기 속한다 — 를 차지한다. 이제 노르도의 책의 의미를 이해할 수 있겠다 — 그러나 내 의견을 바꾸지는 않겠다."[9] 1922년에 비앙카는 프랭켈과 결혼하고, 이어서 공부를 포기하고 배우가 되었다. 그녀는 샤를 뒬랭 극단에 들어갔다. 그리고 뤼시엔느 모랑이라는 예명으로 피란델로의 희곡인 『각자의 진실을 찾아나선 사람들Chacun sa vérité』에 출연했다.[10]

1931년에 그녀는 비극적인 죽음을 맞이했다. 어느 날 코트 다쥐르의 카르케란느 근처에서 산책하던 중 절벽 아래로 떨어져 죽었다. 파리에 있던 프랭켈이 현장으로 가 시신을 확인했다.[11] 어머니인 나탈리 쇼앙은 이 사건이 준 너무나 심한 충격에서 결코 헤어날 수 없었다. 특히 자살일 수도 있다는 주위의 소문이 충격을 더 크게 했다. 그녀는 정신착란에 빠진 프랭켈이 절벽에서 딸을 밀었다고 상상하게 되었다. 더 나아가 딸이 죽은 게 아니라 단지 기억을 잃었을 뿐이며, 언젠가는 그 동안 있었던 일을 기억해내고 가족과 친구들에게로 돌아올 것이라고 주장했다.[12]

1908년 11월 1일에 태어난 실비아는 세 명의 언니들처럼 빌리에 가에 있는 학교에서 공부했다. 칸 자매들 역시 같은 학교에 다녔다. 아주 어렸을 때부터 배우가 되고 싶었지만 결혼하기 전까지는 꿈을 이룰 수 없었다. 비앙카가 프랭켈과 결혼했을 때 그녀는 언니 집에서 살았다. 그녀는 언니와 사이가 좋았고, 언니를 자신의 모델로 삼았다. 그런데 프랭켈이 처제인 실비아를 사랑하게 되었고, 여러 번 그녀를 유혹하려고 했다. 그래서 가족은 그녀를 조르주 바타이유와 결혼시키기로 결정했다. 그녀는 그가 마음에 들어 결혼에 동의했다. 결혼식은 1928년 3월 20일에 파리 바로 외곽에 있는 쿠르브부아 시청에서 치러졌다.[13]

바타이유의 친구들은 미심쩍어하면서도 정숙하고 꿋꿋한 성격에 생기를 주는 여자와의 안정된 결혼 생활이 방탕한 생활을 아주 포기하게 하지는 못해도 적어도 완화시킬 수 있으리라고 기대했다. 그러나 그는 전혀 그렇지 않았다. 미셸 쉬리아는 이렇게 쓰고 있다. "모든 증거가 보여주듯 그는 자기 삶을 아내와 공유하지 않았고, 여전히 클럽과 사창가를 드나들었으며, (그가 그런 자리를 마련하지는 않았지만) 광란의 술자리에 끼었다. 아내와 함께 혹은 아내 없이? 그는 자신과 함께 살았던 모든, 혹은 거의 모든 여자를 공범으로 만들었다. 우리가 그의 첫번째 여자라고 알고 있는 여자에게도 그렇게 하지 않았나 의심스럽다."[14]

여전히 배우를 꿈꾸고 있던 실비아는 결혼한 지 3개월 후 비유─콜롱비에 극장에서 열린 장 르누아르의 무성 영화 시사회에 참석했다. 영화는 안데르센의 동화 『성냥팔이 소녀』를 각색한 작품이었다.[15]

채플린 스타일로 각색한 영화에서 르누아르는 팬크로매틱 필름과 극적인 조명, 수많은 특수 효과 등 기술적인 재주를 맘껏 뽐내고 있었다. 주역은 르누아르의 아내이자 그의 아버지의 마지막 모델이기도 했던 카트린느 에슬랭이 맡았다. 그녀의 열정적인 연기에 감동한 실비아는 영사실 출구에서 주저 없이 르누아르에게 말을 걸어 영화배우가 되고 싶다는 소망을 이야기했다. 그러자 그는 "기다려보시오"라고 대답했다.[16]

그녀는 기다렸다. 결혼하고 처음 2년 동안에 그녀는 세 번이나 집을 옮겼다. 먼저 세귀 가에서 시작해 불노뉴, 이시-레-무리노로 이사했다. 바타이유에 따르면 그녀는 임신중이던 1930년에 익히 알려진 대로 그가 어머니 마리-앙투아네트 투르나드르의 시신 앞에서 외설스러운 경의를 표할 때 말없이 옆에 있었다. 그는 자기 책에서 이 장면을 세 가지 서로 다른 방법으로 상세히 이야기했다. 첫번째는 단 한 문장으로 기록하고는 절대로 그렇게 한 것이 맞다고 주장했다. 두번째는 픽션 형태로 기술하면서 그러한 행동이 실제로 있었다고 주장하지는 않는 방식을 택했다. 그리고 세번째는 수고로 남아 있는 '어머니의 시신'이라는 제목의 아주 짧은 이야기이다.

첫번째 이야기는 이렇다. "나는 어머니 시신 앞에서 밤에 나체로 수음했다."

그리고 두번째는

"어머니는 낮에 돌아가셨다. 나는 어머니 집에서 에디트와 잤다.

"아내는?"

"내 아내는…… 밤에 나는 잠든 에디트 옆에 누워 있었다. (……) 나는 떨면서 맨발로 복도를 걸어갔다…… 어머니의 시신 앞에서 나는 두려움과 흥분으로 몸을 떨었다. 너무나 흥분한 나머지…… 나는 최면 상태에 빠졌네…… 나는 잠옷을 벗고…… 나는…… 무슨 말인지 알지……."[17]

분명히 바타이유는 세 차례나 이야기된 이 장면을 도착증에 관한 크라프트-에빙의 광대한 카탈로그에서 끌어내었음이 틀림없다. 하지만 이러한 행위 자체는 틀림없이 부모의 광기에 관한 다양한 에피소드들을 갖고 있는 그의 자전적 이야기의 일부로 봐야 할 것이다. 그는 어린 시절부터 부모의 광기를 누구보다 자주 목격할 수 있었다. 아버지인 아리스티드 바타이유는 다정다감한 성격이었지만 전신마비에 장님이어서 항상 의자에 앉아 있었다. 그리고 '앉은 채로 소변을 보고', '속옷을 똥으로 더럽히곤 하셨다'. 1911년경 정신착란으로 발작을 일으킨 아버지는 의사가 아내와 '정을 통한다'고 비난했다. 그러자 금방 그녀는 거의 이성을 잃었고, 아들이 보는 앞에서 남편에게 끔찍한 싸움을 걸고 난 후 지하실로 가서 목을 맸다. 자살은 실패로 끝났지만 1915년에 그녀는 또다시 광기에 사로잡혔다. 독일군이 진군해오던 그해 8월에 아리스티드를 떠난 그녀는 다시 남편 곁으로 돌아갈 생각만 해도 화가 치밀어올랐다. 하지만 그녀는 다시 돌아왔다. 조르주 바타이유는 이렇게 쓰고 있다. "아버지가 죽어가고 있다는 사실을 알자 어머니는 나와 함께 아버지 곁으로 돌아가기로 동의하셨다. 아버지는 우리가 도착하기 며칠 전에 돌아가셨다. 자식들을 찾으시면서. 우리가 도착했을 때 관은 이미 덮여 있었다."[18]

아들로부터 죽은 아버지를 가리고 있는 닫힌 관의 모습은 임신한 아내(에디트) 앞에서 화자의 외설스러운 행동에 '노출된' 어머니의 시신에 관한 에피소드에 대응된다. 한편으로는 아들을 낳을 때 장님이셨던 아버지의 몸이 사라지고 다른 한편에서는 이제 본인이 아버지의 경험을 하게 되는 바로 그 순간에 방탕한 아들 앞에 어머니의 시신이 나타난다. 화자는 이렇게 쓰고 있다. "아버지는 나를 장님(완전한 장님)으로 낳으셨기 때문에 나는 오이디푸스처럼 내 눈을 뽑을 수 없다. 그러나 나는 오이디푸스처럼 수수께끼를 알아맞히었다. 아무도 나보다 더 정확하게 맞히지 못했다."[19]

1930년 6월 10일에 조르주와 실비아 사이에서 외동딸 로랑스 바타이유가 태어났다. 이날 바타이유는 미셸 레리스, 칼 아인슈타인, 조르주-앙리 리비에르와 함께 『도큐망』지를 만들고 있었다. 그는 초현실주의를 논박했으며, 모든 반항은 단지 반항의 부정일 뿐임을 보여주기 위해 동물적인 표현을 극한까지 더 밀고 가야 한다고 주장하면서 자신의 위대한 경쟁자 앙드레 브르통과 맞섰다. 다시 말해 바타이유는 초현실주의에 반대하면서 그가 불가능이라고 이름붙인 것을 밝힐 수 있는 공격적인 반(反)이상주의를 설교했다. 모든 한계를 벗어난 것을 만날 때까지 모든 규칙을 모독하고 파괴하고 깨부수어야 했다는 것이다.[20]

다른 한편 실비아는 드디어 배우의 꿈을 실현하게 되었다. 이맘때쯤 그녀는 퐁텐느의 어느 카페에서 앙드레 브르통에게 사인을 받기 위해 자크 프레베르를 만나게 되었다. 카페를 나오면서 그녀는 프레베르에게 말을 걸었는데, 두 사람은 다음날 새벽까지 함께 여기저기를 걸었다. 그들은 서로에게 끌렸다.[21] 곧 그녀는 프레베르의 유명한 '패거리'에 들어가게 되었다. 이 그룹은 프레베르가 초현실주의와 결별한 후 '10월 그룹'이 된다.[22]

두 프레베르 형제와 이들의 유쾌한 동료들은 미국 무성 영화의 위대한 희극배우들에 열광했다. 다른 영화팬들처럼 이들도 꿈의 세계에서 살았고, 채플린과 버스터 키튼, 마크 세네트에 대해 토론하면서 시간을 보냈다. 자크 프레베르는 굉장한 이야기꾼이었다. 그는 우연처럼 보이지만 이면에는 끝없는 조롱을 담고 있는 논리적으로 구성된 병치법을 통해 말의 의미를 순식간에 뒤집을 줄 알았다. 그의 동생인 피에르는 겸손하고 수줍은 편이었으며, 『한여름 밤의 꿈』에 나오는 인물처럼 매력적이었다.[23]

자크 프레베르는 브뤼니우스의 소개로 장-피에르 드레퓌스(미래의 장-폴 르 샤누아)와 브뉘엘의 영화인 <안달루시아의 개>(1928)에 나오는 배우 피에르 바체프를 만났다. 이들은 시나리오 작업을 함께 했다. 하지만 이 계획은 안타깝게도 바체프의 자살로 중단되었다. 그후 그는 '노동자 극단 연맹' 출신인 레이몽 뷔시에르와 만나게 되는데, 뷔시에르는 레옹 무시크와 함께 '10월 그룹'을 창립한 인물이었다. 프레베르

형제는 루 치무코프라 불리는 연출가 루이 보냉과 마르셀 뒤아멜과 함께 이 그룹의 리더가 되었다. 나중에 장 다스테, 모리스 바케, 조세프 코스마가 여기에 합류한다. 이 '10월 그룹'은 볼셰비키 지식인 1세대가 보여준 공산주의로 나아가는 길의 동반자가 되기를 원했으며, 스탈린주의의 출현에도 불구하고 최초의 프롤레타리아 혁명의 조국인 소련에 대해 여전히 열렬한 충성심을 느꼈다. 그리고 이러한 혁명의 계승자로서 극장을 대중적으로 개혁하려고 노력했다. 그들은 브레히트, 피스카토르, 선전 선동, 프롤레타리아 극장을 모델로 삼았다. 프레베르 형제가 주도한 이 '10월 그룹'은 시적 사실주의를 만들어냈다. 시적 사실주의는 르누아르 혹은 카르네, 페데르 등이 주도한 프랑스 영화계에서 성공을 거두었으며, 우스꽝스러운 말의 힘을 이용해 부르주아의 순응주의의 부조리함을 보여주었다. 그들은 1933년에 모스크바와 레닌그라드에서 <퐁트누아 전투>를 선보여 '노동자 극단 국제 올림피아드'에서 우수상을 차지했다.[24]

이 '10월 그룹'의 핵심에는 실비아 바타이유도 있었다. 이제 24세가 된 그녀는 아름다운 배우가 되었다. 창백한 얼굴과 얇은 입술 그리고 어린애같이 날씬한 몸매는 특별한 매력을 자아냈다. 산뜻하면서도 모호한 분위기의 얼굴은 클림트와 같은 빈 분리파의 색채와 쇠라 같은 인상파 회화의 필치를 연상시켰다. 그녀는 고집이 센 만큼이나 쾌활하기도 했다. 슬픔을 머금은 칠흑 같은 눈은 늘 무기력한 반항의 빛을 띠면서 30년대 여성들의 치욕스런 사회적 지위를 보여주는 것 같았다. 르누아르가 그녀에게 <시골 여행>의 여주인공 역을 맡기기로 작정한 것은 아마 이런 반항적 분위기를 생각했기 때문일 것이다. 그는 실비아가 모파상의 작품에 나오는 인물인 앙리에트 뒤푸르의 목소리를 가졌다고 생각했다.[25]

한편 그녀는 조르주 바타이유를 떠났다. 바타이유는 두 사람의 사랑에 얽힌 이야기를 책에서 드러내지 않는 편이었지만 『하늘의 푸른빛 *Le bleu du cie*』에서는 화자의 아내를 에디트라고 부르며 두 사람의 파경에 대해 이렇게 이야기한다. "나는 내가 사랑했던 모든 이들에게 겁쟁이처럼 행동했다. 아내는 내게 아주 헌신적이었다. 내가 속이고 있는데도 나를 무척이나 좋아했다."[26] 그는 또 마음을 뒤흔든 아내의 편지 내용에 대해 언급했다. 그것은 꿈 이야기였다. 에디트는 이렇게 말했다. "우리 두 사람은 여러 친구들과 함께 있었는데, 당신이 밖에 나가면 암살될 것이라고 떠들었어요. (……) 어떤 사람이 당신을 죽이러 왔어요. 당신을 죽이려면 그 남자는 손전등을 켜야 했어요. 나는 당신 곁에서 걸어가고 있었고, 그 남자는 자기가 당신을 죽이려 한다는 것을 내게 알리고 싶어서 전등불을 켰어요. 그러자 전등에서 총알이 날아와 내 몸을 관통했어요. (……) 당신은 젊은 여자와 침실로 들어갔어요. 그러자 그 남자가 때가 되었다고 했어요. 그는 전등에 불을 켰어요. 그러자 당신을 향해 전등에서 두번째 총알이 발사되었어요. 하지만 당신을 겨냥했지만 이번에도 내가 맞아 나는 이제 끝이라고 생각했어요. 나는 목구멍에 손을 대어보았어요. 목구멍이 뜨겁고 피로 얼룩져 있었어요."[27] 이 꿈 이야기는 앞으로 다가올 현실을 예언해주기 때문에 그만큼 더 흥미로웠다. 조르주와 실비아가 결혼한 지 11년 후인 1939년에 그녀를 여전히 사랑하고 있던 프랭켈은 실제로 권총을 들고 국립 도서관 출구에서 바타이유를 기다리고 있었다. 그는 정열적으로 사랑했던 실비아가 조르주를 떠난 지 이미 몇 년이 지났음에도 불구하고 '라이벌'을 죽일 생각이었다. 하지만 너무나 다행스럽게도 그 사건은 우스꽝스런 해프닝으로 끝나고 말았다.[28]

　로랑스는 부모가 헤어질 때 겨우 네 살밖에 되지 않았다. 그녀는 이 일로 얼마나 고통스러웠는지에 대해 종종 주위 사람들에게 이야기하긴 했지만 자전적인 글을 통해서 이를 표현하게 된 것은 1984년에 와서였다.『하늘의 푸른빛』의 여성 화자처럼 그녀도 꿈 이야기를 했다. 그녀는 1963년에 콘라드 슈타인에게서 분석받으면서 이 꿈의 의미를 해석할 수 있었다. 그녀는 꿈속에서 굴뚝새가 꼬리털을 뽑힌 채 족제비에게서 달아나려 하는 것을 보았다. 그리고 그 자리에 피의 흔적이 보였다. 굴뚝새는 뒤돌아보며 날개를 퍼득거렸지만 아무 소용도 없었다. 화자는 이렇게 말했다. "아버지가 족제비로 상징되다니 참으로 기이했다. (……) 아버지는 내게 조금도 중요치 않았다. 아버지는 내가 네 살 때 집을 떠나셨다. 이따금 아버지를 만나긴 했지만 그에 대해 어떤 감정도 느끼지 못했다. 일 년 전의 아버지의 죽음에 대해서도 나는 무관심했다."[29]

피의 흔적 또한 로랑스의 고통스런 기억을 나타냈다. 그녀는 바타이유가『눈 이야기』에서 사용한 은유를 똑같은 방식으로 사용했다. 사실 그녀는 아주 어린 시절에 어머니가 잘못해서 눈썹 집게로 자기 속눈썹을 뽑았던 기억을 떠올린 것이다. 갑자기 그녀는 거울 속에서 피가 묻은 자기 눈을 보았다. 일련의 연상 작용을 통해 그녀는 이 꿈에서 바타이유-마클레스 집안에서 전형적으로 나타나는 가족 구조를 추리해냈다. 이 집안 남자들은 사유의 영역만큼은 고수하기 위해 아내가 남편을 휘어잡도록 내버려두었다. 화자는 이렇게 말했다. "사실 우리 집안에서 사유 영역은 남자들만의 독점적인 몫이었다. 그것은 남성들만의 특권이자 속성이었다. 그러한 질서 있는 분배만이 혼돈을 피할 수 있었다. 따라서 여자가 그것을 가로챈다는 것은 있을 수 없는 일이다. 적어도 나의 경우에는 그랬다. 그래서 나는 항상 생각하지 않도록 노력했다."[30]

실제로 마클레스 자매들은 사고의 특권을 조금도 누리지 못했다. 하지만 이들은 모두 지식인들과 결혼했다. 실비아와 비앙카는 미모와 재능, 생기 있는 창의력에서 서로 닮았다. 뿐만 아니라 열렬한 극좌파였던 점에서도 닮았다. 그러나 로즈와 시몬느는 다른 기질을 갖고 있었다. 로즈는 평생 동안 훌륭한 가정주부였으며 요리 솜씨가 뛰어났다. 그녀는 1934년에 앙드레 마송과 결혼하여 그에게 대단한 영향력을 행사했다. 그때 마송은 아직 그림으로 생계를 유지할 만한 형편이 되지 못했다. 당시 그는, 역시 화가였고 술 때문에 점점 더 악화되어가는 심한 신경 발작으로 고생하던 폴 베즐레와의 파란 많은 연애 관계를 청산했다. 알코올 중독자이자 심한 우울증 환자였던 마송은 창조적인 화가로서 평온한 부부 관계에는 전혀 어울리지 않는 여자를 감당할 수가 없었던 것이다.[31] 이후 그는 로즈에게서 마음의 평정을 찾았고, 그로 인해 평화롭게 일할 수 있게 되었다.

한편 시몬느는 보수적인 부르주아에 속했다. 전쟁 전에 그녀는 공무원이면서 경제 전문가인 장 피엘과 결혼했는데, 나중에 그는 바타이유가 『비평』지를 창간하는 데 도움을 준다. 따라서 실비아는 비앙카가 죽은 다음에는 가족 중 반항적 기질을 가진 유일한 사람이 되었다. 배우가 되어 생계를 벌게 되자 그녀는 부모와 형제들에게 도덕적이고 경제적인 면에서 꾸준한 뒷받침이 되어주었다. 왜냐하면 그녀의 정치 참여는 희생까지 감수할 수 있는 헌신의 정신을 수반했기 때문이다. 이 점에서 그녀를 희생자로 묘사한 바타이유의 글은 정확했던 셈이다. 실비아 바타이유는 아주 많은 친구들을 얻게 된다. 그녀는 매력과 미모뿐만 아니라 뛰어난 품성으로도 많은 사랑을 받았다.

바타이유-마클레스 집안은 다른 집안과도 관계를 맺게 되었다. 한쪽에서는 미셸 레리스와 칸바일러 가족이, 그리고 다른 쪽에서는 레이몽 크노와 칸 가족이 있었다. 1926년에 루이즈 고동과 결혼한 레리스는 아내의 진짜 혈통을 숨겼다. 제트라는 애칭으로 불렸던 루이즈는 아라공과 같은 배경을 갖고 있었다. 1902년에 뤼시 고동의 딸로 태어난 그녀는 외조부모 밑에서 자랐다. 그래서 그녀는 그들을 부모로 여겼고, 그들은 그녀에게 어머니를 언니로 믿게 했다. 그녀는 18세가 되어서야 진실을 알게 되었지만 어머니는 이미 일 년 전에 다니엘-앙리 칸바일러라는 유명한 화상과 재혼한 후였다. 그는 대부분의 입체파 그림들을 시장에 내놓았고, 피카소의 그림들을 상당히 많이 소유하고 있었다. 레리스와 결혼한 후 제트는 자기 출생의 진실을 조심스럽게 숨기면서 소위 '형부'의 화랑을 운영했다. 가족들만이 '비밀'을 알고 있었다. 다른 한편 레이몽 크노는 지니 칸과 결혼했다. 그녀의 언니인 시몬느는 앙드레 브르통의 첫번째 부인이었다. 칸 자매와 마클레스 자매들은 빌리에 가에 있는 기숙사 시절부터 잘 아는 사이였다.[32]

바타이유는 지나친 술과 수면 부족, 섹스로 거의 죽을 정도로 몸을 혹사시키면서 『하늘의 푸른빛』의 화자처럼 사고의 특권을 누렸다. 그는 이렇게 쓰고 있다. "지금 나는 나와 맺어져 있는 유일한 존재〔에디트-실비아〕에게 공포와 혐오의 대상이라는 점에 만족한다."[33] 이혼 후에도 그는 실비아와 친밀한 우정 관계를 유지했다. 그는 그때 이미 콜레트 페뇨와 함께 살고 있었다. 그는 그녀를 로르라고 불렀다.

실비아와 달리 로르는 바타이유의 방탕을 헌신적으로 받아들였다. 마치 그의 방탕 속에서 그녀 자신의 죽음의 길을 발견하려는 듯했다. 그녀는 1938년에 결핵으로 죽기 전 아드리앙 보렐에게서 분석받았다. 레리스는 이렇게 쓰고 있다. "고귀한 것을 그녀가 얼마나 소중하게 여겼는지, 또한 대부분의 사람들이 굴종하는 규범들에 대해 얼마나 강력하게 반대했는지는 그녀 가까이 있던 사람들이라면 누구나 잘 알고 있었다."[34] 그녀가 죽은 후에 바타이유는 그녀의 글들을 발표했고, 그녀의 성생활을 잔인하다고 할 정도로 정확하게 기록한 전기를 썼다. 다른 한편 이미 앞에서 살펴보았듯이 1931년에 그녀와 함께 『사회 비평』지를 창간했던 수바린느는 그녀를 정신이상자로 여겼고, 따라서 그녀를 그녀 자신으로부터 보호해주려고 애썼다. 그는 그녀를 빼앗아간 라이벌을 결코 용서하지 않았고, 바타이유를 '색광'으로 취급했다. 1934년에 그는 절친한 여자친구인 올레시아 셍키에비츠에게 자기 고민을 털어놓으며, 그녀의 도움에 대한 감사의 마음을 전했다. "때가 되면 그녀〔콜레트〕는 아마 내가 그녀를 처음 알았던 시기의 그녀처럼 솔직해질 것이고 다시 마음을 열게 될 겁니다. (……) 그녀가 나를 떠나긴 했지만 나는 여전히 그녀가 우리가 함께 했던 과거, 함께 나누었던 생각들 그리고 말로 표현할 수 없는 우리의 애정에 충실할 것이라 믿습니다. (……) 모든 도덕적 가치들을 거부하도록 콜레트를 부추기는 사람은 그녀 자신에게 치명적인 해를 저지르는 것입니다."[35]

올레시아는 라캉과의 애정 관계가 파괴되어가듯 콜레트 페뇨와 수바린느의 관계도 깨져가는 것을 지켜보았던 셈이다.

실비아는 그녀를 미치도록 사랑한 피에르 브론베르제의 도움으로 영화계에 진출하게 되었다. 그녀는 '10월 그룹'에 속하는 배우들과 함께 장 르누아르가 프레베르와 공동 연출한 영화 <랑즈 씨의 범죄*Le Crime de Monsieur Lange*>에 처음으로 캐스팅되었다. '삶의 연극'과 집단적 노력의 찬미를 기본 주제로 하는 이 걸작 영화는 특히 최선을 다해 연기한 '10월 그룹'의 배우들에게 감격적인 찬사를 안겨주었다. 실비아는 쥘 베리의 야비한 유혹에 희생당하는 인쇄소 여직공 역을 맡았다.

르누아르는 브론베르제의 권고로 실비아에게 중요한 역을 맡기는 문제를 진지하게 생각하게 되었다. 그는 옛날에 코메디아 델 아르테 (Commedia dell'arte)가 유행한 특별한 시대가 있었듯이 영화를 위한 특별한 시대가 시작되리라는 점에서 르네 클레어와 생각을 같이했다. 그리고 이 시기가 틀림없이 19세기 후반기와 관련된다고 믿었다. 그는 이렇게 말했다. "……사실주의를 벗어나야 하고, 또한 우리의 모든 영화는 영화 시대에 속하는 풍속을 갖고 만들어야 한다. 이것은 영화적 진실과는 정반대이다."[36] 르누아르에게 이 '영화 시대'는 아버지의 그림들에서 이미 묘사된 바 있는 시기와 같았다. 즉 풀밭 위에서의 식사,

보트 놀이, 강가의 야외 카페 등이 그것이었다. 그는 모파상의 단편소설인 「시골 여행」에서 인물들의 성격과 배경, 장소, 비극적인 마지막 장면을 따왔다.

파리에서 철물점을 운영하는 뒤푸르 씨는 어느 화창한 여름날 아침 풀랭 영감의 여인숙 마당에서 아내와 딸 앙리에트, 점원 아나톨과 함께 아침을 먹으면서 세느 강가의 자연을 만끽해보기로 한다. 식사 후에 그는 점원을 데리고 낚시를 하러 간다. 점원은 금발 머리에 허약한 느낌을 주는 인물이었다. 한편 앙리에트와 어머니는 보트를 타며 휴가를 보내고 있는 두 남자와 시시덕거리고 있었다. 그때 앙리에트는 처음으로 키스를 경험하게 된다. "그녀는 격렬하게 반항하며 그 남자를 피하기 위해 등을 돌렸다. 하지만 그는 온몸으로 덤벼들었다. 그는 자기를 피하는 그녀의 입술을 한참 동안 찾아 헤맸다. 드디어 그의 입술이 그녀의 입술을 덮쳤다. 그러자 그녀는 욕망의 파도에 넋을 잃은 채 그를 품에 꼭 안으면서 다시 키스했다. 그리고 그녀의 저항은 너무나 무거운 것에 짓눌린 것처럼 모두 사그라들었다."[37]

몇 년이 지난 어느 일요일 앙리에트는 남편 아나톨과 함께 세느 강가를 다시 찾았다. 그녀는 첫 키스를 했던 바로 그 장소에서 옛날의 그 남자를 다시 만난다. 그녀는 그에게 "매일 밤 그때의 일을 생각해요"라고 말한다. 그리고는 슬픈 현실로 되돌아간다. 앙드레 바쟁은 이렇게 쓰고 있다. "섬에서의 이 러브 신은 세계 영화 사상 가장 끔찍하면서도 가장 아름다운 순간 중의 하나이다. 이 장면의 섬광 같은 효과는 실비아 바타이유의 몸짓과 시선에 담긴 애절한 감정의 리얼리티 덕분에 나올 수 있었다. 이 영화에서 표현된 것은 사랑 후의 실망 혹은 오히려 슬픔이다."[38]

조르주 바타이유는 신학생 차림으로 이 영화에 잠깐 출연했다. 이처럼 비극적인 사랑의 찬가에 그가 잠깐 출연한 것은 그의 아내가 이 영화에서 노예처럼 운명에 순종하면서도 그것에 반항하는 여주인공 역을 맡았던 만큼 더욱 의미가 있었다.

실비아는 처음 맡은 이 주인공 역으로 본격적으로 영화를 시작하게 될 수도 있었지만 사정은 그녀에게 유리하지 않았다. 브론베르제가 제작한 이 영화는 50분짜리로 풍경이 1880년의 세느 강가와 닮은 루엥 강가에서 촬영되었다. 비 때문에 촬영이 연기되었고, 르누아르는 시나리오를 수정해야 했다. 실비아와 격렬하게 논쟁한 후 그는 처음에 계획한 모든 장면들을 촬영하지 않은 채 영화를 끝내버렸다. 결국 시사회는 1946년에야 이루어졌고, 1936년에 실비아를 일류 배우로 만들 수 있었던 이 <시골 여행>은 10년 동안 묻혀 있어야 했다.

같은 해 '10월 그룹'은 경제적 문제로 활동을 중단했다. 동료들은 모두 흩어져 각자 자기 길을 갔다. 여전히 프레베르와 아주 친했던 실비아는 프레베르가 시나리오를 쓴 마르셀 카르네의 첫번째 영화인 <제니Jenny>에서 단역을 맡게 되었다. 다음해에는 프랑수아즈 로제이가 여주인공 역을 맡은 자크 페데르의 <관광객들Gens du voyage>에도 출연했다. 그러나 얼마 후 전쟁이 일어나 그녀의 모든 희망을 앗아갔다. 왜냐하면 페탱의 반유대주의 법이 그녀의 활동을 금지하기도 했을 뿐만 아니라 그녀 또한 너무 정치 참여적이어서 그러한 체제 하에서 일하는 것을 스스로가 받아들일 수 없었기 때문이다. 1946년에 <시골 여행>이 처음 상영되었지만 이미 때가 너무 늦었다. 어느새 38살이 된 그녀는 이미 다른 삶을 선택해 라캉의 아내가 되어 있었다. 그녀는『카이에 뒤 시네마』지에서 향수에 젖은 채 옛날 촬영할 때의 추억을 떠올렸다. 그녀는 이렇게 말했다. "르누아르는 거장이었다. 그는 시간을 아끼지 않고 배우가 자신이 맡은 역을 제대로 이해할 수 있도록 해주었다. 하지만 만일 배우가 계속 연기를 제대로 하지 못하면 아주 크게 화를 냈다. 그와 일할 때 우리의 연기가 항상 좋았던 것은 아니지만 언제나 진실했다."[39]

라캉과 코제브가 프로이트와 헤겔을 비교하는 공동 작업을 막 시작하려고 할 때 바타이유는 『아세팔르*Acéphale*』(머리 없음이라는 뜻 — 옮긴이)지를 창간했다. 표지에는 앙드레 마송의 이상한 그림이 소개되었다. 내장이 겉으로 드러나고 성기 자리에 두개골이 달린 머리 없는 남자의 그림이었다. 그는 『반격*Contre-Attaque*』지에서 단명에 그친 실험을 통해 브르통과 화해하고 또 팽창하는 파시즘에 반대하는 인민 전선을 지지하게 된 후 코제브가 지식인들의 숙명이라고 비난했던 '게으른 부정성'을 거부했다. 역사는 '끝이 나고', 프랑스 사회는 죽어가고, 전쟁은 임박해 보였다. 다른 한편 그는 사방에 만연해 있는 너무나 유해한 도덕적 위기에 대해 '무두성(無頭性)'으로 응수하고 싶었다. 그는 사라진 세계의 황홀한 힘을 위해 문명화된 세계의 계몽을 포기할 것을 제안했다. 인류의 정신을 각성시킬 수 있는 힘을 상실했다고 판정된 진보에 대한 이러한 반항의 움직임은 어떤 면에서는 1880년대의 상징주의자들의 움직임을 되풀이하는 것이었다. 바타이유가 격찬한 소설 『저승에서 *Là-bas*』(1891)에서 위스망스는 이미 주관성을 넘어선 신화적 차원의 도래를 선언한 바 있었다. 이것은 바타이유가 30년대 말에 관심을 보였던 '비신학적 체험(experience athéologique)'과 유사한 입문 과정으로 화자의 관심을 이끌고 갔다. 마송이 그린 목이 잘린 인간의 몸은 서양적 이성에 대한 근본적인 비판을 위해 인간의 사유의 장소인 머리를 희생할 필요가 있다는 메시지를 담고 있었다.

이런 점에서 볼 때 『아세팔르』라는 잡지는 같은 이름을 가진 비밀 단체의 겉으로 드러난 일부분이기도 했다. 이 단체는 모든 이성적 논리에 대해 '그노시스의 비지식'을 설교하는 아주 이상한 단체였다. 그리고 심지어 세계의 재앙에 대한 전면적인 반대를 '의식(儀式)적 범죄'로 실천하기도 했다. 특히 바타이유와 카이유가 포함된 이 '신성한 음모' ― 미셀 레리스는 이성적이고 과학적인 정신의 미덕에 너무나 집착했기 때문에 이를 비판했다 ― 의 입회자들은 차라투스트라에게서 영감을 받아 새로운 종교를 세우고 이 단체의 활동을 비밀로 할 것을 약속했다. 그러나 그들은 국가에 대한 어떤 '반역'도, 어떤 테러리즘 행동도 허용하지 않았다. 이 '음모가들'은 민족학으로부터 형태와 주제들을 차용한 허무주의적 반역의 영웅들이었다.

프로이트의 『집단 심리학과 자아 분석』을 접하게 되면서부터 프로이트의 훌륭한 독자가 된 바타이유는 정신분석 운동을 크게 뒤흔든 죽음에의 충동에 관한 이론 역시 기꺼이 수용했다. 따라서 바타이유는 마송이 그린 머리 없는 남자의 육체적 죽음이 자기 운명을 이성에 기반한 것으로 보는 모든 주체의 죽음을 표상한다고 보았다. 그는 이렇게 쓰고 있다. "우리는 지독하게도 종교적이다. 우리의 존재 자체가 오늘날 널리 인정되고 있는 모든 것에 대한 저주인 한 우리는 그만큼 비타협적이어야 한다. 우리가 지금 시도하고 있는 것은 전쟁이다."[40]

사드 후작과 니체는 키에르케고르와 돈 후안, 디오니소스와 함께 이러한 희생적인 십자군의 상징적인 인물이었다. 클로소프스키는 『아세팔』지 첫 호에 실린 '괴물'이라는 기사에서 이 그룹의 색깔을 예고했다. "사드의 인물들은 영혼의 불멸성을 부정한 대가로 완전한 괴물로 인정되기를 원했다."[41] 자아를 부정함으로써 나타난 이 기괴함은 의식보다 꿈의 전능함을, 자기 집착보다 무집착의 전능함을, 가능성보다 불가능성의 전능함을 주장했다. 사드의 인간관이야말로 신이 없는 현대인의 모델이었다. 욕망의 대상들의 실재를 파괴하고 이를 향유하려면 머리 없는 사람이 자기 머리로부터 도망치고 주체들은 자기 이성으로부터 도망쳐야 하듯이 사드적 인간들은 각자의 감옥에서 도망쳐야 했다. 프로이트의 Wunsch와 헤겔과 코제브의 Begierde(욕망)의 대조에서

[42] 나온 이러한 괴물 옹호론은 1937년 1월에 발간된『아세팔르』2호에서 니체에게 바쳐진「니체와 파시스트들」라는 제목의 글로 이어졌다. 클로소프스키는 이 글에서 니체 연구의 현황을 개괄했다.[43]

니체의 저서는 19세기 말부터 프랑스의 여러 문학지에 소개되고 번역되기 시작했다. 이미 앞에서도 언급했듯이 쥘 드 고티에는 허무주의와 반(反)이성주의라는 측면에서 니체 이론을 보바리즘과 연결시켰다. 하지만 앙드레 지드와 폴 발레리의 글에서는 니체의 이론이 이보다 덜 직접적으로 나타났다. 다른 한편 모라스는 비스마르크 체제에 대한 비판과 반사회주의적인 입장 때문에 니체의 저서에 찬사를 보냈다.[44] 브르통은 비록 서양의 모든 이성적 가치들에 대한 니체의 공격이 아주 급진적이라는 것은 인정했지만 결코 그렇게 열광적이지는 않았다.[45] 바로 이 니체가 1925년경의 라캉의 니체였다.『차라투스트라』의 주제, 특히 초인 이론에 대한 깊은 애착만 빼면 말이다.

전후에 샤를 앙들레는 니체의 저서와 삶, 그의 사상의 기원에 대한 기념비적 연구를 통해 니체 철학에 대한 프랑스인들의 시각을 바꾸어 놓았다. 그는 당시까지만 해도 니체를 둘러싸고 있던 바그너적 구속복을 부숴버리고 니체가 유럽의 사상가, 세계주의자, 보편주의자임을 보여주었다. 이리하여 니체주의는 비록 헤겔주의로 착색되고 프랑스 풍 사회학이 가미되긴 했지만 이제 철학사의 한 부분이 되었다. 앙들레는 확실히 괴테와 베토벤의 독일을 숭배했다. 하지만 그는 1918년의 마른 전투 직전에 책을 완성했지만 1920년까지 출판을 미루었다.[46]

하지만 1935년에 독일에서 우상화되던 니체는 이처럼 프랑스 식의 '계몽적인' 니체가 아니었다. 40여 년 전까지 거슬러 올라가는 일련의 비슷한 오용에 이어 니체의 누이동생인 엘리자베트 푀르스터는 모든 위대한 저서에 고유하게 나타나는 모호성을 이용해 니체 철학을 나치즘과 파시즘에 우호적인 이론처럼 소개했다. 오빠가 꿈꾸던 초인이 히틀러로 구현되었다고 확신한 그녀는 이 지도자를 광적으로 지지했으며, 『나의 투쟁』과 로젠베르크의 『20세기의 신화』와 함께 1차 세계대전에서 독일이 러시아에 승리한 것을 기념하기 위해 세워진 탄넨베르크 기념관에 성대한 의식과 함께 『차라투스트라』한 권을 기증했다. 그녀는 이렇게 쓰고 있다. "나는 히틀러가 자기 민족에 대해 너무나 용감하고 철저하게 책임지는 것을 보았으며 오빠도 분명히 기뻐했으리라고 확신한다."[47]

바타이유는 1937년 1월에 발간된 『아세팔르』 2호에서 니체 철학에 대한 이처럼 치명적인 오용을 공격했다. 그는 니체가 누이동생과 그녀의 남편의 반유대주의를 격렬하게 비난했으며, 흙과 민족 혹은 조국에 관한 어떠한 이론도 지지하지 않았던 사실을 나치와 파시스트들에게 상기시켰다. 니체는 신의 죽음이 가져온 결과들에 직면해 모든 형태의 속박으로부터 해방될 것을 현대인에게 호소하는 철학적 저서를 완성했다. 니체가 말하는 진정한 초인은 힘의 의지에 의해 고무된다. 그는 새로운 문화와 새로운 형이상학을 가진 인간으로서, 이 두 가지 모두 파괴 행위에서 유래하는 창조 행위를 기반으로 한다. 또한 바타이유는 엘리자베트 푀르스터가 저지른 사기를 제외하면 니체 저서에 대한 두 가지 해석이 가능하다는 것을 지적했다. 하나는 독일의 신이교도주의에서 영감을 받은 소위 우파적인 해석으로서, 초인 이론을 즉각 아리안족의 우수성에 연결시킨다. 이와 반대로 소위 좌파적인 해석으로 불리는 다른 하나는 초인 이론이 자아를 초월해 실존적인 자유에 이르기 위해 인간에게 '군중'으로부터 떨어질 수 있도록 해주는 창조적인 혁명의 길을 열어주었다고 보았다. 그의 잡지에서 바타이유는 이 두번째 해석을 선택했고, 클로소프스키는 1935년에 독일어로 출간된 야스퍼스의 연구를 높이 평가했다. 이 연구에서 야스퍼스는 니체의 저서를 키에르케고르의 저서에 비추어 해석했는데, 이 두 사람 모두 객관적인 합리

성의 철학과 결정적으로 결별했다는 것이다.[48]

바타이유가 니체 저서에 대한 좌파적인 해석을 지지한 방식은 『철학 연구』 그룹이 하이데거 저서의 해석을 통해 헤겔주의를 수용했던 방식과 비슷했다. 양쪽 모두에게서 중요한 것은, 당시 누구나 현대 독재 권력의 출현으로 파괴될 위협에 직면하고 있다고 느꼈던 신이 없는 세계 속에서 주체의 역사적 참여와 인간의 자유라는 두 가지 문제에 어떻게 접근할까 하는 것이었다. 이러한 배경에서 바타이유는 니체의 반항을 일종의 '신성한 테러'로 파악했다. 즉 그것은 역사가 끝나기 전에 사회 질서를 전복하기 위한 최후의 방법이라는 것이다. 따라서 『아세팔르』의 마지막 두 권에서 다시 니체가 다루어진 것은 우연이 아니었다. 두 권에는 키에르케고르의 돈 후안 및 디오니소스 초상과 함께 니체의 정신착란 50년을 기리는 기념사도 들어 있었는데, 이것은 1928년에 초현실주의자들이 히스테리 발견 50주년을 기념하기 위해 내놓은 기념사에 비견할 만한 것이었다. 실제로 바타이유도 광기는 질병이라기보다는 인격의 통합적인 부분이라는 초현실주의자들의 생각을 공유하고 있었다. 그러나 그는 프로이트의 무의식에 대해서는 브르통과 견해를 달리했다.

브르통은 꿈과 자네의 자동 운동에 대한 인식을 통해 프로이트의 학설에 접근한 후 광기의 징후들 속에서 글, 언어, 미학을, 그리고 무의식 속에서 의식을 넘어서는 지점과 인간의 혁명적 변화를 위해 실제 삶과 소통할 수 있는 지점을 차례차례 찾아내려고 했다. 하지만 바타이유의 접근 방식은 이와 아주 달랐다. 집단 심리학과 집단 동일시 현상을 통해 프로이트에 관심을 갖게 된 그는 광기를 무와 무두성(無頭性)으로 이어지는 한계 체험으로 보았고, 무의식은 비열함과 타락, 쓰레기들로의 유혹과 개인의 내적 갈등을 드러내는 의식 내의 비인식이라고 생각했다. 즉 어떠한 생물학적 흔적도 없는 본능이라는 것이다.[49]

초기 프랑스 니체주의자 중의 하나였던 바타이유는 이어서 코제브의 헤겔 해석에서 영향을 받는데, 이후 니체에 대한 그의 믿음은 주로 허무주의를 통해 다시 확고해진다. 하지만 코이레 밑에서 종교사를 공부하고 마르셀 모스와 뒤르켐에게서 영향을 받은 바타이유는 신비주의와 성스러운 것 속에도 철학적 원리가 들어 있을 수 있다는 것 또한 믿었다. 아마 그래서 그는 브르통이 신비술에 매료되었듯이 파시즘에 매력을 느꼈을 것이다. 바타이유는 파시즘에 의해 생겨난 무기들을 이용해서 대중적인 광신과 열광의 방향을 파시즘에 대한 공격으로 돌려야 한다고 주장했다. 민주주의가 세계의 의식을 수호할 수 없음을 스스로 드러낸 이상 반민주주의적 방법이 동원될 수밖에 없기 때문이다. 그는 이렇게 말했다. "나치는 광적으로 제국을 사랑할 수 있다. 우리 역시 열광적으로 사랑할 수 있다. 하지만 우리가 사랑하는 것은 우리가 프랑스인 임에도 불구하고 프랑스 공동체가 아니라 인류 공동체이다. (······) 우리는 도덕적 자유와 연결된 보편적 의식에 호소하는 것이다······."[50]

그러나 브르통이 결코 신비적인 것을 이론적으로 승인하지 않았듯이[51] 바타이유 또한 결코 현실 파시즘을 지지하지 않았다. 1936년 봄에 『반격』 그룹의 해산을 가져온 논쟁의 원인은 파시즘이었다. 바타이유는 장 도트리가 작성한 팜플렛에 서명했는데, 거기에는 다음과 같은 내용이 들어 있었다. "우리는 휴지와 다름없는 조약과 법무대신들의 비열한 글투에 반대한다. 회의 석상에서 합의 작성된 선언문에 사람들은 그저 마지못해 따를 뿐이다. 우리는 순진한 바보처럼 속아넘어가지는 않지만 어쨌든 히틀러의 반외교적 난폭성을 선호한다. 그것은 외교관과 정치가들의 너절한 흥분보다는 분명 평화에 덜 치명적이기 때문이다."[52]

따라서 초현실주의자들은 바타이유의 친구들에게 '수바린적 초파시즘'이라는 명칭을 붙였다. 이때 초파시즘이란 '극복된' 파시즘이라는 의미였고, 수바린이란 말은 『반격』 그룹이 옛날의 '민주 공산주의 클럽'에서 나온 사실을 암시하는 것이었다.[53] 하지만 이를 둘러싼 논쟁과는 전혀 무관하게 바타이유와 브르통 사이에 진정한 의미의 철학적 논쟁이 벌어졌다. 바타이유가 파시즘의 무기를 파시즘에 반대하는 데 사용하고 의회 민주주의 ── 여하튼 히틀러 앞에서 품위를 잃어버린 ── 를 모욕하고자 했던 것은 그가 인간 사회에 대한 소위 이종(異種) 구조적 또는 외설적 시각으로부터 정치 철학을 끌어냈기 때문이다.

해부 병리학 분야에서 '이종 구조'는 다른 정상적인 세포 조직과 구별되는 병적인 세포 조직을 가리킬 때 쓰이는 말이다. 하지만 바타이유는 이종 구조란 용어를 동화할 수 없는 것, 회복할 수 없는 것, 찌꺼기 혹은 '흔적'의 과학을 가리키기 위해 사용했다. 그는 이를 통해 만사를 사고 가능한 범위에 국한시키는 철학에 반대했다. 그는 이렇게 쓰고 있다. "무엇보다 이종 구조는 세계에 대한 모든 동종적 표상, 즉 모든 철학 체계에 대립된다. (……) 따라서 이 이종 구조는 철학 과정의 완전한 전도를 목표로 한다. 즉 그것은 철학 과정을 배설 기구로 바꾸어 그 속에 사회적 존재 속에 내포되어 있는 강렬한 만족의 요구를 끌어들인다."[54] 바타이유가 자기 사유의 중심에 놓았던 이종 구조는 초현실주의가 아직도 부르주아적 해방이라는 이상에 너무나 집착한다고 비난하면서 개인적 반항이 아니라 인간과 사회에 고유한 '저주받은 부분'에 대한 각 주체의 각성을 촉구했다. 이러한 관점에서 그는 로제 카이유, 미셸 레리스와 함께 1937년 3월에 '콜레주 드 소시올로지'를 창립하는데, 이 학교는 전쟁 때까지 계속 활동한다.

이 학교는 일반 학교가 아니었으며, 사회학자들에 의해 창립된 것도 아니었다. 다양한 분야의 출신들로 구성된 이 특이한 단체는 신화와 신성한 것의 영역에서 나타나는 사회와 인간 현상들의 모호한 힘을 이해하고 이해시킬 목적으로 잠깐 동안 존속했었다. 이 학교는 『아세팔르』

의 비밀 활동을 공식화시켰고, 여기에 이론적 내용을 제공했다. 바타이유와 그의 친구들 외에도 수많은 작가와 철학자들이 강연에 초대되었다. 그 중에는 코제브와 폴랑, 장 발, 쥘 몬느로도 있었다. 모임은 게-뤼삭 가의 서점 뒷방에서 열렸고, 청중 중에는 쥘리앙 방다, 드리외 라 로셸, 발터 벤야민 등과 미국으로 망명하기 전에 일단 파리에 머무르고 있던 프랑크푸르트 학파 출신들이 포함되어 있었다. 드니 올리에는 프랑스 사회가 분열되기 전 두 해 동안 이 모임을 지배했던 이상한 분위기를 다음과 같이 생생하게 묘사하고 있다. "달라디에가 '인민 전선'을 분쇄하려고 했던 몇 해 동안에 상황은 특히 암울했다. 모두가 그에게 원한을 품었고, 그 동안 라인 강 쪽에서는 히틀러가 누구도 저항할 수 없는 속도로 치고 올라와 벌써 생존 공간(Lebensraum)이 답답하다고 느끼고 있었다. 로베르 아롱은 이 시기를 '1차 대전 후의 끝'이라고 불렀고, 레이몽 크노는 '인생의 휴일', 장-폴 사르트르는 '집행유예'라고 했다."[55]

라캉의 저서를 보면 코제브와 코이레의 영향은 아주 분명하게 나타나는 반면 바타이유의 영향은 결코 분명하게 나타나지 않는다. 두 사람은 1934년부터 프랑스에 헤겔 철학을 부활시키는 일에 함께 참여하면서 우정을 나누게 된다. 이런 의미에서 그들은 동일한 지적 모험의 주인공들이었다. 그들은 같은 생각과 같은 개념에 고취되었고, 같은 '가족'이 되었다. 그러나 1932~33년에 라캉은 여전히 초현실주의자들과 아주 가까이 지내고 있었다. 특히 크르벨과 달리와 아주 가까웠다. 그들은 그의 박사 논문을 하나의 사건이라고 찬사를 보냈고, 라캉은 초현실주의 잡지인 『미노토르』지에 논문을 발표했다. 게다가 헤겔에 대한 그의 해석은 바타이유와 같지 않았으며, 1933~36년에 그에게 가장 의미 있는 일은 니체가 아니라 하이데거의 발견이었다. 마지막으로 프로이트에 대한 그의 해석은『눈 이야기』에서 바타이유가 보인 입장과 전혀 달랐다. 그러나 저자로서의 라캉이 바타이유의 세계와 거리를 두긴 했지만 그는 여전히 호기심 많으면서도 차갑고 열정적인 관객으로 바타이유의 세계에 참여했다.『반격』그룹의 초창기 모임은 말레셰르브가에 있는 라캉의 아파트에서 열렸고, '콜레주 드 소시올로지'를 탄생시킨 만남도 이곳에서 열렸다. 한편『아세팔르』의 비밀 활동에 대한 그의 말없는 참여는 당시 모든 목격자들에 의해 입증되고 있다. 이처럼 라캉은 분석받는 중에, 그리고 결혼해서 아버지가 되는 시기 내내 바타이유의 '가족'으로서 모임이 어디에서 열리든 항상 참석했다.

하지만 바타이유와의 오랜 우정은 정말 이해할 수 없는 일이었다. 그들의 우정은 수많은 지적 교류를 통해 지속되었다. 그리고 우리는 바타이유가 라캉에게 책을 출간하고 이름을 알리도록 격려했다는 것을 알고 있다. 그러나 또한 라캉의 저서가 바타이유의 관심을 끌지 못했다는 것도 알고 있다. 바타이유는 자기 글에서 결코 라캉의 저서를 언급하지 않았고, 그의 글에는 라캉의 연구에서 영향을 받았다는 어떤 증거도 나타나 있지 않다. 그가 실제로 라캉의 저서를 읽었는지 의심이 들 정도이다. 그가 그랬다는 증거는 어디에도 없다. 어쨌든 그는 자기 글에 그런 흔적을 남기지 않았다.

이와 반대로 라캉은 바타이유의 저서를 깊이 연구하지는 않았는지 몰라도 여하튼 바타이유와의 우정에서 일정한 영향을 '받았다'. 바타이유가 벌인 모든 활동에 참여함으로써 라캉은 자기 연구에 어떤 근본적인 내용을 추가할 수 있었다. 그는 바타이유의 니체주의를 통해 이미 사춘기 시절부터 영향을 받았던 니체 철학에 대한 새로운 해석을 끌어낼 수 있었을 뿐만 아니라 그를 통해서 사드의 텍스트들에 대한 독창적인 해석에 접할 수 있었다. 그리고 이를 통해 나중에 비프로이트적인 향유 이론을 정식화할 수 있게 된다. 게다가 그는 '불가능'과 '이종 구조'에 대한 바타이유의 생각을 빌려왔다. 그는 여기서 '실재' 개념을 끌어낸다. 이 개념은 처음에는 '잔여'로, 나중에는 '불가능'으로 정의된다. 라캉 저작의 형성 과정에서 바타이유의 영향이 계속 있었으나 암묵적인 상태로 머물러 있었다는 점, 바타이유의 저서에서 라캉의 저서에 대한 언급이 전혀 없는 점, 마지막으로 가족처럼 가까운 사이였으나 너무나 달랐던 두 사람의 우정이 은밀하게 오래 지속된 점 등은 이처럼 오래 진행된 교제의 본질적인 목적이 한 여자와 관련된 것임을 말해주는 충분한 정황 증거라고 할 수 있다. 그 여자는 실비아 바타이유였다.

1936년에 누아르무티에 해변에 있는 자크 라캉을 다시 보기로 하자. 이때 그는 방데에 있는 한 섬에서 정신분석 제2세대의 출현을 알리는 기획 기사와 씨름하고 있었다. 몇 달 후인 1937년 1월 8일에 말루는 사랑스런 딸 카롤린느를 낳았다. 이 이름은 외할머니의 이름을 딴 것이었다. 거기에다 라캉은 이마주라는 두번째 이름을 덧붙였다. 애칭이나 별명을 붙여주는 블롱댕 집안의 전통을 따른 것이었다. 마리-루이즈의 애칭은 '말루'였고, 카롤린느 루소는 '바부앵', 실뱅은 '토끼 선생'이었다.[56] 하지만 '이마주'라는 이름은 라캉이 거울 단계 이론에 부여했던 중요성을 설명해주기도 한다. 실제로 말루가 카롤린느를 임신한 때는 라캉이 마리엔바트 대회의 발표문을 쓰고 있을 때였다.

아버지가 되고 나서 그래도 약 18개월 동안 그들은 아주 행복했다. 하지만 결혼한 지 3년 후에 태어난 딸도 결혼 초기에 생긴 오해로 인해 빚어진 문제들을 해결해주지는 못했다. 말루는 자기가 선택한 남자를 극도로 이상화했고, 그와 더불어 똑똑한 아이들을 갖게 될 것이라고 확신했지만[57] 그녀의 기대는 전혀 충족되지 않았다. 그는 바람둥이에다 변덕스럽고 만족할 줄 모르는 방탕아였을 뿐만 아니라 자신이 걸작을 만들어낼 천재라는 생각과 인정받고 유명해지고 싶어하는 대단한 출세욕에 길들여져 있었다. 따라서 그는 자신과 자기 일만을 생각했다.

그는 명예와 지식에 대한 욕구를 만족시키기 위해서라면 누구한테나 엄청난 질문 공세를 퍼부으면서 모든 것에 대한 호기심을 드러냈다. 그는 종종 타인과 자신에 대해 만족할 줄 모르는 소유욕에 빠진 악마적 존재로 보일 정도로 모든 사람을 아주 뚫어지게 바라보았다. 그러나 그에게는 악마적인 요소는 전혀 없었다. 그가 주위 사람들에게 발산했던 매력의 원인은 아주 빠른 두뇌 회전과 지독히 느린 몸 동작의 조합에서 찾을 수 있었다. 항상 깊은 생각에 빠져 있던 라캉은 폭군적이면서도 매력적이었으며, 꼬치꼬치 따지면서도 고민에 빠졌고, 연극조로 행동하면서도 항상 진리에 대한 생각에 빠져 있었다. 이 모든 점들이 그를 말루가 소망했던 충실한 결혼 생활에 부적합하게 만들었던 것이다.

그는 아방가르드 지식인들과 교류하고 점점 더 심오한 철학 연구를 추구하면서 다른 세계와 프로이트 저서를 새롭게 이해할 수 있는 새로운 사고 방식을 발견하게 되었다. 그는 남동생이 오트콩브로 떠나고 자신의 지적 발전에 대해 부모로부터 이해받지 못했기 때문에 버림받았다는 느낌에 사로잡혔다. 그리고 자기를 사랑했던 사람들을 떠나야 하는 것을 참을 수 없었다. 그는 이전에 마리-테레즈나 올레시아와의 관계를 깰 수 없었던 것처럼 이제 말루와 실비아 사이에서 확실하게 선택할 수가 없었고, 결국 말루가 먼저 헤어질 것을 결심하도록 만들었다.

그는 1934년 2월 신혼여행에서 돌아와 처음으로 실비아를 만났는데, 이때 그녀는 배우라는 직업에 성공적으로 안착한 것처럼 보였고, 바타이유와의 결혼 생활을 끝내려 하고 있었다. 그녀는 남편과 함께 식사를 하기 위해 말레셰르브 가로 갔다. 그녀는 라캉을 전혀 알아보지 못했고, 그와 말루를 굉장한 부르주아이며 전통적인 부부라고 생각했다. 두 사람은 2년 후 바타이유의 집에서 다시 만나게 되었다. 그때 그는 이 자리에 참석한 이유는 오직 그녀를 만나기 위해서라고 말하면서 그녀의 환심을 사려했다. 그녀는 인사도 없이 떠나버렸다. 그리고 나서 1938년 11월경 그들은 플로르 카페에서 우연히 만나 사랑에 빠졌다. 그날 이후 두 사람은 항상 함께 있었다. 그때 라캉에게는 다른 여자가 있었고[58] 뢰벤슈타인과의 분석을 중단하려 하고 있었다.

이처럼 이들의 관계는 카롤린느가 태어나고 나서 21개월 후에 시작 되었는데, 바로 그때 말루는 둘째아이 티보를 임신한 사실을 알게 되었 다. 티보는 이렇게 말한다. "누나는 어머니, 아버지, 외삼촌 실뱅 등 모 든 사람들의 사랑을 가장 많이 받았다. 누나는 부모님과 2년을 함께 살 았다. 그때는 부모님의 사이가 아직 좋았고, 아버지가 실비아와 관계를 갖기 전이었다. 그에 대한 기억은 누나의 강한 성격에 영향을 주었다. 누나의 자신감과 권위는 행복했던 이 2년 동안의 어린 시절에서 유래 한 것이다."[59]

라캉은 실비아와 사랑에 빠지면서 더이상 전혀 자신에게 어울리지 않았던 파리의 그랑 부르주아 계급인 의학계와 멀어졌다. 이 세계 사람 들은 부와 성공을 숭배했고, 나라 전체의 엘리트라는 자부심을 갖고 있 었다. 한때는 이들과의 교류가 필요했다. 그것은 라캉에게 출신 배경에 서 벗어날 수 있는 통로를 제공해주었던 것이다. 라캉은 전형적인 프랑 스의 프티 부르주아 계층에 속하는 엄격한 가톨릭 집안 출신이었고, 내 륙적이고 지방적인 특색을 지니고 있었으며, 블롱댕 집안의 특징이었 던 세계주의적이고 세련된 문화보다는 잔 다르크 숭배에 더 집착했다. 이때부터 아방가르드 지식인들과 어울리기로 마음먹은 그는 우안(右岸) 스타일의 생활 방식을 버리고 이보다는 덜 관례적이며 또 덜 완고하며 더 자유분방한 사람이 되었다.

그럼에도 불구하고 말루는 결혼 생활이 지속될 수 있다고 생각했다. 그녀는 비록 라캉의 부정을 용서하지 않았고 그가 지금과는 전혀 다른 사람이기를 원하긴 했지만 그의 지성과 천재성만은 여전히 칭찬했다.[60]

어떻게 그녀가 이와 달리 행동할 수 있었겠는가? 그녀는 단지 라캉에게서 자기가 소유할 수 있다고 확신한 엘리트의 모델을 보았기 때문에 라캉을 사랑했을 뿐이었다. 그만큼 그녀는 오빠와 함께 거창한 자기애의 심미적 가치들을 숭배했다.

말루의 오만함이 그녀를 자부심 강하고 타협을 모르는 여자로 만든 청교도주의와 도덕적인 정직함을 가린 반면 실비아의 자유분방함은 그녀의 유쾌한 기질을 반영했다. 이런 기질은 그녀가 사랑하기 때문에 삶을 함께 하기로 선택한 한 남자의 엉뚱한 행동들을 참아내는 데 적어도 외견상으로는 더 적합한 것처럼 보였다. 그녀는 배우라는 직업으로 인해 자기 의견을 솔직히 표현하는 데 주저하는 일은 결코 없었다. 기존 질서와 불의, 불평등에 대한 그녀의 반대는 항상 열렬하고 분명했다. 그리고 그녀는 바타이유와의 결혼과 그 이후의 사랑을 통해 말루라면 그런 게 있는지조차 의심했을 성을 경험했다. 이리하여 라캉이 실비아의 세계에 소속되고 인정받았다고 느낀 1939년에 그녀는 그의 특별한 동반자가 되었다.

하지만 아주 달랐던 이 두 여자에게도 한 가지 공통점이 있었다. 두 사람 모두 라캉에게서 받은 수많은 편지들을 없애버린 것이다. 이 편지들 속에는 이러저러한 사람과 사물에 대한 라캉의 생각과 의견이 들어 있었다.[61]

라캉은 실비아와 함께 노아이유 부부의 살롱에 자주 드나들었는데, 이 살롱은 30년대에 파리 예술계와 사교계의 중심이 되었다. 보리스 코치노는 이렇게 쓰고 있다. "그 부부는 미국 광장에 있는 사택에 수많은 친구들을 자주 초청했다. 귀족들과 세계 유명인사들, 혁신적인 성향의 신인 예술가들이 이 자리에 주로 참석했다. 그 중 암울한 미남 발튀스는 (……) 소란스러움에서 한 발짝 떨어져서 이처럼 잡다한 세계의 광경을 말없이 지켜보았다. 하지만 장난기 있는 그의 눈초리와 조롱하는 듯한 미소를 보면 그가 어떤 생각을 하고 있는지 알아맞힐 수 있었다."[62]

1939년 7월에 라캉은 앙드레 마송을 소개받았다. 라캉은 칸베이에의 소개로 마송의 그림 <아리아드네의 실>을 샀다.[63] 라캉은 계속해서 다른 많은 작품을 샀는데, 그 중에는 자기와 실비아의 초상화도 있었다. 실뱅 블롱댕처럼 그는 거장들의 그림을 많이 수집했다. 피카소와 마송, 발튀스, 자오 우-키는 그가 특히 좋아하는 화가들이었다. 뿐만 아니라 그는 진서(珍書) 수집 취미를 갖고 있었으며, 원시 예술을 숭배했다.

2 뤼시앙 페브르와 에두아르 피숑 사이에서

뤼시앙 페브르가 교육부 장관인 아나톨 드 몽지의 권유로 1932년부터 시작한 대규모 사업에 라캉이 어떻게 해서 가담하게 되었는지는 이미 잘 알려져 있다.[1] 페브르와 아주 가까웠던 왈롱은 『프랑스 백과사전』의 제8권에 대한 책임을 맡았다. 그는 이 책에 '정신 생활'이라는 제목을 붙였다. 그는 많은 항목을 혼자 작성했지만 다른 사람들의 도움도 받았는데, 그 중에는 프랑스 정신분석 2세대를 대표하는 최고의 두 인물, 즉 다니엘 라가슈와 자크 라캉도 끼여 있었다. 이들 외에도 피에르 자네, 샤를 블롱델, 조르주 뒤마, 외젠느 민코프스키, 폴 쉬프 등이 있었다.

'『프랑스 백과사전』의 역사를 편집하기 위해 사용하기 위한 노트들'이라는 제목의 뤼시앙 페브르의 비망록 — 지금까지 알려져 있지 않았다 — 덕분에 마침내 우리는 왈롱이 종합한 제8권 중 1938년에 라캉이 쓴 가족에 관한 유명한 글이 어떻게 씌어졌는지를 이해할 수 있게 되었다.[2] 그의 글은 너무나 복잡해서, 페브르는 미래의 역사가들을 위해 오이디푸스에 관한 라캉의 독특한 사상이 발생한 과정을 설명하는 데 패러그래프가 아홉 개나 되는 주를 덧붙이는 수고를 해야 했다.

왈롱은 동료들에게 라캉이 다루기 '힘든' 사람이긴 하지만 일을 제대로 해낼 수 있는 유일한 사람이라고 강조하면서 라캉에게 두 가지 항목을 부탁했다. 라캉은 한 항목에 관한 글은 아주 빨리 보냈다. 하지만 나머지 항목에 대한 글은 페브르 부인에게 한 쪽씩 한 쪽씩 보냈다. 페브르 부인은 글을 모두 다 받기까지 3개월을 기다려야 했다. 1936년 9월에 원고는 『백과사전』으로 와서 타자에 맡겨졌다. 그때 로즈 셀리가 처음으로 글을 보게 되었다. 그녀는 파리 근교의 세브르 고등 사범 학교에서 문학을 전공한 소설가로서 페브르가 가장 높이 평가하는 동료 중의 하나였다. 하지만 그녀는 아무리 노력해도 라캉의 글에서 너무나 모호한 몇몇 대목의 의미를 이해할 수가 없었는데, 특히 오이디푸스 콤플렉스를 다루는 부분은 더욱 그러했다. 그래서 좀더 이해하기 쉽도록 아주 많은 부분을 전체적으로 수정했다. 그런 다음 수정한 원고를 페브르에게 보냈는데, 그는 다시 왈롱에게 이 원고를 보내면서 라캉에게 전해달라고 부탁했다. 그리고 '검토자가 임의로 쉽게 풀어쓴 부분에서 잘못이 있지는 않은지'를 지적해달라고 했다. 라캉은 또 의심스러운 부분들의 의미를 명확하게 해달라는 부탁도 받았다. 페브르는 이렇게 이야기하고 있다. "그래서 라캉 박사는 상당히 공을 들여 글을 수정했고, 글을 명확하게 쓰려고 노력했다. 하지만 박사는 편집장이나 나에게 미리 알리지 않고 『프랑스 백과사전』에 글을 보내는 실수를 범했다. 박사는 수다스러운 피샤리 부인에게 이 글을 전달했던 것이다. 부인은 그 일에 대한 권한이 없으니 라캉 박사를 나나 편집장에게 보내야 했다. 하지만 그녀는 자기 마음대로 결정하고는 출판사로 달려가 아무한테나 떠들어댔다. 소문을 더 부풀리는 버릇이 있는 관리 부장도 빠뜨리지 않았다."[3]

라캉이 수정한 글을 본 페브르는 라캉이 얼마나 이해하기 쉽게 글을 수정했는지를 알 수 있었다. 그러나 오이디푸스 콤플렉스를 다룬 세 페이지는 여전히 이해할 수 없었다. 라캉은 그 부분만큼은 더이상 쉽게 수정할 수 없었다. 페브르는 이렇게 말하고 있다. "라캉 박사의 문체는 '나쁜 문체'가 아니다 ― 그것은 특별한 의미로 사용되는 지극히 개인적인 언어 체계이다. 따라서 이런 문체는 누군가 일단 이해한 후에 전체적으로 고쳐 쓰거나 아니면 필자에게 다시 한번 검토하도록 되돌려 보내는 방법밖에 해결책이 없다."

페브르가 이렇게 라캉의 글을 최종 편집하는 동안 소문은 푸르 가에 있는 『백과사전』 본부 전체로 점점 더 빠르게 퍼져갔다. 모두들 라캉의 문체가 읽을 수 없을 정도라고 비웃었다. 마침내 무능한 비서들의 실수로 글의 수정본이 아니라 원고(原稿)가 아나톨 드 몽지에게 전달되었을 때 '스캔들'은 절정에 이르렀다. 물론 몽지는 이미 여러 번 수정된 다른 원고가 있다는 사실을 몰랐다. 처음에 로즈 셀리가 고쳐 쓴 것을 페브르가 검토했으며, 그 다음에 라캉이 수정했고, 로즈가 또 한 번 고쳐 쓰고 이것을 페브르가 다시 검토했다…… 하지만 이러한 사실을 모른 채 자신이 받아든 원고가 인쇄할 최종 수정본이라고 생각한 몽지는 몹시 화를 내며 이렇게 외친다. "이것을 평범한 말로 고쳐 쓰게 해!"[4] 페브르는 편집자와 저자들을 게으르고 무능한 사람으로 만든 '수다쟁이들'의 경솔함을 탓하는 것을 빼먹지 않았다. 그는 그들을 '하인배들'로 취급했다. 그는 상관에게 편지를 보내 있는 그대로의 사실을 알림으로써 역사의 진실을 다시 세운 조크리스*의 역할을 떠맡았다.

페브르의 비망록은 이 사건을 아주 가까이에서 보여주는 훌륭한 증

---

* 조크리스(Jocrisse)는 남의 말이라면 무조건 믿는 얼간이로서 초기 프랑스 연극과 몰리에르의 『스가나렐Sganarelle』에 나오는 인물이다.

거물이다. 여기서 우리는 한편으로는 이미 1937년부터 라캉이 당대의 가장 뛰어난 인물들로부터 정당한 평가를 받았음을, 다른 한편으로는 그의 문체가 이미 문젯거리가 되었음을 알 수 있다. 그의 글은 모호하고 읽기가 어려웠다. 그는 원고의 마감 날짜를 지키는 데 어려움을 느꼈고, 출판에 있어서 발 빠르지 못했다. 그런데 라캉의 글이 읽기 어려워지는 것은 1936년부터라는 점에 주목하자. 이 시기는 바로 라캉이 코제브와 코이레의 영향을 받아 프로이트를 철학적으로 해석하기 시작한 시기였다. 「'현실 원칙'을 넘어서」와 가족에 관한 글에 비하면 그의 박사 논문은 너무나 명쾌해 보인다. 철학에 접했으나 아직 이 분야에서 정통하지는 못했던 까닭에 문체가 난해해진 것처럼 보인다. 하지만 페브르의 비망록은 라캉이 문체에 대한 사람들의 비판을 수용할 의도가 있었음도 보여준다. 그는 자기 글이 이해되기를 원했으며, 그가 정말로 대화할 수 있는 지적인 사람들에게서 수정을 요청받는다면 얼마든지 글을 수정할 의도가 있었다. 그래서 페브르는 가족에 관한 라캉의 글과 관련해서 자신의 날카로운 판단력을 입증했다. '수다쟁이들'로 인해 불어닥친 폭풍우 속에서 라캉의 난해한 문체가 뭘 모르는 사람들과 바보들의 웃음거리가 되는 가운데서도 페브르는 라캉의 재능을 인정했다. 그는 그들에게 맞섰고, 그의 분노가 정당한 것임을 증명하는 구체적 증거들을 후세에 남겼다.

최종적으로 발표된 가족에 관한 라캉의 논문[5]은 놀라울 정도로 읽기 쉬우면서도 아주 모호했다. 읽기 쉬운 이유는 로즈 셸리와 뤼시앙 페브르 그리고 라캉 자신이 여러 번 수정했기 때문이고, 그래도 모호한 이유는 이 글이 과도기적인 성격을 띠었기 때문이다. 라캉은 한편으로는 전쟁 발발 전에 시도된 전체적인 개념적 혁신을 이 글에 반영시켰지만 (이 때문에 그의 글은 종합적이면서 강령적인 특성을 띠게 되었다) 다른 한편으로는 그가 사용하는 새로운 개념들을 분명하게 정의하는 데 어려움을 느끼고 있었다. 그의 이론적 체계는 아직 완성과는 거리가 먼 상태였다. 아주 뛰어난 라캉의 글이 막연하면서도 틀이 잡히지 않아 보이는 것은 바로 이 때문이었다.

여기에는 우선 페브르와 왈롱이 제안하고 라캉이 수용한 소제목들이 있었다. 아마 그는 두 편집자와 토론한 후 이들 소제목을 선택했을 것이다. 이들은 라캉의 글을 구성하는 데 상당히 중요한 역할을 했다. 이들은 그에게 이론적 방향을 제시해주었는데, 라캉은 이후 이러한 방향에 입각해 사고 전체의 틀이 될 개념과 사상들의 목록을 정할 수 있었다. 다음은 라캉의 생각을 두서없이 적은 것이다. 어머니의 가슴에 대한 이마고, 이유(離乳) 콤플렉스, 죽음에의 갈망, 전체에 대한 향수, 정신적 동일시, 거울 단계, 거세 콤플렉스, 오래된 초자아, 아버지 이마고의 쇠퇴, 지식의 광기적 형태, 자기 처벌적 신경병, 남성 원칙의 우월성. 이 용어들은 다양한 차원의 지식에서 차용한 것으로 젊은 라캉의 사고를 배양한 모든 분야들의 흔적이 두서없이 섞여 있다.

텍스트 내용 자체를 보자. 우선 정신분석과 관련된 부분에서는 이미 1932년의 학위 논문에 나오는 정신의학(클로드, 민코프스키, 클레랑보)의 어휘와 프랑스 정신분석 학파(피숑, 라포르그 등)의 용어가 놀랍게 종합되어 있었다. 여기에 처음으로 「오이디푸스 갈등의 초기 단계들」이라는 멜라니 클라인의 논문에 대한 아주 확신에 찬 해석이 추가되었다.[6] 철학과 관련된 부분을 보면 라캉이 프로이트 이론을 비생물학적이면서도 현상학적으로 이해할 수 있게 된 것은 왈롱과 코제브의 학설을 결합시킨 덕분이었음이 드러난다. 이러한 이해는 자아, 나, 타자의 구분을 요점으로 하며, 이를 통해 프로이트보다는 클라인과 더 공통점을 가진 상상적인 것에 관한 이론을 세우게 되었다. 가족 안에서의 개인에 대한 라캉의 '사회학적' 분석으로 말하자면, 라캉은 신성한 것에 관한 생각과 반(反)부르주아적 허무주의, 서양 문명이 타락하고 있다는 감정들이 섞인 놀라운 칵테일을 제시했다. 그는 아마도 이 모든 생각을 '콜레주 드 소시올로지'와 교류하면서 얻었을 것이다. 글의 전체적 윤곽은 마르셀 모스와 야콥 폰 윅스퀼의 저작을 기반으로 하여 다듬어졌다.[7] 라캉은 독일의 생물학자인 윅스퀼에게서 세계를 모든 동물들에 의해 체험되는 것으로 규정하는 'Umwelt(환경)'라는 일반 개념을 빌려왔다. 금세기 초에 윅스퀼은 (인간을 포함한) 모든 동물과 환경의 관계가 각각의 종(種)이 체험한 경험 속에 들어 있는 환경의 내화(內化)라는 테제에 입각한 행동 이론을 세움으로써 인류학 연구에 혁명을 가져왔다. 그에 따르면 주체의 환경에의 귀속성은 더이상 자유로운 개인과 사회 간의 계약으로 정의되어서는 안 되고, 환경과 개인 간의 의존 관계로 파악되어야 한다. 이리하여 이제 개인을 규정하는 것은 환경 요소들을 내화시키는 방식의 차이에서 나타나는 행동의 특수성이다.

라캉은 1932년에 윅스퀼에게서 이 개념을 차용함으로써 1938년에 정신 현상이 구성되는 방식을 전혀 새로운 시각에서 바라볼 수 있는 길로 넘어갈 수 있었다. 즉 정신 현상은 이제 더이상 단순한 정신의학적인 사실이 아니라 이마고, 즉 무의식적 표상들의 총체이자 좀더 일반적인 과정의 정신적 형태였다. 융에게서 빌려온 이 '이마고'라는 용어는 가족 모델을 표상하는 두 극점, 즉 아버지와 어머니/부권제와 모권제를 무의식 속에 내재하는 것으로 이해하고 가족 구성을 윅스퀼의 혁신적인 사고에 비추어 설명할 수 있게 해주었다. 즉 개인은 유기적인 사회 전체에 속하지 않고는 '인간'일 수 없다. 그리고 여기에 인간의 본질을 적어도 세 가지 요소, 즉 인간, 여자, 노예로 정의하는 아리스토텔레스의 원칙이 추가되었다.

1987년에 출간된 아주 중요한 한 연구서에서 베르트랑 오질비는 라캉이 '보통은 대립되는 것을 통일시킨다'고 설명한다. 그는 한편으로는 가족 구성을 '반혁명' 철학자들의 사회 유기체적이고 자연주의적 용어들로 설명하면서도 다른 한편으로는 자신의 이론을 계몽주의 철학에서 유래하는 사회에 관한 비종교적 개념틀 속에 집어넣고 있다는 것이다. 이것은 너무나 정확한 지적이다. 그리고 오질비는 라캉이 모라스를 통해 사회란 개인이 아니라 가족을 단위로 하여 구성된다는 콩트의 실증주의적 관점을 재발견했으며, 역시 모라스를 통해서 아리스토텔레스를 개인의 사회적 정체성에 관한 이론가로 이해할 수 있게 되었음을 보여준다. 오질비는 이렇게 쓰고 있다. "개인적 차원과 집단적 지각을 생물학적 시각과 연결시켜 놀라운 방식으로 결합시키는 그의 태도는 민족주의의 이데올로기적 한계에서 완전히 벗어난 과학적 인류학으로 나아간다. 그러나 라캉은 결코 모라스를 언급하지 않는다. 사실 라캉은 모라스의 주장들 중 어떤 것을 실제로 수용한 것은 아니었다. 모라스의 기여는 라캉이 심리학적 개인주의에 귀기울이지 않게 한 점에 있었다. 라캉은 이런 우회로를 거쳐서 뜻밖에도 콩트로부터 사회적 관계 속에서만 존재하는 '외적 인간(homme extérieur)'에 관한 보날드의 이론에 이르는 프랑스적 전통에 합류하게 된다."[8]

　다음에는 가족에 관한 긴 본문이 이어졌는데, 이것은 라캉 문체의 전형적인 특징을 이루는 명암의 혼합을 너무나 잘 보여주었다. 즉 그것은 페브르가 지적한 대로 '특별한 의미로 사용되는 지극히 개인적인 언어 체계'였다. 이러한 낱말 의미의 변화는 그의 독특한 사유를 표현하는 것이다. 라캉의 사유는 모라스의 경우처럼 순수하게 프랑스적인 동시에 그에게 영원한 영감의 원천이었던 계몽주의 시대의 이상처럼 우상 파괴를 주장하는 세계주의적인 특징 또한 지니고 있었다. 이것은 라캉의 발전이 보여주는 대단한 역설이었다. 그는 프로이트 본인이 아니라 토마스 만이 묘사한 프로이트와 닮아 있었다. "영혼의 심연의 탐험가이자 충동의 심리학자인 그는 합리주의, 주지주의, 고전주의에 반대한(……) 19세기와 20세기 작가의 대열에 들어간다. 이들은 한마디로 말해 18세기와 심지어 어느 정도는 19세기까지도 통용되었던 정신에 대한 믿음에 반대하고 영혼의 어두운 본성을 삶의 결정적이면서도 창조적인 요인으로 파악했으며 이를 육성하고 과학적으로 조명했다."[9] 레옹 블로이와 데카르트의 진정한 계승자인 라캉 역시 밝음과 어둠을 탐험하는 사람들의 계승자였다. 그는 실제로 가족을 사회 유기체의 전통적 융합체인 동시에 과학적 기준에 따라 엄격히 검토되고 분석되어야 할 인류학적 대상으로 바라보았다.

라캉은 이 연구 논문의 첫 부분에서 콤플렉스를 본능에 대립시키고, 이로써 개체의 발달에 기여하는 세 가지 구조를 규정했다. 프로이트가 취리히 학파에서 차용한 **콤플렉스**라는 용어는 무의식적인 표상들의 총체를 가리켰다. 라캉은 이 개념을 프로이트적인 의미로 사용했다. 그가 목표로 한 것은, 불변의 본능에 대해 문화적 요인이 지배적인 구조를 기술하고 표상에 개입하는 주체의 의식을 도출해내는 것이었다.

콤플렉스에서는 표상이 주체에게 의식적인 반면 이마고에서는 무의식적인 것이 된다. 따라서 이마고를 구성 요소로 갖는 콤플렉스는 가족 구조를 이해할 수 있도록 해주는 구체적인 요인이었는데, 그것은 가족 구조를 결정하는 문화적 현상과 이 구조를 구성하는 상상적 관계 사이 어딘가에 있었다. 이처럼 세 단계로 구성된 위계 구조는 개체 발달에 관한 모든 해석을 위한 모델이었다. 이 속에는 이유(離乳) 콤플렉스와 침입 콤플렉스, 오이디푸스 콤플렉스가 포함되었다. 클라인적 의미에서 보면 세 단계이다. 이것은 전후에 **실재, 상상적인 것, 상징적인 것**으로 이루어지는 라캉의 위상학을 예고하는 것이었다. 라캉은 이렇게 쓰고 있다. "이유 콤플렉스는 인간이 아주 어린 시기에 느끼는 욕구들이 필요로 하는 기생적인 방식으로 양육 관계를 정신 현상에 고착시킨다. 그것은 어머니의 이마고의 원시적 형태를 표상한다. 따라서 이것은 개체를 가족에 융합시키는 가장 오래되고 가장 항구적인 감정들의 토대가 된다."[10]

이처럼 이유(離乳)는 생물학적 관계를 중단시키면서 이 관계의 흔적을 정신 현상 속에 남기고, 이로써 더 오래된 이마고, 즉 출산시 아이를 자궁에서 분리시킨 다음 특수한 조숙성을 강요하는(이것은 어머니의 보살핌으로도 결코 치유할 수 없는 불안감을 남긴다) 이마고에 일정한 표현을 부여한다. 이러한 조숙성이 인간과 동물을 구분시키는 것이다. 다른 한편 이유 거부는 콤플렉스의 긍정적인 측면의 토대가 되어 어머니 가슴의 이마고라는 형태로 중단된 양육 관계를 재확립해준다. 이러한 이마고의 존재가 전체에 대한 향수로서 인간의 삶 전반을 지배한다. 이것은 여자들이 영원히 모성의 감정을 유지하는 것을 설명해준다. 하지만 이 이마고는 사회적 관계를 허용할 수 있을 만큼 승화되지 않을 경우 치명적인 것이 된다. 왜냐하면 그러한 경우 콤플렉스는 생명 기능에 조응하는 것이 아니라 생명 기능의 선천적인 허약함을 반영하게 되기 때문이다. 이것은 정신적 식욕 부진이나 (입을 통한) 마약 중독 혹은 소화 신경병과 같은 비폭력 자살 형태를 취할 수 있는 '죽음에의 욕구'를 초래한다. "죽음으로써 자신을 포기하는 주체는 어머니의 이마고를 되찾고 싶어하는 것이다."[11]

침입 콤플렉스는 정신적 동일시를 통해 주체가 다른 주체와 맺는 이항 관계를 고정시킨다. 출생 순서에 따라 각 개인이 소유자 혹은 찬탈자라는 이항적 위치 속에 자리잡음으로써 생겨나는 형제간의 질투와 같은 가족 드라마에서건 아니면 각자가 잃어버린 통일성을 회복하는 거울 단계에서든 자아의 나르시시즘적 구조는 분신의 이마고를 핵심 요소로 해서 형성된다. 갈등 관계 속에서 타자를 인식할 때에야 주체는 사회화에 이를 수 있다. 그러나 이와 반대로 모성적 대상으로 되돌아가는 경우 주체는 편집증으로 향하는 경향이 있는 타자 파괴의 방식에 집착하게 된다.

마지막으로 오이디푸스 콤플렉스를 통해서 인간 가족 형태의 특수성을 규정할 수 있게 해주는 삼각 관계가 도입된다. 라캉은 프로이트가 양성의 불균형에 기반한 이론을 세우면서 가족 구성 문제에서 성의 중요성을 지적한 최초의 인물이었음을 지적했다. 하지만 그는 오이디푸스 문제의 '심리학적 수정'을 제시하는데, 이것은 자신의 연구 결과와 이제 막 알게 된 멜라니 클라인의 연구를 연결시켰기 때문에 가능했다.

사회학적 상대성 차원에서 '라캉의 수정'은 베르그송의 용어로 표현되었다. 1932년에 출간된 『종교와 도덕의 두 가지 원천*Les deux sources de la morale et de la religion*』에서 베르그송은 의무적인 도덕과 열망하는 도덕을 대립시켰다. 의무적인 도덕이 인간 집단이 단결을 위해 스스로를 가두는 데 필요한 폐쇄 장치인 반면 열망하는 도덕은 인간 집단이 귀감이 되는 인물들, 즉 영웅이나 성인들을 통해 스스로를 보편화시키는 일종의 출구로 규정되었다. 라캉은 이러한 이분법에 의거해 어머니의 금지를 원시적 의무나 닫힌 도덕의 구체적 형태로 보았다. 이것은 라캉이 아버지의 부권적 권한과 연관시킨 '열린' 형태와 대조되었다. 그리고 그는 이 기능이 '유대인들의 예언주의'를 설명한다고 생각했다. 그는 이렇게 쓰고 있다.

이 문제(유대인의 예언주의)는 모태 신앙을 이어가는 집단들의 틈바구니에서 부권제의 지지자로 선택된 유대 민족의 엘리트적 위치라는 측면에서, 그리고 이처럼 다른 문화들의 저항할 수 없는 유혹에도 불구하고 이러한 부권제의 이상을 유지해온 이 민족의 끈질긴 싸움이라는 측면에서 이해되어야 한다. 따라서 우리는 부권제 민족들의 역사를 통해 개인의 요구와 이상들의 보편화의 변증법적인 움직임이 사회 안에서 나타나는 것을 본다. 이에 대한 증거는 고대 로마가 힘으로써, 그리고 이와 동시에 의식(意識)으로써 수행한 사명을 영속화시키기 위한 법적 형태에서 찾아볼 수 있는데, 이것은 가부장의 특권들을 이미 많은 평민과 다른 민족들에게 혁명적으로 확장시키는 가운데 구체화되었다.[12]

라캉은 베르그송의 논의를 거쳐서 현대인과 결혼의 도덕에 관한 상세한 고찰로 넘어간다. 그것은 아버지 이마고의 쇠퇴로 상징되는 서양 사회의 미래에 관한 비관적인 생각으로 이어졌다. 라캉은 '뛰어난 인물들의 가족'의 출현은 유전 때문이 아니라 아버지로부터 아들로의 자아의 이상형의 선별적인 전달에서 기인한다고 강조한 후 전통적인 가족의 가치들을 열렬히 옹호하기 시작했다. 그는 이러한 가족이 전체주의 체계들이 제시하는 교육적 유토피아들보다 훨씬 더 전복적이라고 평가했다. 그는 가장이 지배하는 부르주아 형태의 현대의 가족 구조만이 사회적 자유를 보장해줄 수 있다고 생각했다. 여기서 라캉은 혁명적인 격변의 힘이 헛되고 실패할 운명에 있다고 보았으며, 대신 유구한 역사적 힘을 옹호한 것이다. 그는 전통적 가족 구조로 인해 스스로 고통받고 분개했으면서도 이제는 그것이 급진적인 개혁 시도보다 더 큰 해방적 힘을 가지고 있다고 주장한다. 모라스부터 시작한 라캉이 이제 토크빌처럼 전통이 겉보기와는 달리 얼마나 진보를 용이하게 할 수 있는지를 보여주기 위해 프로이트에 이르른 것이다. 하지만 가족 문제의 이러한 '프로이트화'는 그보다 훨씬 더 근본적인 일련의 선택을 동반했다. 라캉은 문화주의 대신 보편주의를, 종족 가족 대신에 사회화된 가족을, 간단히 말해 뿌리 숭배 대신 '개화시키는' 문화를, 민족 대신에 언어를, 신비 대신에 과학을, 국수주의 대신에 세계주의 등을 선택했다. 그는 이렇게 쓰고 있다. "가부장적 가족에 대해 가장 전복적인 비판을 가한 19세기의 이데올로그들이 이러한 가족의 영향을 전혀 받지 않은 사람들이었던 것은 아니다. 우리는 소위 가족 관계의 약화를 애석해하는 사람들에 속하지 않는다. 가장 높은 수준의 문화적 진보들을 체화시킬수록 가족이 생물학적 유형으로 축소되는 경향이 있는 것은 의미심장하지 않는가?"[13] 이어 라캉은 서양 사회의 산업화가 한창일 때 경제 집중화의 결과로 아버지의 이마고가 쇠퇴하기 시작하는 시기에 오이디푸스 콤플렉스를 만들어낸 프로이트, 즉 유대인 부권제의 아들인 프로이트에게 열렬한 찬사를 보냈다. 그는 이렇게 해서 심리적 위기의 결과로 인한 아버지 이마고의 몰락을 정신분석의 발생과 연관지었다. 정신분석은 사회적으로 필연적인 부권의 쇠퇴에 대한 승인으로 파악되었다. 『백과사전』에 실린 첫번째 항목의 글은 바로 이러한 고찰과 함께 끝을 맺는다.

두번째 항목에 관한 글은 위의 글만큼 새로운 내용을 담고 있지는 않았다. 여기서 라캉은 신경병에 관한 프로이트의 관점과 정신병에 관한 자신의 연구를 종합해 병리학적 콤플렉스들에 관한 전반적인 설명을 제시했다. 그런 다음 그는 앞의 글에서의 논의에 맞추어서 이번에는 '어머니에 의한' 가족 권위의 '찬탈'을 '가정의 폭정'으로 묘사했다. 그는 여기서 남성적 저항의 표현을 발견했다. 그것은 심리적 전도를 통해 '남성 원칙'의 지배를 확인해주는 필연적인 사회적 진보의 징후였다. 라캉에 따르면 이 원칙은 이제 아버지와 남자들에게는 불행하게도 어머니와 여자들에게 귀속된다. 그가 결혼 관계와 가정 생활에서의 어머니의 역할을 이처럼 난폭하게 조롱한 것은 틀림없이 자신의 실패한 결혼과 평탄치 못했던 부모의 결혼 생활에 대한 어린 시절의 기억과 관련되어 있었을 것이다. 하지만 가족에 대한 그의 입장은 단순히 그의 개인적 체험을 반영한 것은 아니었다. 그것은 무엇보다 20세기가 시작되기 직전 프로이트주의를 낳은 빈의 지적 분위기는 물론 유럽 사회 전체에까지 영향을 끼친 현대의 위기를 니체 식으로 이해한 이론적 연구의 결과였다. 이러한 위기는 남성과 여성이라는 범주의 새로운 양극화에서 생겨난 것처럼 보였다. 이것은 서양 사회가 여성화되고 부권이 실추된다는 느낌을 반영하고 있었다.[14] 그리고 라캉은 코제브, 바타이유, '콜레주 드 소시올로지'와의 교류를 통해 '세기말'의 위기 문제를 '역사의 종언'이 임박했다는 관점에서 접근할 수 있었다.

에두아르 피숑은 라캉의 주장에 즉각 반응했다. 처음에는 개인적으로 앙리 에에게 보낸 편지를 통해, 그리고 이어서 공개적으로 「라캉 씨가 바라보는 가족」이라는 제목으로 RFP지에 수록된 반론 기사를 통해.[15]

1938년 7월 21일에 피숑이 앙리 에에게 보낸 편지는 애매한 용어들로 채워져 있었다.

라캉이 『백과사전』을 위해 쓴 텍스트를 주의 깊게 막 읽었습니다. 그의 글이 모두 그렇듯 어려운 글이었습니다. 문득 당신이 정신분석의 도덕적 가치에 관한 논문을 준비하고 있다는 말이 떠올랐습니다. 그의 어리석은 무도덕설에 관해 여기서는 형식적인 설명은 생략한 채 간단히 이야기하고 싶습니다. 그는 '도덕적 개념화의 실패'에 관해 이야기합니다(그리고 한 대목에서는 나의 봉납 이론을 맹렬히 공격합니다. 더구나 내 이름을 언급하지도 않으면서 말입니다. 내 이름을 밝히는 것이 두렵거나 아니면 반대로 나를 완전히 무시하기 때문입니다. 어떤 경우든 정중하지 못합니다!). '선악을 넘어서 있다'는 태도는 명백히 터무니없어 보입니다. 사회적 관점에서 볼 때 어떤 사회든 규범, 다시 말해서 도덕이 있어야 합니다. 우리의 잘난 초인이 뭐라고 하든 말입니다. 그리고 개인의 심리라는 관점에서 볼 때 죄의식의 존재는 너무나 분명한 기정 사실이어서인지 라캉 자신도 그것을 인류에게 고유한 속박이라고 부르고 있습니다. 그래서 어쨌다는 거죠?[16]

RFP지에 발표된 반론은 라캉을 수신자로 한 글로서 라캉에 대한 중상모략적 내용이 담겨 있었다. 마치 죽기 직전에 자신의 반니체주의적인 가족관과 도덕관을 문서화시켜서 라캉에게 물려주려는 듯한 태도였다. 글 서두 부분에서 그는 라캉이 횡설수설하고, 신조어를 남발하며, 낱말을 부적절하게 사용한다고 비난하면서 문법이나 제대로 배웠느냐고 물었다. 이 점에서 그는 페브르와 의견이 일치했다. 물론 페브르와는 전혀 다른 결론을 끌어냈지만 말이다. 실제로 그를 격노케 한 것은 라캉이 선배들, 즉 피숑 본인은 물론이고 코데와 라포르그가 사용했던 개념과 생각들을 분명하게 밝히지도 않고 마치 자기 것인 양 사용하는 것이었다. 그는 또 라캉이 저자들의 이름을 감히 언급도 하지 못하면서 이들을 조롱하고 있다고 분개했다. 하지만 무엇보다 피숑이 라캉에게 퍼부은 공격의 핵심은 '문화(culture)'와 '문명(civilisation)'의 구분과 관련되어 있었다.

피숑은 가족이 유전의 산물이 아니라 전통의 산물이라는 생각에 대해서는 라캉에게 동의했다. 모라스의 계승자였던 그는 제자의 논의에서 자기 생각이 일부 나타난다고 해서 불쾌해하지는 않았다. 그러나 그는 문화 문제에 관해서만큼은 확실히 의견을 달리했다. 라캉은 다른 문화들, 그 중에서도 특히 '튜튼 족'(라틴 작가들이 사용하는, 게르만 족의 다른 명칭)의 음울한 기운에 둘러싸인 개인의 내면성으로 이해되는 독일의 '쿨투어(Kultur)'에 비해 영원하고 군주적이며 합리적인 프랑스 문명이 보편적인 우수성을 지니고 있다는 모라스의 학설을 인정하지 않았다. 피숑은 이를 두고, 라캉이 헤겔주의자이며 마르크스주의자, 다시 말해 '독일 놈'이라고 비난한다. 그에 따르면 라캉은 문화(culture)라는 말을 오용하고 있다. 피숑은 다음과 같이 말한다. "오래 전부터 프랑스어는 집단적 현상인 'civilisation'과 개인적 현상인 'culture'를 구별해 왔다. 라캉 씨는 이러한 구분을 잊고 있다. 그는 계속해서 'civilisation' 대신 'culture'를 사용해왔는데, 이 때문에 여러 대목에서 글의 명료성이 크게 떨어진다. 프랑스인들은 4년 전쟁(1914~18) 동안 독일 'coultour'에 관한 거친 농담들을 했는데 그것이 'culture'와 'civilisation'의 구분이 아주 널리 퍼지게 된 계기였다고 볼 수 있을 것이다. 이 두 개념을 뒤섞는 것은 진정한 culture에도, 우리나라 고유의 civilisation에도 전혀 도움이 되지 않는다."[17]

1938년 당시 라캉이 취한 보편주의적 입장은 페브르와 프로이트의 현대 인류학의 보편주의(나중에는 레비-스트로스도 여기에 포함된다)였다. 확실히 라캉은 인간의 이성과 문화의 다양한 형태 사이에 어떠한 내부적 차이가 있다 해도 자연 앞에서 인간의 이성과 문화는 보편적으로 존재한다고 주장했다. 이와 반대로 피숑의 보편주의는 모라스적이고 불평등주의적인 것이었다. 즉 그것은 소위 프랑스 문명의 보편적 우수성에 대한 절대적 확신에 기초하고 있었다. 다음과 같은 그의 주장은 여기에서 나온 것이었다.

아주 생기 있고 풍요로운 프랑스 문명은 종교 개혁과 1789~99년의 피비린내 나는 학살, 9월 4일 운동의 산물인 민주주의 등과 같은 파괴 시도가 끊이지 않았음에도 불구하고 휴머니즘이라는 귀중한 전통을 지켜왔다. 라캉 씨는 이러한 프랑스적 특성에 관해서는 우리들과 같은 입장이지만 그렇다고 그의 독창성이 조금이라도 경감되는 것은 아니다. 그는 헤겔주의와 마르크스주의에 젖어 있는 대신 휴머니즘이라는 바이러스에는 조금도 감염되지 않은 것처럼 보인다. 그는 모든 사람의 친구가 될 만큼 어리석지는 않다. 우리는 그를 개개 인간의 친구라고 느낀다. 그것은 이 정신분석가가 윤리나 가족 배경으로 보나, 파리에서 받은 전문적인 의학 훈련으로 보나 귀족적이기 때문이다. 자, 라캉, 황무지에서 당신의 길을 스스로 용감하게 계속 닦아나가시오. 하지만 우리가 따라가 당신을 만날 수 있도록 우리를 위해 흰 조약돌을 충분히 남겨두시오. 당신과의 모든 접촉을 잃은 너무나 많은 사람들이 당신이 길을 잃었다고 상상하고 있습니다.[18]

하지만 자크-마리 라캉은 — 피숑은 이 논문에서 내내 그를 그렇게 불렀다 — 아주 오래 전에 버린 '프랑스다움'으로 결코 돌아가지 않는다.

5부 전쟁과 평화

"그는 모든 종류의 압제를
증오했지만 영웅주의도 혐오했다."
"세명의 죄수들은 어떻게 동시에
감옥에서 벗어날 수 있었을까?"

1 마르세이유, 비시, 파리

1939년 9월 23일자 일기에서 마리 보나파르트는 간단히 이렇게만 적고 있다. "23시 45분, 프로이트 사망."[1] 선전 포고 직후에 그가 어떤 상황에서 죽었는지에 대해서는 이미 여러 차례 이야기된 바 있고, 나도 이미 프랑스 언론이 이 사건을 어떤 식으로 다루었는지를 보여줄 기회가 있었다.[2] 여기서는 단지 『작품*L'Œuvre*』지에서 몇 줄만을 인용해보기로 하겠는데, 이 글은 객관성을 가장하고 있지만 프로이트의 발견에 대해 프랑스의 우파들이 갖고 있던 국수주의, 반유대주의, 반세계주의적 증오심을 그대로 보여준다. "1938년 3월에 있었던 독일과 오스트리아의 합병 후에 저명한 유대인 과학자가 나치의 요주의 인물 리스트에 올랐다. 얼마간의 시간이 흐른 후에 그는 50년 넘게 살았던 빈을 떠나 아인슈타인처럼 망명의 길로 나섰다. 잘 알려진 대로 영국은 그를 대환영했다."[3]

독일에서는 존스의 영향 아래 일부 정신분석가들이 나치와의 협력

정책을 추진한 반면 프랑스의 상황은 전혀 달랐다. 즉 전쟁이 발발한 시기에 프랑스 정신분석의 상황은 2세대, 즉 라캉, 나흐트, 라가슈, 프랑수아즈 돌토 등의 출현으로 이미 변화하고 있었다. 1939년 12월에 코데는 병으로 사망했고 이어서 1940년 1월에는 에두아르 피숑이 숨을 거두었다. 보렐은 이미 은퇴한 상태나 마찬가지였고, 페탱 원수를 충실히 따르던 에스나르는 계속 프랑스 해군에서 재직하고 있었다. 알제리에서 해군 보건과장으로 일을 시작해 4함대 보건과장이 된 그는 1943년에 아프리카 해군 병원의 원장이 되었다. 그가 「프로이트의 유대인적 성향」이라는 '친(親)유대인적인' 유명한 글을 쓴 것은 반자르트(튀니지 북부에 있는 도시로 비제르테라고도 함 — 옮긴이)에 있었던 방어 진지에 서였다.[4]

처음에는 라 망슈 현에서 그리고 다음에는 브르타뉴에서 복무한 르네 알랑디는 결국 비점령 지역이었던 몽펠리에 살게 되는데, 이곳에서 그는 희비극적인 사건을 겪게 된다. 즉 의료 당국이 그의 이름에 '유대인 어미 동음'이 들어 있다고 지적하자 '순수 아리안 족'이라는 것을 증명해야 했던 것이다. 1941년에 그는 스위스로 가서 파라켈수스의 복권 기념식에서 융과 보두앵을 만났다. 1942년 7월에 벨로드롬므 디베에서 유대인 일제 검거가 있기 직전에 그는 파리에서 사망했다. 그는 죽기 전에 『아픈 의사의 일기*Journal d'un médicin malade*』를 써서 그의 목숨을 앗아간 질병의 진전 과정을 설명했다.

SPP 내의 국수주의적 분파들은 전쟁 초기부터 서서히 몰락한 반면 국제주의 분파는 해체를 강요당했다. 그러자 이 분파의 대표자들 대부분은 망명의 길을 선택했다. 샤를 오디에는 스위스로 돌아갔고, 레이몽드 소쉬르와 하인츠 하르트만, 르네 스피츠는 뉴욕 정신분석학회로 옮겼다. 그리고 루돌프 뢰벤슈타인마저 마르세이유에서 오랫동안 머물다가 결국 1942년에 미국으로 떠났다.

한편 마리 보나파르트는 '정신분석 연구소'를 폐쇄하고 고문서들을 옮긴 후에 우선 브르타뉴에 있는 집으로 피신했다. 그녀는 그곳에 뢰벤슈타인도 머물게 했다. 그후 곧 생-클루의 저택으로 옮겼는데, 이 와중에 집은 나치에 의해 약탈당했다. 그래서 그녀는 생-트로페에 있는 빌라로 옮기기로 결정했는데, 이곳에서도 다시 뢰벤슈타인이 묵도록 해주었다. 하지만 더이상 활동할 수 없었기 때문에 그녀 역시 망명의 길을 떠났다. 1941년 2월에 아테네로 도피한 그녀는 그리스 왕가와 함께 알렉산드리아 행 배를 탔다. 그후 다시 남아프리카로 갔다. 그곳에서 그녀는 프로이트의 학설을 강의하면서 지내다가 스탈린그라드 전투가 끝난 후 다시 프랑스로 돌아가려고 했다. 1944년 가을에 그녀는 런던에 있었고 1945년 2월에 파리로 돌아왔다. 그때 그녀는 SPP가 또 내부 분쟁을 겪지는 않을까 하는 걱정이 없지는 않았지만 다시 대표자 역할을 맡기로 결심했다.[5]

프랑스 어린이 정신분석의 토대를 놓는 데 크게 기여한 두 명의 선구자, 즉 외제니 소콜니카와 소피 모르겐슈테른은 비극적 운명을 맞았다. 이 두 사람은 우울증에 시달리는 한편으로 반유대주의적 박해라는 이중의 고통에 희생당했다. 외제니 소콜니카는 여자이자 자격증이 없는 의사라는 이유뿐만 아니라 이방인이자 유대인이라는 이유로 철저하게 고립당한 채 1934년에 가스로 자살했다. 그리고 딸 로르의 죽음으로 이미 큰 충격을 받은 소피 모르겐슈테른은 독일군이 파리에 입성하던 1940년 6월 14일에 자살했다.

잘 알려져 있다시피 이들 프랑스 정신과 의사와 정신분석가 1세대 중 다음 두 사람은 전쟁에 대한 상반된 태도로 인해 확연히 구분되었다. 바로 폴 쉬프와 르네 라포르그가 그랬다. 쉬프는 이 세대 중 적극적으로 레지스탕스에 가담한 유일한 사람이었던 반면 라포르그는 마티아스 괴링과 함께 나치에 협력한 유일한 인물이었다. 하지만 그의 계획은

완전한 실패로 끝났다.[6]

집필 활동을 포함한 모든 공개적인 활동을 중단했다는 사실 자체도 나치즘에 대한 수동적인 저항 행위라고 할 수 있었다. 이 점에서 마리 보나파르트의 태도를 전형적인 예로 볼 수 있을 것이다. 그녀는 존스와 달리 정신분석을 '구조'하기 위한 헛된 시도를 하지 않은 것이다. 망명과 유대인에 대한 직접적 지지를 통해 이 공주는 정신분석학회를 아리 안화하려는 모든 계획을 처음부터 저지해버렸던 것이다. 그녀가 더이상 파리에 없었고, 앙리 에가 이끄는 EP 그룹 또한 거의 없는 것이나 마찬가지였기 때문에 점령 당국과 SPP 책임자들 간에는 어떤 협상도 이루어질 수 없었다. 이들은 망명하거나 사망하거나 또는 아무튼 자리에 없었기 때문이다.

다시 말해 1940년 6월에 프랑스 정신분석계는 베를린의 심리 치료 학회처럼 나치화된 심리 치료 학회를 설립할 생각을 할 수 있는 상황이 아니었다. 이로 인해 나치와 협력하려던 라포르그의 시도는 실패로 끝날 수밖에 없었다. 아무도 이 계획에 참여하지 않았기 때문에 더이상 현실적으로는 존재하지 않는 분석가 집단을 '아리안 화(化)하자'고 괴링을 설득시킬 수는 없었던 것이다.

1세대가 파리의 현장에 없었던 반면 2세대는 아직 SPP 안에서 새로운 힘을 대표할 만큼 충분한 권력을 획득하지 못했다. 그래서 2세대는 각자 개인적인 운명에 맞서 싸우고 있던 선배들처럼 역사적으로는 일종의 '휴가' 상태에 있었다. 슈트라스부르 대학 교수였던 다니엘 라가슈는 클레르몽-페랑으로 도피해 유대인으로서 레지스탕스 투사가 되었으며 다른 한편 사샤 나흐트는 1942년 11월부터 1944년 9월까지 '프랑스의 전투력(Forces française combattantes)'이라는 레지스탕스 조직망의 활동가였다.[7] 그리고 1차 세계대전에 참전했던 존 로이바는 파리 시 방위대에서 활동했다. 물론 그것은 반나치즘적 태도 때문이라기보다는 그가 평생 '독일 놈'이라고 불렀던 자들에 대한 철저한 증오심 때문이었다.

1944년 12월 31일에 로이바가 존스에게 보낸 편지를 보면 이 두 세대의 분석가들 중 파리의 몇몇 사람들이 나치에 협력하지도 또 레지스탕스에 참여하지도 않은 다른 평범한 프랑스인들처럼 직업 활동을 계속하기로 선택한 이유가 아주 잘 묘사되어 있다. 그는 이렇게 쓰고 있다.

> 독일 점령 초기에 파리에는 돌토 여사(결혼 전 성은 마레트였다)와 나만 남아 있었다네. 나중에 파르슈미네와 슐룸베르거가 그리고 이어서 라캉이 제대하고 돌아왔다네. 파르슈미네와 슐룸베르거 그리고 나는 파리에서 훌륭한 연구를 할 수 있었지(나는 참고하기 위해서만 라캉의 이름을 언급하네. 생트-안느 병원에서 그가 어떤 일을 하는지를 제대로 알고 있는 사람은 많지 않다네. 그곳에서 그를 한두 번밖에 보지 못했지). 우리 활동은 특히 치료와 훈련 분석에 있었다네. 여러 명의 인턴과 병원 원장들이 정신분석을 의뢰했지. (……) 독일 점령기 동안 어떤 글이든 발표한다는 것은 있을 수 없는 일이었네. 그러한 일은 용납될 수 없었지. 한동안 우리는 라포르그의 어리석은 활동으로 재난을 당할 뻔하기도 했지. 독일 놈들과 가진 그의 서투른 교섭이 일을 아주 위태롭게 몰고 가버린 것이지. (……) 돌토 여사가 트루소 병원에서 어린이 치료와 관련해 큰 진전을 보고 있었다는 말을 덧붙일 필요가 있겠지. 코데 여사도 정신분석을 계속했네…….[8]

평범하면서도 순응적이지는 않은 프랑스인. 자크 라캉은 점령기 내내 그러했다. 조르주 베르니에는 이렇게 지적한다. "그는 엘리트 지식인이며 우수한 지능의 소유자라는 자부심을 갖고 있었다. 그래서 그는 역사에 의해 어쩔 수 없이 맞닥뜨려야 하는 사건들이 자기 인생 항로에는 아무런 영향도 끼치지 않도록 이모저모 주의를 기울였다."[9] 게다가 라캉은 1939년 9월에 실비아 바타이유와의 연애와 결혼 생활의 어려움 그리고 생후 한 달밖에 안 된 아들의 건강 상태 등으로 이것저것 딴 생각할 겨를이 없었다. 이리하여 하나의 제도로서의 가족에 대해 품었던 온갖 적개심과 함께 이러한 감정으로 인해 생긴 뿌리깊은 비관주의가 합쳐져 프랑스의 붕괴에 대한 판단에 영향을 끼치게 된다.

1939년 8월에 말루는 아들 티보를 낳았다. 그녀는 자크가 오래 전부터 자기를 속이고 있다는 사실을 알고 있었다. 하지만 임신한 사실을 알았을 때 자크와 실비아가 플로르 카페에서 첫눈에 반했다는 사실은 몰랐던 것 같다. 그날부터 두 연인은 떨어질 줄 몰랐지만 라캉은 말루에게 두 사람의 관계가 얼마나 심각한지는 말하지 않았다. 마치 아무 일도 없는 듯 자기 의무를 다했다. 티보는 태어날 때부터 유문 협착에 걸려 큰 외과 수술을 받아야 했다. 1939년 10월 4일에 실뱅 블롱댕에게 보내는 편지에서 라캉은 근심을 털어놓았다. 아기의 끊임없는 구토, 급속한 체중 저하, 결국 훌륭하게 끝난 수술 등. 그는 아들에게 닥친 커다란 위험으로 인해 다른 모든 근심은 잊을 수 있었으며, 아이가 얼마나 애절하게 삶의 욕망을 표현했는지 등을 자세히 설명했다. 그는 아들을 '영웅'이라고 불렀다. 또 '바부앵'(말루의 어머니)에게 커다란 고마움을 표시했다. 하지만 자기 가족, 특히 부모의 태도에 대해서는 격렬하게 비판했다. 물론 선의에서였지만 아이에게 종부성사를 주도록 제안하면서 아이 운명을 기독교의 품에 맡기려고 했기 때문이다.

그리고 그는 프랑스 사회의 붕괴에 대해 이야기하면서 프랑스 사회도 살아남으려면 바뀌어야 한다고 말했다. 그는 사람들이 어떻게 '도대체 찬성할 수 없는데도' 자기에게 최고로 좋은 것을 할 수 있도록 해주는 삶의 방식으로부터 강제로 축출되고 있는지를 이야기했다. 이어 마음속에서 해결되지 않는 갈등은 밖에서 해결해야 한다고 말했다. 하지만 이제 그가 소중히 여겨온 모든 것이 한동안 시련을 겪을 수밖에 없었다. 그는 또한 '우리'라는 일인칭 복수형을 사용해 그의 삶의 어떤 모습은 공허하고 거짓되었지만 그래도 소중하며, 고통 없이는 그것들을 쉽게 바꿀 수 없을 것이라고 말했다. 마지막으로 그는 심리 치료는 거의 공부하지 않았고 주로 의학을 공부했다고 말했다. 그리고는 딸 카롤린느가 할머니에게 했다는 감동적인 말을 떠올리며 편지를 끝냈다. "잠이 오지 않아요. 나는 누군가를 기다리고 있어요.." 이 말은 라캉을 황홀하게 만들었다.[10]

발-드-그라스에 있는 군 병원의 신경의학부에서 보조 의사로 복무하는 동안에도 라캉은 여전히 두 여자 사이를 왔다갔다했다. 1940년 3월에 말루는 또 임신했다. 재앙으로 치닫던 관계를 다시 회복할 수 있다고 믿었던 그녀는 라캉과 함께 시골에서 며칠을 보냈다. 프랑스 군대가 덩케르크에 상륙할 준비를 하고 있던 5월 29일에 라캉은 몹시 불안한 어조로 처남에게 다시 편지를 보냈다. 말루는 이제 막 루아양에 있는 여자친구인 르네 마소노의 집으로 옮겨가 있는 상태였다. 그는 그녀와 카롤린느 그리고 '티보탱'(티보의 애칭)과 앞으로 태어날 아이에게 무슨 일이 일어나지는 않을까 걱정되었다. "어떻게 말해야 할까? 어쩔 수 없는 경우가 닥치면 그들을 큰처남에게 맡길 생각이네. 사태가 위험해지면 제발 이 말을 명심해주길." 그는 매일 15~20명의 환자를 돌보는 병원에서의 일상생활을 자세히 설명했다. 직업 생활이라는 면에서 볼 때 어느 때보다도 컨디션이 좋았고, 스스로도 놀랄 정도로 정력적으로 일을 해나갔다. 마음도 편안했고, 다른 사람들의 평가도 아주 좋다고 믿었다. 이어 다시 한번 프랑스의 정치 체제와 소위 엘리트들 그리고 병원의 고관들, 즉 '오만불손한 정신박약아들'에 대해 독설을 퍼부었다.[11]

1940년 봄이 끝나갈 무렵 라캉은 포에 있는 프란체스크 회 병원에 보조 의사로 배치되었다. 아마 말루가 무슨 일이 일어나고 있는지를 제대로 깨닫기 시작한 것은 바로 이때였을 것이다. 라캉은 점점 그녀에게서 멀어져갔고, 이제부터 새로운 삶의 기쁨을 나누고 새 친구들을 만나는 일은 실비아와 함께 했다. 다른 한편 실뱅 역시 징집되었다. 4월에 뤽쇠이유 시에 있는 이동 외과 야전 병원 부대 408의 책임자로 임명된 그는 6월 14일 마콩으로 전출 명령을 받았다. 3일 후에 제라르드메로 철수한 그는 6월 20일에 생-디에에 도착했다. 독일군이 이 마을에 들어왔을 때 그는 부상자들 곁에 남아 있었고, 8월 말에 집으로 돌려보내졌다.[12]

그 동안 조르주 바타이유는 모리악에서 가까운 캉탈에 있는 작은 마을인 드뤼제악으로 드니즈 롤랭을 데리고 갔다. 그는 곧 파리로 돌아왔지만 6월 11일 이후에는 그녀에게 돌아갔다. 그는 이렇게 쓰고 있다. "그것은 엑소더스이자 행운과 불운을 건 끔찍한 투기였다. 지금까지는 행운이 함께 했다. 그래서였는지 바로 한 시간 전까지만 해도 직접 걸어서 길을 떠날 생각을 했을 정도이다."[13] 곧 실비아와 로랑스, 그리고 이어 로즈와 앙드레 마송이 드뤼제악에 모습을 나타냈다. 바타이유는 1939년 가을에 드니즈 롤랭을 알게 되었다. 그때 그녀는 릴 가 3번지에 있는 아름다운 아파트에 살고 있었다. 로랑스 바타이유는 이렇게 말하고 있다. "그녀는 침묵 그 자체라고 할 수 있었다. 비유적으로 말하자면 그녀는 남의 이야기의 기록기라고 할 만했다. 사람들은 이러저러한 말이 그녀에게 얼마나 큰 반향을 일으키는지를 보고 깜짝 놀라고는 했다."[14]

6월 24일에 라캉은 포에서 '당신이 허락해야만 말로 표현할 수 있는 이유 때문에' 오리악으로 보내줄 것을 요청했다.[15] 드뤼제악에 있는 실비아를 만나고 싶었던 것이다. 그의 요구는 받아들여졌다. 그리고 얼마 후 그는 제대했다.

1940년 가을 두 지역으로 분리된 프랑스에서는 일상생활이 다시 시작되었다. 9월 초에 실비아는 어머니와 함께 비시로 갔는데, 그곳에서 미국 이민 허가증을 찾으러 온 장 르누아르와 마주쳤다. 그는 그녀에게 이렇게 말했다. "무조건 도망쳐야 합니다. 여기서는 아무것도 할 게 없어요. 끔찍해질 겁니다. 곧 나라 전체가 약탈될 거예요. 모든 집이 콩가루가 될 겁니다."[16) 한 달 후 비시에서는 유대인들의 사회적 지위에 관한 법률이 가결되었다. 그래서 실비아는 어머니와 함께 프랑스 남부로 피신했다. 처음에는 마르세이유로, 다음에는 카뉴-쉬르-메르로 옮겨 그곳에서 집을 하나 세를 얻었다. 그래도 의사였던 라캉은 2년 동안 보름마다 경계선을 넘을 수 있는 통행 허가증과 함께 충분한 기름을 얻을 수 있었다. 그래서 5 CV 시트로엥을 몰고 파리와 마르세이유 사이를 질주할 수 있었다. 그리고 남프랑스에서 여기저기를 돌아다니기 위해 자전거를 한 대 샀다. 나중에 그는 이 자전거를 암흑 같았던 전쟁 시절의 기념물로 보관해두었다.[17)

역사의 흐름과는 무관하게 살겠다는 결심도 그가 정치에 대한 아주 명석한 시각을 갖는 것을 막지는 못했다. 파시즘과 나치즘 그리고 반유대주의와 조금이라도 비슷한 것은 모두 증오했던 그는 유대인에 대한 페탱 원수의 의도에 대해 아무런 환상도 갖지 않았다. 그래서 실비아와 그녀의 어머니가 순진하게도 프랑스 당국에 유대인으로 등록한 사실을 알았을 때 그는 문제의 서류를 회수하기 위해 카뉴 경찰서로 달려갔다. 파일은 선반 위에 있었다. 그것을 넘겨받는 것조차 기다릴 수 없을 정도로 다급했던 그는 걸상 위로 올라가 직접 파일을 꺼냈다. 그리고 밖으로 나오자마자 전부 찢어버렸다.[18)

그는 결코 페탱을 지지하지 않았지만 그렇다고 해서 레지스탕스에 호감을 느끼지도 않았다. 그는 모든 종류의 압제를 증오했지만 영웅주의도 혐오했다. 그런데 완전히 상반되는 두 가지 증거는 그가 다른 사람들을 만날 때마다 이 시기에 대해 전혀 다른 식으로 이야기했음을 보여준다. 많은 사람들에게는 자기의 완고한 실용주의적 태도를 다소 비난조로 설명했는가 하면 또다른 사람들에게는 이와 반대로 레지스탕스에 가담할 생각을 했었다고 말했다. 카트린느 밀로는 이 시기를 상기하면서 라캉이 레지스탕스에 가담한 지식인들을 '무책임한 자들'로 불렀던 사실을 기억하고 있는데, 그는 "전혀 거리낌없이 뫼리스 호텔을 드나들었으며, 자유 지역에 있는 실비아를 보러 갈 수 있는 통행증을 얻기 위해 독일 장교들과 친하게 지냈다"고 말했다고 한다.[19] 그런데 다니엘 보르디고니에게는 자기 태도를 이와 전혀 다르게 설명했다. 보르디고니는 어느 날 라캉이 이런 이야기를 했다고 한다. "그는 독일의 점령에 대해 좌절감을 느꼈으며, 뒤로 물러나 연구에 전념하느냐 아니면 항독 지하 운동에 참여하느냐 하는 갈림길에서 갈등했다고 말했습니다. 특히 그는 프랑스에서 충분히 인정받지 못하는 사실 때문에 괴로워했고, 그래서 철학자가 될까 고민하기도 했다고 말했습니다. 하지만 프랑수아 토스켈이 라캉의 박사 학위 논문에 관해 보낸 편지가 그를 다시 정신분석가의 길로 되돌아가도록 만들었다고 말했습니다."[20]

토스켈은 라캉의 박사 학위 논문이 발표되고서야 비로소 에메 사례에 대해 알았으며 1940년 1월부터 생트-알뱅 병원에서 그것을 연구하기 시작했다. 이 병원에서는 전투적인 반파시즘 분위기 속에서 제도적인 정신요법이 시작되었다. 토스켈은 이렇게 말한다. "제가 있던 병원에서 '심리(Psycho)' 세계에 빠진 많은 사람들이 문제의 논문의 복사본을 갖고 도망간 사실은 아마 당신도 아실 겁니다. 절판되었기 때문에 서점에서도 구할 수 없었기 때문이죠."[21]

그러나 두 가지 증거가 진실을 보여준다. 라캉은 확실히 프랑스의 붕괴로 좌절하고 있었지만 또한 분명히 저항에의 참여보다는 연구나 자신에 대한 평가에 더 관심을 가졌다. 점령군에 대한 적개심은 무엇보다 미학적 반항의 형태를 띠었으며, 물론 여기에 생존 본능과 약삭빠른

처세술이 덧붙여졌다. 그는 우선 자신과 함께 자기가 사랑하는 가까운 사람들을 돌보았고, 이처럼 위태로운 상황에서도 훌륭한 창의성을 보여주었다. 다른 한편 당시까지만 해도 여전히 그의 주저였던 학위 논문은 계속 정신의학의 압제에 맞선 저항 행위로 해석되었다. 그리고 실제로 생트-알뱅 병원 안에서는 프랑스의 반나치 투쟁을 격려하는 데 이용되었다.

라캉이 옛날에 분석했던 조르주 베르니에를 마르세이유에서 다시 만난 것은 1940년 가을이었다. 이후 두 사람은 절친한 친구가 되었고, 거의 2년 동안 떨어지지 않았다. 페탱 추종자들의 행태에 대한 혐오감을 표현하기 위해 그들은 매주 여러 날 밤을 생트라라는 바 테라스에서 보내곤 했다. 카느비에르 밑에 위치한 유명한 이 바는 당시 망명 지식인들의 약속 장소였다. 그곳에서 두 사람은 광적인 영국 숭배를 과시했다. "우리는 영국이 세계에서 마지막 남은 희망이라고 확신했다. 그래서 우리에게는 영국 문학과 사상만이 존재했다."[22] 이제까지 독일 문화와 철학에서 큰 영향을 받아온 라캉은 프랑스 외무성(Quai d'Orsay) 참사관으로 있던 르네 발랭과 함께 영어 공부를 시작했다. 그는 영어를 능숙하게 말할 줄은 몰랐지만 많은 책을 읽고 싶어했다. 그래서 그는 아직 항구에 정박해 있던 마지막 미국 배 중의 하나에서 『누구를 위하여 종을 울리나』를 한 권 얻었다.

그는 또 베르니에와 함께 생트라 테라스에 앉아 엘리엇의 시를 번역하기 시작했다. 어느 날 저녁 두 친구는 『제임스 왕의 영역(英譯) 성경』을 읽어보기로 결심했다. 그런 상황에서는 쉽게 찾아볼 수 없는 책이었다. 그처럼 귀중한 책을 한 권 얻기 위해 라캉은 마르세이유에 있는 모든 신교도 교회를 다 찾아다녀 결국 한 권을 구했다. 괜히 이 책을 읽기로 한 것은 아니었다. 1611년에 영국 왕 제임스 1세의 재가를 받아 『흠정역 성경(欽定譯聖經)』이라는 제목으로 발행된 이 책은 구약의 히브리어 운율을 그대로 살리고 있었다. 쥘리앙 그린은 이렇게 쓰고 있다. "대부분의 영어권 사람들은 성경을 읽을 때 번역서를 읽고 있다는 것을 의식하지 못한다. 영역 성경에 대한 이들의 애정은 유대인들이 히브리어 성경에 대해 갖고 있는 애정만큼이나 깊다. (……) 영역 성경은 그 자체가 하나의 원본이다. 즉 번역되었다기보다는 오히려 새로 씌어졌다고 할 수 있다. 히브리어 텍스트의 정신이 『제임스 왕의 영역 성경』에도 그대로 담겨 있는 것이다."[23]

이리하여 마침내 라캉은 이전에 분석했던 유대인인 베르니에(게다가 그는 라캉과 마찬가지로 무신론자였다)와 함께 셰익스피어의 언어로 모세의 백성들의 역사를 읽게 되었다. 그리고 똑같은 심미적 열정에서 영국을 애호하던 라캉은 재단사에게 부탁해 영국군 장교의 망토를 입고 다녔다. 마치 궁핍한 시기에 도전이라도 하듯 모든 쾌락을 즐길 수 있다는 것을 보여주기 위한 것 같았다. 베르니에는 이렇게 이야기한다. "우리는 페탱주의자가 운영하는 프로방스 풍의 레스토랑에서 암시장에서 나온 물건으로 만든 저녁을 먹곤 했다. 담배가 다 떨어지면 라캉은 40분 정도 사라졌다가 크라벵 네 갑을 갖고 돌아왔다. 두 갑은 빨간색이었고, 두 갑은 녹색이었다. 그는 여러모로 수완이 뛰어났다. 어느 날 겔랑 상점에 아기용 비누 제품이 팔리지 않고 남아 있다는 사실을 알고는 전쟁 내내 그것을 얻을 수 있도록 손을 써두었다. 의사라는 신분 덕택에 많은 특권을 누린 그는 할 수 있는 한 최대한으로 그런 특권을 이용했다."[24]

라캉이 가스통 드페르(사회주의자인 그는 나중에 마르세이유 시장과 장관이 된다)를 만난 것도 이 레스토랑에서였다. 베르니에는 얼마 동안 그의 집에서 유숙했다. 두 친구는 또 롤랑 말로도 만났다. 말로는 상스 근처에 있는 수용소에 갇혀 있는 동생을 꺼내려고 애쓰고 있었다. 그는 두 사람에게 돈과 사복을 구해달라고 부탁했다. 그러나 라캉은 아무것도 주지 않았다. 그런데 얼마 후에 앙드레 말로가 코트 다쥐르에 도착했는데, 도로티 뷔시가 자기 빌라를 마음대로 사용할 수 있도록 내주었다.

프앵트-루즈에서 레 구드로 이어지는 큰 해변도로 가에는 동화 속의 별난 인물을 닮은 한 전설적인 부인이 살고 있었다. 릴리라는 이 부인은 1891년에 생-랑베르의 두블르 남작의 딸로 태어나 1918년에 장 파스트레 백작과 결혼해 돌리, 나디아, 피에르 세 아이를 두었다. 파스트레 가문은 사업에 뛰어들어 누알리-프라 양조 회사를 소유하고 있었다. 이 회사의 증류소는 피라디 가 전체에 걸쳐 있을 만큼 큰 규모를 자랑했다. 남편과 이혼했을 때 릴리는 몽트르동에 있는 아름다운 집을 갖게 되었는데, 1940년부터 커다란 호의를 베풀어 어쩔 수 없이 이민을 가야 하거나 피신해야 하는 화가와 음악가 그리고 예술가들을 이곳에 유숙시켰다. 음악 애호가이자 예술 후원자로 순응주의와는 거리가 멀었던 부인은 빨간 자동차를 타고 여기저기 다니면서 부를 나누어주었다. 가난한 사람들뿐만 아니라 고통을 겪는 영혼들도 도왔으며 모든 불행을 동정했다. 부인 덕택에 '캉파뉴 파스트레'는 추방당한 유럽의 많은 엘리트들의 중심지가 되었다. 때로는 잠시, 때로는 오랫동안 머물기 위해 그곳에 온 사람 중에는 디아길레브의 연인이며 마리-로르 드 노아이유 살롱에 자주 드나들던 보리스 코치노, 프랑시스 풀랑, 클라라 하스킬, 란차 델 바스토, 샹송 프랑수아, 그리고 루마니아 출신의 여류 피아니스트 유라 굴러 등이 있었다.[25]

전후에 생겨난 '액-상-프로방스 페스티벌'은 바로 이들의 만남에서 비롯된 것이었다. 백작 부인이 이 페스티벌의 설립에서 가장 중요한 역을 맡았다. 전쟁이 터지자 부인의 딸인 나디아는 베르됭에 있는 이동 외과 야전 병원으로 소집되었다. 거기서 그녀는 친구인 에드몽드 샤를

루와 재회했는데, 그녀의 집안은 파스트레 집안과 오래 전부터 알고 있었다. 다른 한편 돌리는 비극적 운명을 맞았다. 그녀는 멋진 뮈라 왕자와 결혼할 때 이미 우울증에 빠져 있었는데, 그 직후 그는 레지스탕스에 참여하기 위해 떠났고 1944년에 사망했다. 이후 상실감을 견딜 수 없던 그녀는 라캉과 분석을 시작하고, 장 들레이에게서 약물 처방을 받았음에도 불구하고 점점 더 깊이 우울증에 빠져들었다.

라캉이 이 '캉파뉴 파스트레'에 단골이 되기 시작한 것은 1940년 가을부터였다. 그는 처음에는 별로 환영받지 못했으며, '수수께끼 같고' '불편한' 그리고 심지어 '악마 같은' 사람으로 취급되었다.[26] 하지만 그는 곧 특히 유라 굴러와 가까워졌고, 앙드레 마송과 로즈 마송 부부를 자주 방문하게 되었다. 이 부부는 1940년 말에 마르세이유에 도착하자마자 몽트르동 사유지에 있는 집에서 지내고 있었다. 12월 31일에 베르니에는 이들과 함께 즐거운 새해 전야를 보냈다. 실비아는 임신 3개월째였다. 그러나 지중해 연안에 도착했을 때부터 가만히 있지를 않았다. 전에 남부로 피신해와 플로르 카페를 자주 드나들던 사람들과 함께 아프리카에서 배로 수송되는 대추야자와 무화과 찌꺼기로 만든 과일 잼을 팔아 가족의 생계를 이끌어갔다. 그들은 작은 회사를 설립해 '거무스름한 물건들'의 판매망을 지역 전체로 그리고 심지어 파리까지 확장시켰다. 진짜 과일 잼 맛과 제법 비슷했다고 한다.[27]

여름이 끝나갈 즈음 말루는 라캉에게 가 실비아와의 관계를 끝낼 것을 간청했다. 하지만 아무런 긍정적인 대답도 얻지 못한 그녀는 그러면 일 년을 줄 테니 마음을 정리하고 돌아오라고 했다.[28] 돌아오는 도중 그녀는 마르세이유에 있는 생-샤를 역에서 막 기차에서 내리고 있던 르네 라포르그와 마주쳤다. 파리에서 오는 길인 그는 툴롱 근처인 로크브뤼산느에 있는 데 샤베르라는 집으로 가는 중이었다. 슬픔에 빠진 그녀를 본 라포르그는 이 부부가 헤어졌다고 생각하고는 그녀에게 시골

에 있는 자기 집에서 며칠 묵었다 갈 것을 권했다. 그녀는 그렇게 했다.[29]

10월에 실비아가 아이를 갖고 있다는 사실을 안 라캉은 주저 없이 말루에게 이 희소식을 전했다. 곧 다시 아버지가 된다는 생각에 너무 행복해하며 합법적인 아내와 기쁨을 나누고 싶었던 것이다. 그녀 역시 임신 8개월로 출산을 목전에 두고 있다는 사실에도 전혀 개의치 않았다. 그녀는 이미 라캉과 실비아와의 관계로 인해 많은 고통을 겪었으며, 두 사람의 관계를 깨려고 했지만 헛수고였다. 그러나 아직도 사랑하고 있는 남자가 자행한 이토록 잔혹한 행동에는 더이상 견딜 수 없었고, 심한 모욕을 느끼며 큰 상처를 입었다. 이때 라캉은 그녀에게 아주 놀라운 말을 했다. "당신에게 그것을 백 배로 갚아주겠소." 실뱅은 말루에게 가능한 한 빨리 이혼하라고 충고했다. 그때까지 이럭저럭 억눌러온 우울증 상태를 그대로 드러내버린 침울한 상태에서 그녀는 11월 26일에 딸을 낳았는데, 이 아이에게는 시빌이라는 이름을 붙여주었다.[30]

분명 라캉도 말루의 고통을 모르지는 않았을 것이다. 하지만 조르주 베르니에가 아주 정확하게 확인해주듯이 "그는 여자들과의 관계에서는 놀랄 정도로 극히 냉정했다".[31] 그래서 다시 그는 파리와 마르세이유 사이를 계속해서 오고갔다. 그는 주소를 옮길 생각도 했다. 더이상 말레셰르브 가에서 사는 것은 생각할 수 없는 일이었다. 이미 전쟁 초기에, 즉 말루와의 관계가 한창 위기에 처해 있을 때 그는 앙드레 바이스의 집에서 한 달간 머문 적이 있었다. 그의 아내인 콜레트는 블롱댕 가의 친구였고, 그의 여동생인 제니 바이스-루디네스코(그녀는 1953년에 피에르 오브리와 결혼했으며, 저자의 어머니이다 — 옮긴이)는 나중에 프랑스 어린이 정신분석의 선구자가 되었다. 포부르-생-토노레 가 130번지에 위치한 이 집에 머무르는 동안 그는 잊을 수 없는 추억을 남겼다. 앙드레 바이스의 아이들은 엄격한 원칙에 따라 길러지고 있었는데, 예를 들어 식사중에는 손님 앞에서 말을 해서는 안 되었다. 그런데 라캉은 이 터무니없는 규칙을 어기고 직접 말을 걸었다. 프랑수아즈 쇼에는 이렇게 말하고 있다. "어른이 그렇게 관심을 가져주는 것에 대해 우리를 존중해주는 듯한 느낌을 받았다. 그는 우리에게 강한 인상을 주었다."[32]

자크와 말루의 이혼에서 제기되는 구체적인 문제를 해결해준 사람은 조르주 바타이유였다. 1941년 초에 그는 라캉에게 드니즈 롤랭과 살고 있는 집에서 가까운 곳에 있는 릴 가 5번지의 한 아파트가 곧 비게 될 것이라고 알려주었다. 라캉은 당장 이 집을 사서 이사한 다음 죽을 때까지 이곳에서 살았다. 말루가 요구한 이혼은 1941년 12월 15일에 이루어졌다. 자크는 '조정'을 위해 몸소 법원에 나오지 않아도 되었다.[33] 블롱댕 가족이 보기에 그는 그저 '사라졌을 뿐이다'.[34]

마르세이유에 머무는 동안 그는 '캉파뉴 파스트레'를 자주 드나들었을 뿐만 아니라 『남부 노트Cahiers du Sud』지를 중심으로 장 발라르가 만든 '그룹'에도 자주 나타났다. 마르셀 파뇰이 1914년에 창간한 이 잡지는 1925년부터는 장 발라르의 주도 하에 초현실주의자들의 작품들을 소개하기 위한 아방가르드 출판물이 되었다. 그리고 1933년부터는 나치즘으로부터 도망쳐야 했던 독일어권 작가들에게도 문을 활짝 열었다. 이 중에는 화가인 발튀스의 동생인 피에르 클로소프스키를 비롯해 클라우스 만, 에른스트 톨러, 그리고 특히 발터 벤야민이 있었다. 1940년 이후 발라르는 『노트』지의 출간을 계속하기 위해 혼신의 힘을 다했다. 매호에 실린 글은 점령군에 대한 일상적 투쟁을 위한 도구나 마찬가지였는데, 바로 이러한 투쟁 속에서 처음으로 '참여 시인(poète engagé)'이라는 표현이 생겨났다.[35]

이처럼 마르세이유에서 '캉파뉴 파스트레'와 발라르의 그룹 사이를 왔다갔다하면서 라캉은 전쟁 전의 파리에서의 사교 생활과 지적 생활을 계속 이어나갈 수 있었다. 그는 또 1940년 가을부터 1941년까지 '긴급 구조 위원회'의 보호 아래 '벨 레르' 빌라에 유숙하고 있던 몇몇 초현실주의자들을 만날 수 있었다. 그때 그곳에는 앙드레 브르통, 한스 벨머, 빅토르 브라우너, 르네 샤르가 있었다. 앙드레 마송도 정기적으로 그곳에 왔다.

1941년 3월경에 조르주 베르니에는 영국 이민을 진지하게 생각했다. 하지만 떠나려면 그와 아내를 위한 비자 두 개를 구해야 했다. 외무성에 아는 관리가 있던 그는 그 사람이 근무하고 있던 비시로 찾아가기로 결심했다. 라캉은 자신의 차 시트로엥으로 데려다주겠다고 했다. 그들은 비시까지 미친 듯한 속도로 달렸다. 그리고 비자를 교부받기 위해 다시 갈 때도 마찬가지였다. 그곳에 도착한 두 사람은 '멕시코 호텔'에 방 하나를 얻고 싶었지만 직원은 저녁 식사 후에 다시 오라고 했고, 다음에는 홀에서 기다리라고 했다. 자정을 알리는 소리가 들렸을 때 그들은 자크 도리오가 직접 계단 끝에서 불쑥 나타나는 것을 보았다. 옆에는 경호원과 페탱의 민간인 내각의 수상인 앙리 뒤 물랭 드 라바르테트가 함께 있었다. 따라서 이 두 친구는 페탱 정권의 참여자들이 모임을 갖기 위해 모인 방에서 끔찍한 담배연기를 맡으며 밤을 보내야 했다.[36]

베르니에는 연말까지 마르세이유에 머물다 곧 미국으로 떠났다. 그후 다시 영국으로 가 '심리 작전부'에서 선전 작업을 지원했다. 그는 1944년 9월까지 영국에 머물렀다. 그후 파리로 돌아온 그는 1955년에 『눈L'Œil』지를 창간했다. 그가 미국행 출국 비자를 얻었을 때 마송 부부도 미국으로 갔다. 앙드레 브르통은 이들보다 8일 전에 미국으로 갔다. 뉴욕에 도착하자마자 마송 부부는 실비아와 로랑스를 미국으로 데려오기 위해 온갖 노력을 기울였다. 1941년 12월 21일까지도 여전히 실비아와 로랑스가 미국에 오기를 희망했다. 그러나 헛수고였다. 실비아는 프랑스에 남기로 결정했던 것이다.[37]

1941년 7월 3일, 즉 점령기 중 가장 음울했던 시기에 실비아는 딸을 낳았다. 아이 이름을 주디트 소피라고 짓고 앙티브 호적 사무소에 가서 바타이유의 이름 밑에 올렸다. 1934년부터 실비아는 바타이유와 별거 상태에 있었지만 여전히 법적으로는 그의 아내였다. 그리고 바타이유는 공식적으로는 콜레트 페뇨와 동거하고 있었다. 1938년에 콜레트가 죽자 그는 드니즈 롤랭과 함께 살았다. 따라서 실비아와의 부부 관계는 더이상 아무런 사회적 의미도 갖고 있지 않았지만 그래도 여전히 법적으로는 유효했다. 다른 한편 라캉은 비록 실제로 함께 살지는 않지만 여전히 한 여자의 법적인 남편이었다. 하지만 바타이유와는 반대로 그는 그녀와 정식으로 별거하지 않았다. 라캉은 전통적 가족의 이상을 맹렬하게 거부했지만 그래도 『백과사전』에 쓴 글에서는 이를 높이 평가했다. 그래서인지 그는 분명하게 말하지 않는 태도와 모호한 태도를 고수하며 말루와의 관계를 계속해왔었다. 그는 절대 별거를 확실하게 결정하지 않았고, 이혼하자는 말도 하지 않았다.

한편 실비아는 라캉의 아이를 임신한 사실을 알고도 결코 이혼을 요구할 수 없었다. 1940~41년 겨울에는 비유대인과의 결혼을 통해 얻을 수 있던 혜택을 이혼으로 인해 잃을 수도 있었기 때문이다. 따라서 이러한 사정으로 인해 1941년 7월에는 아주 복잡한 상황이 벌어졌다. 태어난 아이는 생물학적으로는 라캉의 딸이었지만 결코 친아버지의 성을 가질 수 없었다. 그리고 라캉은 여전히 말루의 법적인 남편이었고, 프랑스 법은 아내가 아닌 다른 여자에게서 태어난 아이를 인정하지 않았다. 그래서 조르주 바타이유가 라캉과 실비아의 아이에게 자기 성을 붙여주었다. 친아버지가 아닌 사람의 성을 갖도록 만든 법적 질서와 막상 진짜 아버지의 성을 가질 수 없도록 만든 현실 간에는 이처럼 터무니없는 모순이 가로놓여 있었다.

라캉 이론의 핵심 요소 중의 하나인 아버지-의-이름 이론의 기원 중의 하나는 틀림없이 전쟁과 파괴 속에서 체험된 이러한 비극적 상황에서 찾을 수 있을 것이다.

베르니에가 미국으로 떠난 후에도 라캉은 프랑스 북부와 남부를 계속 왔다갔다했다. 1942년 봄에 대대적인 강제 이주가 시작되었을 때 시몬느 칸의 부모는 수위의 밀고로 게슈타포의 추적을 받게 되었다. 크노가 숨을 곳을 부탁하자 라캉은 베르사이유의 한 병원에 숨을 곳을 마련해주었다. 하지만 너무 엄청난 가격에 시몬느가 뭐라고 하자 라캉은 퉁명스럽게 이렇게 되받았다. "당신은 부르주아지 않소. 얼마든지 지불할 수 있을 거요!"[38] 1943년 초 이후 독일군이 이전의 소위 남부 지역을 점령하게 되면서 이곳으로 도피한 유대인들의 상황은 점점 더 위태로워졌다. 발즐레에 살고 있던 조르주 바타이유는 자크와 실비아에게 로랑스와 주디트와 함께 바실리크 광장에 집을 빌려놓았으니 그곳으로 오라고 했다. 하지만 로랑스만 아버지 곁으로 갔다. 하지만 디안느 코추베를 만난 후 드니즈 롤랭과 헤어진 바타이유는 라캉에게 릴가 3번지에 있는 아파트를 빌릴 것을 제안했다. 그래서 실비아는 로랑스와 주디트, 나탈리 마클레스와 함께 그 집으로 이사했다.[39]

이리하여 라캉은 스타니슬라스 학교 학생으로서 소년기를 보낸 세느 강 좌안으로 되돌아오게 되었다. 실비아와의 새로운 삶의 터전을 문학계 지식인들이 선호하는 이 구역으로 정하게 되면서 그는 파리 정신분석계의 전통과 단절하게 되었다. 정신분석 운동의 선구자들은 대부분 품위 있는 16구에 거주했고, 처음 정신분석가로 활동하기 시작했을 때는 라캉도 마찬가지였다. 분석가들은 의학계 부르주아들의 집들처럼 설비된 으리으리한 아파트에서 환자들을 받았다. 아파트 한쪽에는 진찰실과 대기실을 마련하고 다른 한쪽에는 가족과 집안 일꾼들을 위한 사적인 구역을 마련할 수 있을 만큼 넓고 으리으리했다. 그리고 흔히 여러 가지 수집품들로 방을 꾸몄다. 거장의 그림, 희귀 서적, 동양의 카펫, 마이센 산 도자기나 중국 산 도자기 등. 라캉은 이러한 부르주아 세계의 풍속과 취미 중에서 단지 수집욕만 물려받았다. 그는 골동품상을 자주 드나들면서 실비아의 친구인 마송을 비롯한 피카소와 발튀스의 그림을 사들였다. 이 분야에서 그는 앙드레 브르통처럼 전문가의 식견을 갖지는 못했지만 탐욕스런 소유욕은 누구에 뒤지지 않았다.[40]

그 동안 블롱댕 가족은 자크 드쿠르의 죽음으로 큰 충격을 받았다. 그의 본명은 다니엘 드쿠르드망슈로서 실뱅의 처남이었다. 독문학으로 교수 자격 시험을 통과한 그는 작가이자 공산주의자로서 장 폴랑과 함께 『프랑스 문학Les Lettres française』지를 창간했다. 그는 조르주 솔로몬과 조르주 폴리체와 함께 체포되었다. 1942년 5월 30일 그는 잔인하게 고문당한 후 나치에 의해 총살당했다. 아라공은 그를 이렇게 묘사했다. "수려한 용모와 창백한 얼굴, 비웃는 듯한 입술, 마른 몸매의 이 청년은 머리카락에 분만 바르지 않았을 뿐 영락없이 라 투르가 그린 18세기 파스텔 초상화를 닮았다. (……) 그는 배심원들의 온갖 가식과 그에게 가해진 육체적 고통에 대해 그저 당신들의 말대로 했다는 것을 인정할 테니 이제 그만두자는 말만 했다. 그러나 그것은 게슈타포가 기대했던 말이 아니었다. 게슈타포는 이름과 주소를 기대했다. 하지만 비웃는 듯한 그의 얇은 입술은 결코 아무것도 발설하지 않았다."

시빌은 지금도 말루가 전쟁 후에도 오랫동안 자크 드쿠르가 가족에게 보낸 마지막 편지를 세 아이들에게 큰 소리로 진중하게 읽어주곤 하던 모습을 기억하고 있다.[41]

라캉이 살게 된 새 구역에서 문학계의 움직임은 여전히 계속되고 있었다. 아드리엔느 모니에는 오데옹 가에 있는 그녀의 서점에서 새로운 세대의 젊은 지식인들이 모습을 드러내는 것을 감지할 수 있었다. 이들은 특히 미국 음악과 문학을 좋아했지만 동시에 사르트르, 카뮈, 말로 등 아직 거의 알려지지 않은 작가들의 초기 작품들도 높이 평가했다. 레지스탕스 투사들과 협력자들이 종종 만나곤 했던 플로르 카페에서는 1941~42년 사이의 겨울 동안에 아직 아무것도 발표하지 않고 있던 시몬느 드 보부아르가 카페 문을 열자마자 난로에 더 가까이 앉기 위해 잽싸게 문을 비집고 들어오곤 했다. 당시 그녀는 『존재와 무』를 쓰고 있던 사르트르를 돕기 위해 『정신현상학』을 읽고 있었다.

1939년 전까지 헤겔 저서는 독일어를 모르는 사람들에게는 오직 코제브나 코이레 혹은 발의 주석을 통해서만 알려졌다. 그러나 1939년에 이 중요한 저서의 최초의 프랑스어 번역본 1권이, 이어 1941년에 2권이 나왔다. 번역자인 젊은 철학자 장 이폴리트는 이를 통해 프랑스에서 헤겔주의의 새로운 시대를 열게 된다. 그런데 이 중대한 사건에서는 이성의 기이한 간지(奸智)가 발휘되었는데, 헤겔이 프랑스 군대가 예나에 자유의 바람을 몰고 온 바로 그때 『정신현상학』을 끝낸 반면 이폴리트는 나치가 독재와 종속을 강요하기 위해 프랑스를 침공한 바로 그때 이 책의 번역을 끝냈던 것이다.[42]

1942년 10월 25일에 사르트르는 자코메티의 소개로 레리스를 처음 만났다. 시몬느 드 보부아르는 『청춘기 La Force de l'âge』에서 레리스의 놀라운 모습을 이렇게 묘사하고 있다. "짧게 깎은 머리, 말쑥한 정장, 점잔빼는 태도는 따뜻한 미소에도 불구하고 왠지 다른 사람들에게 위압적으로 다가올 수밖에 없었다. (……) 마조히즘과 극단주의 그리고 이상주의가 뒤섞인 성향 때문에 그는 많은 쓰라린 경험을 하게 되었다. 그런데도 그는 놀랍게도 그런 얘기를 조금의 거리낌도 없이 상세히 늘어놓았다."[43] 초현실주의의 모험을 주도한 온갖 선배들과 교류하기 시작하면서 사르트르와 보부아르는 두 사람이 계승하기를 꿈꾸어온 지적 모험의 영웅들을 만나는 느낌이 들었다. 이들은 이처럼 뛰어난 작가들의 위대한 생각을 직접 들을 수 있었다. 시몬느는 처음에 제트와 가까이 지냈고, 이어서 레리스와도 가까워졌다. 하지만 피카소, 마송, 바타이유, 라캉 등으로 구성된 일종의 긴밀한 가족적 서클의 계보의 유명한 비밀은 결코 알지 못했다······.

레리스는 아나톨 레비츠키와 보리스 빌데가 이끌던 '뮈제 드 롬므(Musée de l'Homme)'라는 레지스탕스 그룹에 동참할 만큼 용감하지는 않았지만 그들의 활동에 관해서는 알고 있었다. 그들이 1942년 2월 23일에 몽-발레리엥에서 사형되자 그는 너무나 고통스러웠고 수개월 동안 그들의 기억에서 벗어나지 못했다. 직접 무기를 들지 않겠다는 선택은 신체적 용기가 없다는 자각에서 나온 것이기 때문에 그는 도덕적 저항 방법을 택하기로 하고 레지스탕스를 지지하는 잡지들에만 기고했다. 그는 책은 딱 한 권만, 즉 『간질Haut mal』만 출간했다.[44]

점령기 초기에 그는 친구인 조르주 바타이유와 한동안 사이가 틀어졌다. 바타이유가 '비정치적인' 잡지의 창간에 동의하는 어설픈 생각을 갖고 있었기 때문이다. 이 잡지는 '청년 프랑스(Jeune France)' 그룹에 의해 만들어졌고, 조르주 펠로르송 하의 비시 정부의 재정 지원을 받았다. 게다가 펠로르송은 모라스를 지지하는 우파 작가 모리스 블랑쇼에게 편집 책임을 맡길 것을 제안했다. 블랑쇼는 1936년부터 『콩바Combat』와 『랭쉬르제L'Insurgé』지에 레옹 블룸과 인민전선에 반대하는 반유대주의적이고 반의회주의적인 글을 써왔다.[45] 이 잡지는 결국 창간되지 않았지만 이를 계기로 바타이유는 블랑쇼와 알게 되었고, '청년 프랑스' 그룹의 여러 회원을 릴 가 3번지에 있는 집으로 이끌었다. 미셸 쉬리아에 따르면 바타이유는 점령기 동안 블랑쇼의 이념적 돌변에 중요한 역할을 했다.

바타이유는 반나치 투쟁에 참가할 생각은 하지 않았으며, 1941~44년 사이에 가명으로 『마담 에드와르다Madame Edwarda』와 『내적 체험L'Expérience intérieure』를 비롯해 제법 많은 수의 책을 냈다. 그의 정치적 입장은 레리스와 달랐는데, 이 두 사람의 차이는 '콜레주 드 소시올로지'를 결성하면서부터 확연해졌다. 레리스는 과학이 신성한 것보다 훨씬 더 커다란 해방의 힘을 갖고 있다고 믿었으며, '음모가들'의 극단적 실천에 대해서는 회의적이었다. 왜냐하면 그것은 엄정함을 결여하고 있고, 서양 사회의 민주주의적 사고 방식에는 전혀 어울리지 않는다고 생각했기 때문이다. 한마디로 그는 바타이유만큼 확실한 허무주의자도 아니었고, 따라서 부르주아 의회주의에 적대적이지도 않았다. 게다가 그는 파시즘에 대해 조금이라도 매력을 느낀 적이 없었고, 심지어 이 이념의 추종자들에게 이 이념의 효과적인 힘을 되돌려주기 위해서 이를 옹호할 생각도 없었다. 이처럼 그는 전쟁에 대해 바타이유와 똑같은 태도를 갖고 있지 않았다. 그는 영웅주의와 자유를 위한 투쟁의 가치를 믿었다. 하지만 극좌파인 바타이유는 서양 이성을 대표하는 모든 사상가들을 없애버리고 싶을 정도로 과학을 전면적으로 거부했다. 따라서 그는 전쟁의 발발을 역사의 종언으로, 즉 코제브의 스탈린이 아니라 전격전(Blitzkrieg)의 히틀러에 의해 구현된 역사의 종언으로 바라보았다. 따라서 이것은 어떠한 종류의 협력이 아니라 어두운 신비주의로의 내적인 도피를 통해 사악함에 몸을 바치려는 시도로 이어졌다. 이것이 마담 에드와르다라는 인물로 표현되는데, 남의 비위를 잘 맞추는 비열한 프랑스를 상징하는 그녀는 생-드니 가의 사창가에서 누더기와 상처를 과시하면서 신으로 추앙되고 있었다.

루이즈와 미셸 레리스 부부를 만났을 당시 사르트르와 보부아르는 나치즘과 페탱주의에 근본적으로 적대적이었던 만큼 『남부 노트』나 『프랑스 문학』과 같은 레지스탕스 기관지뿐만 아니라 『코메디아』지처럼 좀더 모호한 매체에도 글을 발표하고 있었다. 이 『코메디아』지는 '문화적'이고 '비정치적'인 입장을 고수하기 위해 유대인들이나 강경한 반파시스트들의 글을 받아들이지 않았다. 사르트르와 보부아르의 사회 참여는 모리스 메를로-퐁티와 도미니크와 장-투생 드상티 부부와 함께 한『사회주의와 자유』그룹에서의 활동으로 그쳤는데, 가령 삐라 배포, 회합, 지하 운동 등이 이들의 활동의 전부였다. 또 장 카바이에와의 인터뷰(하지만 아무런 결론도 끌어내지 못했다)도 있었고, 이어서 생-장-카-페라에서 앙드레 말로도 만났는데, 이때 말로는 러시아 탱크와 미국 공군의 위력밖에 더이상 믿을 것이 없다고 생각하고 있었다.[46]

1943년 6월에 사르트르는 불법 매체인『프랑스 문학』지의 동의를 얻어 샤를 뒬랭이『파리들Les Mouches』을 상연할 수 있도록 계획했다. 이 작품은『존재와 무』를 쓰면서 함께 쓴 희곡이었다. 그는 이 희곡에서 비시 체제의 '내 탓이오' 주의를 아주 노골적으로 폭로했고, 자유라는 이름을 위해 폭력적인 행위를 저지른 사람들을 도덕적으로 옹호했다. 자기 행동을 후회하면서도, 심지어 스스로를 비난할 지경이 되어도 테러를 저지른 영웅은 끝까지 자기 행동을 책임지는 것이 진정한 자유인이라는 그의 자유관은 이러한 맥락에서 나온 것이었다. 이 희곡은 독일군의 검열을 무사히 넘기고 사라-베른하르트 극장(시테 극장을 좀더 아리안 족 언어처럼 들리도록 하기 위해 이름을 이렇게 바꾸었다)에서 공연되었지만 대독 협력파 언론들은 이 작품에 대해 혹평을 가했다. 즉 '구역질 나는 것', '야수파와 다다이스트의 고물'이라고 평했다. 연극은 곧 간판을 내렸다. 하지만 1943년 12월에 재상연되었을 때 미셸 레리스는『프랑스 문학』지에 이 작품을 호평하는 글을 실었다. "운명에 희생되었던 오레스트가 자유의 투사가 되었다. 그가 살인하는 것은 더이상 어떤 모호한 힘에 의한 부추김에 따른 것이 아니라 충분히 이유를 알고 있는 힘에 따라 정의를 구현하기 위해, 또 이처럼 단호한 참여를 통해 결국 인간으로 존재하기 위해 그렇게 하는 것이다."[47] 이리하여 사르트르는 '나치 장화 아래에서 온간 꼼수를 두는 출세 제일주의자'라고 하는 중상가들의 험담에서 벗어날 수 있었다. 아무튼 그는 카바이에나 캉길렘,

드쿠르, 폴리체 같은 영웅주의를 발휘하지 못하고 또 책을 출간하거나 '아리안 족화된' 극장에서 연극을 공연하기 위해 독일 검열을 받긴 했지만 이 시기 동안 그는 오직 압제에 맞선 투쟁을 옹호하는 글만 썼다.

사르트르가 알베르 카뮈와 알게 된 것은 『파리들』의 총연습이 있을 때였다. 몇 달 전에는 1942년의 여름이 다 끝나갈 즈음 출간된 카뮈의 『이방인』에 관한 기사를 『남부 노트』에 기고한 바 있었다. 사르트르와 레리스, 카뮈, 보부아르는 곧 정기적으로 만나게 되었고, 사르트르는 레리스의 소개로 크노와도 알게 되었다. 보부아르는 이렇게 쓰고 있다. "우리는 이런 만남에 몰두했다. (……) 우리는 BBC 방송을 들었고 서로가 들은 소식을 주고받았으며 그것에 대해 토론했다. (……) 우리는 우리가 맞서 싸우고 있는 체제와 생각, 사람들에 대해 영원히 단결할 것을 약속했다. 그들의 패배가 임박해 있었다. 따라서 우리 앞에 열리게 될 미래를 설계하는 것은 우리의 임무가 되었다. (……) 전후 시대에 이데올로기를 제시하는 것은 우리 몫이 되었다."[48]

연합군의 승리가 확실해 보이자 사르트르와 카뮈 그리고 메를로-퐁티는 파시즘에서 해방된 프랑스에서 새로 꽃을 피울 수 있는 잡지를 창간할 계획을 진지하게 세웠다. 조르주 바타이유도 자주 이들을 도왔는데, 사르트르가 바타이유의 『내적 체험』에 관한 글을 발표한 후 두 사람의 관계는 더욱 가까워졌다. 이 기사에서 사르트르는 바타이유를 '새로운 신비론자', '세상 저편의 환각에 사로잡힌 사람'이라고 묘사했다.[49] 사르트르의 이 말은 간결하고 엄격하고 다소 빈정대는 듯하지만 경탄의 빛이 담겨 있었다. 사르트르는 바타이유를 짝을 잃고 삶의 위안을 잃은 환자지만 신의 죽음 뒤에도 살아남을 수 있는 사람이라고 했다. 사르트르는 바타이유를 그의 '부정직성(mauvaise foi)' 탓에 정신분석가에게 보내고 싶었다. 물론 프로이트나 아들러 혹은 융의 정신분석이 아니라 그가 『존재와 무』에서 칭찬했던 실존주의적 정신분석을 지지하는 정신분석가에게 말이다. 사르트르는 비록 정치적 시간과 역사적 시간보다는 오히려 소소한 범신론적인 황홀경을 더 선호한다고 비난하긴 했어도 바타이유가 파스칼과 니체의 훌륭한 계승자임을 인정했다. 요컨대 사르트르가 말하는 바타이유는 새로운 자유의 휴머니즘에 맞서는 수줍음 많은 그리스도였다. "바타이유 씨가 권하는 쾌락은 만일 그것이 그 자체만을 나타내고, 새로운 모험의 틀 속에 들어가지 않으며, 새로운 목표를 향해 스스로를 초월할 새로운 인간을 형성하는 데 기여하는 것이 아닌 한에서 술 한잔 하거나 해변에서 일광욕을 하는 쾌락과 다를 바가 없을 것이다."[50]

실제로 사르트르와 바타이유는 1944년의 첫 3개월 동안 레리스의 집이나 마르셀 모레의 집에서 만나 때로는 죄에 대해 때로는 코기토에 대해 얘기를 나누면서 함께 한 잔씩 마시곤 했다. "어느 날 저녁 두 사람은 마치 경쟁하듯 서로 마주보며 우스꽝스러운 춤을 추었다. (……) 세번째 인물은 말의 머리에 노란 색과 엷은 보라색 줄무늬가 있는 커다란 잠옷이 입혀진 마네킹이었다……."[51]

이때부터 레리스와 바타이유 중심의 친밀한 서클에 속하게 된 라캉은 1944년 봄에 처음으로 사르트르와 보부아르, 카뮈를 만나게 된다. 즉 피카소가 1941년 1월에 쓴 희곡인 『꼬리가 잡힌 욕망Le Désir attrapé par la queue』의 독회가 레리스의 아파트에서 열린 것이었다. 20년대의 초현실주의의 양식으로 씌어진 이 작품은 점령기의 식량 부족에서 생겨난 환상들을 그리고 있었다. 카뮈가 일종의 연출자로서 지팡이로 바닥을 두드려 장면 전환을 지시했다. 레리스는 그로-피에(큰 발) 역을 맡았고, 사르트르는 부-롱(둥근 끝) 역을 맡았다. 보부아르는 쿠진느(여사촌) 역을 맡았다. 한편 피카소와 동거하고 있던 도라 마르는 앙구아스-그라스(격심한 불안)였다. 출판업자인 장 오비에의 아내로 배우였던 자니 캉팡은 타르트(과일 파이)를 맡았다. 바타이유와 아르망 살라크루, 조르주 랭부르, 실비아 바타이유, 장-루이 바로, 브라크, 그리고 사르트르의 서클의 모든 성원은 연극을 보며 환호했다. 그리고 이틀 후 브라사이는 이 파티의 주요 참석자와 배우들을 레리스 집으로 다시 모이게 한 다음 사진을 찍었다.[52] 정말 가까운 친구들끼리 벌인 야회는 새벽까지 계속되었다. 물루지는 <좁은 포장도로>를 불렀고, 사르트르는 <나는 악마에게 영혼을 팔았다네>를 불렀다. 보부아르는 이렇게 쓰고 있다. "파리는 거대한 독일 포로 수용소였다. (……) 어둠 속에서 함께 술을 마시고 얘기를 나누는 것은 은밀한 쾌락이어서 부도덕한 일처럼 느껴졌다. 그것은 남몰래 뭔가를 하고 있다는 행복한 느낌을 가져다 주었다." 이날 밤의 파티에서 그녀는 라캉을 오랫동안 관찰했다. 아이디어와 에너지로 가득 찬 그의 정신은 그녀에게 큰 인상을 주었다. 하지만 그녀는 너무나 수줍어서 '술 때문에 우연히 나오는 진부한 몇 마디 말' 외에는 아무 말도 하지 못했다.[53] 한편 이미 루이즈 레리스의 화랑에서 라캉과 마주친 적이 있고, 실비아가 훌륭한 배우라고 경탄했던 자니 캉팡은 그들이 '별난' 커플이라고 생각했다. "나이 닮지 않게 젊어 보이는 그녀는 라캉의 애인이라기보다는 오히려 딸처럼 보였다. 사람들은 그가 심술궂게 꼬치꼬치 캐기 좋아하는 성격이며, 장차 세계를 뒤흔들 창의력을 가진 사람이라는 인상을 받았다."[54] 피카소는 그 희곡을 '캉송' 지에 인쇄해 참가자 모두에게 한 부씩 나누어주었다.

다음날 레리스는 간밤의 만취 상태에서 겨우 깨어나 생-로쉬 교회로 갔다. 그곳에서는 나치에 의해 살해된 막스 자코브*의 추도식이 거행되고 있었다. 모두가 성급하게 연합군의 승리를 기대하고 있을 때 독일에서는 강제 수용된 사람들의 집단학살이 진행되고 있었다.

3월의 즐거웠던 피카소 공연에 이어 서로의 집에서 번갈아 가며 이

---

* Max Jacob, 1876~1944, 20세기 초 현대시의 새로운 방향을 연 프랑스의 시인으로 2차 세계대전 당시 파리 근처의 드랑시에 있는 강제 수용소에서 죽었다.

와 비슷한 '축제'가 열렸다. 약속되었지만 항상 지연되곤 한 연합군의 상륙 소식을 기다리면서 모두가 새로운 삶의 방식과 희망의 근거를 찾고 있었다. 축제는 매번 서로 다른 배우와 희곡 작가, 곡예사, 관객들을 만들어냈다. 어느 날 저녁에는 도라 마르가 투우를 흉내냈고, 사르트르는 오케스트라를 지휘했다. 또한 랭부르는 햄을 해부했으며, 바타이유와 크노는 병을 갖고 결투를 벌이기도 했다. 라캉도 다른 사람들처럼 파티를 즐겼다. 레리스, 바타이유, 크노는 오래 전부터 라캉을 알아왔고 오랫동안 그와 교류했지만 그가 쓴 글을 읽지는 않았다. 또는 읽었다 해도 본인들의 글에서는 결코 언급하지 않았다. 라캉에게 끊임없는 영감의 원천을 제공해주었던 코제브와 코이레의 경우에도 마찬가지였다. 점령기가 끝나갈 무렵 그가 교류하기 시작한 사람들 중에서는 오직 보부아르와 메를로-퐁티만이 가끔 관심을 갖고 라캉의 글을 읽었다.

1948년에 여성을 주제로 한 『제2의 성』을 준비할 때 보부아르는 가족에 관한 라캉의 글을 알게 되어 이를 자세히 연구했다. 그후 그녀는 여성의 성(sexualité)에 관한 정신분석 운동의 내부 갈등에 커다란 관심을 갖게 되었다. 그래서 그녀는 라캉에게 전화를 걸어 이 문제를 어떻게 다루어야 할지에 관한 조언을 부탁했다. 우쭐해진 그는 문제를 제대로 해결하려면 5~6개월은 서로 만나 얘기를 나누어야 한다고 대답했다. 그러나 보부아르는 이미 자기 책을 위해 충분한 자료를 수집해두고 있었기 때문에 라캉의 이야기를 듣기 위해 그렇게 많은 시간을 할애하고 싶지 않았다. 그래서 그녀는 네 번의 인터뷰를 제안했다. 하지만 그는 거절했다.[55] 다른 한편 메를로-퐁티는 라캉과 중요한 지적 관계를 유지했고, 이어 가족끼리도 친하게 알고 지내게 되었다. 두 사람의 부인, 즉 실비아와 수잔느는 서로 친구가 되었고, 두 사람의 딸인 주디트와 마리안느는 종종 방학을 함께 보내곤 했다.

지식인 사회와의 교류를 통해 얻은 명성 덕택에 라캉은 전후에 일부 개인 고객들을 얻게 되었는데, 그 중에는 여가수인 마리안느 오스왈드, 돌리 파스트레, 그녀의 조카인 장-프랑수아, 도라 마르, 그 외에도 다른 몇몇 고객이 있었다. 또한 그는 피카소의 주치의가 되었다.[56] 그러나 1947년경까지만 해도 아직 훈련 분석을 의뢰받는 경우는 거의 없었다. 정신분석계에서는 아직 중요한 대가가 아니었을 뿐만 아니라 2세대 정신분석가들에서는 훈련 분석에서 사샤 나흐트보다는 덜 주목받고 있었기 때문이다. 나흐트는 프로이트와 만난 적도 있고, IPA 규칙에 더 들어맞는 학습 과정을 거쳤기 때문에 커다란 명성을 누리고 있었다. 그러나 1948~49년부터 프랑스 정신분석 3세대들이 점점 라캉의 학설에 시선을 돌리자 상황은 그에게 우호적으로 변하기 시작했다. 그때부터 그는 개인 정신분석가로만 활동했다.

1944년 10월에 조르주 베르니에는 파리로 돌아와 실비아와 주디트가 살던 릴 가 5번지에 유숙했다. 베르니에는 가끔 '축제'에 참석했다. 영어권 세계에서 살다 왔기 때문에 그는 의회 민주주의의 열렬한 지지자가 되어 있었다. 그래서 어느 날 그는 라캉과 친구들에게 혹시 투표해보았느냐고 물었다. 그러자 모두들 아주 놀라며 웃었는데, 라캉은 그렇지 않다고 대답했다. 베르니에는 다시 2년 동안 라캉에게 분석을 받았다. 라캉의 기술은 변하지 않았고 상담 시간도 여전히 똑같았다. "그는 우정과 치료를 분명하게 구분할 줄 알았다. 그리고 나는 분석이 성공적이었다고 생각한다. 덕분에 나는 더이상 엉뚱한 착오를 하지 않게 되었고 내 삶을 더 잘 조정할 수 있게 되었다. 하지만 몇 가지 변한 것이 있었다."

즉 베르니에는 라캉에게서 기교적인 화술과 옷차림을 발견하고는 깜짝 놀랐다. 옛날의 멋부리던 취미가 이렇게 변해 이미 일종의 강박관념이 되어 있었던 것이다. 1946년에는 직접 그러한 것을 목격하기도 했다. 생-페르 가에 있는 서점 앞에 있는데 누군가 부드럽게 어깨에 손을 얹었다. 차를 몰고 시내로 나온 라캉이었다. 베르니에가 차에 올라타자 그는 아주 흥분하며 특수 재질의 검은 사슴 가죽을 찾고 있는 중이라고 했다. 아주 값비싼 옷과 어울리는 이브닝 슈즈를 만드는 데 꼭 필요한 것이라고 했다. 라캉이 신발을 맞추곤 하던 런던의 유명한 제화점 번팅즈 사에서 몽타뉴-생트-주느비에브 가에 있는 가죽 가게들을 찾아보면 필요한 가죽을 찾을 수 있을 것이라고 말했다는 것이다. 베르니에는 이렇게 회상한다. "우리는 그가 원하는 것을 찾을 때까지 두 시간 동안을 헤맸다."[57]

2 인간의 자유에 관한 고찰

전쟁 동안 라캉은 한 줄의 글도 발표하지 않았고, 전쟁이 끝났을 때는 다른 사람이 되어 있었다. 생활과 습관 그리고 교제하는 친구 등 모든 것이 바뀌었다. 하지만 '콜레주 드 소시올로지' 시절에 가졌던 이론적 관심과 해방 이후에 갖게 된 관심은 대체로 연속되는 것이었다. 이 두 시기에 모두 그의 관심은 개인과 사회의 관계에 있었다. 바타이유처럼 그도 어떻게 파시즘이 쉽게 열광할 수 있는 인간의 성향을 악을 위해 동원할 수 있었는지를 밝혀내야 한다고 느꼈다. 하지만 바타이유와는 달리 그는 결코 파시즘이 이용한 환상을 부추기는 무기들을 역으로 이용할 수 있다고는 생각하지 않았다. 하지만 1936년부터 그는 인간 집단 일반의 조직을 결정하는 내적 동일시의 본질을 계속 고찰해오고 있었다. 이리하여 그는 바타이유와 똑같은 질문을 던지게 되었을 뿐만 아니라 집단 심리학을 다룰 때의 프로이트와 똑같은 영역에 들어서게 되었다.

가족에 관한 글은 이미 이런 질문에 관한 여러 가지 암시를 담고 있었다. 따라서 1945년에 그가 다시 사회적 결속의 본질이라는 문제와 씨름하고 있었던 것은 전혀 놀라운 일이 아니다. 그러나 이제 그는 이 문제를 더이상 가족의 시련이라는 관점에서 바라보는 것이 아니라 프로이트의 집단 심리학이라는 관점에서 이 문제에 접근했다. 게다가 프로이트와 마찬가지로 라캉은 집단을 분석할 때 군대를 예로 선택했다.

그가 군대의 정신의학에 대해 어떤 평가를 내렸는지는 발-드-그라스 병원에 징집되어 있던 동안에 실뱅 블롱댕과 주고받은 서신을 보면 잘 알 수 있다. 그때의 경험은 너무나 부정적인 것이어서 의당 프랑스 군대를 붕괴시킨 책임을 져야 할 프랑스 정신의학계의 '소위 엘리트들'을 충분히 비난할 만한 신랄한 말을 제대로 찾을 수 없을 정도였다. 특히 선발 과정이 터무니없다고 비난했다. 이 때문에 전방 장교로 전혀 적합하지 않은 사람들이 추천받게 되었다는 것이다. 그러나 당시 발-드-그라스 병원에 팽배해 있던 정신의학계의 태만에 대해 아주 냉철하게 바라보고 이를 아주 맹렬히 비난했지만 결코 그는 그에 대해 항의하지는 않았다. 보조 의사로 징집된 그는 그저 명령에 복종할 뿐이었다. 상관들이 내린 진단에 따라 처방하고 상담하고 관찰하면 그만이었다. 그는 이러한 위치에 아주 만족해했고, 심지어 그토록 신랄하게 비난했던 유명인사들로부터 높이 평가받고 인정받게 된 것을 아주 기뻐했다.[1] 이처럼 라캉에게서는 모든 일이 결코 단순하지 않았다. 그는 종종 인정받고 싶어하는 사람들을 중상하고, 은밀하게 숭배했던 가치들을 조롱했다.

1940년에 이미 열렬한 영국 숭배자였던 그는 1945년 9월에 영국을 5주 동안 여행하면서 그런 마음이 더욱 커졌다. 이 여행 동안 그는 하트필드 사회 복귀 센터를 방문했다. 이곳에는 귀향한 전쟁 포로와 해외 파병 용사들이 묵고 있었다. 파리로 돌아온 후 '정신의학 발전' 그룹에서 연설하면서 그는 런던에서 온 몇 명의 초청자들 앞에서 전쟁 동안에 영국이 보여준 영웅주의를 칭찬했다. "제가 생각하기에 영국 국민의 용기는 공리주의 이데올로기 때문에 종종 오해되지만 현실과의 진정한 관계에 근거하고 있습니다. 특히 이러한 관계는 '적응'이라는 말로 완전히 잘못 해석되고 있고, '배반의 지식인들'(방다의 유명한 책인 『지식인들의 배반』(1927)을 비튼 말이다 — 옮긴이)에 의한 수치스런 오용 때문에 심지어 '사실주의'라는 고귀한 말도 우리에게는 금지되었습니다. 왜냐하면 이 말을 오용해 이들이 반대하는 오래된 가치들을 빼앗음으로써 그러한 가치의 위엄을 떨어뜨렸기 때문입니다."[2]

이처럼 라캉은 방다의 저서인 『지식인들의 배반』(작가, 예술가, 사상가들이 이전의 정치적 독립성을 포기함으로써 자신과 사회를 동시에 배반한 것을 가리킨다 — 옮긴이)을 풍자하면서 그가 항상 소속되기를 원했던 프랑스 엘리트 지식인들을 다시 한번 비난할 수 있었다. 또한 영국의 공리주의에 대한 이러한 찬사 속에는 사회적 결속과 함께 전후 몇 년 동안 그의 주요 관심사가 된 개인과 진리와의 관계에 관한 이론이 들어 있었다. 이러한 관심은 이 강연뿐만 아니라 그의 글인 「논리적 시간과 예상된 확실성의 단언」이나 1946년에 본느발 심포지움에서 발표한 심리적 인과율에 관한 논문에서도 찾아볼 수 있다.[3]

1939년에 영국의 정신과 의사들은 느림보들, 꾀병쟁이들, '멍청이들', 경범자들도 전쟁에 동원하기로 결정해 이들에게 다양한 후방 업무를 할당했다. 이처럼 '부적격자들'을 실제로는 분리시키지 않은 채 전투 임무에 배치된 다른 일반 병사들과 구별해 재배치한 것이다. 이렇게 하면 전투병들은 질서를 교란시킬 수도 있는 분자들과의 접촉에서 생기는 신경질환적 충격을 피할 수 있었기 때문이다. 다른 한편 이들 '부적격자들'은 유용하다고 평가받고, 자율적인 집단으로 조직되어 일하게 된 결과 상태가 좋아졌다. 각각의 하위 그룹은 지도자나 권위적인 아버지 행세를 하지 않으면서 모두를 뒷바라지해주는 치료사의 보호 아래 각자의 목표를 설정해 이를 달성하기 위해 매진했다. 부적격자들에 대한 이러한 공리주의적 분류를 칭찬하면서 라캉은 이처럼 전시에 인간 관계를 재형성할 수 있던 힘은 영국 정신분석계가 프로이트 사상을 전폭적으로 수용함으로써 가능했다는 것을 강조했다. 이어 그는 영국의 실험은 이미 그가 1932년에 비판한 바 있던 체질론의 타당성을 부정했을 뿐만 아니라 가족에 관한 글에서 이미 지적한 대로 아버지 이마고의 쇠퇴를 증명해주고 있다고 덧붙였다. 확실히 사람들을 소그룹으로 조직하려면 그들이 자기 자신을 치료사의 이상적 자아와 동일시하도록 만들어야 한다면 거기에는 강한 지도자나 징병 사관 혹은 민중 선동가를 위한 자리는 남아 있지 않을 것이기 때문이다.

라캉은 여기서 1943년에 이러한 소그룹의 기능을 주제로 한 『란셋 *Lancet*』지의 논문들을 읽다가 알게 된 존 리크만과 윌프레드 비온의 연구를 인용했다. 이 두 사람은 전시에 버밍엄에서 가까운 노스필드 정신병원에서 아주 중요한 실험을 함께 했다. 1897년에 인도에서 태어난 비온은 저명한 의사로 활동하다 클라인 지지자가 되었다. 그리고 먼저 페렌치에게서 그리고 이어 멜라니 클라인에게서 분석받은 리크만에게서 전쟁 동안 훈련 분석을 받았다.

프로이트주의가 영국의 정신의학계를 정복한 것을 이런 식으로 찬양하면서 라캉은 클라인 파와 안나 프로이트 파가 대논쟁을 벌이고 있던 바로 이때 클라인 파를 통해 런던의 정신분석 운동에 접근했다. 하지만 이처럼 클라인 파를 지지하면서도 그는 프로이트의 집단 심리학 이론을 수정할 것을 제안했는데, 이를 통해 가족에 관한 자신의 독특한 개념과 집단 개념에 기초해 인간의 집단성 문제를 고찰하는 연구 방식을 결합시키려고 했다.

프로이트는 1921년에 출간한 『집단 심리학과 자아 분석』에서 지도자가 있는 집단과 지도자가 없는 집단을 구분했다. 그는 시간을 초월해서 살아남은 두 집단, 즉 교회와 군대를 모델로 삼았다. 그에 따르면 이 두 집단은 두 축을 중심으로 구조화된다. 집단과 지도자의 관계를 가리키는 수직축과 같은 집단에 속하는 개인들간의 관계를 가리키는 수평축이 그것이다.[4] 수직축의 경우 개인들은 그들의 이상적 자아의 자리를 차지하고 있는 대상(지도자)과 스스로를 동일시한다. 수평축의 경우에는 자아 차원에서 서로를 동일시한다. 물론 프로이트는 지도자의 자리는 실제 인간이 아니라 생각이나 추상, 가령 신과 같은 것에 의해 채워질 가능성이 있다고 생각했다. 그리고 그는 공산주의의 실험을 거론하면서 '사회주의의 대중적 관계'는 종교적 관계를 대체해나가면서 종교 전쟁 때처럼 이방인들을 배척하는 길로 나갈 위험성이 있음을 보여주었다.

프로이트는 동일시 이론에서는 수직축을 더 중시했는데, 따라서 당연히 수평축은 이에 종속되었다. 이러한 관점에서 보면 아버지나 지도자 혹은 어떤 생각과의 동일시가 한 집단의 구성원들간의 관계보다 우선되었다. 이 글은 이전의 모든 사회학과 심리학의 명제들과 근본적으로 단절하고 있었다. 이들은 모두 동일시가 아니라 암시나 최면 관계가 대중과 지도자 간에 존재하는 열광의 원천이라는 생각에 기초해 있었기 때문이다.

30년대에 이처럼 새로운 프로이트 이론은 파시즘의 정치적 기능 방식을 해석하는 데 도움이 되었다. 특히 프랑스에서는 바타이유가 알랑디, 보렐, 시프 그리고 그밖의 다른 많은 사람들과 함께 '집단 심리학회'를 창립하면서 이 이론을 거의 그대로 받아들여 썼다. 미셀 플롱은 이렇게 말하고 있다. "프로이트는 마키아벨리와 라 보에티를 모두 망각한 금세기의 사회학과 역사 그리고 정치 철학이 명백하게 표현해내려면 아직도 거리가 먼 문제들을 숙고할 수 있도록 해주는 개념적 틀을 제시했다."[5] 이처럼 새로운 가설을 받아들인 사람들은 모두 이것이 파시즘 현상에 대한 해명을 크게 전진시켜줄 수 있을 것이라고 생각했다. 하지만 아무도 1921년에 프로이트가 이제는 비워진 종교의 자리를 채울 수 있는 이념으로 공산주의를 생각하고 있었다는 것은 알아차리지 못했다.

이 수직축 문제를 고찰하면서 이를 가족과 결부시키기 시작한 라캉은 먼저 민주주의의 형태를 한 현대의 서양 사회는 아버지 이마고가 어쩔 수 없이 쇠퇴할 수밖에 없는 방식으로 조직되어 있다는 생각을 내놓았다. 그리고 그는 파시즘이 지도자 숭배의 상징을 우상화하는 방식으로 이 이마고를 다소 우스꽝스런 형태로 재평가하는 동시에 구성원들간의 호전적인 평등주의를 실현하고 있는 사실에 놀랐다. 이들은 죽음에의 충동에 사로잡혀 하나의 생각에 대해 열광적인 숭배자들이 된 일종의 부족으로 볼 수도 있었다.

그러나 7년 후 영국으로의 연구 여행을 통해 그는 프로이트의 이러한 생각을 수정할 필요가 있다고 느끼게 되었다. 영국 정신의학계가 전시에 처음에는 오로지 정신발생학에 기초해 인성의 요소들을 탐지하는 방법을 통해 그리고 다음에는 ─ 비온의 이론을 따르자면 ─ '지도자 없는 집단'의 성공적인 실험을 통해 모든 부적격자들을 통합해내는 데 성공했다면 그것은 결국 프로이트가 수직적 동일시에 너무 큰 비중을 둔 반면 수평적 동일시는 너무 무시했다는 것을 의미했다. 하지만 그렇다고 하여 프로이트의 모델을 정반대로 뒤집는 것이 아니라 더이상 수평축이 수직축에 종속되지 않는 사회 관계를 설명하기 위해 노력할 필요가 있었다. 다시 말해 라캉은 현장 연구에 기초해 비록 프로이트의 동일시 이론이 전통적 사고, 즉 최면 상태나 암시를 집단과 지도자 간의 사회적 관계를 만들어내는 유일한 요인으로 보았던 사고에 반대해 세워졌음에도 불구하고 그것이 여전히 르 봉 류의 집단 심리학관에서 완전히 벗어나지는 못했다는 것을 은연중에 보여줄 수 있었다.

특히 프로이트는 수직축, 즉 집단의 조직화에서 지도자의 기능이 지배적인 기능을 한다는 원칙을 고수했다. 이 때문에 그의 권력 이론은 폐쇄되어 변화를 모르는 집단에게만 적용되고 현대의 민주주의 사회에서의 정상적인 정치의 기능에는 적용되지 않을 위험이 있었다.[6] 동세대의 모든 사람들처럼 라캉도 프로이트 이론이 파시즘 분석에 아주 잘 들어맞는 점에 주목했다. 하지만 그는 이와 함께 한편에서는 산업 사회에서의 현대 가족의 변화를 이해하기 위해, 다른 한편에서는 나치즘에서 지도자에게 부여되는 전능함을 이해하기 위해 아버지 이마고의 쇠퇴 개념을 고려할 필요가 있다고 느꼈다. 그리고 영국에서의 실험은 그가 얼마나 옳았는지를 사후적으로 보여주었다. 왜냐하면 여행하는 동안 그는 수평축의 우위에 기초한 '지도자 없는 집단의 힘' 이론이 수직축의 우위에 기초한 '집단을 지배하는 지도자의 힘' 이론보다 우수하다는 것을 확인할 수 있었기 때문이다. 비온의 이론은 경범자들을 사회에 더 잘 통합시킬 수 있도록 해주었을 뿐만 아니라 규율을 강요해 전쟁 지도자에 복종을 강조하는 학설보다 이들을 좀더 자유롭고 유능하게 만드는 데도 크게 도움이 되었다. 한마디로 말해 1945년에 라캉은 프로이트 이론을 영국식 사고 방식에 통합시켜 파시즘에 맞선 투쟁의 무기로 사용할 줄 알았던 영국의 민주주의 체제를 칭찬했던 것이다.

이처럼 프로이트보다는 비온을 선택한, 또는 비온이 재검토하고 수정한 프로이트를 선택한 라캉은 낡은 암시 이론을 분명하게 버리고, 현대의 민주주의 사회를 좀더 정확하게 분석할 수 있는 명제를 제시하면서 프로이트의 동일시 이론을 수정할 것을 제안했다. 그렇다고 해서 이것이 그를 어떤 특별한 정치 체제에 연루되도록 이끌지는 않았다는 것을 참고로 지적하고 넘어가기로 하자.

프로이트 이론에 대한 라캉의 이처럼 새로운 수정은 전쟁 전에 헤겔 철학에 비추어 이루어진 수정과 연결되어 있었다. 그리고 라캉이 바로 이 시기에 정신의학으로부터 모든 종류의 기관설(organism)을 제거해야 할 절박한 필요성을 다시 언급한 것은 우연이 아니다. 왜냐하면 수직축을 우선시하는 프로이트의 이론에 대한 그의 수정은 오로지 정신 발생적 인성 개념에 대한 승인이 있을 때만이 가능했기 때문이다. 왜냐하면 만일 체질론이나 민족, 유전, 본능과 같은 개념들이 고수된다면 생물학적 유전에 너무 얽매이게 되어 결국 영원히 소외에 종속될 수밖에 없기 때문이다. 이러한 소외는 기원을 따지자면 결국 세계의 기원으로까지 소급되어 올라갈 수밖에 없는 만큼 전혀 제거할 수 없는 것이다. 1946년의 본느발 학술 대회에서 함께 체질론에 반대하는 투쟁을 선도했음에도 불구하고 라캉의 친구인 앙리 에의 기관 물력론(organodynamisme)을 혹독하게 비판한 것은 바로 이 때문이었다. 라캉의 관점에서 볼 때 이 이론은 인간의 광기의 유일한 원인으로 심리적 인과성만을 보는 그의 새로운 수정의 틀 안에 포함시키기에는 정신병에 대해 여전히 너무나 기관설적인 접근 방식을 채택하고 있었기 때문이다.[7]

또한 이러한 입장은 라캉으로 하여금 클레랑보가 '환자들을 관찰하는 데서 나의 유일한 스승'이었음을 처음으로 인정하도록 만들었다. 그래서 뒤늦게 라캉은 1932년에 좀더 역동적인 클로드의 학설을 채택하면서 반대 의견을 표시했던 이 체질론의 위대한 대표자에게 빚을 졌다는 것을 인정했다. 라캉은 클로드에게서 구조적이고 정신 발생적인 광기 개념을 빌려왔는데, 이것은 클레랑보에게서는 체질론에 대해 부단히 주장된 선언 때문에 가려져 있었다.

그러나 1945년의 수정은 라캉의 사고 속에 여전히 남아 있던 모라스 사상도 버리도록 만들었다. 그는 이제 프랑스 식의 실증주의적 가족주의보다는 영국 식의 민주적 공리주의를 선택했다. 즉 땅과 관련된 특정한 지역에의 소속에 기반해 형성되는 도가니라는 개념보다는 자유로운 개인들로 구성된 공동체 집단을 선택했다. 이리하여 그는 새로운 시대의 여명에 인류학과 인문과학을 통일적인 개념으로 바라보는 대변자로 자처했다. 그는 진리는 항상 새롭다는 것을 확신했다. "여러분은 내가 진리 탐구에서 데카르트와 헤겔이 맡은 역할들에 대해 아주 즐겁게 얘기하는 것을 들으셨습니다. 고전 철학자들을 '극복하는 것'이 우리 시대의 유행이 되어 있습니다. 파르메니데스와의 훌륭한 대화에서 출발할 수도 있었을 것입니다. 왜냐하면 소크라테스, 데카르트, 마르크스, 프로이트는 진리의 발견을 목표로 한 순수한 열정으로 연구를 이끄는 점에서 결코 '추월될 수' 없기 때문입니다."[8]

이해에 라캉은 또 프로이트 이론에 대한 수정을 설명하기 위해 궤변을 사용했다. 교도소장이 세 명의 죄수를 자기 앞에 출두시킨 다음 그들에게 시험을 통과하는 사람은 누구라도 석방시켜주겠다고 말한다. 그는 이렇게 말한다. "여기 다섯 개의 원반이 있다. 세 개는 흰색이고, 두 개는 검은색이다. 이제 너희들 등뒤에 이 원반 중의 하나를 붙일 것인데, 물론 무슨 색 원반인지는 말하지 않을 것이다. 너희도 말을 하거나 거울을 사용해서는 안 되지만 서로를 쳐다보는 것은 가능하다. 처음으로 원반 색을 알아맞힌 사람은 저 문을 나가게 될 것이다. 단, 어떤 논리적인 이유에서 그런 결론에 이를 수 있었는지를 설명할 수 있어야 한다." 죄수들은 동의하고, 교도소장은 흰색 원반을 이들의 등에 붙인다. 그들은 잠깐 동안 서로를 쳐다본 후 똑같이 감옥을 나갔다. 세 명의 죄수 모두 동일한 추리를 통해 등뒤에 흰색 원반이 붙어 있다는 것을 알아냈던 것이다.

라캉은 1935년 2월 저녁 실뱅 블롱댕의 아파트에서 열린 한 파티에서 이 궤변을 들었다. 이곳에서 처음 만난 앙드레 바이스가 라캉에게 이 이야기를 들려주었는데, 막상 답은 알려주지 않았다. 세 명의 죄수들이 어떻게 동시에 나갈 수 있었는지 하는 수수께끼를 풀지 못한 라캉은 잠을 이룰 수가 없었다. 그래서 그는 새벽 세시경에 바이스에게 전화를 걸어 답을 말해달라고 했다. 바이스는 한밤중에 잠을 깨운 것에 대해 크게 화를 냈다.[9)]

세 가지 추정이 가능했다. 1. 만약 수감자 A가 두 개의 검은 원반(B와 C의 원반)을 본다면 자기가 흰 원반을 가졌다고 추론할 수 있고 즉시 문을 나갈 수 있다. 2. 만일 A가 검은 원반과 흰 원반을 본다면 그는 다음과 같이 추리할 수 있다. "만약 내가 C(흰 원반을 가진 수감자)이고, 두 개의 검은 원반(A와 B)을 본다면 나갈 수 있을 것이다. 그러나 C가 나가지 않는 걸로 봐서 내가 흰색 원반을 가졌다고 추론할 수 있고, 따라서 나는 나갈 수 있다." 3. 만일 A가 두 개의 흰 원반을 본다면 그는 이렇게 추론할 수 있다. "내가 검은 원반이라면 B와 C는 각각 흰 원반과 검은 원반을 보게 된다. 그러면 두 사람은 이렇게 말한다. "만일 내가 검은 원반이라면 흰 원반을 가진 사람은 두 개의 검은 원반(B나 C)을 보게 된다." 그때 두 사람은 모두 흰색을 갖고 있다고 추론하고는 밖으로 나간다. 하지만 그들이 그렇게 하지 않기 때문에 A인 내가 흰 원반을 갖고 있다고 추론할 수 있다." 이 세번째 추론은 세 명의 죄수에 의해 동시에 이루어지고, 따라서 감옥을 나갈 수 있게 된 이유를 똑같이 설명하게 되는 것이다.

라캉은 '콜레주 드 소시올로지' 친구들에게 이 원반 이야기를 여러 번 되풀이해서 실험했다. 해방이 되자 1926년에 『예술 노트Les Cahiers d'art』지를 창간한 크리스티앙 제르보스는 압제에 대한 자유의 승리를 축하하기 위해 암흑 시대를 회고하기 위한 특별호를 발간했다. 그는 앙드레 마송의 소개로 알게 된 라캉에게 글을 청탁했다. 그래서 「논리적 시간과 예측된 확실성의 단언」이라는 글이 발표되었다. 라캉은 이 글에서 집단 논리(학)에 관한 에세이(그러나 끝내 발표되지 않는다)를 쓰고 있는 중이라고 선언했으며, 동시에 1944년 5월 27일에 비유-콜롱비에 극장에서 최초로 공연된 『닫힌 방』에서 표현된 사르트르의 자유 개념을 맹렬히 공격하기 시작했다. 그는 이렇게 쓰고 있다. "……우리는 네 벽 안에 갇힌 것을 그저 인간의 자유라는 궁극적인 목적을 위한 단순한 방편으로 바라보는 최근의 철학자와는 다르다."[10]

그러나 라캉의 궤변에서 묘사된 상황은 원래 『타인들Les Autres』이라는 제목을 붙였던 사르트르의 이 희곡의 상황과 비슷했다. 한쪽에는 정확한 논리적인 추리 덕택에 다 함께 해방될 수 있었던 세 사람의 이야기가 있고, 다른 한쪽에는 결코 억지로 사슬을 끊지 않을 것이라고 스스로에게 저주를 내렸기 때문에 네 벽 안에 영원히 갇힌 세 인물, 즉 '죽은 의식'이 있었다. 『닫힌 방』에서 사르트르는 『존재와 무』뿐만 아니라 연작소설인 『자유의 길Les Chemins de la liberté』에서도 표방하게 되는 자유 개념을 다시 한번 표명했다. 즉 자유는 소외와 실존적 지향성이라는 두 가지 적대적 힘이 대립하는 변증법적 투쟁의 목표라는 것이었다. 따라서 자유는 어떤 주체가 모든 것을 책임지고 선택할 수 있는 주체의 단순한 확신을 벗어난다. 그러나 자유는 의식의 철학의 가장 아름다운 표현이다. 다만 이 의식이 기만적 스크린, 즉 부정직성에 의해 주체를 기만적 스크린 뒤로 감추는 심리 과정에 의해 관통되고 있다는 것을 파악해야 한다. 사르트르는 너무 생물학적이고 기계론적인 것으로 생각되는 프로이트의 무의식 개념을 대체하기 위해 이러한 표현을 썼던 것이다.

이 부정직이라는 말은 양가적 태도의 병리학을 규정하기 위해 동일한 것의 하나의 계기로서 의식 속에 도입된다. 즉 주체가 하나의 생각과 그에 대한 부정을, 초월과 사물성을 하나의 행동으로 통일시키도록 강요되는 상황을 가리킨다. 이러한 맥락에서 사르트르는 소위 '경험적' 정신분석(프로이트의 정신분석)을 거부하고 실존적 정신분석을 택한다. 그는 전자의 정신분석이 변증법을 부정하고 개인의 초기의 감정적 현상, 즉 '이야기 이전의 텅 비어 있는 석판'을 강조하기 위해 자유의 본질을 부인한다고 비난했다. 후자의 정신분석은 이와 반대로 무의식을 폐기하고 자유의 본래적 출현 이전에는 아무것도 존재하지 않는다는 것을 입증할 수 있는 능력을 갖고 있다고 주장했다.[11]

당연히 라캉은 이 모든 주장에 반대했다. 인간은 스스로 사슬을 선택할 자유가 없을 뿐만 아니라(왜냐하면 자유의 원래적 출현 같은 것은 존재하지 않기 때문이다) 자유롭게 되려면 먼저 논리적 추리를 통해 인간 집단(성)에 통합되어야 하기 때문이다. 다시 말해 프로이트가 설명한 수평축에 따르면 소속만이 주체들을 서로 연결시켜주고, 논리적 추론 능력만이 인간을 진리로 이끈다. 즉 승인과 부인의 변증법을 통해 타자를 수용하도록 이끈다. 따라서 후설의 후예로서 사르트르에 반대하는 라캉은 개념의 철학의 노선을 따라 이 속에 주체의 비주체적 철학 또는 그의 표현대로 하자면 '나'의 실존적 불확정성'을 포함시키려고 노력했다.[12] 따라서 그는 인간의 모든 자유는 시간성에 종속된 것으로 보았다. 즉 각각의 주체에게서 자유는 논리적 결정을 위해 이해하기 위한 시간에 따를 줄 아느냐에 달려 있는 것이다.

세 명의 죄수가 자유를 찾게 되는 세 가지 경우를 다시 생각해보면 첫번째 경우 추리는 논리적 배제라는 형태로 진행된다는 것을 알 수 있다. 여기서 이해하기 위한 시간은 단순히 확인하기 위한, 즉 B와 C가 검정 원반이라는 것을 확인하는 것으로 축소된다. 두번째 경우 이해하기 위한 시간이 결론을 내리는 순간보다 앞서야 한다. 즉 A는 먼저 C의 입장에 선 다음에 추리해야 한다. 세번째 경우는 더 불완전하다. 왜냐하면 A는 두 단계(B와 C의 경우도 마찬가지이다)에 걸쳐 추리해야 하기 때문이다. 먼저 그는 자기는 검정 원반이라고 가정한 다음 B의 입장에 서서 C의 추리를 기다리거나 아니면 이와 반대로 할 수 있다. 그리고 두번째 단계에서는 그는 자기는 흰 원반이 아니라는 결론을 내린다. 세

명 모두 같은 추리를 하기 때문에 동시에 결론을 내리고 떠날 수 있게 된다. 따라서 이해하기 위한 시간은 결론을 내리는 순간과 동시에 일어나며, 이 결론을 내리는 순간은 다시 응시의 순간과 일치한다. 실제로 각자는 다른 두 명이 나가는 것이 아니라 나가기를 주저하는 것을 보고 자기가 흰색이라는 것을 알게 된다. 라캉은 '올바른' 결정이라는 현상을 특징짓는 예측 과정을 예측된 확실성의 단언이라고 이름붙이고, 이것을 인간의 자유의 조건으로 만들었다.

레지스탕스에 가담한 적도 없었고 또 사고 체계에 결코 사생활과 관련된 사실을 결부시키지도 않았던 라캉은 사르트르의 실존주의에 반대해 주체의 의식을 배제한 진리의 논리(학)에 기초한 인간의 자유론을 선택함으로써 자기도 모르게 장 카바이에의 영웅주의를 칭찬하게 되었다. 조르주 캉길렘은 나중에 이렇게 쓰고 있다. "그의 수학적 철학은 장 카바이에와 일시적으로라도 또 불확실하게나마 동일시될 수 있는 어떤 '주체'와 관련해 세워진 것이 아니었다. 장 카바이에에게서는 완전히 부재한 이 철학은 그를 논리라는 좁은 길들을 통해서 다시는 되돌아올 수 없는 한계까지 나가도록 만든 행위 형태를 만들어낼 수 있도록 해주었다. 장 카바이에는 죽음까지 무릅쓴 저항(레지스탕스)의 논리였다. 실존과 개인(person)의 철학자들도 가능하다면 다음번에는 그렇게 할 수 있기를."[13]

3 이중 생활

　　말루는 라캉이 친권을 포기하도록 조처했다. 그렇게 해서 자기를 버린 그를 벌줄 수 있을 것이라고 생각했다. 하지만 이혼은 원한 것을 그녀였지만 아이들에게는 진실을 숨기기로 결심했다. 그것이 '아이들의 행복을 위해' 최선이라고 생각했다. 그래서 전후 몇 년 동안 아이들은 아버지가 실비아와 살고 있다는 것을, 게다가 결혼했다는 것을 몰랐다. 또한 의붓동생인 주디트의 존재에 대해서도 아무것도 몰랐다. 라캉도 체면을 중시하는 이러한 부르주아의 관습에 따라 이 묵언 놀이를 그대로 따랐다. 말루는 아이들에게 아빠가 출장중이고 지적 작업에 너무 바빠 집에 오래 머물 수 없다고 말했다. 셀리아 베르탱은 이렇게 말한다. "그녀는 결혼에 실패했다는 것을 인정하고 싶지 않았고, 이혼 후에도 겉으로는 이전처럼 똑같이 행동하기 위해 최선을 다했다. 그녀는 여전히 라캉을 아니, 오히려 아이들에게 전해주기 위해 갖고 있던 그의 이미지를 절대적으로 숭배했다."[1]

매주 목요일마다 그는 그녀와 카롤린느, 티보, 시빌이 사는 17구의 자르댕 가에 있는 자그마한 아파트에서 함께 점심을 먹었다. 보통 그는 바람처럼 다녀갔다. 아주 무뚝뚝한 태도를 보였고, 그런 상황에 직면해야 하는 것을 난감해하는 것 같았다.[2] 그가 보낸 보조금은 너무 적은 금액이어서 아이들 교육비로도 충분하지 않았다. 그래서 그녀는 일을 하기로 결심했다. 처음에는 스카프에 그림을 그렸고, 다음에는 세귀르 백작 부인의 책에 삽화를 그렸다. 어려움에 처한 누이동생을 본 실뱅은 그녀를 자기 부서의 마취사로 채용했다.[3] 이혼한 후 그는 동생과 한층 더 가까워졌다. 아이가 없는 것을 안타까워했던 그는 라캉이 버린 아버지의 자리를 조카들에게 채워주게 된 것이 너무 기뻤다. 전쟁이 끝나갈 무렵 그는 드니즈 드쿠르드망슈와 헤어지고 마들렌느 시몽과 살기 시작했는데, 두 사람은 1949년에 결혼했다. 독실한 가톨릭 신자인 그녀에게는 재혼 당시 열여섯 살 난 아들 브뤼노 로제가 있었다. 브뤼노는 자기를 아들로 받아들인 고상한 계부를 금방 좋아하게 되었다. 말루와 마들렌느(니네트라는 애칭으로 불림)도 금방 친해졌으며, 그래서 카롤린느도 젊은 브뤼노와 점점 가까워져갔다. 결국 두 사람은 1958년에 결혼하게 된다. 실뱅은 이중으로 기뻐했다. 딸로 여기던 조카를 자기를 아버지로 여기는 사위에게 시집보내게 되었기 때문이다.[4]

카롤린느는 부모의 생활 방식에 대해 동생들보다는 덜 고통을 겪은 것 같았다. 그녀는 유일하게 행복한 어린 시절을 보냈고, 어머니를 빼닮아서인지 어머니의 사랑을 가장 많이 받았다. 자부심 강하고 고상한 그녀는 미모와 지성 그리고 엘리트 의식에서 말루만큼이나 자신만만했다. 그녀는 부와 훌륭한 안목의 장식들, 세심한 인테리어, 경제적 자유주의의 가치들을 사랑했다. 그리고 삶의 주요한 문제에서는 견실한 가족적 전통과 가톨릭의 도덕 그리고 부르주아의 화려함을 높이 평가했다. '사촌'인 브뤼노 역시 그녀에게 반했다. 그는 그녀와 같은 문화를 공유했고, 그녀를 따라 정치학 학교, 즉 시앙스 포에 들어갔다. 이 학교를 졸업한 후 그는 파리에서 가장 유명한 금융업자 중의 한 사람이 된다. 그녀 역시 같은 분야에서 일했다.

라캉은 카롤린느를 끔찍이 사랑했다. 이 딸아이를 베니스나 오스트리아 여행에도 데리고 갔다. 그리고 그녀에게 재정적 조언을 부탁하기도 하고, 아이의 출세를 돕기 위해 이모조모 관심을 기울여주었다. 하지만 그녀와 진정한 지적 교류를 갖지는 않았다. 그녀는 아버지가 쓴 글을 읽지도 않았고, 그의 세계에 들어가지도 않았다. 그리고 그의 작업과 학설을 이해하지도 못했다. 그리고 이러한 상황은 1945년부터 라캉의 사생활 전체가 지적 활동과 점점 더 분리할 수 없게 되자 더욱 심해졌다. 그는 우선 실비아와 가까운 사람들을 진짜 가족으로 선택했고, 이어서 그의 작업을 읽고 그를 이해할 수 있는 제자들로 된 '가족'을 통솔했다.

티보와 시빌은 부모의 별거 상황으로 인해 카롤린느보다 더 커다란 고통을 겪었다. 두 사람의 어린 시절이 어머니의 비탄과 우울증으로 점철되었기 때문이기도 했고, 그들에게는 숨겨진 아버지의 세계에 대한 가상의 현실과 그것이 허위에 불과하다는 것을 직감적으로 느낀 만큼 더욱 만족할 수 없게 된 일상 세계의 구체적 현실 사이에서 갈팡지팡하는 것을 피하기가 카롤린느보다 더 어려웠기 때문이기도 했다. 따라서 이 두 사람은 정체성을 찾고 사회에 동화되는 데 커다란 어려움을 겪었다.

1949년에 그들에게 끔찍한 일이 벌어졌다. 어느 목요일 티보는 시빌과 함께 '갈채의 정원'(동물원)에서 오후를 보내고 집으로 돌아오는 길에 횡단보도 앞에 차가 멈춰 서는 것을 보았다. 그들은 앞 유리창을 통해 운전대에 앉아 있는 아버지를 금방 알아보았다. 옆에는 한 여자가 앉아 있었고, 뒷좌석에는 여자아이가 앉아 있었다. 그들은 "아빠! 아빠!"라고 소리치며 다가갔다. 그러자 라캉은 놀란 눈으로 그들을 보다가 마치 아무것도 보지 않은 듯이 시선을 돌려버렸다. 그리고는 차를 출발시켜 다른 차들 속으로 사라져버렸다. 이것이 라캉의 아이들과 실비아와 주디트의 최초의 만남이었다. 두 아이가 이 얘기를 하자 말루는 분명히 라캉이 보지 못하거나 아니면 부르는 소리를 듣지 못했을 거라고 대답해주었다. 이런 식으로 말루는 아이들 아버지의 행동을 변명하려고 애썼다. 그렇게 해서라도 자신이 고수해온 그의 이미지가 계속 그대로 남아 있기를 원했던 것이다. 시빌은 이 일을 잊었지만 티보는 언제나 생생하게 기억했다.[5]

티보는 어른들이 나누는 대화에서 종종 언급되곤 하던 '다른 여자'에 대한 암시를 통해 아버지의 이중 생활을 눈치채게 되었다. 하지만 그가 주디트의 존재를 알게 된 것은 열두 살 되던 해인 1951년이었다. 그해 여름 방학 때 아버지는 자동차로 그를 영어 학교에 데려다 주었다. 이 학교에서 한 달을 보내는 동안 그는 자크와 실비아의 친구의 아들 한 명을 친구로 사귀게 되었다. 어느 날 얘기중에 티보와 동갑내기인 이 아이가 주디트의 이름을 꺼냈다. 티보는 "네가 누구 얘기를 하는지 모르겠어"라고 대답했다. 그러나 사실은 누구를 말하는지 금방 눈치챘다.[6] 그는 그것을 비밀로 했다. 시빌은 훨씬 더 나중에야 아버지의 이중 생활을 알게 되었다. 카롤린느의 결혼식을 준비할 때에야 비로소 자크와 말루는 아이들에게 사실을 털어놓기로 결심했던 것이다.

라캉의 가족 쪽에서는 아무도 그의 새로운 가족 상황에 대해 알지 못했다. 그러나 1941년 여름에 동생 마르크-프랑수아는 상황이 악화되는 것을 느꼈다. 더 자세히 알아보기 위해 그는 말루를 방문했다. 그때 그녀는 피레네-조리앙탈르에 사는 친구인 마들렌 게를랭의 집에서 휴가를 보내고 있었다. 절망에 빠진 그녀를 본 그는 형 부부가 파경에 이르렀다는 것을 알았다. 그는 형수가 종교 생활에서 피난처를 찾을 만큼 아주 독실한 기독교인이 아닌 것이 안타까웠다. 이러한 생활을 통해 신에게 가까이 다가가 이를 통해 불행을 극복할 수 있을 거라고 생각했던 것이다.[7] 그래서 그는 형수와 그녀의 오빠를 위해 기도했다.

그러나 그는 부모에게는 형의 생활에 일어난 변화에 대해 분명하게 말하지 않았다. 점령기에 릴 가에서 열린 디너 파티 때 처음으로 실비아를 만난 그는 그녀가 형의 파트너라는 것을 직감했다. 실비아도 또 형도 둘이 함께 살고 있다는 얘기를 하지 않았다. 게다가 그는 그토록 사랑하는 형이 여자 관계에서는 결코 기독교인답지 않다는 것을 확인하게 되었다. 그는 이렇게 말하고 있다.

> 형은 여자를 소유하고 싶어했다. 어릴 때부터 형은 소유욕이 강했다. 여자는 '하찮은 존재'가 아니며 사람들이 여자들을 수집하지는 않는다는 것을 인정하려 하지 않았다. 나는 형에게도 직접 다음과 같은 이야기를 했다. 천재라고 해서 여자라고 하는 타자를 제멋대로 해서는 안 된다고 말이다. 부부 생활은 신 안에서 모델을 찾아야 하는 협약이다. 그리고 바로 이러한 관계가 개인을 형성시켜주는 것이다. 이 관계는 여자와 남자가 서로 주고받는 관계 속에서 살 수 있도록 해주고 또 서로의 이타성을 유지할 수 있도록 해준다. 형에게는 바로 그것이 부족했다. 로르 사제는 그와 말루를 결코 결혼시켜서는 안 되었다. 두 사람 모두 기독교인이 아니었기 때문이다.[8]

마르크-프랑수아가 성직자의 삶을 선택한 반면 라캉은 이미 오래 전부터 이러한 기독교의 영성을 공유하지 않게 되었다. 그러면 라캉이 16세 이전까지는 진정한 기독교인이었을까? 그것은 의심스럽다. 어쨌든 2차 대전 후 아주 분명한 무신론자가 되었기 때문에 이제 옛날처럼 반기독교인으로 자처할 필요가 없었다. 그럼에도 불구하고 그는 지체 높은 부르주아들의 몇몇 관습은 계속 고수했다. 그래서 주디트를 교회에서 운영하는 학교에 입학시켰고,[9] 아이 어머니가 무신론자일 뿐만 아니라 모든 종교 의식에 반대하는 입장이었음에 불구하고 주디트에게 첫 영성체를 받게 했다.

1948년 11월 21일에 라캉의 어머니인 에밀리 보드리-라캉이 갑자기 극적인 상황에서 사망했다. 복부 고통으로 인해 하르트만 병원에 응급 입원된 그녀는 실뱅 블롱댕에게 자궁 절제 수술을 받았다. 모든 일이 잘 되어가는 것처럼 보였고, 그래서 그녀는 마르크-프랑수아에게 점점 더 나아지고 있다는 편지를 보냈다. 그러나 그녀는 수술 후의 합병증이 혈전을 일으켜 병실에서 사망했다. 간호원이 회진하다가 침대에서 그녀를 발견했다. 그녀의 손은 도움을 청하는 단추 위에 올려져 있었다. 하지만 벨을 누를 시간도 없었던 것이다. 마들렌느가 처음 소식을 전해 듣고 오빠인 자크에게 전화를 걸어 어머니를 가능한 한 빨리 병원에서 모셔오라고 했다. 그녀는 그런 상황에서 어머니가 돌아가셨다는 소식에 아버지는 견딜 수 없어할 것이라고 생각했다. 자크는 여동생의 말대로 했다. 이리하여 에밀리의 시체는 마치 자연사한 것처럼 보이도록 하기 위해 강베타 가로 옮겨졌다. 그래서 공식적으로 에밀리는 집에서 남편 알프레드의 품에 안겨 72세에 죽은 것으로 되었다. 마르크-프랑수아는 회복되어가고 있다는 소식을 담은 어머니의 편지를 막 읽었을 때 사망 소식을 들었기 때문에 이처럼 급작스런 죽음에 더 더욱 당황할 수밖에 없었다.[10] 장례식은 11월 25일에 샤토-티에리 공동 묘지에 있는 가족의 지하 매장터에서 종교 의식에 따라 치러졌다. 라캉은 페르디낭 알키에에게 이렇게 썼다. "다시 한번 말씀드리지만 저는 한 달 전에 어머니를 여의는 고통을 겪었습니다."[11] 그리고 불행한 아버지를 돌보아야 하는 것에 대해 불평했다. 어머니는 주디트의 존재를 전혀 몰랐지만 결국 아들의 '다른 삶'에 대해 어렴풋하게나마 알게 되었다. 그러나 그녀는 자크의 결혼이 정말 기독교적이었고, 말루는 정숙한 여자라고 믿으면서 그러한 사실을 부인하려고 애썼다.[12]

하지만 에밀리가 죽은 지 얼마 후 마들렌느는 사실을 털어놓기로 결심했다. 그녀는 아버지에게 주디트의 존재를 얘기했다. 그러자 아버지는 즉시 '손녀를 보고 싶다'고 했다.[13] 바로 얼마 전에 릴 가에서 조카를 만난 마르크-프랑수아가 그렇게 하기로 했다. 그러나 그가 실뱅 블롱댕에게 사실을 털어놓자 그는 크게 반대하며 아주 노기 띤 편지를 보내 자기 생각을 알렸다.[14] 하지만 마들렌느는 이러한 반대를 무시하고 주디트를 할아버지에게 데려왔다. 곧 실비아도 마들렌느를 알게 되었는데, 얼마 후 그녀가 큰 교통 사고를 냈을 때 커다란 도움이 되었다.

이처럼 티보가 영어 학교에 있는 동안 이복형제인 주디트의 존재를 알게 되었을 때 주디트는 이제 막 친가에 받아들여졌다. 그러나 그는 이러한 사실을 까마득히 몰랐다.

해방 후 실비아와 자크는 릴 가 5번지에 있는 아파트에서 함께 살았고, 주디트와 로랑스 그리고 외할머니는 3번지에 있는 아파트에서 살았다. 그후 시간이 흐르면서 두 집 사이에 일종의 분할이 이루어졌다. 3번지 아파트는 실비아의 주요 장소가 되어 저녁 파티와 리셉션이 열렸고, 5번지 아파트는 라캉의 주요 장소가 되었다. 그는 이곳에서 연구하고 애인들을 맞아들이고 환자들을 받았다. 그러나 점심은 3번지 아파트에서 먹었다. 1948년 3월에 그는 글로리아 곤잘레스라는 스페인 소녀를 고용했다. 그녀는 13살 때부터 가정부로 일하면서 정말 열심히 일했다. 처음에는 실비아만 도와주다가 점차 라캉을 주인으로 섬기는 충복이 되어 그를 열정적이면서도 신중하게 도와주었다. 이리하여 그녀는 라캉의 지적인 삶뿐만 아니라 분석 활동에서도 점점 필수불가결한 존재가 되었다.

세련된 취향을 가진 실비아는 자크의 상담실의 장식과 가구 배치를 위해 많은 신경을 썼다. 먼저 가구를 몇 개 구입했는데, 그 중에는 나폴레옹 3세풍의 안락 의자도 있었다. 라캉은 평생 이 의자에 앉아 그를 찾아오는 사람들의 말을 들었다. 1948년에는 90cm 폭의 싱글 침대를 사들였는데, 이 침대는 33년 동안 그의 유명한 분석 의자로서 오랜 지적 모험의 말없는 증인이 된다. 이 안락 의자와 분석 의자는 다 닳을 때마다 수수한 회색 천으로 갈아 입혀졌다.

1951년에 라캉은 망트-라-졸리에서 가까운 기트랑쿠르에 아름다운 시골 주택을 샀다. 이 집은 '라 프레보테'라고 불렸다. 라캉은 일요일마다 연구하기 위해 그곳으로 도피하기도 했지만 그곳에서 환자를 받거나 화려한 리셉션을 열기도 했다. 그는 친구들 앞에서 연극을 상연하고, 분장하고, 춤추고, 파티를 열고, 희귀한 옷차림을 하는 것을 아주 좋아했다. 이 두번째 집에 그는 수많은 책들을 수집해 들이기 시작했는데, 이것은 마침내 릴 가에 있는 것보다 더 거대한 장서를 이루게 된다. 오늘날 잠깐 책제목만을 보기만 해도 그가 희귀본이나 초판본들에 대한 열정적인 추구에서 얼마나 엄청난 박학함을 보여주었는지를 이해할 수 있을 것이다.

정원이 내려다 보이는 커다란 창이 나 있는 큰 방을 라캉은 서재로 꾸며 귀중한 예술품들로 가득 채웠다. 가장 귀한 작품은 벽이 없는 복도인 로지아에 걸어둔 그림으로 <세상의 시작 L'Origine du monde>이라는 제목의 이 그림은 1866년에 귀스타브 쿠르베가 터키 외교관인 칼릴-베이를 위해 그린 것이었다. 이것은 막 정사를 끝낸 한 여인의 음부가 그대로 노출되어 있는 누드화로서, 그림이 완성되었을 때 스캔들을 일으켰다. 이 그림은 공쿠르 형제와 막심 뒤 캉을 모두 깜짝 놀라게 했는데, 공쿠르 형제는 이 작품을 '코레지오(Correggio)의 육체처럼 아름다운' 그림이라고 한 반면 뒤 캉은 쿠르베가 사드 후작의 책들에 삽화를 그려도 좋을 만큼 외설스럽다고 주장했던 것이다. 칼릴-베이가 사망한 후 이 작품은 다양한 개인 소장가들에게 넘어갔다. 2차 대전 동안에는 부다페스트에 있었는데 나치가 그것을 압수했다. 이어 소련 점령군들의 손에 넘어갔다가 결국 수집가들에게 다시 팔렸다.

라캉은 이 그림을 1955년경에 발견했다. 그대로 드러난 성기가 너무나 외설스러워 보였기 때문에 처음에는 이 부분을 풍경을 그린 나무판으로 가려두었다. 나무판을 떼낸 그림을 본 실비아는 "이웃이나 가정부는 이 그림을 이해하지 못할 거야"라면서 너무 외설스러운 부분을 계속 가리는 편이 좋겠다고 생각했다. 그래서 앙드레 마송에게 새 나무가림판을 만들어달라고 부탁했다. 그는 요청을 받아들여 훌륭한 나무판을 만들어주었는데, 그 위에는 원본의 에로틱한 요소들이 추상적으로 재현되어 있었다. 그리고 아무도 모르게 쿠르베의 원래 작품을 그대로 드러낼 수 있도록 이 목판을 들어올릴 수 있는 장치를 해두었지만 물론 보통 때는 그대로 가려두었다.[15]

라캉은 항상 여행하거나 해변가에서의 휴가를 보내는 것을 끔찍이도 좋아했다. 그는 마리-테레즈와 함께 모로코, 스페인, 코트 다쥐르에 갔었고, 올레시아와는 영국에, 말루와는 이탈리아에 갔었다. 전쟁이 끝나자마자 이번에는 실비아와 여행을 갔다. 특히 이집트를 여행했다. 그곳에서도 그는 여느 때처럼 모든 것을 보고 이해하려는 집요한 호기심을 보였다. 그는 또 겨울 스포츠에도 관심을 보였다. 하지만 스키를 신거나 타는 것에는 희한하게도 아주 서툴렀다. 목적을 이루려는 데 항상 급급했던 그는 비탈을 미끄러져 내려올 수 있을 정도로 몸의 움직임을 조절할 수 있을 때까지 기다릴 만한 인내심이 없었다. 그래서 두 번이나 다리에 골절상을 입었다. 대퇴부 골절상은 가벼운 절름발이 걸음을 남겼다. 그는 때때로 이것을 제자들의 어리석음에 지친 선생의 걸음걸이로 교묘하게 이용했다. 그는 다리를 끌면서 지쳐 보이는 한숨과 함께 이렇게 말하곤 했던 것이다. "나는 죽었다, 그들이 나를 죽인다, 그들은 내가 하는 말을 한마디도 이해하지 못한다."[16]

여름 동안 그는 종종 실비아와 주디트, 로랑스, 메를로-퐁티를 다 데리고 아르카송 저수지 근처의 '물로'라고 하는 곳을 찾아가곤 했다. 며칠 동안 일한 후에는 다른 사람들을 도보 여행에 끌고 가 도중에 석양을 카메라에 담기도 했다. 그는 또 남부 이탈리아의 아름다움을 좋아했다. 그는 라벨로에 있는 '침브로네' 빌라에 머물렀고, 아말피 근처 해안에 있는 카프리 주위를 보트로 돌아보는 것을 좋아했다.

1953년 7월 17일에는 액-상-프로방스 근처의 톨로네 마을에서 실비아와 결혼식을 올렸다. 결혼식은 가까운 친척과 마송 부부가 참석한 가운데 시청에서 거행되었다. 마송 부부는 세잔느 가에 '레 시갈'이라는 아름다운 집을 갖고 있었는데, 이 집은 화가들이 살면서 작업하고 있던 장소로 연결되어 있었다. 자크는 밝고 수수한 옷에 나비 넥타이를 메고 단추 구멍에는 꽃을 달았다. 실비아는 수수한 흰 블라우스에 폭넓은 치마 차림이었다. 그녀는 1946년 7월 9일에 조르주 바타이유와 이혼했다.[17] 이때 이미 바타이유는 디안느 코추베와 살고 있었고, 1948년 12월 1일에 딸 쥘리를 낳은 후 1951년 1월 16일에 두 사람은 결혼했다. 따라서 이제 45살이 된 실비아가 바타이유의 성을 버리고 라캉의 성을 쓰기로 했을 때 실제로는 이 두 사람의 딸인 주디트는 법적으로는 의붓딸이 되었다. 실제로는 말루의 아이들과 의붓형제가 되어야 했는데도 말이다. 그리고 실제로는 의붓자매인 로랑스와 아무런 혈연 관계도 없는 쥘리와는 친자매처럼 지내게 되었다. 이처럼 법적 관계와 실제 관계가 완전히 모순되었기 때문에 상황은 더욱 복잡했다. 라캉은 전처와의 사이에서 얻은 자식들보다는 주디트와 의붓딸 로랑스에게 더 아버지답게 행동했다. 로랑스는 세월이 흐르면서 친아버지보다 라캉에게 더 친근감을 느꼈다. 그녀는 친아버지를 존경했지만 4세부터 떨어져 지냈다.

라캉은 주디트를 끔찍이도 이뻐했다. 딸에게 자기 성을 줄 수 없는 것이 너무나 고통스러웠고, 그래서 그녀에게 남다르게 지극한 사랑을 쏟았다. 그는 딸이 자라는 모습을 경탄하며 쭉 지켜보았다. 그녀의 미모, 재주, 재능은 어김없이 활짝 피어났다. 그녀는 아버지가 교류하는 지식인들 속에서 성장했고, 사춘기부터는 그의 제자들 모임에 끼었으며, 그의 사고의 발전에도 참여했다. 그녀는 콜레주 세비네에서 공부했고, 철학 교수 자격 시험에서 수석을 차지했다. 사람들은 그녀를 친아버지 성을 딴 주디트 라캉으로 불렀다. 라캉의 많은 동료와 친구들이 주디트를 너무 끼고 돌지 못하도록 말리려고 할 정도였다. 아무튼 딸에 대한 라캉의 열정은 그의 오이디푸스론과는 정반대였다. 그러나 이 점에 대해서는 프로이트가 먼저 모범을 보여준 바 있다. 프로이트 역시 딸 안나에게 그처럼 특별한 부정을 보이지 않았던가?

주디트는 아버지의 헌신에 보답했다. 그녀는 언제나 오로지 경애심 어린 존경의 눈길로만 아버지를 바라다보았다. 이것은 어느 순간에라도 즉각 전면적인 숭배로 이어질 수 있는 성격의 것이기도 했다. 아무튼 딸에게는 아버지가 확고한 성격과 함께 흠없는 너그러움을 가진 살아 있는 신이자, 항상 나쁜 제자들에게서 배반당하지만 적이 될 위험이 있는 사람들을 항상 물리칠 수 있는 고매하고 영웅적인 신이었다. 라캉은 그의 마음 깊은 곳에 가려져 있는 욕망들을 채워주는 그러한 숭배를 조장했다.

하지만 주디트에 대한 이러한 편애는 첫번째 결혼에서 얻은 아이들, 특히 티보와 시빌에게 영향을 미치지 않을 수가 없었다. 두 아이는 아버지의 삶과 함께하지 못하는 것을 불행해했으며, 따라서 아버지 성을 가진 것만을 유일한 긍지로 삼았다. 다른 한편 주디트는 아버지의 편애를 알고 있었지만 법적으로는 아버지의 자식이 아닌 현실에 괴로워했고, 따라서 사람들이 '서자'로 취급할까 봐 두려웠다.[18] 그래서 두 가족의 경쟁심은 커져갈 수밖에 없었다.

1956년 4월 13일에 라캉은 기트랑쿠르에서 자기 생일 파티를 열었다. 전날 그는 티보와 함께 어느 레스토랑에서 저녁 식사를 하면서 파티에 오고 싶은지를 물었다. 그는 아주 기뻐했지만 어머니의 허락을 받아야 한다고 말했다. 라캉은 말루에게 물었다. 처음에 그녀는 자신의 슬픔을 상기시키며 반대했지만 결국엔 양보했다. 다음날 티보는 경탄하며 새로운 세계를 경험했다. 그것이 바로 아버지의 세계였다. 그곳에는 모리스 메를로-퐁티, 클로드 레비-스트로스 그리고 역시 뛰어난 다른 많은 인물들이 있었다. 그는 실비아와 로랑스를 만났는데, 모두들 그를 따뜻하게 맞아주었다. 여름에 그는 톨로네에 있는 마송의 집으로 아버지를 만나러 갔다. 그곳에서 처음 주디트를 만났고, 그녀의 지성과 매력에 반해버렸다. 라캉은 아들이 그의 세계, 특히 그의 일에 관심을 갖기를 바랐다. 하지만 티보는 그러길 원하지 않았다. 그러한 세계는 그에게 어울리지 않았다. 그래서 그는 아버지를 실망시켰다는 느낌이 들었다. 하지만 실비아는 계속 그를 초대했다. 어느 날에는 그녀에게 눈물까지 흘려가면서 동물원인 '갈채의 정원'에서 있었던 에피소드를 들려주었다. 그러자 그녀는 자기도 가슴이 아프다고 말했다.

1958년에 티보는 마송의 집을 다시 방문했다. 이번에는 나이든 할아버지를 만나러 갔다. 할아버지는 액-상-프로방스에 있는 미라보 하천변에 위치한 네그르 코스트 호텔에서 왕년의 여가수와 함께 살고 있었다. 그는 아버지와 할아버지 사이가 단단히 벌어졌음을 금방 눈치챘다. 아버지의 태도는 그저 자식의 의무를 다하려는 것을 넘어서지 않았다.[19] 티보는 로랑스와는 항상 마음이 잘 통했고, 여러 해 동안 아버지의 모임에 드나들었다. 그러나 전문적인 혹은 지적인 역할을 맡지는 못했다. 그는 과학을 공부해 결국 은행에 취직했다.

1958년 6월 26일에 치러진 카롤린느의 결혼식은 가톨릭을 믿는 프랑스의 부르주아의 전통을 그대로 따라 진행되었다. 흰 원피스, 교회, 의식과 관습의 준수 등. 마르크-프랑수아는 이 결혼식에 축복을 주기 위해 오트콩브에서 왔다. 결혼식이 정통 기독교식으로 거행되기를 바랐던 것이다. 카롤린느는 외삼촌인 실뱅과 어머니처럼 불가지론자였지만 자신이 가톨릭 문화에 속한다고 느꼈다. 그랑-다르메 가에 있는 실뱅의 집에서 아주 우아한 피로연이 열렸다. 이곳에서 라캉의 두 가족이 처음으로 공식적으로 만났다.[20] 이와 함께 짐짓 모른 체하던 시기가 이제는 암묵적인 경쟁의 시기로 들어서게 되었다.

카롤린느는 아버지와 무언의 공감대를 형성했고, 재정 문제나 기트랑쿠르를 정리하는 방법에 대해 의견을 주고받았다. 그녀는 아버지와 가족 휴가를 함께 보냈는데, 그러면서 실비와와 주디트와 친하게 지냈다. 다른 한편 남편인 브뤼노 로제는 그가 자라온 환경에서 물려받은 대로 정신분석가 세계에 대해 온갖 편견을 갖고 있었다. 그는 정신분석가를 위험한 존재로 보았다. 특히 자기 가족에게는 위험하다고 생각했다.[21] 그렇지만 그는 라캉을 인간적으로 존경하게 되었고, 재산이 늘어가면서 라캉은 브뤼노에게 투자에 관한 조언을 부탁했다.

아주 비극적인 상황 속에서 태어난 시빌은 블롱댕 집안에서는 독특한 인물이었다. 그녀는 자기가 숭배했던 어머니에게서 정직함과 공정함 그리고 도덕적 엄격함을 물려받았으며, 가족 중에서 유일하게 좌익의 정치적 견해에 솔직히 반대한 사람이었다. 그녀는 현대 언어에 관심을 갖고 대학에서 문학을 공부했다. 그녀 역시 티보처럼, 그러나 다른 방법으로 아버지를 만나러 가곤 했다. 대부분 어머니의 입장을 변호하기 위해서였다. 그리고 그녀는 아버지의 결점과 약점을 정확하게 꿰뚫고 있었다. 부녀간의 감정은 그녀가 주디트의 존재를 알게 되면서부터 생겨난 경쟁심에 의해 한층 더 미묘해졌다. 처음에 그녀는 전혀 생각도 못하던 이복 자매의 존재를 알게 되어 기뻐했다. 하지만 처음에는 생-트로페에서 그리고 다음에는 이탈리아에서 휴가를 보낼 때 두 눈으로 라캉과 주디트 간의 끈끈한 정을 목격하자 상황은 달라졌다. 그녀는 아주 큰 상처를 입었다.[22]

딸들 중 가장 나이가 많았던 로랑스 바타이유와의 관계는 분명 다른 형제들과 아주 달랐을 것이다. 라캉은 그녀를 꽤 다정하게 대해주었고, 실비아는 그녀를 특별히 사랑했다. 실비아는 조르주 바타이유와 여전히 가깝게 지냈다. 16살이 되었을 때 로랑스는 발튀스가 좋아하는 모델이 되었다. 발튀스는 그녀의 멋진 초상화를 그렸을 뿐만 아니라 배우가 되려는 그녀를 도와주었다. 1953년에 그녀는 실비아 몽포르, 알랭 퀴니, 로시 바르트 등이 출연한 위고 베티의 <염소들의 섬L'Île des chèvres>에서 중요한 역을 맡았다. 발튀스는 이 연극의 무대와 의상을 맡았다. 이 연극의 줄거리는 그와 가까운 친구들의 생활 방식과 다르지 않았다. 연출을 담당한 피에르 발드는 줄거리를 이렇게 소개했다. "사랑을 빼앗긴 외로운 세 여자가 정말 갑자기 디오니소스라는 한 남자를 다시 만난다. 그리고 그것은 에로틱한 광란으로 이어진다. 하지만 더이상 디오니소스와 살 수 없기 때문에 세 여자는 그를 죽인다. (……) 고독이 핵심적인 요소이다. 극히 기이한 일들도 고독 속에서는 평범한 것이 된다. 더이상 어떠한 사회적 속박도 없다. 그래서 과부가 열여섯 살 된 딸을 자기 정부에게 주고, 또 정부는 집에서 결혼식을 올릴 수 있는 상황이 벌어지는 것이다."[23]

다음해 로랑스는 극단과 함께 알제리 순회 공연을 떠났다. 그리고 돌아와서는 프랑스 공산당(PCF)에 가입했다. 라캉은 이러한 결정을 터무니없는 것이라고 생각했다. 그는 PCF를 일종의 교파로 보았던 것이다. 하지만 로랑스의 결정에 반대도 찬성도 하지 않았다. 그러나 공산당 의원들이 기 몰레 정부에 특별권을 부여하는 쪽에 찬성하자 로랑스는 당원증을 반환했다. 1958년 봄에 그녀는 사촌 디에고 마송과 함께 민족 해방 전선(FLN)을 돕기 위해 로베르 다브지에가 이끌던 조직에 가담했다. 그녀는 의학 공부를 계속 해나가면서 자금 모금을 담당했다. 1960년 5월 10일에 그녀는 경찰에 연행되어 로케트 감옥에 6주 동안 수감되었다. 그때 라캉은 '정신분석의 윤리'라는 세미나 내용을 타이프 친 것을 갖다 주었다. 아주 적절한 선택이었다. 안에는 바로 크레온에 대한 안티고네의 반항에 관한 주석이 들어 있었기 때문이다. 변호사인 롤랑 뒤마가 로랑스를 위해 면소(免訴)를 얻어냈는데, 그는 이 재판중에 라캉과 알게 되었다. 나중에 그는 라캉의 친구이자 변호인이 되었다. 특히 그는 주디트의 친자 확인 소송을 도와주었다. 1960년 8월에 영국의 정신분석가이자 정신과 의사인 도날드 W. 위니콧에게 보내는 편지에서 라캉은 의붓딸의 정치적 참여를 아주 자랑스러워했다. "그 아이는 정치적 관계로 체포되어 많은 걱정거리를 안겨주었습니다(우리는 그것을 자랑스러워합니다). 이제 딸은 자유의 몸이 되었습니다. 하지만 여전히 풀리지 않은 문제 때문에 걱정입니다. 우리에게는 또 학업 때문에 아들처럼 우리집에 살고 있는 조카가 있습니다. 그 아이는 알제리 전쟁에 반대하다 얼마 전 2년형을 선고받았습니다."[24]

로랑스 바타이유는 눈에 띄는 여인이었다. 그녀의 모습은 그리피스의 영화에 나오는 비극의 여주인공들 같았지만 급진적 성향은 안티고네의 모습에 더 가까웠다. 그녀는 너그럽고 지각 있으며 지적이었고 모든 형태의 인간적 반항에 공감했다. 그리고 그녀 세대 최고의 정신분석가 중의 하나가 되어 라캉 운동의 후궁에서 중심적 위치를 차지했다.

다른 한편 정말 우연히 아주 특별한 만남을 통해 한 인물이 과거로부터 다시 나타났다. 1948년 말에 라캉의 어머니가 돌아가신 후 마르그리트 앙지외, 말하자면 라캉을 출세시킨 바로 그 여인의 운명이 라캉의 아버지 알프레드(물론 아버지는 아들의 작업에 아무런 관심도 없었다)의 운명과 마주치게 되었다.[25] 생트-안느 병원에서 나온 후 마르그리트는 빌-레브라르 병원에 처녓적 성으로 입원했다. 그녀의 사례가 체질론에 반대하는 박사 학위 논문의 대상이 되었다는 사실을 알 리 없는 의사들은 그녀를 '체질적 불균형 환자'로 분류했다. 1941년에 정상적인 삶으로 되돌아가고 싶었던 그녀는 전문가 위원회와의 면담을 요청했다.

일 년 후 끈질긴 요청 끝에 마침내 그녀의 요청이 받아들여졌다. 라캉의 박사 학위 논문을 읽은 샤네스 박사는 1943년 7월 21일에 그녀가 정상적인 삶으로 되돌아가는 것을 허락했다. 당시 박사의 조교였던 스방 폴랭은 그녀를 검사할 기회가 있었다. "그녀는 아주 침착했고 바느질을 하면서 시간을 보냈다. 그녀는 결코 과거에 대해 말하지 않았고, 그녀가 에메 사례의 장본인이었다는 사실을 입에 올리지 않았다. 그녀는 여전히 박해받고 있다고 믿었다. 그녀는 정신병원에서 '광기에서 벗어난 사람'이라고 불리는 사람들에 속했다." 라캉을 만난 지 8년 후 정신의학의 관점에서 본 마르그리트의 상태는 이러했다. 1989년에 이와 관련된 자료를 접한 정신과 의사 자크 샤조는 이렇게 주석을 덧붙였다. "에메의 첫 해석자로서, '주체'(환자)는 상징적으로 '법'에 뿌리를 두고 있다고 주장한 이론가가 몇 년 후 자기 환자의 실제 흔적이라고도 할 수 있는 단편적인 원고 초안들과 순진한 넌센스에 대해 어떻게 생각했을까 하는 궁금증이 생겼다. (……) 전이를 거친 마르그리트는 젊은 파우스트가 아니라 아주 평범한 환자가 되어 있었다."[26]

1943년 여름에 마르그리트는 코트-도르에 있는 브래시-바 마을의 미국계 프랑스인 가정에 가정부 겸 요리사로 고용되어 1951년 봄까지 머물렀다. 다시 자유를 찾은 그녀는 에메나 생트-안느 병원 혹은 빌-레브라르 병원의 환자와는 전혀 '다른 여자'가 되었다. 그녀가 일하는 집 사람들은 그녀의 과거에 대해 아무것도 몰랐고, 그녀에게서 조금도 광기의 흔적을 엿볼 수 없었다. 그들에게 마르그리트는 너그럽고 교양 있고 예술을 사랑하며 지적이고 다른 사람들에 대한 배려가 깊고 독실한 기독교 신앙을 가진 친구였다.[27]

1947년에 디디에 앙지외는 안니 페게르와 결혼했다. 처음에는 배우가 되려다가 작가의 꿈을 꾸게 된 그는 고등 사범학교(ENS)에 들어가 철학 교수 자격 시험을 통과했다. 하지만 어머니에 대한 기억 때문에 그는 심리학에 관심을 갖게 되었고, 1949년에 라캉에게서 분석을 받기 시작했다. 그때 그는 자기 어머니가 에메 사례의 장본인이라는 사실을 모르고 있었다. 그가 어머니를 다시 발견할 수 있도록 해준 것은 아내였다. 심리학자가 되기 위한 훈련을 받았고, 곧 조르주 파베에게서 분석받은 아니는 가족들이 쉬쉬하던 시어머니의 광기에 대해 너무나 알고 싶어했다. 게다가 그녀는 혼자 살고 있는 시어머니가 아들을 만나지 못해 몹시 괴로워할 것이라고 생각했다. 만남은 생각밖으로 너무나 쉽게 이루어졌다. 어느 날 아니는 집 앞에서 한 여자를 보았다. 바로 시어머니라고 생각했다. 그녀의 생각이 맞았다. 마르그리트는 무작정 아들을 보러 왔던 것이다. 그녀는 곧 다시 가족의 일원이 되었다.[28]

당시 그녀는 불로뉴-쉬르-센에 있는 알프레드 라캉의 집에서 요리사로 일하고 있었다. 이 집에서 과거의 정신과 의사를 다시 만나게 되자 그에게 자기 원고와 사진들을 돌려달라고 다시 한번 요청했다. 당시 라캉은 디디에 앙지외를 분석하고 있었다(이것은 1953년 7월에 끝난다). 하지만 그가 생트-안느 병원에서 만난 옛 환자의 아들이라는 사실은 몰랐다. 앙지외는 어머니와 대화를 나누다 진실을 알게 되었다. 그녀는 아들에게 그녀를 대상으로 해서 쓴 박사 학위 논문(그녀는 이 논문을 읽어보지 못했다)뿐만 아니라 그녀가 우연히 일하게 된 알프레드 라캉의 집에서 있었던 일에 대해서도 들려주었다. 그녀는 라캉이 아버지 집에 올 때는 침묵을 메우기 위해 '어릿광대 짓'을 하는 것을 보았다.

이런 식으로 진실을 알게 된 디디에 앙지외는 도서관으로 달려가 1932년의 논문을 읽어보았다. 환자의 신원을 몰랐느냐는 그의 질문에 대해 라캉은 사실은 분석을 진행하면서 이야기를 재구성한 것이라고 고백했다. 하지만 에메라는 성은 몰랐다고 했다. 처녀 때 성으로 생트-

안느에 입원했던 것이다.

오늘날 우리는 라캉이 1949년 당시 앙지외라는 성을 모를 리 없었다는 것을 알 수 있다. 하지만 그는 이러한 사실을 배제했지만 마르그리트의 아들은 이러한 사실을 받아들이려고 하지 않았다. 『프랑스 정신분석의 역사』가 출간된 후 필자에게 보낸 편지에서 디디에 앙지외는 이렇게 지적했다. "라캉의 지적 발전과 '정신분석적' 발전에서 에메 사례가 담당한 역할에 대한 당신의 과대평가와 미화야말로 정말 커다란 비판의 소지가 있다고 봅니다. 그녀는 그의 플리스나 뢰벤슈타인이 아니었습니다. 그녀는 확실히 뛰어난 여자였습니다(시골 출신에 비해 너무나 뛰어난). 하지만 그녀는 불쌍한 여자이기도 했습니다. 그녀는 삶에 실패했다는 느낌을 끝내 넘어설 수 없었습니다. 그러나 당신은 얼마든지 다른 식으로 생각할 수 있겠죠. 그건 당신의 권한이니까요. 역사가로서 그 일에 대한 해석은 당신의 몫이니까요."[29] 그리고 장 알루슈에게는 이렇게 썼다. "저는 에메에 대해 아무것도 모릅니다. 제가 알았던 사람은 오직 마르그리트뿐이었습니다."[30]

이 증언은 진짜 마르그리트가 누구였는지는 아무도 모를 것이라는 사실을 잘 보여준다. 처음에는 신문의 삼면 기사의 여주인공이었던 그녀가 곧 라캉에 의해 재구성된 사례의 장본인이 되어 젊은 세대의 정신과 의사들의 열광의 대상이 되었다. 그리고 마침내 초현실주의자들이 찬양하는 신화가 되었다. 샤르코의 블랑슈 위트만처럼, 브로이어와 프로이트의 베르타 파펜하임처럼, 자네의 마들렌느 르부크처럼 그녀는 재능이나 신분 덕분이 아니라 그녀 자신을 광기의 역사로 떨어뜨린 행위 덕분에 유명해졌다. 이처럼 사례, 신화, 광기의 모험의 여정이 모두 끝났을 때 마르그리트의 운명은 정신병원의 한 무명 환자로 바뀌게 되었다. 정신의학의 필요를 위해 주시되고 낱낱이 들추어지고 조작되고 신화화되었던 그녀는 이제 어쩔 수 없이 살아남아야 했고, 새로운 신분을 찾아야 했다. 그러나 정상적인 삶으로의 복귀는 우연히 그녀가 그토록 증오했던 사람, 즉 자크 라캉을 다시 만나게 됨으로써 더욱더 기이한 것이 되었다.

1950년에 태어난 크리스틴느 앙지외는 할머니 마르그리트와 아주 가까웠고 끈끈한 정을 나누었다. 부모처럼 그녀 역시 할머니의 과거를 알고 있었고, 할머니의 광기를 부정하기는커녕 할머니의 태도에서 광기의 많은 흔적을 보았다. 그러나 단 한순간도 라캉이 설명한 것 같은 구조적인 편집증을 대면하고 있다고는 생각하지 않았다. 그녀는 할머니에게서 박해와 열정, 신비주의, 출세욕, 격정을 느낄 수 있었고, 특히 무엇인가를 사랑할 줄 아는 비상한 능력에 깜짝 놀랐다. 마르그리트는 물리학에서부터 힌두교, 심지어 브르타뉴에 이르기까지 모든 형태의 지식에 관심을 가졌다. 그녀는 모든 것을 배우고 싶어했고 모든 것을 알고 싶어했으며 모든 것을 읽고 싶어했다. 그녀는 주임 사제를 도와 많은 선행에 참여했다. 그녀는 자주 드나들었던 부르주아 가정에 팽배해 있던 권력 게임과 경쟁을 날카롭게 꿰뚫어볼 수 있는 혜안을 갖고 있었다. 그래서 그녀는 탐욕과 위선으로 물들어 있는 라캉의 가족들의 여러 관계를 아주 냉혹하게 판단할 수 있었다.

그녀는 병원에 갇혀 보낸 시간을 끔찍하게 여겼고, 라캉이 그녀를 정신병원에서 퇴원시키거나 그녀의 말을 진심으로 듣기 위해 혹은 그녀를 돕기 위해 아무것도 한 일이 없다고 비난했다. 그녀가 보기에 그는 논문을 쓰기 위해 그녀의 내력을 갈취해갔을 뿐이다. 그가 유명해지자 그녀는 분한 생각이 들었고, 박해받는다는 감정이 강하게 되살아나는 것 같았다. 그녀는 원고를 되돌려주지 않은 데 대해 결코 그를 용서하지 않았다.[31)]

라캉이 죽은 후 나는 자크-알랭 밀레에게 마르그리트 앙지외의 원고를 찾아볼 것을 부탁했다. 나는 아들이 직접 요청하고 싶어하지는 않았지만 얼마나 그것을 되돌려받고 싶어했는지를 알고 있었다. 하지만 나는 어떤 응답도 듣지 못했다.

4 멜라니 클라인과의 잘못된 만남

1942년 10월에 '대논쟁'의 신호탄이 터졌다. 이것은 한창 전쟁중인 4년 동안 '영국 정신분석학회'를 분열시키게 된다. 글로버는 클라인의 주장에 대한 평가 문제를 의사 일정에 올려놓았고, 존스는 클라인 파와 안나 프로이트 파 사이에서 어느 한쪽을 선택해야 하는 상황을 피하기 위해 1943년 내내 시골로 피해있었다. 맨체스터에 내려가 있던 마이클 발린트 역시 논쟁의 불길을 피해 피신했다. 핵심적인 토론은 대부분 여자들 사이에서 진행되었다. 부분적으로는 양 진영 모두 여자에 의해 대표되었기 때문이기도 했고, BPS의 남자 회원들 대부분은 라캉이 그토록 칭찬했던 유명한 전시의 정신의학국을 조직하기 위해 동원되었기 때문에 논쟁에 참석하지 못한 원인도 있었다.

이 '대논쟁'은 국제 정신분석 운동사에 전례가 없는 새로운 상황을 초래했다. 프로이트 사후 처음으로 균열이 생겼던 것이다. 그러나 이것은 분열이나 이탈로 이어지지 않고 평화 공존의 필요성에 기초한 타협으로 이어졌다. 당연히 두 진영 모두 자신들이야말로 '프로이트적'이라고 주장했다. 아직 어느 진영도 창립자의 학설 자체에 대해 이의를 제기하지 않았다. 이와 반대로 서로 경쟁하며 프로이트의 정통 계승자임을 자처했다. 하지만 개혁자를 자임하는 클라인은 경쟁자의 입장을 틀에 박힌 것으로 평가했다. 다른 한편 안나 프로이트는 클라인주의를 융이나 아들러주의와 마찬가지로 제거되어야 마땅한 일탈로 보았다. 이러한 정통성 논쟁은 프로이트가 살아 생전에 클라인의 주장을 공식적으로 비판하지 않았기 때문에 더욱 불꽃을 튀겼다. 물론 프로이트는 겉으로는 중립을 유지했지만 은밀하게 딸을 지지했다.

이리하여 1942년에 아주 기이한 상황이 벌어졌다. 창립자의 정통 후계자인 안나 프로이트가 너무 아카데믹한 주장을 고수한다는 이유로 공격당하고 있었던 것이다. 이와 달리 어떤 세습적 정통성도 요구하지 않았던 클라인이 사실상 안나 프로이트보다 훨씬 더 혁신적인 프로이트주의를 내세우고 있었다. 따라서 그녀가 없었다면 치명적인 신성화의 대상이 될 위험이 있던 학설 전체에 이론적으로 새로운 기운을 몰고 왔다는 점에서 안나 프로이트보다 훨씬 '더 프로이트적'인 인물이 되었다.

BPS에서는 오래 전부터 클라인 지지자들이 정신분석의 '영국 학파'를 대표해오고 있었다. 그러나 그들은 프로이트의 딸과 지지자들을 학회에서 제명시킬 수 없다는 사실을 아주 잘 알고 있었다. 프로이트는 영국을 마지막 피신처로 선택했고, BPS는 안나와 빈 학파를 나치로부터 도피한 정치적 희생양으로 맞아들였다. 이러한 상황에서는 어떤 분열도 불가능했고, 두 진영은 어쩔 수 없이 장시간 불가침 조약에 합의해야 했다. 클라인 파는 주로 헝가리나 베를린에서 건너온 1세대 이민자들로 구성되었고, 안나 프로이트 파는 주로 강제 추방된 빈 학파 회원들로 구성되었다. 클라인 파는 자기 의지에 따라 고국을 떠났기 때문에 영국 사회에 잘 동화되었던 반면 안나 프로이트 파는 적응하는 데 커다란 어려움을 겪었다. 여러 해가 지나고 영국 국적까지 얻었지만 그들은 여전히 옛 도시에 대한 뼈저린 향수를 간직하고 있었다. 그들에게 여전히 빈은 19세기 말의 예술의 대격변의 영향을 받은(초기 프로이트주의 또한 이러한 흔적을 간직하고 있었다) 시절의 온갖 매력들로 꾸며져 있는 듯했다.

하지만 두 진영간에 논쟁이 벌어지는 동안 주로 '토박이' 영국인들로 구성된 독립적인 단체가 설립되었다. 이들은 당시 진행되던 논쟁이 이념의 차이보다는 개인적인 차이와 관련되어 있고 모든 과학적 논쟁과는 거리가 먼 종교적인 경향을 띠기 때문에 BPS 전체에 해가 된다고 보았다. 이 영국 학파의 선구자 중의 하나인 제임스 스트래치는 이미 1940년부터 학회가 양분될 위험이 있다고 지적했다. "제 개인적인 관점에서 볼 때 클라인 여사가 정신분석에 몇 가지 아주 중요한 공헌을 했습니다. 하지만 1) 그것이 모든 주제에 적용된다거나 혹은 2) 규범적 타당성을 가졌다고 주장하는 것은 터무니없다고 봅니다. 다른 한편 정신분석이 프로이트 가족 소유의 금렵지이며, 클라인 여사의 생각이 지나치게 전복적이라는 안나 프로이트 여사의 주장도 역시 터무니없다고 생각합니다. 양쪽의 이런 태도는 물론 철저히 종교적인 것이며, 따라서 과학과는 정반대되는 태도입니다."[1] 이와 똑같은 맥락에서 위니콧은 결국 클라인의 폭정과 안나 프로이트의 압제를 맹렬하게 폭로했다. 1954년에 그는 이렇게 말하고 있다. "저는 양쪽 모두가 스스로 공식적인 분파들을 해체하는 것이 학회의 미래를 위해 지극히 중요하다고 봅니다. 여러분 자신이 아니면 어느 누구도 그것을 해체할 수 없으며, 그리고 여러분이 살아 있을 때만 그렇게 할 수 있습니다. 만일 여러분이 죽게 된다면 그때는 내부 규정에 따라 공식적으로 인정된 노멘클라투라들은 절대 손댈 수 없게 되고, 학회가 과학이 아니라 사람들에 기초한 경직된 구조가 되는 재앙으로부터 회복되려면 한 세대, 아니 그 이상의 세대가 지나야 할 것입니다."[2]

전쟁 전에 이 '대논쟁'을 촉발시키는 데서 아주 중요한 역할을 했던 에드워드 글로버와 멜리타 슈미데베르크는 모두 차례대로 BPS를 떠나 다른 쪽에 관심을 가졌다. 멜리타는 미국으로 이민가서 경범자와 마약 중독자들을 돌보았고, 글로버도 이와 비슷한 활동에 종사하다가 1963년에 런던의 '범죄 연구소'의 과학 위원회 위원장이 되었다.

논쟁은 클라인의 주장에 대한 평가를 둘러싸고 시작되었지만 곧 위니콧이 지적했듯이 분석가 양성 문제가 모든 논쟁의 중심이 되었다. 안나 프로이트 파는 분석의 목적은 억압을 없애고, 이드에 대한 자아의 통제를 강화하기 위해 방어 메커니즘을 축소시키는 것이라고 보았다. 전이는 일단 방어가 축소될 때만 분석되어야 한다는 것이었다. 이러한 훈련 기술은 2차 위상학에 대한 특정한 해석, 즉 자아심리학적 해석에 상응하는 것으로서 이러한 해석의 주요한 지지자들은 모두 안나 프로이트와 연결되어 있었다. 사실상 안나 프로이트는 정신분석에 대한 이러한 적응(주의)적 관점에 대해 크리스와 하르트만, 뢰벤슈타인, 그리고 빈 학파 전체와 의견을 같이했다. 하지만 이것이 프로이트 본인의 관점은 아니었다. 아무튼 이 그룹의 대부분이 미국으로 이민갔기 때문에 '안나 프로이트주의'는 IPA의 지배적 흐름이 되었다.

그러나 이와 반대로 클라인 파에게서 분석 치료의 시작은 전이 관계 형성의 우선성에 대한 승인과 함께 자아를 통해 이드를 통제할 필요를 전혀 고려하지 않고 처음부터 이 전이 관계를 분석해야 할 필요성에 대한 승인과 함께 시작되었다. 이러한 주장은 프로이트의 2차 위상학에 대한 해석이라는 차원에서 안나 프로이트 파와의 해석과는 정반대였으며, 앞으로 라캉이 발전시키게 될 입장과 제법 가까운 것이었다. 따라서 클라인주의는 어떤 적응 이론도 포함하고 있지 않았다. 이것은 클라인주의가 결코 미 대륙에 뿌리를 내릴 수 없었던 이유를 설명해준다. 클라인주의는 분석 치료를 분석가가 실제 인물이 아니라 초자아를 형성시킨 내투사된 대상들을 표상하게 되는 무대 연출과 비교했다. 이들은 주체(환자)의 불안한 상황이 분석이 전개됨에 따라 재생되어, 전이 현상의 즉각적인 처리를 통해 이를 감소시켜야 한다고 믿었다.

프로이트 학설에 대한 이 두 가지 해석은 너무나 불일치했기 때문에 BPS는 두 가지 다른 훈련 체계를 세워야 했다. 하지만 또한 학회의 통일을 유지해야 했기 때문에 이처럼 정반대되는 두 훈련 방법 사이에 내부적 관계가 맺어졌다. 1946년 6월에 이 '대논쟁'은 공식적으로 BPS 내에 세 개의 하위 그룹을 공인함으로써 끝났다. A 그룹은 클라인의 주장을 가르쳤고, B 그룹은 안나 프로이트의 주장을 가르쳤다. 그리고 세 번째 그룹은 독립적인 회원들로 구성되었다. 학회의 가장 중요한 위원회와 훈련 위원회는 어쩔 수 없이 세 그룹의 대표자들로 구성되었다. 이런 타협은 분열을 피할 수 있도록 해주었지만 BPS의 전체 운영을 마비시키는 결과를 낳았다. 1954년에 위니콧은 바로 이 점을 지적하고 있었던 것이다.

가족에 관한 글에서 라캉은 이미 자신의 연구와 클라인의 주장들 간에 존재하는 유사점을 지적한 바 있었다. 하지만 전후에야 클라인을 만날 수 있었다.

1947년에 앙리 에는 정신의학을 주제로 정기적으로 세계 대회를 조직할 수 있는 국제 학회를 창설하기로 결심했다. 첫번째 모임은 장 레르미테와 레넬-라바스틴느, 장 들레이, 피에르 자네의 주재로 열렸다. 25개 학회가 이 계획에 동의했다.[3] 1950년 가을에 파리에서 열리게 된 첫번째 국제 회의를 위해 앙리 에는 10여 개국의 40개 학회의 대표자들을 소집하는 데 성공했다. 1,500명 이상이 대회에 참가했는데, 그 중에는 1세대에서 3세대에 이르는 프랑스 정신분석 운동의 중요 인물들도 포함되어 있었다. 미국식의 신프로이트주의를 소개하기 위해 그는 미국 정신의학회 회장인 프란츠 알렉산더에게 토론을 열자고 제의했다. 그러자 그는 안나 프로이트를 초청하자고 제안했다. 그녀는 참석하기로 동의했다. 하지만 클라인도 참석하기를 원했던 에는 쥘리에트 파베-부토니에에게 그녀에게 편지를 보내달라고 부탁했다. 클라인은 안나가 참석한다는 사실에 언짢아하며 편지를 반송함으로써 초대를 거절했다. 그때 라캉이 옛 친구를 돕기 위해 나섰다. 그는 클라인을 접촉해 '정신분석의 발전'에 관한 토론에서 런던 사람들의 표를 얻기 위해 그녀의 영향력을 이용할 것을 제의했다. 그는 이 문제를 토론에 부치기 위해 최선을 다해 싸우고 있지만 SPP의 '보수주의자들'의 격렬한 반대에 부딪히고 있다고 설명했다. 그는 자신을 자기 학회에서 가장 진보적인 회원이라고 소개한 다음 안나 프로이트가 국제 대회에서 어린이 정신분석 분야를 대표하기에는 너무나 보수적이라고 평하면서 웅변적인 공격을 퍼부었다.[4] 결국 그는 클라인을 설득시켰고, 앙리 에에게 이렇게 편지를 보냈다. "10일 안에 본느발로 멜라니 클라인을 보내겠네."[5]

1948년 5월에 브뤼셀에서 열린 제11차 프랑스어권 정신분석가 대회에 소개된 공격성에 관한 논문에서 라캉은 이전 텍스트들에서 언급된 이 주제에 관한 모든 주장을 다시 내놓으면서 여기에 클라인의 몇몇 주장도 포함시켰다. 그는 2차 위상학에 대해 모든 저항의 가상적 장소인 '자아(moi)'와 현실에서 주체의 위치를 지시하는 '나(je)'를 구분하는 해석을 내놓았다. 그는 편집증적 위치라는 클라인의 생각을 차용해 나를 편집증적 구조로 조직된 오인의 행위자로 보았다. 만일 그러한 구조가 존재한다면 반드시 치료에서 이것을 고려해야 한다. 이로부터 분석 기술이 나의 오인에 대응해 연쇄된 편집증을 유도함으로써 부정적 전이를 이용하는 기능을 할 수 있다는 생각이 나왔다. 그래서 라캉은 훈련 분석에서 전이에 우선적 위치를 부여하고, 자아를 이드의 착복 장소로 만들지 말아야 한다는 생각에 클라인과 의견을 같이했다. 하지만 그는 '나'와 '자아'의 구분 문제와 연쇄된 편집증 문제에 대해서는 자신의 고유한 입장을 그대로 고수했다.[6]

1949년 여름에 취리히에서 열린 IPA 국제 대회에서 라캉은 「'나'의 기능의 형성자로서의 거울 단계」라는 제목의 논문에서 같은 주제를 다루었다. 그는 마음대로 자기 의견을 개진할 수 없었던 마리엔바트 국제 대회에 복수하기 위해 이 주제를 선택했다. 그러나 1949년에 내놓은 이론은 이제 더이상 1936년의 것과 같지 않았다. 라캉은 이제 정신분석을 코기토에 기반한 모든 철학과 근본적으로 대립되는 비프로이트적인 주체 철학, 즉 '나'와 '자아'를 구별하는 철학과 연결시켰다.[7] 이러한 신념을 표명함으로써 데카르트를 비판하려는 것이 아니라 자아심리학과 안나 프로이트 파, 다시 말해 이드에 대한 자아의 우위성을 주장하는 사람들을 공격하려는 것이었다. 하지만 라캉은 방어 메커니즘의 설명에 대해서는 안나 프로이트에게 경의를 표했다. 그가 보기에 자아를 방어 체계의 장소로 간주하는 것은 아주 정확했기 때문이다.

이 제16회 IPA 국제 대회는 분명 하나의 사건이었다. 처음으로 미국인들이 회의를 주도했다. 유럽인들은 분열된 것처럼 보였다. 가장 '수치스럽고' 심하게 모욕당한 나라는 나치 체제에 협력한 사람들이 대표자로 참석한 독일이었다. 독일과 비교해 프랑스는 성공적인 것처럼 보였지만 오해되고 말았다. 프로이트의 정통성을 유일하게 대표하는 사람으로 보이는 마리 보나파르트를 통해서가 아니면 대부분의 영국인과 미국인들에게 프랑스는 알려지지 않았다. 주최국인 스위스는 오스카 피스터, 앙리 플루르누아, 필리프 사라쟁이 훌륭하게 대표했다. 적응(주의)적인 신프로이트주의를 지지하는 미국인들은 거의 모두가 유럽 태생이었다. 그러나 이민가지 않은 유럽인들에게는 그들이 프로이트주의 역사를 서쪽으로 대대적으로 이동시킨 승리자들로 비쳤다. 그들의 승리는 완전했고, 정신과 의사인 레오 바르테마이어가 존스의 뒤를 이어 IPA 회장으로 선출되었다. 존스는 1932년부터 회장직을 맡고 있었다. BPS 안에서 과반수를 넘는 지지자를 갖고 있던 클라인에게는 북미의 승리가 안나 프로이트주의의 승리처럼 보였고, 따라서 그녀는 재난에 처한 느낌이 들었다. 그러나 클라인 파는 회의에 참석한 새로운 지지 세력을 얻을 수 있었다. 바로 훈련을 위해 런던으로 온 라틴 아메리카 인들이 그들이었다.

취리히에서 프랑스인들은 1세대 정통파들, 즉 보나파르트와 로이바 그리고 라가슈와 나흐트 그리고 라캉을 포함한 2세대에 의해 대표되었다. 이들 중 어느 누구도 IPA 내의 어떤 흐름에도 속하지 않았지만 프랑스에서는 각자가 다양한 경향을 대표했다. 나흐트는 SPP의 보수파들의 권위적이고 의학적인 이상을 구현했고, 라가슈는 심리학과 정신분석의 결합에 기반한 아카데믹한 자유주의를 구현했다. 그리고 라캉은 아직 제대로 간파되고 있지 않았지만 여전히 클라인 운동과 비슷한 운동을 한층 더 밀고 나가고 있었다. 바로 이해에 그는 프랑스 정신분석 3세대 중 가장 뛰어난 인물들을 주변으로 끌어들이기 시작했다. 그 중에는 미래의 트로이카를 구성하는 세르주 르클레르, 블라디미르 그라노프, 그리고 프랑수아 페리에가 있었다.[8]

안나 프로이트는 라캉을 좋아하지 않았고, 그녀와 마리 보나파르트의 우정은 단지 정통주의적인 프로이트주의에 포함되기에는 너무 모호하고 '편집증적'이라고 평가된 학설 전체를 거부하도록 부추길 뿐이었다. 한편 클라인은 라캉이 하는 말에 전혀 관심을 갖지 않았다. 그녀는 그의 말이 이해하기 너무 어렵고, 해석되지도 않고, 별다른 쓸모가 없다고 생각했다. 하지만 라캉이 프랑스에서 그녀에게 가져다 줄 수도 있는 정치적 지지에 대해서는 큰 관심을 가졌고, 그에 대한 젊은 세대들의 평가를 알고 있었다. 그래서 취리히에서 그를 만나게 되어 아주 기뻤다. 한편 라캉은 여전히 '정신분석의 발전'에 대한 생각을 진척시키기 위해 클라인의 도움을 얻기로 마음먹고 있었다. 그래서 그녀에게 1932년에 빈과 런던에서 동시에 출간된 그녀의 저서 『어린이 정신분석』의 독일어본을 직접 번역하겠다고 제의했다.

하지만 파리로 돌아온 후 그는 당시 그가 분석하고 있던 디아트킨느에게 책의 번역을 맡겼다. 얼마 후 디아트킨느는 절반 분량을 번역해서 라캉에게 주었다. 그때 그는 복사본을 남기는 것을 잊어버렸다. 한편 라캉의 강의를 듣고 있던 프랑수아즈 지라르 역시 클라인에게 같은 책을 영어본에서 번역하겠다고 제안했다. 클라인은 이 제의를 거절했다. 하지만 라캉이 이미 진행중이라는 말은 하지 않았다. 대신 그녀는 지라르에게 1948년에 출간된 『정신분석논고Contributions to Psycho-analysis』의 번역을 제의했다. 1951년 3월에 프랑수아즈 지라르는 훈련받기 위해 프랑스에 온 몬트리올 출신의 정신과 의사 장-밥티스트 불랑제와 결혼했다. 그는 클라인의 명제에 대한 그녀의 열광을 함께 나누었다. 8월에 열린 암스테르담 국제 대회에서 클라인은 디아트킨느를 통해 『어린이 정신분석』의 번역이 절반 정도 끝나긴 했는데 라캉이 번역하지는 않았다고 전해들었다. 가을에 점검 분석 그룹에서 라캉은 프랑수아즈 불랑제에게 남편이 영어를 할 줄 아느냐고 물었다. "그렇다"고 하자 그는 이 부부에게 자신이 이미 절반을 번역했다고 말하면서 『어린이 정신분석』의 나머지 절반을 영어판으로 번역해볼 것을 제의했다.

불랑제 부부는 곧 작업을 시작했고, 12월에 라캉에게 번역을 비교도 하고 프랑스어로 된 클라인의 개념도 통일시키기 위해 이미 번역된 부분을 보여달라고 했다. 그래서 라캉은 릴 가에 있는 아파트와 '라 프레보테'에서 원고를 찾아보았다. 하지만 결코 찾을 수 없었다. 그달 말에 프랑수아즈는 클라인과 약속을 했고, 1월 27일에 남편과 함께 런던에 있는 클라인의 집에서 점심을 먹었다. 두 사람은 그녀에게 라캉의 아주 전형적인 일 처리 방식을 보여주는 이 놀라운 이야기를 들려주었다. 장 -밥티스트 불랑제는 이렇게 말한다. "그는 디아트킨느가 독일어본을 번역한 원고를 잃어버렸다는 사실을 결코 공식적으로 밝히지도 인정하지도 않았습니다······."

이리하여 그는 클라인과 그녀의 지지자들 모두에게서 신용을 잃었다. 클라인은 라가슈에 접근했고, '프랑스 정신분석학회'(SFP)의 재가입을 위해 1953년부터 IPA와 시작한 협상에서 그를 지지했다. 프랑스어로 번역된 그녀의 저서는 마침내 라가슈가 편집한 시리즈의 하나로 1959년에 PUF에서 출간되었다. 그녀는 아주 기뻐하며 그에게 많은 편지를 보냈고, 장-밥티스트 불랑제에게 이렇게 감사를 전했다. "취리히 국제 대회가 끝난 후 불랑제 부인이 이 책을 번역하겠다고 제안했던 몇 년 전에 당신들에게 이 책을 맡길 수 있었다면! 당신들에게 그것은 아주 훌륭한 계획이었을 겁니다. 그리고 저로서는 얼마나 많은 걱정과 곤란을 덜 수 있었을까요! 하지만 아시다시피 저는 라캉에게서 그것을 뺏을 수 없었습니다."[9]

6부 사유 체계의 기본 요소들

"Wo es war, soll Ich werden"

1 치료 이론 : 친족 관계의 구조

1953년 6월 16일에 다니엘 라가슈와 쥘리에트 파베-부토니에, 프랑수아즈 돌토, 블랑슈 르베르숑-주브는 일 년간이나 계속된 갈등 후에 SPP를 탈퇴했다.[1] 처음에는 IPA 기준에 맞는 훈련 원칙들을 확립하기 위한 새로운 정신분석 연구소의 설립 문제를 놓고 학회 소속 선생들간에 의견이 대립되었다. 1953년 3월 15일에는 제니 루디네스코가 그녀의 분석가인 사샤 나흐트와 그녀의 점검 분석가인 라캉에게 보낸 편지 때문에 학생들간에도 충돌이 벌어졌다.[2] 선생들간의 의견 대립에 연이어 터져나온 학생들의 이러한 반란은 결국 학회 분열로까지 이르게 되었다. 이리하여 영국인들이 '대논쟁' 동안 경험했던 것과 똑같은 폭풍이 이번에는 프랑스의 프로이트주의에 몰아닥쳤다.

그러나 SPP의 상황은 BPS와는 전혀 달랐다. 영국에서도 서로 대립하는 두 학설간의 갈등이 공개적으로 노출되었지만 제3의 흐름이 개입함으로써 양 진영이 평화 공존 조약에 서명하도록 만들 수 있었다. 그러나 프랑스의 경우 사태는 이와 전혀 달랐다. 나흐트 진영과 라가슈 진영으로 갈라진 두 가지 대립적인 흐름은 클라인주의나 안나 프로이트주의처럼 프로이트의 학설에 대한 두 가지 대립적인 해석 방식으로 나타나지 않았다. 프랑스에서의 갈등은 분석가의 훈련에 관한 것으로서, 전문 의료직의 권위주의 대 대학의 자유주의 간의 대립으로 요약될 수 있었다. 오직 라캉만이 프로이트 이론에 관해 클라인 학파에 비견될 만한 재해석을 내놓았다. 하지만 1949~53년 사이에 SPP 내에서의 라캉의 위치는 '대논쟁' 시기의 클라인의 위치와는 전혀 비교될 만한 것이 아니었다. 그는 분열을 피하고 싶어했으며 또 이를 위해 최선을 다했다. 그는 자유주의자들이 의학 모델을 거부하고 대신 심리학으로 전향하는 것을 파국적인 태도로 보았고, 보수파들이 의학계의 고루한 훈련 방식을 고수하는 것 또한 마찬가지라고 생각했다.

친영파(親英派)로서 혁명에 대해서는 적대적이었던 라캉은 항상 반란보다는 건강한 개혁을 선호하는 편이었다. 하지만 천성적으로 토크빌의 기질을 갖고 있던 그도 개성이나 학설의 내용상 이러한 기질과 계속 충돌을 일으킬 수밖에 없었다. 아무리 전통적인 제도들을 강력하게 옹호해도 소용이 없었다. 그의 말과 이미지, 태도는 모두 일종의 자코뱅적인 열광을 불러일으켰기 때문이다. 게다가 그는 50년대에 프랑스의 젊은 정신분석가들에게는 혁명적 열망의 대변자이기도 했다. 게다가 나흐트와 마리 보나파르트를 선두로 하는 보수주의자들도 그가 이러저러한 영향력을 이용해 학생들에게 반항의 씨를 뿌리고 있다고 비난했다. 그리하여 1953년 6월 16일에 그에게 남은 선택이라곤 SPP를 탈퇴하고 이제 막 프랑스 정신분석학회(SFP)를 결성한 라가슈와 그의 동료들의 대열에 합류하는 것뿐이었다. 그러나 이들과 마찬가지로 라캉 역시 SPP를 탈퇴하면 동시에 IPA 회원 자격을 상실한다는 사실은 분명하게 인식하지 못했다.

이러한 분쟁이 진행되는 동안 내내 그는 가르치는 내용 때문이 아니라 분석 실천 때문에 동료들에게서 논박당했다.

얼마 전부터, 라캉이 20~30년대 이래 IPA에서 통용되어온 기술적 규칙들을 준수하지 않는다는 사실이 점점 분명해졌다. 이 규칙들에 따르면 분석 치료는 적어도 4년간은 계속되어야 하며, 주당 네다섯 번의 상담을 가지며 매회 상담은 최소한 50분은 되어야 했다. 이것은 원칙상 분석 치료뿐만 아니라 훈련 분석에도 적용되었다. 물론 실제로 이것은 훈련 분석가들에게만 엄격하게 강요되었다. 소위 치료적 분석의 경우 임상의는 자유롭게 시간과 경제적 조건에 따라 상담 시간 수를 결정할 수 있는 것으로 간주되었다. 상담 시간을 규정한 규칙을 두었던 것은 분석가가 거의 무제한의 권력을 행사하는 것(이론적으로는 얼마든지 가능했다)을 제한하기 위한 것이었다. 분석가는 자의적 변경을 통해 환자에게 할애하는 시간을 제멋대로 바꾸어서는 안 되었고, 환자는 설혹 침묵하는 쪽을 선택하더라도 일단 미리 정한 시간 동안 말할 권리가 있었다. 이러한 표준 규칙들은 IPA에 소속된 모든 학회 회원들에 의해 승인되었다. 실제로 40년대에 프로이트가 건설한 제국이 누린 통일성은 전적으로 일반 법률처럼 기능한 이러한 규약 덕분이었다. 이리하여 분석 치료 방법에 관한 학설의 다양성은 용인되었지만 상담 시간과 관련한 규칙을 위반하는 것은 항상 제명이라는 결과를 초래할 수 있었다.

그러나 라캉은 매번 고정된 상담 시간을 규정하고 있는 규칙을 따르지 않았다. 그는 물론 아직까지는 후일 짧은 상담 시간이라고 불리게 될 상담 방식을 실천하지는 않았지만 상담 시간을 임의로 바꾸는 기법을 사용해 본인이 적당하다고 생각되는 순간 마음대로 상담을 중단했다. 즉 상담 기간 동안에는 얼마든지 말할 수 있는 환자의 권리를 존중하는 규칙을 전도시켜 전이 관계에서 전능한 분석가에게 해석자의 위치를 부여해버렸다.

SPP의 정회원들은 모두 일반적으로 받아들여지고 있는 규칙을 라캉이 거부하는 것은 위험하다고 생각했다. 사실상 가변적인 상담 시간을 도입함으로써 라캉은 확실히 분석 의뢰인을 얼마든지 받아들일 수 있었던 반면 규칙을 준수하는 동료들은 그보다 두세 배나 더 적은 학생들만을 분석할 수 있었을 뿐만 아니라 이를 통해 학회 내에서의 영향력까지도 상당히 축소되는 결과를 감수해야 했다. 라캉은 이론과 임상에 대한 탁월한 재능뿐만 아니라 개인적인 매력에서도 동년배의 다른 모든 사람들보다 뛰어났기 때문에 당연히 젊은 세대(즉 3세대) 중 가장 뛰어난 훈련 분석가 지망생들을 끌어모을 수 있었다.[3] 그들은 모두 그의 가르침을 따랐고, 또 대부분 그에게서 분석받았다.

기질적으로 그는 욕망을 억제할 수 없었으며, 뢰벤슈타인의 분석도 사태를 전혀 개선시키지 못했다. 그는 터무니없이 과도한 상담 시간을 자기 야망을 가로막는 족쇄로 생각했고, 자기가 이 훈련분석가보다 훨씬 더 똑똑하다는 것을 의식하면서 정해진 상담 기간 내내 싫증이 나서 죽을 지경이었다. 뢰벤슈타인은 자기 환자를 표준 규칙에 따라서는 분석할 수 없다는 사실을 전혀 이해하지 못했다. 라캉은 자기 앞에 특별한 미래가 놓여 있다는 것을 알고 있었지만 그는 너무 오랫동안 오해되고 거부되어왔다. 그리고 이제 마침내 그토록 오랫동안 고대해오던 인정을 받는 영광의 순간이 다가오고 있던 바로 그때 일군의 꽉 막힌 유명인사들이 그가 멋지게 부활시키려고 했던 빈의 영광과는 아주 거리가 먼 관료주의적 조직의 이름을 내세워 케케묵은 규칙을 강요하려고 하는 것이었다!

그는 세 차례에 걸쳐 SPP 정회원들 앞에서 가변적인 상담 시간에 대한 입장을 밝혔다. 처음에는 1951년 12월과 1952년 6월 그리고 1953년 2월에.[4] 그는 이 세 차례의 강연을 출판하지는 않았으며, 지금도 여전히 미출간 상태이다. 하지만 참석자들에 따르면 그는 상담 시간과 횟수의 단축은 환자에게 좌절과 단절 효과를 가져와 이것이 환자에게 치료 효과를 가져올 수 있다는 논지로 자신의 규칙 위반을 정당화했다고 한다. 무의식적 욕망을 다시 끌어내기 위해 아주 중요한 어떤 말을 하는 중간에 상담을 중단함으로써 전이 관계를 변증법으로 전환시키는 것이 중요하다는 것이었다.

라캉은 이처럼 시간 조절 기법을 이론화하려고 시도하면서 정확하게 정해진 상담 시간에 이의를 제기했으나, 그 뒤 어쩔 수 없이 전략을 바꾸어 실제로 자기가 실행하고 있는 분석 방법을 숨겨야 했다. SFP 결성 당시부터 회원들이 IPA 회원 자격을 상실하게 된 사실 앞에 아주 당혹해하고 있었기 때문이다. 이들은 원래 정통 프로이트주의와 결별하는 것은 단 한순간도 고려해보지 않았으므로 곧 신속하게 재가입을 위한 교섭에 나섰다. 하지만 이를 위해서는 SFP의 모든 훈련 분석가들이 상담 시간과 관련된 규칙을 준수하고 있다는 증거가 필요했다. 하지만 라캉이 이것을 준수하지 않고 있다는 사실은 누구나 다 알고 있었다. 따라서 그의 실천 방식 때문에 SFP의 재가입 절차가 어려워졌다. 왜냐하면 재가입하려면 분석가 양성과 관련한 규칙 등 모든 것이 정상적으로 운영되고 있다는 조사 위원회의 평가가 제시되어야 했기 때문이다.

1953년 7월에 라캉은 이미 SFP의 학생 중 1/3에 해당하는 15명을 분석했다. 50분씩 주 4회를 상담했기 때문에 이 15명에 대한 훈련 분석을 실제 시간으로 보면 주당 50시간 근무에 해당했다. 여기에 점검 분석과 개인 환자가 추가되었다. 따라서 최소한 20시간의 추가 근무가 필요했다. 하지만 이처럼 엄청난 시간(주당 70시간 근무)은 규정에 따르면 전혀 가능하지가 않은 것이었다. 분명 라캉은 상담 시간을 단축시킴으로써 시간을 벌었을 것이다. 상담 시간은 평균 20분을 초과하지 않았던 것이다. 다시 말해 실제 상담 시간은 10분에서 40분 사이였을 것이다. 따라서 라캉의 실천 방식은 진작부터 SFP의 IPA 가입에 방해가 되었다.[5] 그러나 누구보다도 먼저 라캉 본인이 정통 프로이트주의에 재가입하기를 원했기 때문에 그는 1953년 7월부터는 더이상 가변적인 상담 시간을 고집하려고 하지 않았다. 그래서 그는 금기가 되어버린 이 문제를 주제로 SPP에서 발표한 그 유명한 강연 내용을 절대 출판하지 않았던 것이다. 그러나 그는 공개적으로는 실천 방식을 '표준화'했다고 선언하면서도 SFP 내에서는 계속 가변적인 상담 시간을 실천했다.

이미 그는 1953년 8월 6일에 마이클 발린트에게 보내는 장문의 편지에서 가변적인 상담 시간을 실험한 후 그러한 실천 방식을 포기하고 이제는 규칙을 준수하기로 했다고 설명했다. 그리고 이어 '반대자들'이 자기를 모함하기 위해 '짧은 상담 시간'과 '단축된 분석'에 대한 얘기를 흘리고 다닌다고 개탄했다. 이런 비난에 대해 그는 자신의 치료가 3~4년 동안 지속되며, 상담 시간의 빈도 또한 다른 곳에서, 최소한 SFP에서 통용되는 것과 같다고 반박했다. 그리고 SPP에서 가변적인 상담 시간에 관한 발표를 하긴 했지만 1953년 1월부터는 그러한 실천 방식을 포기했다고 말했다. 이어 그는 9월 26일에 로마에서 발표할 예정인 발화와 언어에 관한 논문이 얼마나 중요한지를 언급하면서 그 자리에 발린트를 초청했다. 이어 마지막으로 그는 발린트에게 '브로이어 혼자 쓴 안나 O 양의 사례'와 함께 프로이트의 『히스테리 연구』와 『억제, 증상, 불안』의 영어본을 가져다 주기를 청했다. 이를 위해 그는 한 영국인 친구가 수취인의 이름을 적지 않고 준 수표에 발린트의 이름을 적어 편지에 동봉했다. 이 일화는 돈에 대한 라캉 특유의 습관을 보여준다. 그는 통상 환자들에게서 받은 수표로 돈을 지불하는 습관이 있었던 것이다. 그러한 수표는 라캉 이외의 사람들이 사용할 수 있도록 수취인의 이름 없이 발행되었다.[6]

라캉은 실비아와 결혼한 직후 톨로네에 있는 마송 부부의 집에서 150쪽에 달하는 '로마 강연'을 쓰기 시작했다.[7] 그는 이 작업을 8월 말에 '급히 서둘러' 끝냈다. 그는 자기 학설의 중요성을 인식했고 또한 라가슈가 설립한 새로운 학회에서 가장 비중 있는 자리를 차지하고 싶어 했던 터라 후원자를 찾기 시작했다. 바로 정신의학 연구소와 공산당, 그리고 가톨릭 교회가 그러한 후원자가 될 수 있다고 생각했다. 9월 초에 그는 뤼시앙 보나페에게 아무런 논평도 요구하지 않은 채 논문 한 부를 보냈다. 보나페는 즉각 라캉의 메시지를 간파했다. 즉 "이를 통해 라캉은 자기 학설에 대해 공산당 지도부가 관심을 가져주기를 바랐던 것이다."[8] 가톨릭 교회에 대한 접근은 훨씬 더 노골적이었다. SPP의 내부 갈등이 한창이던 1953년 부활절에 그는 동생에게 편지를 보냈다. 그는 이 편지의 행간에서 약간 모호한 부분이 없지는 않지만 자기 학설은 기독교 전통에 부합한다고 주장했다. 그는 20세기 후반기에 모든 것은 특정한 시기에 인간이 서로를 어떻게 다루느냐에 달려 있으며, 이것은 비종교적인 영역에만 국한되는 것은 아닐 것이라고 주장했다. 그는 또한 심리학이 '가장 탁월한' 위치를 차지한다고 덧붙이면서, 그러나 이 분야의 모든 실천가들은 어떤 전반적이고 거대한 타락과 경쟁이라도 하듯 추락해버릴 생각만 하고 있다고 했다. 마지막으로 그는 인간을 단순한 대상으로 전락시키지 않을 위대한 전통 속에 이 위대한 운동이 계속 뿌리내릴 수 있게 해주는 원리를 표명하고 있는 인물은 거의 자기 혼자뿐이라는 말로 편지를 끝맺었다.[9]

하지만 실제로 라캉은 무신론을 포기하지는 않았다. 하지만 그는 프로이트를 철학에 비추어 그리고 비생물학적 관점으로 읽는 자신의 입장이 프로이트의 '유물론적' 측면을 수용하지 않으려는 많은 가톨릭 교도들의 마음을 끌 것이라는 것을 알고 있었다. 라캉을 읽으면서 그들은 인간의 인격을 존중하는 친숙한 기독교적 세계를 다시 만난 느낌을 받

았다.[10] 게다가 SFP는 분석가가 되려는 사제와 다른 기독교인들의 열
망을 SPP보다 훨씬 더 우호적으로 바라보았다. 이들은 대개 의학을 전
공하지 않았고, 그래서 나흐트의 학회보다는 아카데미즘의 정신이 깃
들인 라가슈의 새로운 학회를 훨씬 더 편안하게 느꼈다. 라캉은 이러한
사실을 잘 알고 있었고, 그래서 동생에게 자기 학설 속에 훌륭한 기독
교적 지향들이 들어 있다는 것을 납득시키고 싶었다. 하지만 그는 여기
서 한 발 더 나아갔다. 9월에 로마에 가기 전날 동생에게 다시 편지를
보내 실비아와의 결혼 소식을 알리면서 그가 얼마나 종교를 중시하는
지를 다시 한번 언급했다. 그리고는 단도직입적으로 본론에 들어갔다.
그는 꼭 교황과 만나 교회 내에서의 정신분석의 미래에 관해 얘기를
나누고 싶다고 했다. 그러니 유능한 권위자들에게 잘 말해달라고 부탁
했다. 편지는 적당히 과장된 문투로 씌어졌다. 라캉은 자기 학설의 핵
심은 로마에 있다고 강조했다. 그곳에서 주체에게서 발화와 언어가 얼
마나 중요한지가 증명되어야 한다고 했다. 그래서 그는 이 신성한 도시
에서 "우리 공동의 아버지에게 경의를 표하고" 싶었다.[11]

마르크-프랑수아는 이러한 선언에 크게 감동받았다. 그리고 교황 피
우스 12세의 측근 중에서 형의 요청을 전달해줄 만한 사람을 전혀 알
고 있지 않았지만 형이 기독교의 가르침으로 되돌아왔다고 진심으로
믿었다. 그가 보기에, 죄스러운 생활을 해오던 형은 이제 아주 놀랍게
도 학설을 통해 다시 가톨릭의 영성의 가치로 되돌아왔고, 이로써 구원
받게 된 것이다. 그러나 교황과의 만남은 결코 이루어지지 않았다. 아
무리 프랑스 대사관에 도움을 요청해도 소용이 없었다. 결국 그는 계획
을 포기해야 했다. 교황은 개인적인 면담을 수락하지 않았다. 그럼에도
불구하고 라캉은 세르주 르클레르와 마리즈 슈와지와 함께 카스텔 간
돌포에서 공개 알현에 참석했다.[12]

1953년 가을에 그는 아주 기이한 상황에 처하게 되었다. 분석 활동

에서 그는 자신이 실천하고 있던 가변적인 상담 시간을 숨기고 규칙을 준수하는 것처럼 보이도록 했다. 그리고 사생활에서는 전처와의 사이에 둔 자식들에게 재혼과 새로운 가족을 숨겼다. 또한 이념적 방향에서는 공산당 지도부와 관계를 맺으려고 시도하면서도 동생에게는 다시 기독교인이 되었다고 믿도록 만들었다. 이처럼 복잡한 상황 속에서 그는 자기 삶의 방식과는 근본적으로 모순되는 사고 체계를 세우기 시작했다. 왜냐하면 라캉의 사고 체계에서 무엇보다 중요했던 것은 주체와 진리의 관계를 밝히는 것이었기 때문이다.

잘 알려진 대로 라캉은 앙리 들라크루아의 작품을 읽음으로써 페르디낭 드 소쉬르의 『일반 언어학 강의』의 중요성을 발견하게 되었다. 이후 피숑과 접촉하면서 이 주제를 한층 더 자세히 파고들어간다. 하지만 소쉬르의 체계, 다시 말해 구조언어학의 원칙들을 실제로 자기 것으로 하게 된 것은 클로드 레비-스트로스의 저작을 접하면서부터이다. 1949년에 출간된 레비-스트로스의 『친족 관계의 기본 구조』는 라캉에게, 그리고 50년대 언저리에 두각을 나타나게 될 철학 세대 전체에게 말 그대로 대사건이었다.[13]

프로이트는 오이디푸스 콤플렉스가 인간의 인격의 가장 깊숙한 곳에 새겨져 있으며, 이를 둘러싼 삼각 구조는 극히 다양한 문화 속에서 발견된다고 보았다. 긍정적 측면에서 볼 때 이것은 동성에 속하는 경쟁자에 대해서는 죽음의 욕망을 갖도록 하고, 이성에 대해서는 성욕을 느끼게 한다. 부정적 측면에서 볼 때 이것은 동성 부모에 대해서는 사랑을, 이성 부모에 대해서는 질투심을 느끼도록 했다. 이런 관점에서 오이디푸스 콤플렉스의 삼각 구조는 근친상간의 금기로부터 효력을 끌어냈다. 다시 말해 프로이트는 이 금기를 모든 문화의 필수조건으로 보았다. 즉 근친상간은 인류가 존재할 수 있기 위해 포기해야 했던 반사회적 행동이라는 것이다.

이 명제에 좀더 일관성을 부여하기 위해 프로이트는 1912년에 출간된 『토템과 터부』에서 원시 부족에 관한 다윈 식의 우화와 토테미즘에 관한 제임스 G. 프레이저와 로버트슨 스미스의 연구를 이용했다. 그는 문화의 기원이 살부(殺父) 행위에 기반하고 있다고 주장했다. 신화적 부족에서 질투심 강하고 폭력적인 아버지는 아들들에게 살해당하며 이 아들들이 토템 의식을 통해 아버지의 시신을 먹어치운다. 하지만 양심의 가책을 느낀 아들들은 아버지에게서 풀려난 여자들과 성관계를 갖지 않기로 하며, 서둘러 근친상간을 금지하는 법을 제정한다. 이로부터 사회 조직의 첫번째 원리가 생겨나 이 원리가 대대로 전해진다는 것이다.

하지만 이러한 토템적 향연의 이야기는 순전히 가상적인 외삽법을 통한 환상의 산물처럼 보였기 때문에 20년대 초에 영국과 미국의 인류학자들로부터 도전받기 시작한다. 이들은 꿈과 상징에 관한 프로이트의 주장들에 대해서는 대부분 우호적이었지만 모든 문화가 하나의 단일한 기원을 갖고 있으며 이 기원이 모든 사회에 동일하다고 암시하는 서투른 추론에는 펄쩍 뛰었다. 그리고 프로이트가 이미 인류학에 의해 극복된 진화론에 여전히 매달리고 있다고 비난했다.

확실히 프로이트는 현장 조사 작업과는 무관하게 순전히 연역법에 입각해 가설을 세운 프레이저에 의지함으로써 이중의 실수를 저질렀다. 이 때문에 프로이트는 직접 관찰에 기반한 접근 방식을 부정했을 뿐만 아니라 쉽게 순수 사변의 영역으로 빠져들었다. 왜냐하면 그는 프레이저처럼 소위 '원시' 사회들을 현장에서 연구해본 적이 없이 단지 정신분석에 대한 지식에 입각해 이 사회들의 기능을 설명하려고 했기 때문이다.[14]

브로니슬라프 말리노프스키는 인류학에서 처음에는 기능주의 학설, 다음에는 문화주의 학설의 출현을 이끌게 된 논쟁을 처음으로 시작한 인물이다. 1884년에 크라쿠프에서 태어난 그는 에른스트 마하, 빌헬름 분트, 에밀 뒤르켐의 학설에서 영향을 받았다. 그리고 그는 무의식의 발견에서 유래하는 새로운 가설들을 받아들인 셀리그만과 리버스를 통해 프로이트 이론에 관심을 갖게 되었다. 즉 1917년 가을에 그는 남태평양 트로브리안 제도 원주민들의 삶을 관찰하기 위해 현장 조사를 나갔었다. 정말 콘래드*가 거슬러 올라간 것과 똑같았다. 콘래드적인 '어둠의 한가운데' 혼자 있게 된 그는 이 기회를 이용해 스스로를 관찰할 수 있었다. 그의 감정 속에는 원주민 여자들에 대한 에로틱한 욕망뿐만 아니라 모든 인간에게 공통적인 본능적인 힘에 직면하고 있다는 느낌도 들어 있었다.[15] 그 결과 그는 원시인의 심성에 관한 뤼시앙 레비-브륄의 가설이 얼마나 경박한지를 확인하게 되었으며, 이와 함께 집단 의식이라는 가설을 버리고 대신 실제로 살아 있는 인간에 대한 분석에 기초한 새로운 휴머니즘을 받아들이게 된다.

그곳을 떠난 지 4년 후에 말리노프스키는 프로이트 이론을 재검토하기 시작했다. 그는 트로브리안 족에게서 나타나는 모계 형태의 사회 구조는 결국 생식에서 아버지의 역할은 무시하도록 만들고 있다고 지적했다. 자식은 어머니와 조상의 정령에 의해 수태되었고, 일반적으로 아버지가 차지하는 자리는 비어 있었다. 따라서 법은 외삼촌에 의해 구현되었고, 아이는 그를 경쟁자로 보았다. 근친상간 금지는 아이 어머니가 아니라 누이에게 적용되었다. 말리노프스키는 '핵심적인 콤플렉스'의 존재를 부정하지는 않았지만 문제가 되는 사회에 전형적인 가족 구조에 따라, 사회 형태에 따라 얼마든지 그것은 가변적이라고 주장했다. 이리하여 그는 오이디푸스 콤플렉스 이론의 보편성과 최초의 살부

---

* Joseph Conrad, 1857~1924, 폴란드 태생의 영국 소설가로 오지의 바다와 이국에서 겪은 실제 경험을 담은 작품들로 세계적인 명성을 얻었다. 장편소설 『어둠의 한가운데』는 콩고 여행에서 겪은 사건들을 다룬 그의 대표작이다.

에 관한 프로이트의 두 가지 가설을 모두 무너뜨렸다. 첫번째 가설은 오직 부계 사회에만 적용되는 것이었고 두번째 가설은 문화의 다양성을 고려하지 않은 것이었다. 실제로 자연에서 문화로의 어떠한 원초적 이행도 이러한 다양성을 설명할 수는 없다.

이에 대해 즉각 반응이 나타났다. 비록 프로이트의 개념들을 수정하면서도 가능하면 고수하려 고심하는 태도를 보였지만 말리노프스키는 어쩔 수 없이 정통 프로이트주의의 대표적 인물인 어네스트 존스에 의해 곧 비판받게 되었다. 1924년에 존스는 트로브리안 족이 부자 관계를 무시하는 것은 단지 부계 생식에 대한 의도적인 거부일 뿐이라고 반박했다. 따라서 오이디푸스 콤플렉스는 다시 보편적인 것으로 주장되었다. 왜냐하면 모계 체계는 외숙(外叔) 콤플렉스와 함께 순전히 억압되어온 최초의 오이디푸스 경향을 부정적으로 표현하는 것일 뿐이기 때문이다.

그러나 존스는 인류학자도 아니었고 또 현장 연구도 한 적이 없었기 때문에 그의 이러한 주장이 프로이트의 주장을 한층 더 신뢰할 수 있는 것으로 만들 수는 없었다. 그리고 말리노프스키에 대한 존스의 해석은 전혀 설득력이 없는 것이었다. 그것은 인류학자인 말리노프스키의 가설에 대한 추상적인 뒤집기에 지나지 않는 것이었기 때문이다.

1928년에 다시 논쟁이 시작되었다. 게자 로하임이 말리노프스키의 가설들을 검증해보기로 결심하고 마리 보나파르트에게서 일부 재정을 지원받아 뉴기니로 탐험을 떠났다. 노르망비 섬 원주민들은 트로브리안 족과 아주 유사한 사회 속에서 살고 있었다. 그는 이들 속에서 거의 10여 개월을 지냈다. 그가 내린 결론은 말리노프스키와는 완전히 달랐다. 그는 말리노프스키가 외면했던 항문 에로티시즘의 중요성을 발견

---

* Géza Róheim, 1891~1953, 헝가리 태생의 미국 정신분석학자. 문화 해석에 정신분석학적 접근법을 활용한 최초의 인물이다.

했을 뿐만 아니라 '누이와 사랑을 나누고 삼촌과 경쟁 관계를 유지하는 남자'는 부계 사회의 오이디푸스적 남자와 아주 비슷하다는 것을 보여주었다. 따라서 오이디푸스 콤플렉스의 존재와 그것의 보편성은 그가 보기에 더이상 아무런 의문의 여지가 없었다.[16]

이리하여 인류학에 관한 논쟁은 막다른 길에 이르게 되었다. 정통 프로이트주의자들은 오이디푸스 콤플렉스의 보편성을 고수하면서 근친상간의 금지는 전 인류에 공통적인 공포심에서 비롯되었다고 주장했다. 그러나 문화주의자들은 다양성을 주장하며 근친상간의 금기는 설사 부정적인 형태일지라도 보편적으로 인정된 원칙에 기반하고 있다고는 믿지 않았다.

이처럼 빈과 런던을 오가며 전개되던 토론은 미국 인류학의 비옥한 토양에서 다시 한번 전개된다. 그러나 프랑스에서는 그러한 논쟁이 전혀 일어나지 않았다. 파리의 정신분석 운동에서는 마리 보나파르트만이 개인적으로 이 문제에 관심을 가졌다. 게다가 그녀는 말리노프스키와 로하임을 동시에 지원했다. 그리고 민족학자인 이 두 사람은 프로이트주의와의 논쟁에는 참여하지 않았다.

1950년까지 소위 원시 사회의 연구 영역에는 세 가지 경향이 공존했다. 첫번째 흐름은 폴 브로카로부터 유래하는 물리적 인류학이라는 오래된 전통과 관련되어 있었다. 두번째 흐름은 마르셀 모스의 연구들로 대표되는데, 여기서 사회적인 것은 상징 체계와 등치되었다. 세번째 흐름은 반식민적인 경향으로서 신성성이라는 관념을 부활시키는 데 관심을 가졌다. 이 세번째 경향에 속하는 인물들로는 바타이유와 레리스, 카이유, 리베가 있었다. 바로 이런 배경 속에서 클로드 레비-스트로스는 전후 프랑스에서 현대적 의미의 인류학의 진정한 창시자가 될 수 있었다.[17]

레비-스트로스는 1949년에 근친상간의 금지 문제를 새롭게 조명하면서 출발했다. 인간이 근친상간의 실천을 포기했다는 가설에서 문화의 기원을 찾는다거나 아니면 이와 반대로 이러한 문화의 다양성의 만개를 찾는 대신 그는 이러한 양극화를 피하면서 근친상간의 금지가 자연에서 문화로의 이행을 가능하게 해준다는 것을 보여주었다. 그는 이렇게 쓰고 있다. "〔근친상간의 금지는〕 본래 순전히 문화적이지도 또 그렇다고 자연적이지도 않다. 그리고 그것은 부분적으로는 자연에서 또 부분적으로는 문화에서 차용한 요소들의 애매한 배합도 아니다. 그것은 기본적인 단계로서, 이것 덕분에, 이것에 의해, 그러나 무엇보다 이것 속에서 자연으로부터 문화로의 이행이 완성된다. 이런 의미에서 그것은 자연에 속한다. 왜냐하면 그것이 바로 문화의 일반적 조건이기 때문이다. 따라서 우리는 그것이 공식적인 특성, 다시 말해 보편성을 자연에서 끌어낸다는 사실에 놀랄 이유가 없다. 하지만 또다른 의미에서 그것은 이미 문화이기도 하다. 처음에 그것과 아무런 관계도 없는 현상들 속에서 작용하고 규칙을 강요하기 때문이다."[18]

자연/문화의 이원성에 대한 이처럼 새로운 표현은 사회 연구를 전혀 새롭게 평가하도록 만들었다. 게다가 자기 연구의 혁신성을 강조하기 위해 레비-스트로스는 프랑스에서는 이미 사용되고 있지 않던 **인류학**이라는 과거의 용어를 다시 채택해 영국과 미국의 연구가들이 했던 대로 이 용어에 사회적·문화적 내용을 부여했다. 그는 현장 연구의 첫 단계로 규정된 **민속학**과, 종합적 고찰의 첫 단계로 설명된 **민족학**을 그것에 포함시켰다. 그는 인류학에 중심적인 역할을 부여했다. 인류학은 민속학과 민족학에서 도출된 분석을 출발점으로 삼았다. 그로부터 인간 사회 전체에 유효한 이론적 결론을 끌어내는 것이었다. 근친상간의 금지의 보편화는 결혼을 통한 교환 절차와 동시에 발전하는데, 이것은 개인의 의식으로부터 독립되어 있는 구조적 조직에 의해 규제된다. 기본 구조들이 엄격한 금기 사항을 규정하고 다시 이것이 강제적으로 배우자를 결정하도록 만드는 것이다. 즉 이전에 조상들이 시도했던 것과 비슷한 결합 형태들만이 결혼 형태로 허용된다. 복합적인 구조들, 즉 현재의 서양 사회의 구조들 속에서는 금지가 이보다는 덜 엄격해 금기에 의해 설정된 한계 내에서는 자유로운 선택이 허용된다.

이처럼 근친상간의 금지의 보편화는 일단 이것을 일관된 친족 관계 체계와 결합시킨 다음 과학적 시각에서 포괄적으로 바라보아야 제대로 포착될 수 있었다. 이리하여 레비-스트로스는 인류의 여러 제도들을 종합적으로 이해하기 위한 모델로 인류학이라는 용어를 부활시켰던 것이다.[19]

라캉은 1949년경 알렉상드르 코이레가 주최한 디너 파티에서 레비-스트로스를 알게 되었다. 그날 밤 그는 아무 말 없이 열심히 다른 참석자들만 주시하고 있었다.[20] 그러나 두 사람은 금방 친구가 되었다. 두 사람 모두 예술작품에 대한 취미를 공유하고 있었던 것이다. 두번째 부인과 이혼하고 돈이 필요했던 레비-스트로스는 수집해두었던 인도의 물건들을 팔았다. 라캉이 절반을 샀다. 레비-스트로스는 이렇게 말한다. "우리는 몇 년 동안 아주 친하게 지냈다. 우리는 메를로-퐁티 부부와 함께 라캉의 시골집이 있는 기트랑쿠르에 점심을 먹으러 갔다. 아내와 내가 시골에 은신처를 찾고 싶었을 때 마침 라캉은 원하던 새 차를 막 구입한 상태였다. 우리 네 명은 함께 떠났다. 아주 즐거웠다. 라캉이 허름한 시골 호텔에 머무르면서 거의 제왕 같은 태도로 호텔 직원에게 목욕물을 받도록 명령하는 모습을 보았다면! 우리는 정신분석이나 철학에 대해서는 일언반구도 하지 않았다. 대신 예술과 문학에 대해서만 얘기했다. 그는 아주 박학했다. 그는 그림과 예술작품들을 수집했다. 종종 이것이 우리 대화의 주된 주제였다."[21]

레비-스트로스는 1930년부터 메를로-퐁티를 알고 있었다. 이해 두 사람 모두 16구에 있는 장송-드-사이 리세에서 교수 자격 시험 예비 단계를 마쳤다. 15년 후인 1944~45년 겨울에 다시 만난 이들은 점령기 동안의 파리 지성계에 대한 인상을 주고받았다. 미국에서 여러 해를 보낸 인류학자 레비-스트로스는 실존주의의 미래에 대해 물었고, 철학자인 메를로-퐁티는 고대의 형이상학을 복원하려는 계획을 설명했다.[22] 메를로-퐁티는 이미 라캉을 알고 있었다. 두 사람은 전쟁 동안에 레리스 집에서 열린 유명한 '연회'에 여러 번 참석했었다. 보부아르와 카뮈도 같은 자리에 있었다. 그리고 두 사람의 관계는 1944년에 메를로-퐁티의 부인인 수잔느가 유형자들을 다시 정상 생활에 복귀시키는 일을 시작했을 때 더욱 가까워졌다. 그녀는 의학을 공부했는데, 이후 소아과 전문의가 되었다. 라캉은 그녀에게 정신의학 학위를 받는 것을 도와주겠다고 말하면서 수용소에서 발생하는 신경병 문제를 논문 주제로 할 것을 제안했다. 이 주제와 관련된 병리학을 소개하기 위해 그는 자기의 박사 학위 논문을 한 부 증정했다.[23] 이러한 만남들 속에서 메를로-퐁티 부부와 라캉 부부 간의 돈독한 우정이 생겨났다.

이 당시 라캉은 여전히 나치즘의 역사에 관심을 갖고 있었다. 그리고 뉘른베르크 법정의 전문 입회인이었던 친구 장 들레이를 통해 루돌프 헤스의 이야기를 알게 되었다. 이리하여 그는 그 '사례'에 관해 『크리티크』지에 기고할 계획을 세웠다. 그러나 결국에는 포기했다.[24]

레비-스트로스는 재차 미국에서 3년을 보낸 후 1948년에 메를로-퐁티를 다시 만났다. 그는 『친족 관계의 기본 구조』라는 박사 학위 논문의 심사를 성공적으로 통과했지만 콜레주 드 프랑스 교수 선임에 두 번이나 실패했다. 그러자 리베가 그를 '뮈제 드 롬(Musée de l'Homme)'의 부관장으로 임명했는데, 거기서 바로 미셸 레리스를 알게 되었다. 그리고 레리스의 책을 즐겁게 읽었다. 라캉의 집에서 저녁을 먹다가 레비-스트로스는 세번째 부인이 될 모니크 로망을 만났다. 그녀는 실비아의 친구였고, 레리스 부부와도 가까웠다. 결혼하기 전 얼마 동안 레비-스트로스와 그녀는 노트르-담-드-로레트 가에서 살았다. 어느 날 밤 두 사람이 저녁 식사를 막 끝내고 있을 때 갑자기 라캉이 들이닥쳤다. 접시 위에 먹다 남은 게 조각을 보자 라캉은 자제하지 못했다. 그는 눈이 휘둥그래진 주인들 앞에서 아무 허락도 받지 않고 그것들을 게걸스럽게 먹어치웠다!

하지만 이러한 기행에도 불구하고 라캉은 전후 파리 지식인들의 일원이 될 수 있었는데, 그는 뛰어난 재능과 독창성, 박학함으로 존경받았다. 그러나 비록 높이 평가되긴 했지만 여전히 이해되지는 못했다. 심지어 많은 개념을 차용해온 사람들에게조차 그의 생각이 여전히 모호한 것으로 여겨지는 것을 보며 그는 괴로워했다. 레비-스트로스는 이렇게 말하고 있다. "그의 글들을 이해해야 했다. 그러나 나는 항상 그의 열렬한 청강생들에게서 '이해한다'는 것은 나와는 전혀 다른 의미를 갖고 있다는 인상을 받았다. 나는 대여섯 번 정도 재독해야 했다. 메를로-퐁티와 나는 가끔 그것에 대해 얘기를 나누면서 우리에게 시간이 부족하다는 결론을 내렸다."[25]

그런데 레비-스트로스의 프로이트 독법은 라캉의 독법에서 아무런 영향도 받지 않았다. 이 미래의 인류학자는 철학 학급에서 철학을 공부하다가 우연히 프로이트를 처음 접하게 되었다. 친구의 아버지인 마르셀 나탕은 마리 보나파르트와 공동으로 프로이트의 책을 몇 권 번역한 사람이었다. 어느 날 그가 아들의 친구에게 『정신분석학 입문』을 읽으라고 주었던 것이다. 레비-스트로스는 나중에 미국에 머물면서 뉴욕 정신분석계와 교류하게 되었다. 그후 문화 자문관으로서 레이몽 드 소쉬르를 만났던 것도 바로 뉴욕에서였다.

그는 1949년부터 프로이트의 발견에 대해 쓴 논문에서 샤머니즘적 치유 기술과 정신분석적 치료를 비교했다. 이 논문의 논지는 이러했다.

즉 샤머니즘적 치유 기술에서는 주술사가 말을 하면서 해제 반응을 유도하는, 다시 말해 환자의 억압된 감정을 해방시키는 반면 정신분석 치료에서 말을 하는 것은 환자이며 의사는 경청한다는 것이다. 이러한 비교에 덧붙여 레비-스트로스는 서구 사회에는 정신분석적 신화학이 형성되어 집단적 해석 체계로 작용하는 경향이 있음을 보여주었다. "따라서 상당한 위험이 생겨나는 것을 볼 수 있다. 즉 치료(당연히 이것은 임상의에게는 알려져 있지 않다)는 자체에 고유한 맥락 속에서 어떤 특수한 장애를 해결하기는커녕 환자의 세계상을 정신분석적 해석을 통해 재구성하는 것으로 축소되고 만다."[26] 따라서 만일 구조적인 재구성 체계로 작용하는 기본적 신화의 집단적 채택을 통해 치유가 이루어진다면 이는 이 체계 자체가 탁월한 상징적 효과를 갖고 있음을 의미한다. 레비-스트로스가 『마르셀 모스 저서 입문』에서 내놓은 생각은 바로 여기서 나오게 되었다. 즉 무의식이라고 불리는 것은 단지 상징적 기능이 수행되는 텅 빈 공간일 뿐이다. "상징들은 그것들이 상징하는 것보다 더 실재적이고, 시니피앙은 시니피에를 앞서고 그것을 결정한다."[27]

라캉이 레비-스트로스의 『친족 관계의 기본 구조』와 그의 다양한 논문들을 읽고 얼마나 큰 충격을 느꼈는지를 상상해보는 것은 어렵지 않을 것이다. "내가 레비-스트로스의 책을 읽고 얼마나 큰 도움을 받고 지원을 얻었는지를 간략하게 설명하려면 그것은 바로 그가 강조한 내용에 있다고 말하고 싶은데, 나는 이것을 시니피앙의 기능이라고 부르고 싶다(약간은 너무 포괄적으로 보일 수 있는 이러한 표현 방식에 그가 거부감을 갖지 않길 바란다. 나는 사회학적이고 인류학적인 그의 연구가 간단히 포괄될 수 있는 것이라고는 생각하지 않는다). 이것은 언어학적인 의미의 시니피앙으로서 나는 이것이 그 자체에 고유한 법칙들에 의해 구별될 뿐만 아니라 법칙을 부여하는 시니피에보다 우세하다고 말하고 싶다."[28]

레비-스트로스의 이론들은 가족 개념을 파괴하고 친족 관계라는 개념으로 이를 대체시켰을 뿐만 아니라 프로이트가 제시한 오이디푸스 콤플렉스의 보편성을 재고하도록 만들었다. 그러나 이제 이것은 근친 상간에 대한 '자연적인' 두려움에 기반한 것이 것이 아니라 인류 사회의 무의식적인 구성을 지배하는 법칙으로 기능하는 상징 기능의 존재에서 유추되는 것이었다. 레비-스트로스의 생각을 접하면서 비로소 라캉은 프로이트 학설 전체를 재검토하기 위한 방법 문제를 이론적으로 해결할 수 있는 길을 찾을 수 있었다. 이러한 재검토를 통해 무의식은 생물학적인 경향들을 대부분 탈피할 수 있었는데, 원래 이것은 프로이트가 다윈의 진화론에서 직접적으로 영향을 받음으로써 이러한 색채를 강하게 띠고 있었다. 이제 Ich는 신프로이트주의자들이 만들어낸 모든 심리학적 개념들에서 벗어나 자아(moi)와 나(je)로 세분되었다. 자아는 가상적인 환상의 자리가 되었고, 나는 발화의 수단이 되었다. 이리하여 마침내 오이디푸스 콤플렉스는 자연적으로 보편적인 것으로부터 벗어나와 상징적으로 보편적인 것의 틀 속에 위치하게 되었다. 라캉은 이렇게 말한다.

상징적으로 보편적인 것은 보편적인 것이 되기 위해 반드시 지구 전체로 퍼져나갈 필요는 없다. 게다가 전 인류적으로 통일을 이루고 있는 것은 아무것도 없다. 구체적으로 보편적인 것이 되는 것은 아무것도 없다. 그러나 일단 상징 체계가 형성되면 즉시 그것은 당연히 보편적인 것이 된다. (……) 레비-스트로스는 상징적 목록들의 자율성이라는 형태로 은폐된 초월성을 다시 초래하지는 않을까 우려하는데, 그는 이러한 초월성에 대해 친화성과 개인적 민감성 때문에 오직 의심과 반감만을 느낄 뿐이다. 다시 말해 그는 우리가 신을 문밖으로 내몬 다음 다시 다른 문으로 들어오게 하지는 않을까 두려워한다.[29]

내가 프로이트주의의 정통파적 지양[30]이라고 표현한 라캉의 사고 체계가 형성되는 첫 단계는 SPP 내의 위기가 최고조에 달한 1953년 3월 4일에 '콜레주 필로소피크'에서 발표한 「어느 신경병 환자의 개인적 신화」(혹은 「시와 신경병에서의 진리」)와 함께 시작되었는데, 그는 이 강연에서 처음으로 아버지-의-이름이라는 말을 사용했다. 이 첫 단계는 7월 8일에 발표된 「상징적인 것, 실재, 상상적인 것」에서 계속되는데, 이 강연에서 라캉은 여기서 역시 처음으로 프로이트의 텍스트로 돌아가는 것이 자기 목표라고 선언했다. 그리고 그는 그것을 1951년부터 시작했다고 말했다. 그후 9월 27일에 로마에서 발표한 「정신분석에서의 말과 언어의 기능과 장」에서 이 첫 단계는 활짝 피어났는데, 이 강연에서 진정한 구조적 치료 이론이 소개되었다. 이어 '프로이트의 기술에 관한 글들'(세미나 1권, 1953~54)과 '프로이트 이론과 정신분석 기술에서의 자아'(세미나 2권, 1954~55)를 주제로 한 두 세미나에서 이 첫 단계가 한층 더 심화되었다. 그리고 마지막으로 1955년 11월 7일에 빈에서 발표한 「프로이트적인 사물 혹은 정신분석에서 프로이트로 돌아가자는 것의 의미」에서 이 첫 단계는 끝난다. 이 강연의 제목 자체가 당시 그의 목표가 무엇이었는지를 분명하게 보여주고 있다.

「어느 신경병 환자의 개인적 신화」에서 라캉은 '쥐 인간' 사례에 관한 프로이트의 해석과 괴테의 자서전인 『시와 진실Dichtung und Wahrheit』을 비교했다.[31] 이 두 텍스트에 대한 무게 있지만 다소 모호한 주석을 통해 그는 1936년부터 그의 관심을 끌어왔던 거울 단계와 아버지 기능의 쇠퇴를 다시 주제로 삼았다. 하지만 동시에 그는 오이디푸스 콤플렉스 개념을 구조적으로 수정했다. 즉 오이디푸스 콤플렉스는 신화로 이해되어야 하고, 삼항 체계는 사항 체계로 대체될 필요가 있었다. 라캉은 이 새로운 체계의 첫번째 요소를 상징적 기능이라고 지칭하면서 현대 가족에서 그것은 아버지의 역할과 동일하다는 것을 강조했다. 다시 말해 병원(病原)이자 불화를 조장하는 아버지, 모욕당하고 호칭(아버지-의-이름)과 생물학적 현실 사이에서 찢겨져 있는 아버지가 이러한 역할을 수행하는 것이다. 이 새로운 체계의 두번째 요소인 나르시시즘적 관계는 자체가 양극으로, 즉 나와 주체로 나뉘어져 있다. "나란 무엇인가, 만일 그것이 주체가 처음에는 자기 내부에 있는 이방인처럼 느끼는 어떤 것이 아니라면? (……) 따라서 주체는 항상 자신의 완벽한 실현과 어떤 예견된 관계를 갖고 있다. 그것은 주체를 근본적으로 부조화 차원으로 되던지고 그에게 근원적 분열, 가슴이 찢어지는 듯한 근원적 슬픔, 하이데거의 용어를 빌자면 '내던져져 있음'을 겪게 된다."[32]

이처럼 이 단계의 세 가지 요소, 즉 아버지의 역할, 나, 주체를 규정한 다음 라캉은 네번째 '요소'로 죽음의 체험을 도입했다. 이것은 '인간 조건의 모든 표명에 들어 있는 한 가지 요소'지만 특히 신경병 환자의 체험에서 제대로 지각될 수 있는 요소였다. 라캉의 죽음의 체험이라는 말에는 죽음에의 충동이라는 프로이트의 개념과 목숨을 건 투쟁이라는 헤겔-코제브의 개념, 그리고 죽음을 향한 존재라는 하이데거의 시각이 총망라되어 있었다. 하지만 라캉이 실제로 인간 조건의 궁극적인 비극성을 선포했다고 경의를 표한 사람은 바로 계몽주의의 인간이자 인류의 등불이며 괴테의 헌신적인 독자인 프로이트였다.

3년 후인 1956년에 레비-스트로스가 신화와 의식(儀式) 간의 관계에 대해 강연할 때 라캉은 자신이 1953년에 친족 관계 구조의 도식을 어떻게 이용했는지를 설명했다.

나는 거의 즉각 강박신경병 증상들에 그 도식을 적용해보았는데, 감히 말하자면 그것은 완전한 성공이었다. 특히 '쥐 인간'의 사례에 대한 프로이트의 훌륭한 분석에도 그것을 적용해보았다. (……) 나는 클로드 레비-스트로스가 제시한 공식에 따라 그 사례를 엄격히 형식화하기도 했다. 그의 공식에 따르면 처음에 b와 결합했던 a는 c가 d와 결합하는 동안 두번째 세대에서는 c와 짝을 바꾸었다. 그러나 집단의 변환에서 상관항으로 작용하는 네번째 항의 부정 형태로 환원될 수 없는 잔여는 그대로 남겨지게 된다. 바로 여기서 내가 신화 문제의 완전한 해결의 일종의 불가능성의 표시라고 부를 수 있는 것을 볼 수 있다.[33]

하지만 라캉은 '쥐 인간'에 대한 1953년의 논평에서는 크로우-오마하(Crow-Omaha, 아메리카 원주민의 한 종족 — 옮긴이) 체계들(현대 서양 사회의 체계와 유사하다)에 관한 레비-스트로스의 설명을 아무런 언급도 않은 채 도용했다. 이 설명에 따르면 A 씨족 사람과 B 씨족 사람이 맺은 결혼에서 태어난 자식들은 몇 세대 동안에는 이와 유사한 결혼을 할 수 없다. 이것은 일종의 금기의 확대, 다시 말해 모든 결혼이 앞세대의 결혼과는 달라야 하는 일련의 복합 구조들의 모델을 보여준다. 이처럼 이전 세대들의 결혼은 앞으로 있을 수 있는 결혼을 부정적으로 특정(特定)한다. 다른 한편 금기에 대한 협소한 규정(기본 구조들)에서는 합법적인 결혼에 대한 긍정적인 특정이 이루어진다. 왜냐하면 이전의 결혼들이 유사한 방식으로 반복되어야 하기 때문이다. 그럼에도 불구하고 두 가지 유형의 체계, 즉 기본 체계와 복합 체계는 공동의 언어로 표현될 수 있다. 복합 체계의 금기들이 긍정적 금기의 부정적 이미지들인 한 두 유형의 체계는 다시 통일된다. 즉 동일한 구조를 갖게 된다.[34]

이로부터 출발해 라캉은 프로이트가 '쥐 인간'이라고 이름붙인 에른스트 란처 이야기에, 특히 배우자의 선택과 빚 문제에 관심을 가졌다.

이 환자의 아버지인 하인리히 란처는 어느 날 노름을 하다가 빚을 졌는데, 친구에게 겨우 돈을 빌려 노름빚을 갚음으로써 치욕을 면할 수 있었다. 하지만 그는 친구에게 빌린 돈은 십중팔구 갚지 않았을 것이다. 프로이트는 이렇게 쓰고 있다. "군에서 제대한 후 제법 재산을 모은 그의 아버지는 돈을 갚기 위해 이제는 궁핍해져 있는 친구를 찾으려고 했지만 소용이 없었다. 내 환자는 아버지가 돈을 갚았는지를 확신하지 못했다."[35] 결혼 전에 하인리히는 가난한 여자를 사랑했지만 결혼한 여자는 로자라는 부유한 여자였다. 그리고 그녀가 에른스트를 낳게 된다.

하인리히가 급사한 지 5년 후인 1899년에 이 두 요소, 즉 빚과 결혼 문제는 에른스트의 강박신경병 발생에서 아주 중요한 역할을 하게 된다. 1905년에 27세가 된 그는 기젤라라는 가난한 여자를 사랑하게 되었다. 그래서 그는 자기를 부유한 여자와 결혼시키려는 어머니의 계획에 반대했다. 2년 후인 1907년 여름에 그는 군대 훈련중에 코안경을 잃어버렸다. 그래서 빈에 있는 안과 의사에게 즉시 우편으로 새 안경을 보내달라고 전보를 쳤다. 이틀 뒤 그는 대위를 통해 새 안경을 전달받았다. 대위는 우편 요금은 우체국을 감독하는 중위에게 갚으라고 했다.

돈을 갚아야 할 의무에 직면하게 된 에른스트는 빚을 갚아야 한다는 골치 아픈 문제 때문에 거의 광적인 행동을 보였다. 코안경 사건이 있기 바로 전에 다른 극적인 사건이 일어났기 때문에 더욱더 그러했다. 1907년 7월에 그는 대위에게서 동양의 고문 이야기를 들었는데, 그 이야기에 따르면 동양에서는 죄수의 옷을 벗긴 다음 등을 구부리고 바닥에 무릎을 꿇게 한 후에 죄수의 엉덩이 위에 쥐가 들어 있는 밑이 뚫린 큰 항아리를 엎어놓은 다음 가죽끈으로 고정시킨다고 했다. 항아리 입구로 불에 벌겋게 달궈진 막대를 집어넣으면 거의 굶어죽기 직전에 이른 쥐는 뜨거운 막대를 피하려고 이리저리 피하다 죄수의 항문 속으로 들어간다. 그러면 쥐 이빨에 물린 죄수의 항문에는 끔찍하기 짝이 없는 상처가 나고 피가 흐른다. 그리고 반 시간 후에 쥐는 질식해서 죄수와 함께 죽는다는 것이었다.

바로 이것이 1907년 10월 1일 쥐 고문에 대한 강박관념에 사로잡혀 프로이트의 분석실로 찾아온 어느 남자의 이야기였다. 그는 '도라', '늑대 인간', '꼬마 한스', 슈레버 판사의 사례와 함께 프로이트의 다섯 가지 정신분석이라는 유명한 사례 중의 하나가 된다.

이 이야기에 복합 구조의 도식을 적용하면서 라캉은 이전 세대의 결혼과 유사한 결혼의 불가능성이 부정적 특정(特定) 형태로 어떻게 대대로 전해지는지를 보여주고 싶었다. 즉 아버지와 아들의 삶에 현존하는 요소들간에는 동일한 시니피앙 구조의 반복이 나타난다는 것이다. 하지만 이 구조를 구성하는 요소들은 대를 이어가면서 다른 방법으로 구성된다. 아버지는 부유한 여자와 결혼하지만 아들은 가난한 여자와 결혼하는 것이다. 아버지는 빚을 갚지 못하지만 아들은 갚는다. 이처럼 차이들이 실현되는 반복 과정에서 한 세대에서 다음 세대로 이행하려면 신경병이라는 대가를 치러야 한다. 따라서 라캉이 신경병 환자의 개인적 신화라고 부르는 것은 모든 주체를 최초의 배치에 결합시켜주는 복합 구조와 다르지 않다. 이 배치의 상이한 요소들은 가계도처럼 한 세대에서 다음 세대로 교대하며 반복된다.

이 이야기는 현대인의 이야기이다. 다시 말해 아버지가 지배하는 가족이라는 이상의 불가피한 쇠퇴로 특징지어지는 우리 현대 문명인의 이야기이다. 여기서 우리는 라캉이 50년대에 프로이트를 어떻게 읽고 있는지를 볼 수 있다. 그는 레비-스트로스에게서 빌려온 도식을 바탕으로 프로이트의 논문들을 해석하는 것부터 시작한다. 이어서 프로이트나 레비-스트로스에게서는 찾아볼 수 없는 라캉 본인의 가설들을 추가한다. 이런 식으로 그는 복합 구조에서 시작해 사항 구조를 만들어내는데, 이 구조는 이미 전쟁 전에 만들어진 개념으로 구성되었지만 이제 새로운 범주들 속에서 다시 부활된다.

프로이트는 동일시를 통해 한 세대에서 다음 세대로 전해지는 전혀 유사하지 않은 요소들이 무의식적으로 반복되는 과정이 존재한다는 것을 인식했고, 이 과정을 가족의 오이디푸스 구성 속에 위치시켰다. 하지만 이러한 오이디푸스 체계에 보편적 차원을 부여하려고 시도하면서는 이처럼 보편적인 것과 문화의 다양성 간의 관계 문제를 해결할 길이 없게 되었다. 이리하여 『토템과 터부』에 나오는 장대한 신화가 만들어졌던 것이다. 이 신화는 이러한 과정을 설명해주기보다는 모든 인간 사회는 — 그리고 프로이트 자신도 — 집단적 상상을 통해 각자에 고유한 역사를 이야기하려고 노력한다는 점을 보여줄 뿐이었다.

이미 1938년에 라캉은 모라스와 콩트를 빌려 프로이트의 오이디푸스관을 분명하게 강조한 바 있었다. 그는 그것이 남성적인 것과 여성적인 것이라는 범주가 새로 양극화되고 있는 서양 사회의 위기에서 비롯되었음을 보여주었다. 15년 후에 그는 '가족이라는 도가니'라는 개념을 버리고 또 '소그룹들'이라는 개념을 면밀히 조사한 후에 오이디푸스 콤플렉스 체계 전체의 오류를 폭로했다. 레비-스트로스는 친족 관계의 구조를 단일한 원칙으로 환원시키는 데 성공했다. 그는 이 원칙으로부터 무한히 다양한 개체주의를 끌어냈다. 이를 통해 그는 문화주의자들처럼 다양한 설명들의 홍수 속에서 혼란에 빠지는 것을 피할 수 있었다. 라캉은 이러한 관점 전환을 통해 각각의 주체에 특수한 다양한 상황들을 체계화할 수 있도록 해주는 하나의 무의식적 원칙을 확보해 이를 상징적 기능이라고 불렀다. 그리고 그가 이 구조를 하나의 신화로 만들고, 이 주체를 신경병 환자로 만든 것은 전혀 놀라운 일이 아닐 것이다. 프로이트의 학설에 대한 과학적이고 합리적인 해석을 촉진시키는 동시에 그것의 전복적 성격을 강조하고 싶었기 때문이다.

서양 사회의 위기에서 비롯된 정신분석은, 라캉에 따르자면, 어떤 경우든 인간의 사회 적응을 위한 도구가 되어서는 안 된다. 정신분석은 세상의 혼란에서 생겨나기 때문에 어쩔 수 없이 세상 속에 존재하면서 세상의 혼란을 의식의 혼란으로 생각할 수밖에 없다. 라캉이 모든 주체는 상징적 '질서'에 어떤 식으로 소속되느냐에 따라 달리 규정된다는 원칙을 천명하면서 또다른 이론을 내놓게 된 것은 바로 이 때문이었다. 즉 주체가 이러한 소속을 인정하는 것은 주체에게는 근원적 분열과 피할 수 없는 신경병의 원천이 된다는 것이었다.

이처럼 새로운 구조 체계의 도입에 발맞추어 상징적인 것, 상상적인 것, 실재라는 세 용어로 구성된 새로운 위상학이 세워졌다. 전쟁 전에 라캉은 왈롱에게서 처음 두 개념을 빌려왔다. 그러나 1953년에 처음 실재와 합쳐지면서 이 두 개념은 다른 의미를 갖게 되었다. 라캉은 레비-스트로스의 체계에서 끌어낸 모든 이론적 개선 사항을 상징적인 것이라는 범주에 포함시켰다. 이리하여 이제 프로이트의 무의식은 언어 영역에서 시니피앙이 하는 역할과 비견될 수 있는 매개 장소로 재해석되었다. 상상적인 것이라는 범주에는 나의 구성과 관련된 모든 현상, 즉 부가(captation), 예측, 환상이 포함되었다. 마지막으로 실재라는 범주에는 프로이트가 심리적 현실이라고 불렀던 것, 다시 말해 무의식적 욕망과 그것과 관련된 판타지들이 포함되었다. 프로이트에 따르면 이러한 심리적 현실은 감각적 현실과 비견될 만한 정합성을 보이며, 따라서 사실상 외부 현실을 대체할 수 있을 정도로 일관된 현실적 가치를 가진다.

이러한 라캉의 실재 개념에는 심리적 현실이라는 프로이트의 규정뿐만 아니라 바타이유의 이종(異種) 구조적 과학에서 (물론 그의 이름은 언급하지 않은 채) 도용한 병적 성질, '잔여', '저주받은 부분'이라는 생각도 포함되어 있었다. 하지만 동시에 굉장한 의미 변화가 일어났다. 프로이트가 환상에 기반한 주관적 현실이라고 생각했던 것을 라캉은 모든 상징화에서 배제되고 모든 주관적 사고로는 도달할 수 없는 욕망하는 현실로 생각했다. 그것은 검은 그림자 혹은 이성을 벗어나는 유령이었다.

라캉이 치료 이론을 그의 구조 체계에 포함시킨 것은 '로마 강연'에서였다. 간단한 보고로 그치고 만 '지양'에 대한 다른 두 발표문과 달리

이 강연문은 멋진 바로크 풍 스타일로 신중하게 작성되었다. 죄수들과 관련된 궤변에서 나온 두 용어, 즉 이해하기 위한 시간과 결론을 내리기 위한 순간을 다시 언급하면서 라캉은 가변적인 상담 시간 개념을 간접적으로 정당화했다. 그의 발표문의 요지는 대체로 이렇다. 치료에서 분석가는 교도소장의 위치를 차지한다. 분석가는 오이디푸스에게 말하는 스핑크스처럼 환자에게 인간 조건의 수수께끼를 푸는 대신 자유를 약속한다. 그러나 교도소장은 제 꾀에 제가 넘어가게 된다. 즉 단한 명의 죄수에게만 자유를 허용하려 했는데 어쩔 수 없이 다른 두 죄수에게도 자유를 허용하게 된다. 다시 말해 분석가는 주체의 담화가 전진해나가는 진리의 주인이지만 그의 지배권은 두 가지 한계에 의해 제한된다. 즉 한편으로 그는 각 주체가 이해하기 위해 얼마나 많은 시간을 필요로 하는지를 결코 예측할 수 없고, 다른 한편으로 자신이 상징적 질서의 죄수이기도 하다. 만일 인간이, 상징이 그를 인간으로 만들었기 때문에 말을 하는 것이라면 분석가는 서기처럼 행동하는 '가정된 주인'일 뿐이다. 그는 상징 기능의 실행자이다. 나중에 라캉은 분석가를 안다고 가정된 주체(sujet supposé savoir)라고 불렀다. 어쨌든 분석가는 환자가 말하는 것을 원 텍스트에 주석을 붙인 것처럼 해독한다.

바로 여기서 신속함의 기능이 개입한다. 즉 피분석자는 정해진 상담 시간이 주어질 경우 그것을 피난처로 삼을 위험이 있으므로 분석가는 그를 진리의 길로 이끌기 위해 한 발 앞서 행동을 취해야 한다. 이를 통해 분석가는 앞의 궤변에 나오는 죄수 중의 하나처럼 행동하게 되어, 다른 죄수가 옆사람의 결정이라고 가정하는 것을 바탕으로 자기 결정을 추론할 수 있게 해주는 것이다.

이런 식으로 라캉은 반대자들의 비난에 은밀하게 응수했다. 환자가 '너무 늦게' 결론을 내리고 텅 빈 말에 빠져들게 내버려두기보다는 '너무 일찍' 결론을 내리는 편이 더 낫다. 이런 관점에서 **구두점**의 목적은 이해하기 위한 시간을 결론을 내리기 위한 시간으로 축소시킴으로써 주체에게 진정한 말을 하지 않아도 되도록 만드는 데 있다. 라캉은 이렇게 강조한다. "만일 사람들이 나의 짧은 상담 시간이라고 불렀던 것을 이제 막 끝나가고 있는 나의 시험 단계에서 실험하면서 내가 어느 남자에게 항문 임신의 환상들과 함께 제왕 절개로 그것을 해결하는 꿈을 꾸게 할 수 있다(그렇지 않다면 내가 도스토예프스키의 예술에 관한 그의 황당한 이야기를 계속 들어야 했을 시간에)는 확신을 갖게 되지 않았다면 나는 그것에 관해 그렇게 많은 말을 할 필요가 없었을 것이다."[36]

라캉이 이 기술에 대해 과거 시제로 말하고 있는 점을 주목하자. 그것은 마치 청중들에게는 그가 이론적인 측면에서는 그것을 정당화하고 있지만 실천에서는 이미 그것을 포기했다고 암시하는 것처럼 보인다. 그러나 물론 실제로 그렇게 말했든 그렇지 않았든 그가 여전히 이전과 똑같은 식으로 분석을 실천하고 있다는 것은 누구나 알고 있었다.

2 하이데거에 대한 열렬한 경의

1930년대에 프랑스 철학자들은 후설이 제기한 논점에 따라 하이데거의 저작들을 읽으면서 이를 격찬한 바 있었다. 그러나 1945년 이후부터는 하이데거가 특히 '대학총장'으로 재직하던 1933∼34년에 나치즘에 동조한 이유로 그의 저작들에 의혹의 시선을 던지게 되었다. 1945년 5월에, 즉 프랑스 군대가 프라이부르크에 진군한 지 삼 주 후에 하이데거의 집은 나치 부역 혐의로 블랙리스트에 올랐다. 그리고 7월부터 시작되어 다음해 1월까지 진행된 오랜 '숙정' 과정 끝에 이 철학자는 정직당해 강단에서 물러나야 했다.

칼 야스퍼스는 이러한 처벌의 결정 과정에서 중요한 역할을 했다. 하이데거 본인도 이 옛친구의 의견을 들어볼 것을 주장했다. 야스퍼스는 침묵하고 싶었지만 어쩔 수 없이 1945년 12월에 히틀러 체제에 대한 하이데거의 동조는 복잡한 성격을 가진 것이라는 요지의 보고서를 써야 했다. 그러나 나치즘과 하이데거 철학 간의 관계는 자세히 다루지 않았다. 하이데거가 반유대주의자라는 비난에 대해 야스퍼스는 두 가지 사건을 상기시켰다. 먼저 1931년에 하이데거는 그의 조교직에 지원했던 유대인 강사 에두아르드 바움가르텐을 대학에서 쫓아냈다. 대신 그는 좀더 마음에 드는 다른 유대인 강사 베르너 브로크를 임명했다. 그리고 1933년에 괴팅겐의 나치 강사 협회에 보고하면서 이렇게 적었다. "바움가르텐은 결코 나치가 아니다. 성향과 교류 관계로 볼 때 막스 베버를 중심으로 한 하이델베르크의 자유민주주의적 지식인 서클에 뿌리를 두고 있다. (……) 나의 조교직을 얻는 데 실패한 후 그는 예전에 괴팅겐에서 근무하다 막 해임된 유대인인 프랭켈과 아주 가깝게 지냈다."[1] 하지만 이러한 고발에도 불구하고 하이데거는 베르너 브로크는 혹시 있을지도 모를 박해에서 보호해주었다. 야스퍼스는 이런 태도로 미루어보건대 하이데거가 분명 1920년대에는 반유대주의자가 아니었지만 아마 1933년부터는 그렇게 되었을 수도 있다는 결론을 내렸다. 그는 이렇게 덧붙였다. "하지만 이것은 내가 가정할 수밖에 없는 대로 몇몇 경우 그가 양심과 성향에 어긋나게 반유대주의자였을 가능성을 배제하지는 않는다."[2] 이어 야스퍼스는 그 동안 출간된 하이데거의 저작들의 전반적인 상황을 재검토한 후 하이데거가 저술 활동을 계속하고 그것들을 출간할 수 있게끔 연금을 계속 지원해주되 강연은 몇 년 동안 중단시킬 것을 제안했다. 그는 하이데거라는 인간에 대해 아래와 같은 아주 적절한 묘사로 보고서를 끝맺었다.

하이데거는 중요한 인물이다. 그의 철학적 세계관의 내용뿐만 아니라 사변적 사유의 도구를 다루는 능력에서도 그렇다. 그의 철학 정신은 상당히 흥미로운 통찰력을 보여준다. 그러나 그는 믿기지 않을 정도로 무비판적이며, 진정한 과학과는 거리가 먼 사람이기도 하다. 그는 종종 허무주의자의 진지함이 마술사의 밀교주의와 합쳐진 것처럼 행동한다. 참으로 유창한 담론을 구사하는 그는 경우에 따라서는 극히 신비스럽고 믿기 어려울 정도로 철학적 사유의 신경을 포착하기도 한다. 이 점에서 내가 아는 한 그는 아마 현대 독일 철학자들 중 거의 유일한 사람이라고 할 수 있을 것이다. 따라서 그가 제한 없이 연구하고 저술할 수 있도록 허용해주는 일이 시급히 요청되고 있다.[3]

하지만 이러한 조치가 취해지기 전에 이미 프랑스에서는 하이데거와 나치즘의 관계에 관한 논쟁이 장-폴 사르트르에 의해 시작되었다. 사르트르는 1944년 12월에 다음과 같은 유명한 성명을 내놓았다. "하이데거는 나치가 되기 이미 오래 전에 철학자였다. 히틀러 정권에 대한 그의 지지는 두려움과 어쩌면 야망, 그리고 분명 체제 순응주의 때문이었던 것처럼 보인다. 물론 보기에 썩 유쾌하지는 않다. 나도 그렇게 생각한다. 따라서 성급하게 이런 판단을 내릴 수도 있을 것이다. 즉 '하이데거는 나치 당원이다. 따라서 그의 철학은 틀림없이 나치 철학이다.' 그러나 그렇지 않다. 하이데거는 기개가 없다. 문제의 진실은 바로 거기에 있다. 그렇다고 해서 감히 그의 철학이 비겁함을 가리기 위한 변명이라고 결론지을 것인가? 때때로 인간은 자기 저술의 수준에도 이르지 못한다는 것을 모르는가?"[4]

약 일 년 후인 1945년 10월 28일에 사르트르는 '실존주의는 휴머니즘이다'라는 유명한 강연을 했다. 이 강연에서 그는 『존재와 무』에서 제시된 명제들로부터 시작해 자신의 자유의 철학을 대중적인 형태로 제시했다. 그리고 나서 그는 『현대』지에 하이데거의 정치적 참여에 관한 논쟁의 장을 마련했다. 1946~47년 사이 이 주제에 관한 수많은 논문들이 발표되었는데, 모리스 드 강디약, 프레데릭 드 토바르니츠키, 카를 뢰비트, 에릭 베이외, 알퐁스 드 밸랑스 등의 논문이 실렸다. 1946년에는 코이레가 『비판』지에 하이데거의 철학에 관해 긴 글을 썼고, 1953

년에는 조르주 프리드만이 같은 주제로 이보다 긴 논문을 발표했다.[5]

각 논문에 의해 제기된 질문은 똑같았다. 즉 하이데거의 정치적 입장은 기만당한 또는 스스로를 기만한 한 인간의 일시적 실수 탓으로 돌려야 하는가 아니면 내적 분열과 '죽음을-향한-존재'의 뿌리에 대한 인간의 재발견을 강조하다가 이러한 의문에 적합한 구원론을 결국 나치의 니힐리즘에서 발견하게 된 철학적 태도의 결과인가? 전후 이 주제를 대상으로 한 모든 글은 이 문제에 대답하려고 시도했다. 일부에서는 하이데거의 나치 지지가 '우연한 사건'이며, 따라서 그것 때문에 그의 저작의 가치가 떨어지지는 않는다고 주장했다. 이와 반대로 다른 쪽에서는 이러한 관련은 나치즘을 낳은 것과 동일한 토대에 기반하고 있다고 주장했다.

이와 관련해 프리드만은 하이데거는 결코 생물학에 기반한 인종 차별론은 받아들이지 않았다고 정확하게 지적했다. 그는 이렇게 쓰고 있다. "그러나 그가 학설상으로는 결코 나치의 '생물학주의'를 옹호하지 않았으며, 결국 이 때문에 곧 총애를 잃어버리게 되었다는 것을 확인할 수 있을 것이다. 하지만 사실을 공정하게 조사해보면, 그의 주요 관심사는 체제에 대한 저항(이것은 상당한 도덕적, 심지어 정치적 효과를 낳았을 것이다)을 선언하기보다는 히틀러가 몰락할 때까지 눈에 띄지 않고 그냥 잊혀진 채 있는 것이었음을 알 수 있다."[6]

이러한 논쟁이 한창 진행되고 있을 때 한 젊은 철학자가 다른 방식으로 이 논쟁에 뛰어들었다. 장 보프레가 바로 그였다. 1907년에 프랑스의 중앙 산악 지대에 있는 크뢰즈에서 출생한 그는 '가난한 어린 시절'을 떠올리면서 이 때문에 자기는 단순한 것을 좋아하는 농부와 같은 품성을 갖게 되었다고 즐겨 말하곤 했다. 그는 멋진 요리법과 포도주를 좋아했고, 대지에서 유래하는 프랑스적 미덕들에 애착을 느꼈다. 1928년에 윌름 가에 있는 고등 사범학교에 입학한 그는 시몬느 베이유, 모리스 바르데슈, 조르주 텔로르송, 티에리 몰니에, 로베르 브라지야슈와 같은 학년이었다. 1930년에 베를린의 '프랑스 연구소'에 머물 때 그는 처음으로 독일의 철학적 전통을 접하게 되었다. 그전까지만 해도 그는 확고한 데카르트주의자였다.

전쟁이 터지기 직전에 사르트르의 초기 글들에서 영향을 받은 보프레는 후설의 저서를 발견하게 되었다. 개전과 함께 군대에 소집된 그는 곧 포로가 되었다. 그러나 독일로 후송되는 기차에서 탈주해 남부의 비점령 지역에 도착했다. 1942년에 '페리클레스(périclès)' 레지스탕스 조직에 가담한 그는 여기서 조세프 로방을 만났는데, 독일어를 공부하는 학생이었던 그는 신분증 위조 전문가인 동시에 하이데거 철학에 대단한 열정을 갖고 있었다. 두 사람은 곧 절친한 친구가 되어 저녁마다 『존재와 시간』을 읽으며 시간을 보내곤 했다. 로방은 이렇게 쓰고 있다. "우리는 **현존재**, 존재, 존재론의 신비에 각별한 관심을 기울였다. 철학에 관한 나의 이해는 아주 보잘것없었지만 내 독일어 실력은 보프레보다 나았다. 그래서 우리는 언어에 담긴 철학의 신비 속으로 행복하게 빠져들 수 있었다. 그 언어의 시적 풍취와 엄격함은 지금도 나를 사로잡는다. 우리는 하이데거의 대학총장직 취임과 그의 약점들에 관해 이미 들은 바가 있었다. 이러한 인간의 불완전함이 신경을 건드리긴 했지만 그의 저서는 우리에게 숨돌릴 틈을 주지 않았다."[7]

해방이 되자 세계의 폭력에 직면한 존재의 운명을 너무나도 선명하게 조명한 하이데거 철학에 점점 더 매혹된 보프레는 이 『존재와 시간』의 저자가 어떻게 되었을까 궁금했다. 그래서 그가 여전히 살아 있다는 소식을 듣고 중개인을 통해 편지를 보냈는데, 그 철학자의 저서 한 권과 직접 쓴 답신을 받고 너무나 기뻤다. 바로 이것이 진정한 대화의 실마리가 되었다. 하지만 결정적인 만남은 1946년 9월에 이루어졌다. 보프레가 하이데거가 명상을 즐기며 휴가를 보내곤 하는 슈바르츠발트의 토드나우베르크에 있는 오두막집을 방문했던 것이다. 당시 이 철학자는 대학에서 추방될 때의 충격으로 인해 생긴 심신 상관적 장애를 치료받았던 '하우스 바덴 성(城)' 요양소에서 막 퇴원한 상태였다.

전후 숙청 과정에 대해 하이데거는 희생자 같은 태도를 고수했다. 히틀러의 역사적 사명과 나치즘이 정신 혁명의 맹아가 될 수 있다는 것을 잘못 믿었다는 것은 인정하면서도 그는 일종의 내적 추방을 떠났다는 논거로 과거의 정치적 오류를 완화시키려고 했다. 이 덕분에 그는 나치즘에 동조했던 가장 어두운 측면들에 대해 설명하지 않아도 되었다. 기껏해야 그는 사적으로 '대단히 어리석었다'는 것을 인정했을 뿐이다. 하지만 계획적 집단 학살에 대해서는 몰살과 가스실을 '자동화된 양육 산업'과 비교하는 것말고는 평생 어떤 언급도 하지 않았다. 후회, 회한, 자기 비판 어느 것도 없었다. 그는 잘못을 인정하기는커녕 역사적 움직임이 형이상학적 진리에 맞게 이루어진다고 믿었는데 그렇지 않았다는 식으로 역사적 움직임에 책임을 전가하려고 했다.[8] 게다가 전전의 극(極)보수주의에 충실했던 그는 여전히 나치즘보다는 오히려 서양의 민주주의와 공산주의에 더 큰 적대감을 가졌다. 1950년대 초에도 그는 여전히 독일에 대해 유럽과 함께 '오늘날 러시아와 미국 사이에 커다란 집게'처럼 끼여 있는 '형이상학적 민족'이라고 말했다.

장 보프레가 30년 동안 그렇게 숭배했던 사람은 바로 이런 인물이었다.

누가 봐도 레지스탕스의 일원으로서 확실한 과거를 가진 이 프랑스 철학자가 집까지 찾아온 것을 보고 하이데거는 독일에서는 권위가 떨어진 그의 저서가 프랑스에서는 토론의 대상이 되는 데 보프레의 훌륭한 우정이 얼마나 큰 공헌을 할 수 있을지를 금방 이해했다. 이 새로운 제자의 애정 덕분에 하이데거는 이때부터 정치적 과거에서 어느 정도 벗어날 수 있었을 뿐만 아니라 더 나아가 전혀 그런 일이 없었던 것처럼 행동할 수 있었다. 그리고 위대한 스승의 철학적 힘에 커다란 감명을 받은 보프레는 곧 그의 주장의 진실성을 확신하게 되었다. 만남이 계속되어가다가 결국 그는 하이데거가 결코 나치에 동조하지 않았다고 믿게 되었으며 또 그렇게 말했다.

이와 동시에 그는 하이데거와의 대화를 통해 프랑스에서 그의 저서를 새롭게 이해하는 길잡이가 되었다.[9] 사르트르의 관점에서 하이데거 철학은 일종의 실존적 인류학으로 해석되었다. 따라서 존재가 본질을 앞서고, 인간의 자유는 단지 '무'의 인간화에 기초한 휴머니즘에서 나올 수밖에 없는 것으로 생각되었다. 즉 인간은 존재자들의 한가운데 있는 그리고 텅 빈 자유의 고독 속에 있는 왕이다.

그러나 1946년에 하이데거 본인이 전후 널리 받아들여지던 이러한 실존주의적 해석을 논박했다. 보프레는 그에게 프랑스에서 벌어지고 있는 논쟁에 직접 개입해 휴머니즘에 대한 사르트르의 입장에 대해 논평해줄 것을 요청했다. 하이데거는 논쟁에 기꺼이 참여해 『휴머니즘에 관한 편지』에서 휴머니즘이라는 용어의 사용에 이의를 제기했는데, 이것은 새로운 세대 모두에게 일종의 기호가 된다.[10] 그는 사르트르적 의미의 휴머니즘은 새로운 형이상학으로서 인간에 대한 이성의 지배를 더 철저하게 만들 뿐이라고 지적했다. 모든 형이상학이 그렇듯 이것은 '존재 망각'에 기반하고 있다. 따라서 하이데거는 존재를 우위에 둠으로써 존재를 망각에서 구할 것을 제안했다. 존재를 우위에 둠으로써 동시에 존재 망각에 의해 강요된 소외로부터 인간을 구하기 위해 그는 근원으로의 복귀를 설파했다. 만일 모든 역사가 단지 존재 망각의 역사일 뿐이라면 '항상 은폐된' 존재에 접근할 수 있는 유일한 방법은 '탈은폐 또는 드러냄'를 시도하는 것뿐이다. 하이데거는 소크라테스와 플라톤 이전의, 즉 '서구적 이성' 이전의 그리스 철학의 눈부신 출발점으로 되돌아가야 한다고 주장했다. 다시 말해 소크라테스 이전 철학자들의 진실한 말, 즉 파르메니데스와 헤라클레이토스로 되돌아가야 한다고 주장했다. 이를 통해 하이데거는 현대인들로 하여금 자유롭게 행동하고 있다고 믿도록 만드는 기술공학과 진보라는 이상에 의해 조건지어진 존재의 늪에 빠진 현대인들에게 브레이크를 제공해주려고 했다.

여기서 우리는 쉽게 프랑스에 도입된 하이데거 사상에 대한 이러한 새로운 해석이 어떻게 하이데거로 하여금 나치와 연루된 과거에서 벗어날 수 있도록 해주었는지, 그리고 어떻게 보프레로 하여금 후설을 따르는 현상학자들과 실존주의자들의 하이데거 해석에 맞서 투쟁할 수 있도록 해주었는지를 알 수 있다.

1949년 초, 즉 연방 공화국이 수립되기 직전에 독일에서는 비(非)나치화 과정이 약화되었다. 이제 하이데거에게는 그의 철학이 프랑스에서 일으킨 명성을 이용해 대학 복귀를 요구할 기회가 왔다. 지지자들은 전세계에서 관심을 모으고 있는 저서를 쓴 철학자를 반드시 복직시켜야 한다고 주장했다. 반면 반대자들은 허풍선이에다가 민주주의를 위협하는 사상을 가진 사람이라고 비난받는 사람의 지적 능력에 대해 의구심을 표시했다.

1950년 봄 프라이부르크 대학 철학과에서 그의 운명을 결정짓는 심의가 이루어지고 있는 동안 하이데거는 니체의 『차라투스트라』에 관해, 다음에는 근거(Grund)라는 말에 관해 훌륭한 강연을 했다. 강연은 대성공이었다. 그리고 다음해 여름에는 '사물'을 주제로 열린 뮌헨의 학회에서 엄청난 성공을 거두었다. 1950~51년 겨울 학기부터 그는 강의 허가를 다시 얻었다. 복직이 된 느낌이었다. 1952년 가을에 그는 '스승 그리고 친구들을 둘러싸고 있던 불신과 증오의 고리가 마침내 깨지는' 듯한 인상을 받았다. 그는 쫓겨났던 계단 강의실에서 수많은 학생들이 그의 강의를 듣고 박수갈채를 보내기 위해 밀려드는 광경을 지켜보았다. 이제 과거는 지워질 수 있는 것처럼 보였다. 독일에서 그에 대한 비판은 완전히 사라지지는 않았지만 조금씩 줄어들었다. 프랑스에서는 하이데 거 철학의 공식 대변자를 자임한 보프레가 너무나 사랑하는 스승에 대 해 더이상 어떤 공격도 가해지지 않도록 하기 위해 최선을 다했다.[11]

장 보프레가 라캉과 분석을 시작한 것은 하이데거가 대학에 복직한 직후인 1951년 4월이었다.

당시 동성애를 다른 많은 성(sexualité) 중의 한 형태로 바라보는 정신 분석가는 드물었다. 프로이트 운동에서도 동성애는 성도착증이자 사회 적 탈선으로 간주되었다. 그래서 동성애자를 치료하게 되었을 때 정신 분석가들은 부정적인 태도를 보이기가 쉬웠다. 정신분석가가 되고 싶 어하는 동성연애자는 완전히 거부당하거나 아니면 이성애의 올바른 길 로 되돌아가도록 하기 위해서만 치료를 수락하기도 했다. 하지만 라캉 은 이러한 관습을 따르지 않았다. 그는 동성애자들을 일반 환자들처럼 받아들였고, 그들을 정상인으로 만들기 위해 노력하지도 않았다. 그래 서 많은 동성애자들이 그에게 분석받으러 왔다.

릴 가에 찾아왔을 때 장 보프레는 아주 혼란스런 상태였다. 역시 라 캉에게서 분석받고 있던 애인이 막 그를 떠난 상태였던 것이다. 보프레 는 일 년 전 디너 파티에서 그를 만났는데, 그 자리에는 라캉과 실비아 도 있었다. 그후 보프레는 그와 간간이 교제하게 되었다. 그러나 이 친 구는 분석중에 라캉이 약간 지나칠 정도로 보프레에게 관심을 보인다 는 사실을 깨닫고 그와의 관계를 끊어버렸다. 이어서 라캉과의 관계도 포기했다.[12] 그래서 보프레는 아주 복잡하게 뒤얽힌 전이 구조 속에서 치료를 시작하게 되었다. 보프레는 라캉이 자기 애인의 분석가이기 때 문에 라캉을 찾아갔다. 그리고 라캉은 보프레와 하이데거의 특별한 관 계 때문에 그에게 특별한 관심을 보였다.

보프레는 라캉이 하이데거의 저서에 관심을 갖고 있다는 것을 금방 눈치챘다. 그래서 그는 하이데거를 만나고 싶어하는 그의 바람을 이용하는 일이 어렵지 않다는 것을 깨달았다. 그는 전이 관계를 라캉을 빠뜨릴 훌륭한 함정으로 이용했다. 그는 치료 기간 동안 끊임없이 하이데거에 관해 얘기했을 뿐만 아니라 어느 날은 라캉의 상습적인 침묵에 몹시 화가 나서 그의 나르시시즘을 만족시켜주기 위해 이렇게 말했다. "하이데거가 제게 당신에 대해 말을 했습니다." 그러자 라캉은 깜짝 놀라며 이렇게 물었다. "뭐라고 했지?"[13]

분석은 1953년 5월에 끝났다. 최소한 이 분석에 대해 말할 수 있는 것은 이 치료도 하이데거의 정치적 과거에 대한 보프레의 맹목성을 치유하지는 못했다는 것이다. 정반대로 분석은 우상시했던 스승의 무죄에 대한 그의 믿음을 한층 더 강화시켜준 결과를 낳은 것처럼 보인다. 한편 라캉은 그의 환자가 파놓은 '함정'을 아주 잘 이용할 줄 알았다.

여전히 레비-스트로스에 비추어 프로이트를 재해석하고 있던 라캉은 전쟁 전과는 다른 방식으로 하이데거의 저서에 접근하기 시작했다. 사르트르의 자유의 철학을 거부하게 된 라캉은 실제로는 하이데거에 대한 보프레의 해석에 끌려들어가게 된다. 보프레의 분석을 끝내고 2개월 후에 쓴 '로마 강연'에 이러한 영향이 매우 분명하게 나타나 있다. 하이데거의 스타일에 매혹된 라캉은 거기서 코제브에게서 배운 놀라운 주해(註解) 솜씨를 발휘했다. 그는 하이데거에게서 '진리 추구'라는 사유의 이미지를 빌려왔는데, 이 개념이 '욕망의 드러냄'이라는 프로이트의 개념과 비교할 만하다고 생각했다. 두 이론에는 모두 진리의 '현존재', 즉 영원히 망각되고 억압되지만 욕망이 스스로를 '드러낼 수' 있도록 해주는 현존재가 들어 있었다. 하지만 무엇보다 라캉은 하이데거 저서와의 만남을 통해 영국을 숭배하게 되면서 약간 무시해왔던 독일 철학의 위대한 전통에 다시 접목되게 되었다. 이리하여 그는 영국 민주주의와 소집단 이론에 대한 맹목적 숭배에서 벗어나 근본적으로 이에 적대적인 사고 체계로 전환하게 되었다. 그러나 50년대의 반민주적이고 반진보적이고 반휴머니즘적인 하이데거에게서 전쟁 전에 바타이유의 소개로 입문하게 된 급진 니체주의적 세계관을 재발견하면서도 라캉은 과학성과 합리주의라는 이상에서 결코 벗어나지 않았다. 1938년의 가족에 관한 글에서와 마찬가지로 '로마 강연'에서도 어둠과 빛이 놀라운 솜씨로 배합되어 나타난 것은 바로 이 때문이다.

한편으로 라캉은 레비-스트로스에 비추어 프로이트를 재해석함으로써 계몽주의 철학에 기초한 보편주의적 프로이트주의에 새로운 생명을 불어넣을 수 있었다. 그러나 다른 한편에서는 인간 실존을 바닥 없는 심연으로 보고 진리는 그저 실수, 거짓말, 모호성 속에서만 드러나는 것으로 바라본 하이데거의 영향에 의해 이러한 보편주의적 재해석에 의구심을 갖게 되었다.

1955년 부활절에 라캉은 보프레와 함께 프라이부르크를 방문했다. 우연히 세 사람의 대화는 전이 문제로 옮아갔다. 보프레는 이렇게 쓰고 있다. "하이데거는 전이를 분석가에 대한 환자의 감정적 관계로 보면서 이 문제를 곰곰이 생각해보는 것 같았다. 그래서 나를 통해 라캉에게 이에 관해 질문을 던졌다. 다음의 대화가 바로 그것이다."

하이데거: 그런데 전이는 어떻습니까?

라캉: 전이는 사람들이 흔히 말하는 그런 것이 아닙니다. 전이는 환자가 정신분석가를 찾아가기로 결심하면서부터 시작됩니다.

나는 하이데거에게 이 말을 독일어로 통역했다. "전이는 정신분석 안에서 일어나는 에피소드가 아니라 칸트 철학에서의 경험의 선험적 조건이라는 의미에서 정신분석의 선험적 조건입니다." 그러자 하이데거는 "아, 그렇군요!"라고 대답했다.[14]

대화 도중에 라캉은 하이데거에게 '로고스'라는 제목의 논문을 프랑스어로 번역해서 SFP의 입장을 표명하게 될 『정신분석La Psychanalyse』 지 창간호에 발표할 수 있도록 해달라고 요청했다. 라캉이 맡은 호의 주제는 발화와 언어였다. 이미 많은 저명인사들이 글을 기고하기로 동의했다. 특히 에밀 벤베니스트, 장 이폴리트, 클레망스 랑누도 포함되어 있었다. 라캉 자신은 '로마 강연'과 이폴리트와의 대담을 발표했다. 하이데거는 기꺼이 승낙했고, 라캉은 작업을 시작했다.[15]

프라이부르크에서의 만남이 있은 지 약 3개월 후 8월 27일부터 9월 4일까지 세리시-라-살에서는 하이데거의 작업을 주제로 한 학술 대회가 열렸다. 54명의 참석자 가운데는 젊은 질 들뢰즈, 장 스타로뱅스키, 가브리엘 마르셀, 폴 리쾨르, 코스타스 악셀로스, 모리스 드 강디악이 있었다. 사르트르와 메를로-퐁티는 참가를 거부함으로써 적대감을 표명했고, 알렉상드르 코이레는 하이데거와의 모든 만남을 거부했다. 한편 뤼시앙 골드만은 다른 참가자들의 반대에도 불구하고 회의중에 하이데거가 대학총장직에 있을 때 쓴 글들의 발췌문을 읽었다. 반대자들은 그가 합의를 깼다고 비난했다.[16]

라캉은 세리시 강연에는 참석하지 않았지만 하이데거와 부인인 엘프리데, 장 보프레, 코스타스 악셀로스를 '라 프레보테'로 초대해 며칠간 묵게 했다. 실비아는 엘프리데의 반유대주의에 충격을 받았지만 아주 친절하게 이 부부를 위해 소시지를 곁들인 독일식 아침 식사를 매일 대접했다. 그러나 하이데거가 소시지에 전혀 손을 대지 않아 실비아는 깜짝 놀랐다. 라캉은 하이데거의 나치즘이나 그의 식성에 대해서는 전혀 개의치 않았다. 그가 원했던 것은 그와 얘기를 나누는 것이었기 때문이다. 그는 독일어를 못하고 하이데거는 프랑스어를 못했기 때문에 그는 악셀로스에게 통역을 부탁했다. 그렇게 해서 대화는 편안히 진행되었다. 그리고 나서 악셀로스와 보프레는 『철학이란 무엇인가?』의 번역을 위해 기트랑쿠르에 남고 라캉이 하이데거와 엘프리데, 실비아를 데리고 샤르트르 대성당을 번개처럼 빠르게 방문했다. 그는 그의 상담 시간만큼이나 위험천만한 속도로 자동차를 몰았다. 앞자리에 앉은 하이데거는 태연히 있었지만 그의 아내는 계속 불평을 늘어놓았다. 실비아는 라캉에게 그녀가 불안해한다고 알렸지만 아무 소용도 없었다. 돌아오는 길에도 엘프리데는 거듭 불평을 늘어놓았지만 하이데거는 여전히 아무 말이 없었다. 라캉은 액셀러레이터를 더 세게 밟았다.[17]

샤르트르 대성당을 방문한 후 라캉은 「로고스」를 번역하기 시작했다. 이 제목은 서양 철학사에서 가장 중요한 시니피앙이었고, 내용은 헤라클레이토스와 파르메니데스의 일부 저서에 대한 세 편의 주석으로 구성된 『모이라, 알레테이아, 로고스Moira, Aletheia, Logos』라는 책의 일부이기도 했다. 이 글에서 하이데거는 소크라테스 이전의 진리, 다시 말해 인간의 현존재의 진정한 혹은 신비로운 근원이 2천 년 동안 철학에 의해 가려져 왔음을 증명하려고 했다. 1933~45년 사이에 그는 독일어가 다른 모든 언어들보다 우수한 언어로서 그리스의 근원적 진리를 재발견할 수 있으며, 이를 통해 인류에게 세계를 변화시킬 수 있는 구원의 원리를 제공할 수 있는 유일한 언어라고 주장했다.

1954년에 출간된 「로고스」의 재판(再版)에서 하이데거는 1951년의 초판에는 없었던 한 문장을 보충해 이 원리를 분명하게 표현했다. 다시 말해 그는 독일 민족의 우수성에 관한 과거의 고찰들을 부인하기는커녕 '주석에 대한 주석'(추기〔追記〕)에 그것들을 옮겨놓았다. 그리스적 언어의 초창기로의 복귀만이 서구 문명의 기술적 타락을 구원할 수 있으며 철학이 새로 구원 기능을 할 수 있도록 해줄 것이라고 주장했다.[18]

하이데거가 고른 헤라클레이토스의 50번째 단장(斷章)을 말 그대로 옮기면 이러했다. "비법은 만물을 하나로 통일시켜 말할 수 있도록 하기 위해 내가 아니라 이성의 말을 듣는 데 있다." 다시 말해 주체는 화자의 의도에 구애받지 않고 그저 가만히 들음으로써 언어가 그대로 작용하도록 내버려두어야 한다는 것이다. 따라서 담론은 자신을 유린하는 권위에 어쩔 수 없이 의지해야 한다는 결론이 나오게 되는 것이다. 장 볼라크의 지적대로 헤라클레이토스에게서 로고스는 어떠한 '존재론적 실증성'에도 관계되지 않는다. "그것은 결코 관계된 대립항간의 동일시나 혹은 어떤 근원적 통일로의 '연합'을 의미하지 않는다." 따라서 헤라클레이토스의 일자는 통일을 이룬다는 의미의 유일한 '하나'가 아니라 반대로 스스로를 분리하거나 구분될 수 있다는 의미에서의 '하나'이다.

하이데거는 이 단장에서 출발해 자기 식의 헤라클레이토스를 창조해냈다. 그는 또한 헤라클레이토스를 파르메니데스와 연결시키는데, 이로써 헤라클레이토스는 언어 구조가 아니라 근원적 존재인 현존재를 지시하는 존재론의 대표자로 이해된다. 헤라클레이토스적 사유의 이러한 존재론화는 통일적인 존재 개념을 위한 분열의 제거를 수반했다. 게다가 그는 그리스어 logos(말, 이성), legein과 독일어 동사 legen(놓다), lesen(주워 모으다)의 동음이의어 현상을 이용해 로고스가 '펼치기', '휴식', 그리고 드러내기에 해당하는 것으로 이해되어야 하는 '숨기지 않기에서 얻어진 존재와 사고의 수확'임을 보여주기 위해 '읽기', '눕기', '집중하기', '놓기', '명상'을 연결시켰다. 따라서 하이데거의 헤라클레이토스는 주체의 명상과 함께 주체의 모든 과도함의 극한에서 그러모아야 할 존재의 진정한 말을 예고하는 것이었다.

그런데 라캉이 제50편에 대한 하이데거의 이 주석을 번역하기로 생각한 이유는 아마 다음 두 가지 점 때문인 것 같다. 즉 하나는 헤라클레이토스의 언어관이고 다른 하나는 하이데거 문체의 매력 때문이었다. 헤라클레이토스는 어떤 스승의 권위도 빌지 않고 말할 것을 주장하는 스승이다. 왜냐하면 스승의 가르침이 어떤 의미에도 이를 수 없게 해주는 것이라면 그러한 가르침을 듣는 것은 아무 도움도 되지 않기 때문이다. 하지만 동시에 헤라클레이토스는 주체에게 그가 표현하지만 그를 넘어서 있는 진리에게 상석을 양보하도록 강요하는 로고스(언어라는 의미에서)를 말하는 철학자이기도 하다. 로고스 혹은 시니피앙이 작용하는 대로 내버려두어라. 바로 이것이 라캉이 '로마 강연'에서 표현한 헤라이클레이토스의 메시지이다. 그것은 인간 대신 말하는 발화, 그리고 우리가 의미를 재구성하기 위해 들어야 하는 말을 말한다. 그리고 물론 라캉은 대가 없는 대가를, 즉 학계 전체와 결별한 대가, 프로이트의 진정한 말을 들을 줄 아는 유일한 사람으로 자처했다.

라캉은 헤라클레이토스의 언어관을 수용했지만 헤라클레이토스 본인의 글을 직접 언급한 적은 한 번도 없었다. 대신 독자들에게 하이데거가 이용한 독일어 번역서를 참조하라면서 직접 그것을 프랑스어로 옮겼다. 이런 식으로 사실상 그는 자기 관심사를 더 잘 연결시키기 위해 하이데거의 글에 '달라붙었다'. 그것은 모순적인 이중운동으로 나타났다. 그는 반계몽주의적이고 원시주의적인 것에 대한 선호가 분명하게 나타나 있는 부분에서만 하이데거를 따랐다. 그는 이 부분에서 심지어 때로 아이러니컬하게도 '하이데거를 넘어서는' 주석을 붙이기까지 했다. 예를 들어 lecon(수업, 교훈)을 lection(독서, 해석)으로 번역했다. 다른 한편 그는 어원학적 변주를 무시하고 독일어 텍스트의 '슈바르츠발트'(독일 서남부의 흑림 지대로 이 곳에 하이데거의 산장이 있었다 — 옮긴이)의 좋지 않은 민중적 문체를 지워버렸다. 장 볼라크는 이렇게 말한다. "요컨대 라캉의 번역 방법은 아주 자유롭고 제멋대로 한 것이었다. 그는 말하기보다는 듣기에 더 커다란 중요성을 부여함으로써 텍스트를 억지로 과학과 예술 그리고 언어 방향 쪽으로 몰고 나간다. 그리고 말라르메의 필치를 덧붙였다."[19]

예를 들어 하이데거가 legen(독일어)과 legein(그리스어) 동사의 동음 현상을 갖고 말놀이를 하고 있는 부분에서 라캉은 프랑스어의 léguer (물려주다), legs(유산), lais(베다 남긴 어린 나무)의 동음 현상을 이용했다. 즉 하이데거가 독일어와 그리스어를 갖고 말놀이를 한 방법과 똑같은 것을 프랑스어 번역에 도입한 것이다. 말라르메 식의 이런 문장 전환은 분명 독일어가 철학적으로 제일 우수하다는 하이데거의 주장을 무위로 돌려놓는 방식 중의 하나였다. 게다가 그는 텍스트에서 부정적 규정을 긍정적 규정으로 바꾸어버렸다. 예를 들어 헤라클레이토스에서 존재를 깨닫는 것을 가리키기 위해 하이데거가 사용한 Unverborgenheit(감추어 져 있지 않음)을 라캉은 devoilement(드러내기)로 번역했다. 즉 '은폐하지 않기'를 통한 추구보다는 드러내는 행위에 더 커다란 중요성을 부여했 던 것이다.[20]

하지만 무엇보다 그는 불경죄를 저질렀다. 이미 여러 차례 각주에서 인용했기 때문에 분명히 알고 있었을 1954년 판이 아니라 1951년 판을 번역했던 것이다. 다시 말해 아무런 설명도 없이 끝부분에 있는 하이데 거의 결정적인 글, 즉 그가 자기 견해를 선언적으로 표현한 '주석에 대한 주석'을, 즉 서양의 위대한 출발점으로 되돌아갈 때만이 현대인을 과학과 기술공학의 지배로부터 구할 수 있다는 글을 삭제해버린 것이다.[21]

분명 라캉은 실수로 1954년 판 대신 1951년 판을 번역했을 것이다. 하지만 번역을 수정하기 위해 재판을 끊임없이 참고했다는 사실에서 우리는 이러한 삭제의 의미를 텍스트 그대로 해석해야 한다. 즉 라캉은 구원과 독일어의 우수성을 주장하는 하이데거보다는 헤라클레이토스 의 주석가로서의 하이데거를 더 선호한 것처럼 보인다. 다시 말해 그는 하이데거의 글에서 언어관과 관련된 것을 더 중시했으며, 하이데거의 스타일에서는 주석 기법만을 남겨두었다. 또한 욕망에 관한 진리 탐구의 방법으로서는 존재론보다는 구조를, 그리고 '은폐하지 않기'를 통한 추구보다는 드러내기를 강조했다. 따라서 보프레와 교조적인 하이데거 추종자들이 왜 이 번역에 대해 아무 말이 없었는지를 쉽게 이해할 수 있을 것이다. 라캉의 번역은 하이데거의 언어를 일종의 신조어를 이용한 어원학을 중심으로 이용하려는 이들의 방향과 정반대였기 때문이다. 그래서 그것은 나중에 나온 앙드레 프레오의 번역에서도, 그리고 프랑스의 하이데거 추종자들의 로고스에 관한 주석에서도 전혀 언급되지 않고 철저하게 배척되었다.

이처럼 번역을 통해 텍스트를 교활하게 살해한 사건은 전후 10년 동안 라캉의 여정이 어떠했는지를 잘 보여준다. 1951~56년 사이에 그는 하이데거를 반사르트르 식으로 해석했다. 이러한 해석은 주로 보프레와의 전이 관계에서 영향을 받았다. 하지만 이미 '로마 강연'에서부터, 그리고 수많은 모호한 표현들에도 불구하고 그는 이미 하이데거 철학의 주요 테마들에서 벗어나고 있었다. 특히 모든 종말론적 과학관이나 추구나 기원 또는 현존의 모든 존재론에서 벗어나고 있었다. 그리고 나중의 플라톤의 『향연』에 관한 주석에서는 현대 사회의 발전이 존재의 기원을 모호하게 했다는 하이데거의 생각에서 한층 더 멀리 벗어나게 된다.[22]

라캉이 하이데거 저서를 이런 식으로 이용할 수 있었던 것은 전후 프랑스에서 그의 저서가 이런 식으로 이용되고 있었기 때문이다. 이런 의미에서 사르트르의 다음과 같은 지적은 옳았다. "만일 우리가 다른 누군가의 생각에서 우리 자신의 사고를 발견하는 것이 사실이라면 하이데거는 중요하지 않다." 이 말만큼 당시의 상황을 더 잘 설명해줄 수 있는 것도 없을 것이다. 하이데거의 재도입이 마치 최면을 걸듯 한 세대 전체를 매료시킬 수 있었던 이유는 그것이 체계가 아니었기 때문이며, 그것 자체가 처음부터 '두 언어 사이'의 복잡한 상황 속에, 진리와 거짓의 얽힘 속에, 실존과 허상 간의 풀 길 없는 헝클어짐 속에 위치하면서(다양한 변화 때문에) 전달할 수 없고 (모두가 그것에서 자기 고유의 말의 반향을 찾을 수 있기 때문에) 번역할 수 없는 존재의 이중적 위험을 갖고 있었기 때문이다. 이런 역설적인 입장 때문에 하이데거 철학은 20세기 후반 프랑스 철학사에서 입문적이고 교육적인 역할을 맡을 수 있었다. 그리고 이러한 관점에서 보자면 라캉은 사르트르 그리고 이후에는 푸코와 데리다와 함께 하이데거의 텍스트를 읽을 수 있도록 만든 사람 중의 하나였다. 보프레 그리고 가장 교조적인 하이데거 추종자들과는 달리 이들은 하이데거의 사유에서 본질적인 것을 더 잘 이해하기 위해 그의 저서를 곧이곧대로 따르기를 거부했다. 대신 자기 안에 있는 것을 타자에게서 발견하려고 했다.

이처럼 라캉도 동세대의 모든 사람들과 마찬가지로 자신을 발견하고 또 자신을 위해 하이데거를 거쳐갔다. 「로고스」의 '공인된' 번역이 실린 『정신분석』지 창간호가 이를 잘 보여준다. 그는 이렇게 쓰고 있다. "이 책에 하이데거의 글이 실려 있는 것은 세상에서 가장 드높은 사유가 어디에 있는지를 아는 모든 사람들에게, 프로이트의 사상이 현상학의 몇몇 공식 지지자들이 복창할 수 있을 정도로 길이 잘 닦여진 철학이 아님을 보여주는 한 가지 독해 방식이 있다는 것을 보증해준다.[23] '하이데거'에 대한 이러한 열렬한 찬사는 오히려 교묘한 계략 같은 것이었다. 라캉은 본인이 '가장 드높은 사유'라고 찬사를 보낸 사람의 텍스트를 검열하는 것으로 만족하지 않고 '공식 지지자'인 사르트르에 그의 이름을 맞세웠다. 프로이트 저서에 대한 비현상학적 해석에 기초해 프랑스 정신분석 운동을 재정복하려는 전략을 세우기 위해 그렇게 했던 것이다.

그러나 '로마 강연'에서는 진리의 드러내기와 '말이 작용하는 대로 내버려두기'라는 하이데거의 문제틀이 자주 언급되었지만 4년 후에 「

프로이트 이후의 이성 혹은 무의식에서 문자의 심급」[24]이라는 제목으로 소르본느 대학에서 강연할 때는 그런 문제들이 사라져버렸다. 이 강연에서 그는 더이상 소쉬르와 레비-스트로스에 대한 해석이 아니라 은유와 환유에 관한 로만 야콥슨의 저작들을 바탕으로 논리적으로 유추해낸 시니피앙 이론을 내놓았다. 무의식은 언어처럼 구조화되어 있다는 주장과 함께 프로이트를 과학의 영역으로 진입시키려고 시도한 이 새로운 체계에서 라캉은 존재론을 완전히 포기했다. 다시 말해 하이데거의 저서를 이용했던 방법은 구조 언어학에 관한 연속적인 두 가지 해석에 따라 바뀌었다. '로마 강연'에 반영되어 있는 첫번째 해석에서는 아직 시니피앙 이론을 정교하게 만들어내지 않았기 때문에 기원과 드러내기에 관한 하이데거의 사고를 고수했다. 그러나 「문자의 심급」에 반영되어 있는 두번째 해석에서는 이성과 데카르트의 코기토를 참고한 덕택에 프로이트의 발견들을 과학의 장에 위치시키기 위한 단호한 노력을 통해 하이데거의 사고로부터 멀어지게 되었던 것이다.

그런데 그가 인간 하이데거에게 열렬한 경의를 표한 것은 하이데거 저서에서 가장 멀리 벗어나고 있던 바로 그때였다. 1957년에 그는 이렇게 쓰고 있다. "하이데거에 대해 말할 때, 아니 그의 저서를 번역할 때 나는 그가 한 말의 최고의 의미를 그대로 살리기 위해 최선을 다한다."[25] 자기에게 큰 영감을 주었다고 주장하는 바로 그 사람을 깨끗이 잊어버리기 위해 거짓과 진실을 섞는 이 이상한 방식이라니! 아무튼 하이데거는 '최고의 의미를 그대로 유지할 수 있다고 하지만 그것은 라캉이 추구하는 시니피앙의 과학과는 한참 거리가 먼 것이었다. 다른 한편 「로고스」의 번역 작업은 하이데거의 텍스트를 충실히 전달하기보다는 라캉의 생각을 자세히 설명하는 데 더 크게 기여했다.

비록 결코 하이데거주의자는 아니었지만 그렇다고 해서 그가 하이데거에게서 인정받고 싶어하는 열렬한 소망이 없었던 것은 아니다. 하지만 하이데거는 라캉의 작업을 전혀 이해하지 못했다.[26] 그래서 두 사람 사이에는 침묵과 오해, 어긋난 만남들로 점철된 기묘한 관계가 이루어졌다. 두 사람은 각자 자기 방식대로 발화와 언어 문제를 숙고했다. 라캉은 「로고스」의 불완전한 번역에 대해 침묵했으며, 이러한 검열에 대해 하이데거도 침묵했다. 보프레가 희생자가 된 전이와 관련된 여러 왜곡들, 기트랑쿠르에서 그리고 샤르트르 대성당을 방문할 때 대화가 끊긴 동안의 침묵 혹은 말의 부재, 라캉의 「로고스」 번역에 관한 하이데거 번역자들의 침묵, 하이데거의 나치 연루설에 관한 라캉의 침묵, 그리고 이처럼 엉뚱한 관계의 중요한 다른 두 순간에 있었던 침묵들.

1959년에 라캉과 그의 딸 주디트, 모리스 드 강디악, 장 보프레, 레비-스트로스의 둘째부인인 디나 드레퓌스가 함께한 저녁 식사에서 하이데거의 과거에 관한 격렬한 토론이 벌어졌다. 드레퓌스 부인은 그의 철학조차 인정하기를 거부한 반면 보프레는 그의 철학은 나치즘과는 아무 관계도 없다고 반박했다. 라캉은 아무 말도 하지 않았고, 단지 주디트의 머리를 쓰다듬거나 대화를 다른 화제로 돌리려고 애썼다. 그러나 1958년에 『현대』지에 실린 한 논문에서 장 발의 공격을 받았다고 생각한 라캉은 주저없이 발에게 편지를 써서 자신은 '나치의 시련기' 동안 항상 희생자 쪽에 있었으며, '하이데거에 대한 비난'과 관련해 한시라도 그러한 태도를 의심받을 짓은 하지 않았다고 아주 분명하게 설명했다.[27]

7년 후 그는 하이데거에게 『에크리』를 증정했다. 정신과 의사인 메다르 보스에게 보내는 편지에서 하이데거는 이 일에 대해 이렇게 설명했다. "당신 역시 분명 라캉의 대작(『에크리』)을 받았을 겁니다. 개인적으로 나는 바로크 풍으로 씌어진 그의 글들이 무슨 의미인지 전혀 이해할 수 없습니다. 하지만 사람들은 이 책이 파리에서 예전에 사르트르의 『존재와 무』와 비슷한 소동을 일으키고 있다고 말합니다." 몇 달 후 그는 이렇게 덧붙였다. "라캉의 편지를 동봉합니다. 이 정신과 의사야말로 정신과 의사를 필요로 하는 것처럼 보입니다."[28] 이것이 바로 라캉에 대한 하이데거의 생각이었다…….

마지막으로 하이데거가 아프다는 소식을 들은 라캉은 카트린느 밀로와 함께 프라이부르크를 방문했다. 그리고 그에게 자신의 매듭 이론을 설명했다. 라캉은 장황하게 설명했고, 하이데거는 아무 말이 없었다.[29]

3 교차하는 운명 : 라캉과 프랑수아즈 돌토

돌토는 프랑스의 프로이트 정신분석사에서 라캉 다음으로 중요한 인물이었다. 그녀가 가까운 친척들과 주고받았던 서간집이 최근 출간되면서 『프랑스 정신분석사』에서 시도했던 것보다 훨씬 더 자세하게 그녀의 삶을 조명해볼 수 있게 되었다.[1] 프랑수아즈 마레트는 1908년 11월에 엔지니어와 군인들을 배출한 보수적인 우익 집안에서 태어났다. 그녀의 집안은 샤를 모라스의 사상을 지지하는 독실한 가톨릭 가정이었다. 이리하여 그녀는 『악시옹 프랑세즈』를 매일 구독하면서 이로부터 삶의 근거를 찾아내는 파리의 그랑 부르주아 계급의 교육 원칙에 따라 키워졌다. 아주 어린 시절부터 그녀는 경건한 책들을 읽어야 했고, 성에 대해서는 바보 같은 헛소리를 들어야 했다. 그래서 그녀는 오랫동안 아기는 예수의 성심(聖心)에 의해 땅으로 보내온 상자 안에서 태어난다고 믿었고, 육체적인 사랑은 역겨운 것이며 여자들은 결코 지성이나 어떤 자유도 누리지 못한 채 처녀에서 바로 어머니가 되어야 하는 운명을 타고났다고 믿었다.

식민지인 통킹 만 점령군 장교였던 그녀의 외할아버지가 보내온 편지를 보면 1921년 당시 그녀와 같은 사회 계층의 어린 소녀들을 위한 교육 방법이 어떤 것이었는지를 잘 알 수 있다. "네가 즐겁게 잘 지내고 자전거도 열심히 탄다고 하니 기쁘구나. 하지만 나는 여자가 스포츠를 즐기는 것도 좋다고 생각하지만 여자가 크로스컨트리 경주의 챔피언이 되려는 목표만을 갖고 스포츠에 몰두하는 요즘의 유행에 대해서는 찬성할 수가 없구나. 왜냐하면 그러한 목표를 이루기 위해 여자들이 더 중요한 다른 것들을 무시하지는 않을까 또 더이상 도덕과 지성을 쌓는 일에는 무관심해지지 않을까 걱정되기 때문이란다. 도덕과 지성은 여자들의 진정한 특권으로 아내와 어머니의 모델에 어울리는 미덕을 줄 수 있단다."[2]

1922년 9월에 어머니인 수잔느 마레트-데믈러도 똑같은 이야기를 하고 있다. 어머니는 프랑수아즈가 남자사촌과 '성적인 것'에 관해 '이야기'를 나눈 사실을 알고는 딸을 심하게 꾸짖었다. "그것은 불건전한 호기심만 자극하는 것이란다. 그러니 고해하고 참회해야 한다. (……) 그것은 착한 애가 할 짓이 아냐. 엄마는 네가 맑고 깨끗한 딸이었으면 좋겠단다. 순백의 영혼을 자랑스러워할 수 있고, 게다가 그것을 소중히 여기는 진짜 정숙한 소녀였으면 좋겠다. 아무도 영혼을 더럽히지 않도록 했으면 좋겠구나. 엄마가 수녀원 학교에 있을 때 학교 친구들이 내게도 그런 것에 대해 물었단다. 그러면 난 당장 따귀를 때리고는 구역질 나는 짓을 그만두라고 말해주곤 했단다……."[3]

베르뒁의 참호에 대한 공포로 짓눌렸던 어린 시절 동안 프랑수아즈 마레트는 이처럼 위압적인 교리에 복종해야 했다. 그리고 어렸을 때 극성스러운 장난기를 보이긴 했지만 그녀의 타고난 반항기는 심지어 사춘기에도 진짜 반항적인 행동으로 나타나지는 않았다. 어쨌든 가정에서 부모와 형제, 집안일 하는 사람들, 가정교사들과의 관계는 너무나 따뜻해 모두가 그녀의 태도를 훌륭한 기독교적 사랑의 표현이라고 믿었다. 하지만 애정과 자비심으로 가득 차 있는 것 같은 이러한 삶의 모습 뒤에는 온갖 증오심이 숨겨져 있었다. 독일 공포증, 인종주의, 반유대주의. 바로 이러한 사상들이 프랑스 어린이 정신분석의 창시자가 될 그녀가 얻은 최초의 정신적 양식이었다.[4]

이처럼 모순적인 두 가지 현실의 공존, 즉 자애로운 겉모습과 온갖 종류의 증오심을 품고 있는 정신의 공존은 데믈러-마레트 가족 안에서 이상적인 최고선에 대한 의식적인 추구가 감정적 관계의 병리학적 발생을 은폐시켰다는 것을 의미했다. 바로 이러한 두 가지 현실의 혼동 속에서 그리고 명백한 규범과 무의식적인 병리학의 혼동 속에서, 억압된 증오와 눈에 보이는 사랑의 혼동 속에서, 특히 호전적인 애국주의를 배경으로 어린 프랑수아즈의 인성이 형성되었다. 그리고 1908~20년 사이의 편지와 자서전을 통해 알 수 있듯이 두 남자와 세 여자가 그녀를 심한 우울증에 빠지게 할 뻔했던 대단한 신경병적 드라마의 주인공들이었다.[5]

우선 아버지 앙리 마레트 포병대 대위인 아버지는 포탄과 폭발물 제조 전문가였다. 그리고 외삼촌인 피에르 데믈러. 알프스 엽보병(獵步兵) 제62부대 대위였던 그는 1916년 7월 6일에 보주 산맥에서 치명적인 부상을 입었다. 여자로는 어머니 수잔느가 있었다. 그녀는 젊었을 때 간호원이었다가 결혼하면서 전업 주부가 되었다. 그리고 '마드무아젤'이라고 불리던 가정교사. 그녀는 상냥했지만 옹졸한 성격이었다. 마지막으로 큰언니인 자클린느. 그녀는 어머니의 사랑을 독차지했으며 따라서 프랑수아즈의 질투심을 샀다. 그런데 아름답고 지적이고 모든 미덕을 겸비했으며 훌륭한 품행으로 항상 프랑수아즈에게 모범이 되었던 그녀는 무서운 골수암에 걸려 1920년 9월 30일에 갑자기 세상을 떠나고 만다.

겨우 일곱 살도 되지 않았을 때 터진 전쟁 초기부터 프랑수아즈는 외삼촌 피에르와 진짜 사랑하는 연인 사이처럼 편지를 주고받으며 자신을 그의 약혼녀라고 생각하게 된다. 하지만 피에르는 조카와 거리를 두기는커녕 부모의 도움까지 받아가며 그녀를 격려했다. 심지어 전쟁이 끝나면 그녀와 결혼하겠다고 약속까지 했다. 그때부터 프랑수아즈는 전쟁에 관심을 갖게 되었고, 많은 '독일 놈들'을 죽이기 위해 포를 더 많이 만들어야 한다고 아버지를 설득하기도 했다. 1915년 9월에 그녀는 이렇게 쓰고 있다. "아빠는 불쌍한 프랑스 사람들을 불행하게 만드는 더러운 독일 놈들을 죽이기 위해 포를 더 열심히 만들어야 해요. 잔인하게 한두 살밖에 되지 않는 애들을 죽이는 나쁜 독일 놈들 때문에 불쌍한 프랑스 사람들이 고통받고 있어요……."[6]

이해에 입학한 생트-클로틸드 초등학교에서는 항독(抗獨) 선전 활동이 한창이었다. '착검 돌격'이라는 제목의 작문 숙제를 해야 할 정도였다. 프랑수아즈는 기쁜 마음으로 작문 숙제에 열중했다. "군인들을 세 명 이상 죽이고, 칼로 독일 놈의 몸을 찌르고, 넌더리가 나면 칼을 다시 빼고, 하지만 다시 괜찮아지면 또 칼로 찌른다."[7] 독일에 대한 증오심을 분명하게 표현하도록 고무받은 프랑수아즈는 더 교묘한 방법으로 다시 한번 인종주의자가 되도록 부추겨진다. 가족은 항상 독일 놈들을 대대로 내려오는 프랑스의 적이며, 가장 지독한 야만인들로 얘기했다. 흑인들에 대한 태도는 이보다는 모호했다. 한편으로 세네갈 보병처럼 전설적인 군복을 말쑥하게 차려입은 용감한 식민지 흑인 병사는 독일군에 맞서 프랑스 십자군의 육탄병으로 참전하는 것이 아주 행복해보였다. 하지만 이와 동시에 문명인들에게는 위험하게 보이는 일종의 동물적이고 원초적인 성욕을 가진 악마 같은 존재로 인식되기도 했다. 이리하여 불쌍한 프랑수아즈는 독일 놈들과 전쟁을 벌이고 싶으면서도 끔찍한 혼란에 빠지게 되었다.

　피에르 외삼촌은 자신의 '어린 약혼녀'가 세네갈 출신 보병에게 키스를 당했다는 이야기를 듣고 — 세네갈 출신 보병은 우연히 수잔느의 간호를 받고 있었는데, 프랑수아즈를 보면 동갑내기 어린 딸이 생각났기 때문이다 — 질투를 느끼며 조카에게 불같이 화를 냈다. 그는 조카에게 "그들이 아주 잘 생기긴 했지만 알프스 엽보병들에 비할 바가 못돼"라면서 유혹적인 흑인들을 피하라고 충고했다. 한편 마드무아젤은 프랑수아즈를 꾸짖으면서 더럽혀진 볼을 깨끗이 씻으라고 했다. 흑인과 키스하면 성병과 전염병에 걸릴 수 있다고 생각하게 된 딸을 안심시키기 위해 아버지는 열대 지방의 예쁜 흑인 아이 네 명이 찍힌 엽서를 한 장 보냈다. 그는 "착한 꼬마 친구들이란다"라고 엽서에 썼다. 엽서를 받고 프랑수아즈는 두려움에 사로잡혔고 심지어 죄의식까지 들었다. 우연히 길에서 '흑인 가족'을 만나면 너무나 보고 싶어도 그들을 보지 않으려고 애썼다. 그런 딸을 보면서 어머니는 딸의 공포심을 진정시켜주려는 마음에서 이번에는 딸에게 세네갈 보병 유니폼을 입은 흑인 초상화를 보냈다. 그리고 이렇게 덧붙였다. "무섭니?"[8]

　이처럼 증오를 사랑의 말처럼 느껴지는 언어로 표현하는 담론에 사로잡힌 프랑수아즈는 어른들의 세계가 너무나 상냥하게 강요한 치명적인 대(大) 희극에 반은 자의적이고 반은 타의적으로 참여했다. 외삼촌이 죽자 그녀는 전쟁 미망인인 것처럼 행동했고, 사춘기 동안 줄곧 이 첫사랑의 상실감에서 벗어나지 못했다. 휴전 이후 전사한 영웅들을 위한 추도식이 전쟁 당시의 독일에 대한 증오심을 약화시키기는커녕 1920년 이후 독일에 대한 복수심이 한층 더 커지게 된 이 가정에서 그녀가 어떻게 그러한 슬픔에서 벗어날 수 있었겠는가? 그리고 큰오빠인 피에르 마레트는 이 복수심의 맹렬한 화신이 되었다. 생-시르 육군 사관 학교 생도이자 극우 민족주의자, 반공화주의자였던 그는 죽은 외삼촌의 역할을 이어받았다. 그는 외삼촌의 이름을 물려받았고, 새로운 전쟁을 통해 반드시 복수할 것을 꿈꿨다. 여기에다 『악시옹 프랑세즈』의 주장에 점점 더 찬동하게 되면서 열렬한 반유대주의가 자연스럽게 추가되었다. 그는 모로코에서 식민지 장교라는 고전적인 경력을 수행하면서 군대 생활과 휴가 그리고 원주민들의 '평정' 등으로 시간을 보냈다.

언니 자클린느의 죽음은 프랑수아즈를 오랫동안 상실감과 슬픔, 죄의식에 빠지게 했다. 큰딸의 죽음으로 어머니는 1922년 9월에 막내아들이 태어났음에도 결코 기력을 회복하지 못했다. 정신착란성 발작을 동반하는 뇌염을 치르고 난 후 가사로 채워진 단조로운 생활과 부부간의 의무 속에서 오랫동안 숨겨져왔던 만성화된 우울증이 나타났다. 헌신적이고 자애로웠지만 그래도 자기가 속한 사회 계층의 이상에 말없이 복종하는 힘없는 희생자였던 어머니에게서 그런 교육을 받은 프랑수아즈 역시 심한 신경병 상태에 빠진 채 스무번째 해를 맞았다. 이제 막 살이 찌기 시작한 것이 너무 언짢고 외모도 별로 남의 호감을 사지 못한다는 강박관념에 사로잡혀 있던 그녀는 성생활도 할 수 없었고, 진정한 직업을 생각하거나 정체성을 확립할 수도 없었다. 그녀는 이렇게 쓰고 있다. "내 나이 이제 스무 살이지만 열두 살쯤 되어 보인다. (……) 더이상 싸울 수 없을 것 같아 두렵다. 그렇게 되면, (……) 만일 그렇게 된다면 바로 그 순간 죽는 편이 나을 것이다."[9]

이미 삼십년대 초에 그녀 세대의 뛰어난 여성들은 이미 낡아빠진 여성상의 모델을 강요하려는 가정으로부터의 해방을 열망했는데, 이들에게는 여러 가지 길이 열려 있었다. 정치에 적극 참여하거나 페미니즘 운동에 가담하거나 아니면 종교에 귀의하는 방법이 있었다. 그도 아니면 직장을 얻어 자립하는 식의 개인적인 반항의 길도 있었다. 프랑수아즈는 이 마지막 방법을 선택한다. 그녀는 막내동생인 필리프 때문에 몇 년 늦게 의학 공부를 시작했다. 학업을 통해 스스로를 치유하고, 부모의 잘못을 그대로 반복해 그저 아내와 어머니가 되는 것을 피하고 싶었다. '양육 전문의'가 되기를 희망한 그녀는 르네 라포르그에게서 분석 받으면서 프랑스 프로이트주의의 선구적인 움직임을 접하게 된다. 이 분석은 1934년 2월에 시작되어 삼 년간 지속되었다.[10] 라포르그에게서 분석받는 동안 프랑수아즈의 운명에 일종의 '기적'이 일어났다. 의식의 혁명이라 해도 과언은 아니었다. 이것은 젊은 프랑수아즈를 사실상 전혀 다른 여자로 변화시킨 무의식을 통한 혁명이었다. 이제 그녀는 자신을 의식하고 더이상 정신착란에 빠지지 않게 되었으며, 외모에 대해서도 어린애 같다는 병적인 강박관념에서 벗어나 성적으로 자신이 여성임을 느낄 수 있게 되었다.

그녀가 1938년 6월 15일에 아버지에게 쓴 훌륭한 편지는 이러한 혁명의 본질을 잘 보여주고 있다. 아버지는 딸이 변한 것을 한탄했지만 딸이 이제 예전의 아버지의 삶의 이상을 거부하고 있다는 것을 이해하지 못했다. 그래서 아버지에게 이러한 변화의 의미를 아주 단호하게 설명했다. 이때 그녀는 프로이트의 글을 읽거나 임상 치료를 하면서 또는 정신분석계 사람들과 교류하면서 얻은 사실들을 이용했다. 또한 오랫동안 스스로 동일시해온 어머니의 우울증에 대해 더이상 쓸데없이 불평을 토로하지 않고 어머니의 진짜 임상 기록을 아버지에게 보여드렸다.[11] 이처럼 프랑수아즈는 임상에서 얻은 지식으로 신경병을 극복하고, 새로운 문화에 접하면서 자신이 속한 사회 계층의 편견들에서 벗어나게 된다.

이러한 관점에서 라캉과 프랑수아즈 돌토의 가족적 배경을 비교해 보는 일은 매우 흥미로울 것이다. 라캉의 가족은 중간 계층의 상인 집안으로, 가톨릭에다 국수주의자이자 관례 추종주의자들이었다. 이들은 여전히 오래된 농민의 뿌리를 고집하면서도 자본 축적과 물질적 재산의 소유가 사회적 성공의 가장 완전한 이상이라고 생각했다. 예술, 문화, 지식의 가치를 모두 무시했던 라캉의 아버지 알프레드의 눈에는 어떤 것도 상업과 무역에 관련된 직업들만큼 대단해 보이지 않았다. 다른 한편 라캉의 어머니인 에밀리에게는 종교적 구도(求道)가 유일하게 해볼 수 있는 지적 노력이었다. 그녀의 성격에 들어 있는 신비적 요소는 부분적이지만 막내아들이 수도사가 되려고 한 이유를 설명해준다. 그녀는 막내아들이 태어날 때부터 아들을 숭배했고, 아들은 엄마를 항상 성녀처럼 바라보았다.

그러나 형인 라캉의 경우에는 전혀 그렇지 않았다. 지성계의 명사들 세계에 끼고 싶었던 그의 욕망은 강한 신분 상승 의지와 연결되어 있었다. 따라서 그는 자신의 출신 사회와는 정반대되는 가치들에 스스로를 일치시켜야 했다. 가족과 절연한 라캉은 그랑 부르주아의 일원이 되어 어느 누구의 자식이기를 거부했다. 그는 파리의 상류 사회의 최고 살롱들을 드나들었고, 부모가 관례 추종주의자이자 국수주의자였던 만큼 심미주의자, 니힐리스트, 무정부주의자가 되었다.

이와 반대로 프랑수아즈는 애국주의, 민족주의, 반공화주의의 지적·도덕적 전통을 의식적으로 고수하는 사회 계층에 속했다. 다시 말해 하나의 사고 체계에 대한 믿음을 최우선시하는 교육 원칙들 속에서 자랐기 때문에 가족과의 절연은 갈등과 말의 교환을 통해서만 표현될 수 있었다. 즉 말을 통해 표현되고 설명되거나 논쟁될 수 있었다. 이것은 라캉과 부모와의 관계를 특징지은 지적 공허와 대화의 부재, 의사소통의 불가능 상태와는 아주 달랐다. 또 철저하게 가족과 절연한 라캉과는 전혀 다른 방식으로 가족과 연을 끊었다. 라캉의 경우 아들은 아버지에게 반항할 여지가 전혀 없었다. 왜냐하면 아버지는 아들의 야심을 지적으로 전혀 이해할 수 없었기 때문이다. 그들은 같은 언어를 사용하지도 또 더이상 같은 세계에 속해 있지도 않았다.

프랑수아즈는 '악시옹 프랑세즈' 식 교육에서 가장 병리적인 측면들만을 거부했다. 즉 성에 관한 편견들, 여성 모멸, 자식에 대한 부모의 전지전능한 권위 등. 하지만 라포르그의 분석은 새로운 문화에 대한 지적인 각성을 가져다 주기보다는 임상 지식의 습득을 통한 정서적 각성을 가져온 만큼 그녀는 여전히 사유의 차원에서는 가정 환경 속에서 배워온 가치들을 버리지 못했다. 필요하다면 그녀가 1938년 6월에 쓴 편지에 들어 있는 에피소드를 통해 이에 대한 증거를 찾아볼 수도 있을 것이다. 오빠는 "유대인들에게 사로잡혀 있다"고 그녀를 비난했다. '유대인들이나 하는 일'로 취급되는 프로이트주의에 대한 거부 의사를 이런 식으로 표현한 것이었다. '악시옹 프랑세즈' 지지자였던 그에게는 아주 당연한 생각이었다.[12] 하지만 프랑수아즈는 그의 반유대주의를 논박하는 대신 다만 이러한 비난 자체에 반대했고, 아버지에게는 유대인들과는 전혀 관계가 없다고 얘기했다.

그녀는 너무나 오랫동안 그녀의 인격을 형성시켜온 모라스 철학의 원칙들을 의문시하기보다는 일종의 망각과 모든 주지화(主知化)에 대한 거부를 통해 이로부터 벗어나려고 했다.[13] 그래서 그녀는 개종하듯 프로이트주의자가 되었다. 라캉이 프로이트주의에 접근한 것이 이론적 재검토로 나가기 위한 합리적 모험이었다면 돌토의 경우는 거의 신비적인 계시에 가까웠다. 프랑수아즈는 라포르그에게서 분석받고 정신분석가들과 만나면서 외모에 대한 이미지까지 변화시킨 지식의 매력에 감동되었다. 근면한 학생이었던 그녀는 1935년부터 SPP의 수많은 모임에 참석하면서 열심히 필기했다. 비슷한 시기에 메종-블랑슈 병원, 보지라르 병원의 외이에 밑에서 실습하고 또 앙팡-말라드 병원, 브르토노 병원 등을 거치는 실습 기간 동안 그녀는 자신의 특수한 재능이 될 어떤 것이 자기 안에서 깨어나는 것을 느꼈다. 아이들을 이해하고 아이들의 말을 구사하면서 아이들과 똑같은 입장에서 대화를 나눌 수 있는 놀라운 능력이 바로 그것이었다. 이 점에서 그녀는 정신분석적 실천이 여전히 초기의 단순성을 그대로 간직하고 있던 20세기 초에 산도르 페렌치가 부다페스트 교외에서 자주 만나곤 했던 집시 예언가들과 닮았다.

아이들의 말을 들을 수 있는 천재적 능력은 두번째 선생이 되는 에두아르 피숑과 만나면서부터 발현되었다. 강한 종교적 영성에 고취되어 있던 라포르그가 그녀의 가톨릭 신앙에 이의를 제기하려고 하지 않았고 오히려 그것을 세계교회주의적인 기독교로 확대시키려고 했듯이 피숑도 그녀가 물려받은 모라스 식 사고를 거부하거나 분석하도록 유도하지 않았다. 이것은 전혀 놀라운 일이 아니었다. 왜냐하면 본인이 모라스 학설을 이용해 프랑스 프로이트주의에 맞선 투쟁의 칼날을 만들었기 때문이다. 그 결과 프랑수아즈는 이 두 선생을 통해 SPP의 국수주의 분파의 일원이 되는데, 이것은 나중에 결국 IPA와 심각한 문제를 일으키도록 만든다. 그녀는 이러한 사실을 알고 있었을까? 분명 아니다.[14] 왜냐하면 프로이트주의로의 개종은 그녀를 지식에서 벗어나게 했고, 그녀의 표현대로 그녀의 '허물을 벗기는' 결과를 가져왔기 때문이다. 다시 말해 이성의 속박으로부터 그녀를 해방시켰고, 그렇게 해서 합리적인 사고를 앞서는 일종의 사고의 원초적 자연 상태에 이를 수 있도록 해주었다.

피숑과 그녀 사이에는 충심 어린 교류와 비판적 충고들로 이어진 애정 어린 우정이 피어났다. 그 덕택으로 그녀는 그에게는 너무나 소중한 주제였던 '정신분석과 소아학'을 의학 학위 논문의 주제로 선택했다. 이 논문에서 그녀는 임상의학과 훈련 영역에 프로이트주의를 도입하려는 그의 운동을 지지했다.[15] 피숑은 라캉보다는 '꼬마 마레트'라는 애칭을 가진 이 모범생을 더 이상적인 제자로 여겼다. 그는 그녀를 프랑스 프로이트주의의 이데올로그로서 그의 사명을 훌륭하게 이어갈 계승자로 보았다. 그래서인지 그녀의 학위 논문의 초고를 수정할 때 아주 까다롭고 단호한 태도를 보였다. 그는 그녀의 문체, 문장 구성, 문법, 개념에 대해 수정할 점을 훌륭하게 지적했고, 역사적인 참고 사항들을 덧붙이도록 했으며 외제니 소콜니카와 안나 프로이트, 멜라니 클라인, 그리고 피숑 본인의 이름을 언급하도록 했다.[16]

그녀의 학위 논문은 1939년 7월 11일에 발표되어 연말에 출간되었는데, 구성 방식이 아주 이상했다. 앞부분에서 프랑수아즈는 프로이트 학설의 주요 요소들을 아주 간단히 소개하면서 프로이트 이외의 다른 이름은 전혀 언급하지 않았다. 그러나 실제로는 프랑스 학파의 모든 전통, 특히 라포르그와 피숑에 의해 소개된 전문 용어를 이용했다. 예를 들어 aimance(자성적 사랑)라는 용어를 마치 그녀가 처음 소개한 것처럼 사용했다.[17] 다른 개념들의 경우도 마찬가지였다. 그래서 피숑이 여러 가지를 수정했던 것이다.

돌토는 항상 어린이 정신분석 분야에서 자기 스승은 소피 모르겐슈테른이라고 말하곤 했다. "그분은 어린이들이 자기가 말하는 것이 어른들에게 알려질 것 같은 두려움을 느끼지 않고 안심하고 얘기하도록 만드는 법을 제게 가르쳐주셨습니다."[18] 사실이었다. 돌토가 외이에 밑에서 일하고 있을 때 만난 모르겐슈테른은 확실히 이러한 역할을 해주었다. 또 돌토는 박사 학위 논문을 쓸 때 멜라니 클라인의 글을 전혀 읽어본 적이 없었다고 주장했다. 아마 사실일 것이다. 하지만 그렇다 해도 그녀는 당시 영국 학파와 빈 학파 간에 벌어지고 있던 논쟁에 대해서는 어느 정도 알고 있었을 것이다. 그리고 비록 이 분야에서 그녀가 유일하게 참고할 수 있었던 것이 꼬마 한스의 사례이긴 했지만 피숑의 가르침은 두말할 필요도 없이 이 논쟁과 관련해 RFP에 실린 논문들만을 통해서도 분명히 이 논쟁을 알고 있었을 것이다. 1986년 4월에 가진 인터뷰에서 그녀는 1936년경에 마리 보나파르트의 집에서 멜라니 클라인을 만날 기회가 있었다고 했다. "공주의 집 정원에서 그녀는 그곳에 모인 아이들에게 일종의 분석 점검을 실시했습니다. 저는 그녀가 8개월이 된 아이는 의존 단계를 지나게 되며, 이 단계에는 좋은 어머니 아니면 나쁜 어머니밖에 없다고 믿고 있다는 것을 알 수 있었습니다. 모든 것이 인위적으로 보였습니다. 좋은 어머니, 나쁜 어머니란 존재하지 않습니다. 이것은 구강기, 항문기의 어머니를 말하는 것입니다만 그것을 받아들이거나 거부하는 것은 사람들마다 다를 수밖에 없지 않을까요. (……) 하지만 멜라니 클라인은 놀라운 카리스마를 갖고 있다는 느낌이 들더군요. (……) 그녀는 어린이 정신분석에 아주 흥미를 느끼고 있었어요. 하지만 그녀의 생각들은 모두 너무 이론적이고 꽉 짜여져 있다는 느낌이 들었습니다. 어린이는 저마다 새로운 사실을 가져오는 법인데도 말입니다."[19]

하지만 이 두 사람이 만났다고 해도 이 만남이 1936년에 이루어지지 않았다는 결론을 피할 수는 없다. 양차 대전 사이에 멜라니 클라인과 마리 보나파르트는 서로 알고 지내는 사이가 아니었기 때문이다. 공주는 1934년에 어린이 정신분석에 관한 클라인의 저서를 읽었고, 1935년 10월에 BPS에서 열린 클라인의 강연에 참석했다. 하지만 '따분해 죽을 지경이 되어' 일찍 강연회장에서 나왔으며 클라인의 오류가 영국 사회에 '재난을 가져오고 있다'고 생각했다. 그리고 그녀의 일기에도 돌토의 주장을 확인해줄 수 있는 어떤 만남도 언급되어 있지 않다.[20] 마리 보나파르트가 안나 프로이트와의 우정에도 불구하고 클라인의 이론에 관심을 가진 것은 1945년 이후였다. 특히 그녀가 아직 소녀 적에 썼던 노트들이 출간되면서 이러한 사실이 밝혀졌다.[21] 따라서 돌토가 말한 만남은 1946년과 1953년 사이에 이루어진 것처럼 보인다.

따라서 학위 논문을 쓸 때 돌토는 클라인의 실천에 대해 어떤 의견도 갖고 있지 않았다. 어린이 정신분석과 여성 성욕에 관한 당시의 논쟁에 대한 그녀의 이해는 아주 막연한 정도였기 때문에 그녀가 논문의 첫 부분에 쓴 '이론적' 진술은 너무나 간단하고 빈약했다. 그러나 두번째 부분은 아주 달랐다. 여기에서 그녀는 소피 모르겐슈테른의 뒤를 이어 어린이 정신분석 방법을 창안했고, 이것은 그녀의 독창적인 공헌의 초석이 된다.

돌토의 전기 작가인 클로드 알모는 어느 강연[22]에서 어린이 정신분석사에서 그녀의 위치를 어떻게 정해야 할지를 설명한 적이 있다. 그는 어린이의 특수한 세계를 최초로 발견한 멜라니 클라인의 업적을 뒤이은 돌토의 위치를 '문화주의'로 규정했다. 그에 따르면 돌토는 '어린이 민족' 편에 서기를 선택하면서 어린이들의 '문화'를 창조했다. 이러한 가설은 돌토의 정신분석으로의 전환이 이론화가 아닌 일종의 개종에 가까웠다는 사실을 잘 설명해주는 장점을 갖고 있다. 그녀가 창안한 방법은 놀이 기법과 그림에 대한 해석을 거부하고 대신 정신분석가에게 어린이의 언어를 이용할 것을 요구했다. 정신분석가는 아이와 같은 말을 사용해야 하고, 아이에게 아이의 생각을 살갑게 말로 표현해주어야 한다. 논문에 소개된 열여섯 개의 사례들은 이러한 방법을 잘 보여주고 있다. 이 사례들은 어린이들도 충분히 읽을 수 있도록 씌어진 것 같았다. 프로이트의 거의 소설적인 서술 기법은 찾아볼 수 없고 오히려 샤를 페로의 이야기 같다는 느낌이 들 정도였다. 이 이야기들에는 대중적인 전통 설화에 속하는 인물들이 가득 들어 있었다. 백설 공주, 엄지 왕자, 심술쟁이 요정, 식인귀, 여자 식인귀 등. 개념들도 모두 아이들의 언어로 번역되었다. 그리고 '용어 해설'에는 다음과 같은 규정들이 들어 있다. "유뇨증: 이불에 쉬하기. 유분증: 옷에 응가하기."

그녀의 임상적 재능은 이처럼 상식을 깨는 것이었다. 아주 '오래된 프랑스' 문화의 전통적인 어휘들을 뒤져 인기 있는 이야기꾼이 될 정도로 독창적인 말투를 만들어냈다. 마치 민족학자가 관심 있는 부족을 연구하면서 이들의 의식(儀式)을 관찰할 뿐만 아니라 이들의 기쁨과 고통을 함께 나누려고 하듯이 그녀 역시 그렇게 했고, 결국 어린이의 언어를 해석할 수 있게 되었다. 어린이의 말을 대변하고 싶은 욕망 때문에 그녀는 통상적인 정신분석가보다는 오히려 샤먼의 위치를 갖게 되었다. 그리고 이것이 자신의 출신 사회에 대해 가할 수 있는 유일한 복수였다. 그랑 부르주아 가문에서 태어난 그녀는 신분 상승욕은 결코 가져본 적이 없었다. 오히려 일반 대중과 옛날 식의 관계를 유지하고 싶은 바람을 항상 갖고 있었다. 이처럼 감정적 관계를 바라는 간절한 소망은 어린이에 대한 사랑으로 표현되었다. 하지만 결코 권력 획득을 추구하는 방향으로 흐르지는 않았다. 돌토는 노예들의 사회를 통치하기 위해서가 아니라 억압받는 자들을 돕기 위해 천재적인 암시력을 이용했다. 그리고 그녀가 평생 도우려고 애썼던 억압받는 자들은 무엇보다 어린이들, 더 정확히 말하자면 어리석은 교육 때문에 그녀 스스로도 빼앗겨야 했던 유년기를 항상 꿈꾸는 사람들이었다. 그리고 이러한 유아의 세계에서도 가장 억압받는 자들, 바로 불쌍한 어린이들이 그들이었다. 보잘것없는 출신 배경을 가진 아이들, 정신 장애를 겪고 있는 아이들, 신체 장애를 겪고 있는 아이들이 그들이었다. 이처럼 그녀는 고통받는 모든 어린이들에게 관심을 기울였다. 신경쇠약 환자, 정신이상자, 소아마비 환자, 맹아, 정신박약아, 신체 장애아, 농아 등. 그리고 오늘날 누구나 알다시피 그녀는 기적을 일으켰다. 그녀가 프로이트로 개종해서 얻은 것과 똑같은 그런 기적을 말이다.

라캉과 프랑수아즈 마레트는 1936년에 SPP에서 처음으로 마주치게 된다. 그녀가 남겨놓은 방대한 양의 노트를 통해 알 수 있듯이 그녀는 6월 6일에 있은 라캉의 '거울 단계' 강의에서 아주 깊은 인상을 받았다.

이때 그녀가 아주 꼼꼼히 적어놓은 노트들이 이제는 사라져버린 이 텍스트의 유일한 흔적으로 남아 있다. 그후 두 사람은 정기적으로 부딪히게 되었지만 그녀가 가족에 대한 라캉의 논문을 읽게 된 1938년경까지는 잘 알지는 못했다. 전쟁 동안에 그들은 다른 길을 갔다. 그가 새로운 삶을 개척하면서 아버지가 되는 문제와 말루와의 이별을 겪는 동안 그녀는 마침내 인생의 반려자인 보리스 돌토를 만났다. 그는 크리미아 태생으로 프랑스로 이민온 러시아계 의사였다. 두 사람은 1942년 2월 7일에 결혼해서 일 년 후 첫아이를 낳았다.[23] 라캉과 마찬가지로 그녀 역시 레지스탕스에 가입하지도 또 독일 점령군에 협조하지도 않았다. 그녀는 점령기 동안 트루소 병원에서 계속 활동했다.

전쟁 후 라캉과 프랑수아즈는 가장 절친한 친구가 되었고, 서로 친구처럼 '너'라고 불렀는데 라캉은 '너'라는 호칭을 거의 사용하지 않는 편이었다. 그는 아내와 애인들도 '당신'이라고 불렀다. 최소한 공식석상에서는. 그리고 같은 또래의 남자들과 나흐트, 라가슈, 에, 말과 같은 인턴 시절의 옛 동료들에게만 '너'라는 2인칭 단수를 사용했다. 이처럼 프랑수아즈는 주로 남자들 사이에서나 볼 수 있는 형제애적인 표현을 즐길 수 있었다. 그녀는 주변의 여성들 중 육체 관계에 대해 아무런 의심도 사지 않는 보기 드문 사람 중의 하나였다. 그는 그녀를 유혹하려고도 하지 않았고 그녀의 환심을 사려고도 하지 않았다. 제니 오브리처럼 그녀 역시 그냥 여자친구였던 것이다.[24] 이 두 여인은 지나친 존경이나 숭배의 형태로 열성을 표현하지 않아도 제자가 될 수 있다고 믿었기 때문이기도 했다. 그리고 두 사람은 개인적으로도 성공했기 때문에 라캉과 정신적 평등과 독립에 기반한 관계를 맺을 수 있었다. 그리고 프랑수아즈는 천재성을 갖고 있었다. 그녀는 프랑스에서 라캉보다 더 큰 인기를 누렸다. 설사 그녀가 라캉주의자가 아니었다 해도 마찬가지였을 것이다. 다른 한편 제니 오브리는 그녀가 가진 칭호와 학위, 막강한 제도적 영향력, 출신 배경 등으로 라캉에게 깊은 인상을 주었다. 그는 프랑수아즈에게 종종 이렇게 말하곤 했다. "너는 내가 하는 말을 이해하려고 할 필요가 없어. 왜냐하면 너는 이론화하지 않고도 나와 같은 것을 말하기 때문이야." 그리고 제니 오브리에게는 그녀가 루이즈 바이스의 동생이라는 사실을 늘 상기시켰다. 루이즈 바이스는 여성 참정권 론자로서 그를 몹시 화나게 만들곤 했던 것이다.[25] 속물 근성을 갖고 있던 라캉은 유명인사의 이름을 언급하기를 아주 좋아했는데, 특히 사교계의 명사나 한참 주목받고 있는 사람들, 즉 모델, 배우, 기자, 정치가, 철학가, 작가 등과 만나는 것을 좋아했다.

1949년에 프랑수아즈는 SPP에서 정신병 환자 두 명의 사례를 소개했다. 환자는 베르나데트와 니콜이라는 두 소녀였다. 베르나데트는 아무 소리도 듣지 않으려는 듯 아무런 의미도 없는 소리를 계속 질러댔고, 니콜은 귀가 먹지 않았는데도 말을 하지 않았다. 베르나데트는 살아 있는 물체들은 사물화하고 식물들은 의인화하면서 스스로를 파괴하려고 했다. 반면 니콜은 계속 벙어리처럼 넋이 빠져 있었다. 첫번째 사례에서 프랑수아즈는 아이 어머니에게 딸의 파괴적 성향을 분출시킬 수 있는 제물이 될 만한 물건을 하나 딸에게 만들어줄 것을 부탁했다. 정말 멋진 생각이었다. 그러면 베르나데트는 그런 성향을 스스로 떨쳐버릴 수 있을 것이라고 생각했던 것이다. 이리하여 '꽃 인형'이 만들어졌다. 녹색 천으로 덮인 줄기가 몸통과 팔다리를 대신했고 데이지 꽃을 만들어 얼굴을 대신했다. 베르나데트는 극도의 충동을 이 물건에 투사했다. 그러고 나서 아이는 말하기 시작했다. 니콜도 인형 덕분에 침묵을 깨고 말을 하게 되었다. 이런 실험을 통해 어떤 상징물이 말의 회복 과정에서 매개체 역할을 할 수 있다는 사실이 밝혀졌다. 또 이런 사실도 보여주었다. 즉 프랑수아즈는 이때 '나쁜 대상'이라는 클라인의 개

넘을 벌써 이해하고 있었고, 클라인의 방법에 놀이 기법을 추가했다는 것을 말이다. 이러한 설명을 가만히 경청하던 라캉은 열광했다. 그는 '꽃 인형'이 거울 단계와 파편화된 신체에 관한 자기 연구에 꼭 들어맞는다고 말했다. 그리고 언젠가 프랑수아즈의 임상적 발견에 이론적 주석을 해주기로 약속했다.[26]

1953년에 SPP의 최초의 분열이 일어났을 때 두 사람은 같은 진영에 속해 있었다. 하지만 서로 같은 입장은 아니었다. 프랑수아즈는 분리에 동의하면서 어찌할 수 없다고 생각한 반면 라캉은 최선을 다해 분열을 방지하려고 했다. 로마 대회에서 라캉의 연설이 끝나자 프랑수아즈가 토론을 시작했다. 이를 계기로 그녀는 최초로 이후 삼십 년 동안 맡게 될 역할을 처음으로 수행하면서 라캉이 이끌게 되는 운동에 또다른 위엄을 부여해주게 된다. 그녀는 라가슈와 라캉을 두 마리의 큰 용에 비유하면서 자기는 작은 용이라고 했다. 그리고 나서 날카로운 반대토론을 시작했다. 그녀는 라캉의 언어 이론에 동의한다고 강조하면서도 '본능의 성숙'에 대한 그의 생각은 비판했다. 실제로 그녀는 무의식이 언어와 같은 구조를 갖고 있다는 라캉의 가설을 인정했지만 라캉이 프로이트주의를 재해석하면서 비판했던 프로이트의 생물학적 요인들에 여전히 집착하고 있었다. 그녀는 이 점에서는 결코 의견을 바꾼 적이 없었다. 그녀의 토론에 몹시 감동한 라캉은 그녀에게 달려가 얼싸안았다. 그리고는 그녀의 입에서 신의 목소리가 들렸다고 했다. 그녀가 이렇게 물었다. "내가 뭐라고 했지? 말을 해야 한다는 생각에 너무 긴장해서 무슨 말을 해야 하는지 생각도 나지 않았어!" 라캉은 이렇게 대답했다. "물론이지, 프랑수아즈, 작은 용, 생각할 필요도 없었어! 너는 생각하지 않고도 너무나 훌륭한 말을 우리에게 선물했어!"[27]

그런데 프랑수아즈는 실제로 뭐라고 말했을까? 그녀는 어린이와 어머니의 육체적 관계에 대해 길게 언급했다. 그리고 신경쇠약증에 걸린 어른에 대한 정신분석가의 주요한 역할은 "환자가 어른들의 세계에서 빌려온 언어를 넘어 그를 이해하고, 그의 실제 발달 시기에 속하는 언어로 그를 되돌려보내야 한다"는 데 있다는 것을 강조했다.[28] 라캉이 아주 민감한 반응을 보인 것은 바로 이 부분이었다. 언젠가 그녀는 한 번 내게 이렇게 말한 적이 있었다. 즉 라캉이 어린 시절을 어떻게 보냈을까 하는 의문을 종종 갖게 되었다고 말이다.[29] 그는 왜 한 번도 부모나 가정 환경에 대해 말하지 않을까? 일상생활에서는 왜 그토록 소심하고, 자기 이미지에 대해서는 또 왜 그렇게 안절부절못하는지, 그리고 또 외모에 대해서는 왜 그토록 강박관념에 사로잡혀 있을까? 왜 그는 자기를 숨기고 싶어하고, 가면 무도회에 자주 참석하거나 기상천외한 옷차림을 보여주기를 좋아할까? 돌토는 이처럼 우스꽝스러운 행동이 일종의 공허감을 숨기기 위한 것이라는 것을 감지했다. 라캉은 유아기에 뭔가 본질적인 것이 결핍되었기 때문에 나르시시즘에 매달리는 변덕스러운 어린이와 비슷하다고 생각했다. 그래서 그녀는 상담하는 아이들을 대하듯 그에게 말을 걸었다. 물론 그렇게 한 것은 그를 어린애 수준으로 떨어뜨리기 위해서가 아니라 너무나 어린애 같은 어른에게 잃어버린 실제의 유년기를 회복시켜주기 위해서였다.

두 사람이 1956년부터 1978년 사이에 주고받은 편지들을 보면 이들의 의사소통 방법이 아주 특이하다는 것을 느끼게 될 것이다. 그는 그녀에게 SFP의 중요한 모임에 참석하도록 압력을 가하기도 하고, 그가 발표한 내용에 대한 그녀의 의견을 '은밀하게' 물어보기도 했다. 또는 세미나에 이용할 만한 정보를 부탁하기도 했다. 1960년부터 매해 그녀는 그에게 새해 인사를 하게 되었다. 그리고 매번 잼, 장난감 기념품, 조그마한 오락 기구 등의 작은 선물도 했다. 그는 감사의 말을 전할 때마다 얼마나 자기가 그녀를 좋아하는지 또 그녀가 완벽하다고 할 수 있는 보기 드문 사람들 중의 하나라는 말을 덧붙였다. 그의 글에서 완전 무결하다는 생각은 흔히 강인함과 연결되었다. 라캉은 돌토를 '강인한 사람'이라고 하면서도 그녀에게 다이어트를 하라고 거리낌없이 충고하기도 했다. 1961년 2월에 므제브에 있는 몽-다르부아 호텔에 머무를 때 그는 그녀에게 자신이 당한 낭패스런 일들을 들려주었다. 주위 사람들로부터 극찬을 받으면서 훌륭한 여흥과 일광욕을 즐기며 일 주일을 보낸 다음날 그는 발목을 삐었다. 그는 친구에게 운명은 한치 앞도 내다볼 수 없다고 말하면서 마치 국가 기밀이나 되는 양 이 일에 대해 비밀을 지켜달라고 부탁했다. 다음해에는 훨씬 더 애정 어린 말투로 그녀가 얼마나 소중한지를 말했다. 세월이 흐르면서 그는 그녀에게 다음과 같은 말을 거듭해서 한다. 그녀는 그가 선물을 받고 진심으로 기뻤던 유일한 사람이며, 많은 선물로 기쁨을 가져다 준 유일한 사람이라고.[30]

임상에서 이들의 관계는 더욱 가까웠다. 실제로 라캉은 치료나 분석 점검 혹은 훈련이건 자신이 해결하지 못한 피분석자를 보내기 위해 한밤중에라도 돌토에게 전화를 하곤 했다. 어느 날은 치료비를 비싸게 요구할 수 있을 거라고 강조하면서 '꼼짝도 하지 않는' 돈 많은 환자를 보내기도 했다. 하지만 그녀는 그의 말과는 반대로 가격을 낮췄다. "당신이 어떻게 하느냐에 따라 치료비는 더 싸질 수도 있을 겁니다." 그래서 분석은 성공적으로 다시 시작되었다.[31]

1. 식초 상인

1. Claire BILLON/Georges COSTES, *La Vinaigrerie Dessaux*, Commission régionale de l'inventaire Centre, Orléans, 1984. *Journal de la Sologne et de ses environs*, 47, 1985년 1월, p. 36. *Orléans*, journal d'information édité par la mairie, 1990년 3월 4일, pp. 52~55. Michelle PERROT, *Jeunesse de la grève*, Paris, Seuil, 1984.

2. 이탈리아인인 칼리오스트로(주세폐 발사모, 1743~1795)는 '동물자기학'의 창시자인 오스트리아인 프란츠 안톤 메스머(Franz Anton Mesmer, 1734~1815)와 항상 혼동되어왔 다(*Le Magnétisme animal*, Paris, Payot, 1970). 프랑스 대혁명 이전에 두 사람 모두 프리메이 슨 단원으로 괴짜들과 어울리기도 했으나 메스머는 진정한 물리학자이자 과학자로 초기 의 역학적 정신의학의 창조자가 된다. *HPF*, 1, pp. 51~84를 보라.

3. M.-F. L.과 1990년 10월에 가진 인터뷰.

4. M.-F. L.과 1991년 12월 1일에 또 앙리 드소와 1990년 4월 30일에 각각 가진 인터뷰.

5. J. L., *S. IX*, 1961년 12월 6일의 세션에서. 미셸 루상(Michel Roussan)이 전사했다.

6. 1986년 10월 3일에 M.-F. L.이 E. R.에게 보낸 편지에서. 또 6부 5장도 함께 참조하라.

7. 1990년 10월 5일과 1991년 12월 21일에 M.-F. L.과의 인터뷰.

8. M.-G. CHÂTEAU/J. MILET, *Collège Stanislas*. 이것은 1979년 11월에 이 학교가 편찬한 역사적 기록 중의 하나다.

9. Madeleine BARTHELEMY-MADAULE, *Marc Sangnier*(1873~1950), Paris, Seuil, 1973.

10. Jean CALVET, *Visage d'un demi-siècle*, Paris, Grasset, 1959.

11. Robert DE SAINT JEAN, *Passé pas mort*, Paris, Grasset, 1983, p. 47.

12. 1990년 10월 5일에 M.-F. L.과 가진 대화에서.

13. Robert DE SAINT JEAN, *op. cit.*, p. 47.

14. Collège Stanislas 소장, 1990년 1월 17일에 루이 르프랑세-랭게와 가진 대화에서.

15. 1986년 10월 3일에 M.-F. L.이 E. R.에게 보낸 편지에서.

16. *HPF*, 2, 1부 4장을 참고하라.

17. Jean BARUZI, *Exposé de titres pour la chaire d'histoire des religions au Collège de France; Saint Jean de la Croix et le problème de l'expérience mystique*, Paris, Alcan, 1931.

18. Alexandre KOYRÉ, *L'École pratique des hautes études*, 1931, *De la science*, Pietro Redondi

편, Paris, EHESS, 1986, pp. 6~15.

19. *Ibid.*, p. 14.

20. Jean BARUZI, *Saint Jean de la Croix, op. cit.*, "Préface", p. IV.

21. Augustin GAZIER, *Histoire du jansénisme*(기트랑쿠르에 있는 라캉의 서재에 S. La.라는 이름으로 등록되어 있다). 실비아 라캉 소장. M.-F. L.과의 대화에서.

22. 1990년 10월 5일에 M.-F. L.과 가진 인터뷰에서.

23. 1991년 10월 2일에 조르주 베르니에와의 인터뷰에서. Lise Deharme의 기록에서 인용했다.

24. *HPF*, 2, p. 119을 보라.

25. Robert DE SAINT JEAN, *op. cit.*, p. 47.

26. 1990년 10월 5일에 M.-F. L.과 가진 인터뷰에서. 그리고 1986년 10월 3일에 M.-F. L.이 E. R.에게 보낸 편지에서.

27. 1983년 3월 4일에 마들렌느 라캉-울롱과 가진 인터뷰에서.

2. 인턴 시절

1. *HPF*, 1, pp. 269~435을 보라.

2. 역학적 정신의학에 대해서는 Henri F. ELLENBERGER, *À la découverte de l'inconscient*, Villeurbanne, Simep, 1974을 보라.

3. 자네와 베르그송에 대해서는 *HPF*, 1, pp. 223~269을 보라.

4. Sigmund FREUD, *Trois Essais sur la théorie de la sexualité*, Blanche Reverchon-Jouve 번역 (1923), Paris, Gallimard, coll. "Idées", 1962. Philippe Koeppel의 새 번역, Gallimard, 1987.

5. 지적인 관점에 대해서는 *HPF*, 2, pp. 19~115을 보라.

6. J. L., *Revue neurologoque*, 1926의 참고문헌을 참조하라.

7. *HPF*, 1, 4부를 보라.

8. Michel COLLÉE/Olivier HUSSON, "Entretien avec Julien Rouart", *Frénésie*(1986년 가을호), p. 109.

9. 1992년 1월 11일에 앙리 엘랑베르제가 E. R.에게 보낸 편지에서. 1990년 1월 24일에 폴 시바동과 가진 인터뷰. Paul SIVADON, *Ornicar?*, 37호(1986)에 실려 있는 인터뷰 p. 143을 보라.

10. Paul SIVADON, "J'étais interne des asiles de la Seine 1929~1934", *Actualités psychiatriques*, 2, 1981.

11. Sigmund FREUD, Joseph BREUER, *Études sur l'hystérie*, A. Berman 번역(1956), Paris, PUF, 1967.

12. 에두아르 툴루즈와 조르주 외이에의 이력에 대해서는 *HPF*, 1, pp. 206~210과 p. 344를 보라.

13. J. L., "Abrasie chez une traumatisée de guerre", *Revue neurologique*, 1928.

14. *TPP*, 1975에 재수록된 텍스트.

15. *HPF*, 1, pp. 66~73을 보라.

16. S. FREUD, "Fragment d'une analyse d'hystérie"(Dora), *Cinq Psychanalyses*, M. Bonaparte/R. Loewenstein 번역, Paris, PUF, 1967.

17. H. CODET/R. LAFORGUE, "L'influence de Charcot sur Freud", *Progrès médical*, 22, 1925 년 5월 30일. *HPF*, 1, p.75을 보라.

18. André BRETON, *Œuvres complètes*, 1, Paris, Gallimard, coll. "La Pléiade", 1988, p. 949. *HPF*, 2, p. 23을 보라.

3. 정신의학의 스승들

1. Claude LÉVI-STRAUSS, *Tristes Tropiques*, Paris, Plon, 1955, pp. 5~6.

2. Jean DELAY, "L'œuvre d'Henri Claude", *L'Encéphale*, 4, 1950, pp. 373~412. Claude QUÉTEL/Jacques POSTEL, *Nouvelle Histoire de la psychiatrie*, Toulouse, Privat, 1983. Henri CLAUDE, "Les psychoses paranoïdes", *L'Encéphale*, 1925, pp. 137~149. Paul BERCHERIE, *Les Fondements de la clinique*, Paris, Navarin, 1980.

3. R. LAFORGUE/R. ALLENDY, *La Psychanalyse et les névroses*, Paris, Payot, 1924에 붙인 서문.

4. Gaëtan GATIAN DE CLÉRAMBAULT, *Œuvres psychiatriques*, Paris, Frénésie-édition, 1988. Silvia Elena TENDLARZ, *Le Cas Aimée, Étude historique et structurale*, thèse de doctorat sous la direction de Serge Cottet, I/II, université de Paris VIII, 1989. *HPF*, 2, pp. 121~127. Elisabeth RENARD, *Le Docteur G. G. de Clérambault, sa vie et son œuvre(1872~1934)*, Paris, Delagrange, 1992, Serge Tisseron의 서문. Danièle ARNOUX, "La rupture entre Lacan et de Clérambault", *Littoral*, 37(1993년 봄호).

5. 1990년 1월 24일에 폴 시바동과 가진 인터뷰에서.

6. J. L., réed. *Ornicar?*, 44, 1988.

7. P. SÉRIEUX/J. CAPGRAS, *Les Folies raisonnantes*, Marseille, Laffitte Reprints, 1982.

8. Jules DE GAULTIER, *Le Bovarysme*, Paris, Mercure de France, 1902. 라캉의 정신의학적 전거들에 대해서는 S. TENDLARZ, *op. cit.*를 보라.

9. J. L., "Structures des psychoses paranoïaques", *op. cit.*, réed. *Ornicar?*, 44, 1988, p. 7.

10. *Ibid.*, p. 10.

11. *HPF*, 2, p. 124을 보라. 1984년 1월에 쥘리앙 루아르(Julien Rouart)와의 인터뷰, 1983 년 9월 30일에 르네 에(Renée Ey)와 가진 인터뷰, 앙리 엘랑베르제가 E. R.에게 보낸 편지.

12. J. L., "Folies simultanées", 1931.

13. J. L., "Écrits inspirés: schizographie", réed. *TPP*, 1975.

14. J. L., *ibid.. TPP*, 1975, pp. 379~380. 초현실주의와 정신분석에 대해서는 *HPF*, 2, pp. 19~49을 보라.

15. Thèse de S. TENDLARZ, I, *op. cit.*, pp. 85~93.

16. Henri DELACROIX, *Le Langage et la pensée*, Paris, Alcan, 1930.

17. Ferdinand DE SAUSSURE, *Cours de linguistique générale*, Paris, Payot, 1965.

1. 마르그리트 이야기

1. *SASDLR*, 1930년 7월 1일, rééd. J.-M. Place, Paris, 1976.

2. *HPF*, 2의 1장을 보라.

3. *SASDLR, op. cit.*

4. Patrice SCHMITT, "Dali et Lacan dans leurs rapports à la psychose paranoïaque", *Cahiers Confrontation*, 1980년 가을호, pp. 127~135.

5. Sarane ALEXANDRIAN, *Le Surréalisme et le rêve*, Paris, Gallimard, 1976.

6. *RFP*, 1932, V. *Névrose, psychose, perversion*(Paris, PUF, 1973)라는 제목으로 새로이 번역되었다.

7. 이 시기 SPP에서의 번역 문제에 대해서는 *HPF*, 1, pp. 376~395을 보라. 슈레버 사례에 대해서는 *RFP*, 1932, V. 1권을 보라.

8. O. FÉNICHEL에 대해서는 J. L., *TPP*, p. 258, 주 7을 보라.

9. J. L., *TPP*, p. 154.

10. 1931년 4월 19일자 *Le Journal*. S. TENDLARZ, *op. cit.*, 그리고 Jean ALLOUCH, *Marguerite ou l'Aimée de Lacan*, Paris, EPEL, 1990을 보라.

11. 1931년 4월 21일자 *Le Temps*.

12. *Ibid.*

13. 아틀란티스 신화에 대해서는 P. VIDAL-NAQUET, "Athènes et l'Atlantide", *Revue des études grecques*, XXVII, Paris, Les Belles Lettres, 1964을 보라.

14. J. L., *TPP*, p. 156.

15. *Ibid.*, p. 204.

16. 디디에 앙지외의 요청에 따라 나는 *HPF*, 2에서는 마르그리트 이야기를 재구성해 보여주지는 않았다. 새로운 전거와 개인적 회고 덕분에 이제는 그것이 가능하게 되었다. J. ALLOUCH, *op. cit.*, S. TENDLARZ, *op. cit.*, D. ANZIEU, *Une peau pour des pensées, entretien avec G. Tarrab*, Paris, Clancier-Guénaud, 1986, "Historique du cas Marguerite", *Littoral*, 27~28(1989년 4월).

17. D. ANZIEU, *Une peau, op. cit.*, p. 16.

18. J. L., *TPP*, p. 224.

19. *Ibid.*, p. 159.

20. D. ANZIEU, *Une peau, op. cit.*, pp. 8~9.

21. Jean ALLOUCH/Danièle ARNOUX, "Historique du cas Marguerite, suppléments, corrections, lectures", *Littoral*, 37(1993년 봄호).

22. J. L., *TPP*, p. 161.

23. *Ibid.*, p. 162.

24. 도데 사건에 대해서는 *HPF*, 1, pp. 59~67을 보라.

25. J. L., *TPP*, pp. 295~296.

26. *HPF*, 1, pp. 340~342을 보라.

27. 소설의 발췌문. J. L., *TPP*, p. 182.

28. *Ibid.*, p. 195.

29. *Ibid.*

30. S. TENDLARZ, *op. cit.*, pp. 330~331.

31. J. L., *TPP*, p. 171.

2. 편집증에 대한 찬사

1. J. L., *TPP*, p. 178. 그리고 1991년 9월 4일에 프랑수아즈 드 타르드-베르제레(Françoise de Tarde-Bergeret)와의 인터뷰에서. 또 1922년에 자크 리비에르(Jacques Rivière)가 프루스트에게 헌정한 「에메」라는 단편소설을 발표했다는 것도 지적해야겠다. 라캉이 이 텍스트를 알고 있었을 수도 있다.

2. Georges POLITZER, *Critique des fondements de la psychologie*, Paris, PUF, 1968. *HPF*, 2, pp. 71~87.

3. Ramon FERNANDEZ, *De la personnalité*, Paris, Au sans pareil, 1928.

4. J. L., *TPP*, pp. 42~43.

5. 외젠느 민코프스키의 이력에 대해서는 *HPF*, 1, pp. 413~435을 보라.

6. Karl JASPERS, *Psychopathologie générale*, Paris, Alcan, 1928. François LEGUIL, "Lacan avec et contre Jaspers", *Ornicar?*, 48, 1980. G. LANTÉRI-LAURA, "La notion de processus dans la pensée psychopatholoque de K. Jaspers", *EP*, 1962, 27권, 4, pp. 459~499. 그리고 "Processus et psychogenèse dans l'œuvre de Lacan", *EP*, 1984, 2권, 4, pp. 975~990.

7. *Ibid.*

8. F. LEGUIL, *op. cit.*

9. J. L., *TPP*, pp. 277~279.

10. *Ibid.*, p. 253.

11. *Ibid.*, p. 265.

12. Bertrand OGILVIE, *Lacan, le sujet*, Paris, PUF, 1987을 보라.

13. J. L., *TPP*, p. 266(장 에티엔느 도미니크 에스키롤[1772~1840]은 툴루즈에서 태어난 프랑스의 의사이자 정신과 의사였다 — 옮긴이).

14. 이것은 내가 *HPF*, 2, p. 129에서 사용한 표현이다.

15. J. L., *TPP*, p. 280.

16. 2차 위상학에 대한 해석에 대해서는 6부 1장을 참조하라.

17. J. L., *TPP*, p. 303.

18. J. ALLOUCH, *op. cit.*, p. 551.

3. 스피노자 철학에 입문하다

1. SPINOZA, *Éthique*, B. Pautrat 번역, Paris, Seuil, 1988, p. 296. Robert MISRAHI, "Spinoza en épigraphe de Lacan", *Littoral*, 3~4, 1982년 2월. E. R., "Lacan et Spinoza, essai d'interprétation", *Spinoza au XXe siècle*, sous la dir. d'O. Bloch, Paris, PUF, 1992.

2. J. L., *TPP*, p. 337.

3. B. OGILVIE, *op. cit.*, p. 63.

4. J. ALLOUCH, *Lettre pour lettre*, Toulouse, Erès, 1984, p. 186.

5. G. LANTÉRI-LAURA/Martine GROS, *Essai sur la discordance dans la psychiatrie contemporaine*, Paris, EPEL, 1992.

6. *HPF*, 1, p. 131.

7. J. L., *TPP*, p. 342.

8. MISRAHI, *op. cit.*, p. 75에서 재인용.

9. J. L., *TPP*, p. 343.

10. *Éthique*, Pautrat 번역, *op. cit.*, p. 299. 플레이아드 총서의 번역에서(Paris, 1954), 로제 카이유는 affectus를 'sentiment'으로 또 discrepat와 differt는 'différer'로 번역했다(p. 465)는 것을 지적할 필요가 있을 것이다.

11. 1989년 1월 20일에 셀리아 베르탱과의 인터뷰, 1990년 10월 5일에 M.-F. L.과의 인터 뷰에서.

12. 모로코로의 여행에 대해서는 Judith MILLER, *Visages de mon père*, Paris, Seuil, 1991. 또 바르베르 요한센(Barber Johansen)이 E. R.을 위해 쓴 미발표 노트도 함께 참조하라. D. DESANTI, *Drieu la Rochelle ou le Séducteurmystifié*, Paris, Flammarion, 1978. 그리고 P. DRIEU LA ROCHELLE, *Journal 1939~1945*, Paris, Gallimard, 1992, p. 96.

13. 1990년 3월 8일에 올레시아 셍키에비츠와의 인터뷰에서. 올레시아는 알렉산드라 (Alexandra)의 애칭이다.

14. 1990년 3월 8일에 올레시아 셍키에비츠와의 인터뷰, 1984년 1월에 쥘리앙 루아르와 가진 인터뷰, 1990년 1월 24일에 폴 시바동과 가진 인터뷰, 1983년 9월 30일에 르네 에와 의 인터뷰에서.

15. J. L., *E.*, p. 67과 p. 162.

16. *Ornicar?*, 29(1984년 여름호).

17. Henri Ey, *L'Encéphale*, 2권, 1932, pp. 851~856.

18. *L'Humanité*(1933년 2월 10일자). 이와 함께 A. COHEN-SOLAL, *Paul Nizan, communiste*

impossible, en coll. avec H. NIZAN, Paris, Grasset, 1980을 보라.

19. *HPF*, 2, p. 70. René CREVEL, *Le Clavecin de Diderot*, Paris, Pauvert, 1966, pp. 163~164. 그리고 "Note en vue d'une psycho-dialectique", *SASDLR*, Paris, réed. J.-M. Place, 1976, pp. 48~52.

20. *Le Minotaure*, 1, 1933, réed. Skira(연도 미상).

21. Michel SURYA, *Georges Bataille, la mort à l'œuvre*, Paris, Librairie Séguier, 1987, réed. Gallimard, 1992.

22. Philippe ROBRIEUX, *Histoire intérieure du PCF*, I, Paris, Fayard, 1980. 1990년 3월 8일에 올레시아 셍키에비츠와의 인터뷰에서. 또 부정확함에도 불구하고 *La Critique sociale*, Paris, La Différence, 1983의 복간본에 붙인 서론을 보라.

23. *La Critique sociale, op. cit.*, pp. 120~121.

4. 파팽 자매

1. J. L.의 텍스트는 처음에는 *Le Minotaure*에 실렸다가 *TPP*지에 그대로 전제되었다.

2. 나는 이미 이와 전혀 다른 관점에서 파팽 자매에 대해 다룬 바 있다(*HPF*, 2, pp. 140~141). 또 Francis DUPRÉ(Jean ALLOUCH), *La Solution du passage à l'acte*, Toulouse, Erès, 1984. Paulette HOUDYER, *Le Diable dans la peau*, Paris, Julliard, 1966. Frédéric POTTECHER, *Les Grands Procès de l'hisoire*, Paris, Fayard, 1981.

3. 나는 M. BORCH-JACOBSEN, *Lacan, maître absolu*, Paris, Flammarion, 1990, pp. 42~43과 견해를 달리하는데, 에메 사례에 대한 전적으로 헤겔적인 해석을 라캉 탓으로 돌리지만 박사 학위 논문을 쓸 당시 라캉은 헤겔의 글을 전혀 읽지 않았다. 나는 또 장 알루쉬의 의견에도 동의하지 않는데, 그에 따르면 라캉의 임상 이론은 에메와 파팽 자매 사이에서 변했다고 한다. 변화가 있다면 그가 이제 헤겔적 관점을 받아들이게 된 데서 찾을 수 있었다.

1. 사생활과 공적인 생활

1. J. L., *Du discours psychanalytique*, université de Milan, 1972년 5월 12일, 미발간. *Scilicet*, 6/7, 1975, p. 9.

2. *HPF*, 2, pp. 124~138을 보라.

3. 루돌프 뢰벤슈타인의 이력에 대해서는 *HPF*, 1, pp. 343~362을 보라. Célia BERTIN, *La Dernière Bonaparte*, Paris, Perrin, 1982. Elisabeth ROUDINESCO, "Entretien avec Philippe Sollers", *L'Infini*, 2(1983년 봄호).

4. 나는 고(故) 제르멘느 게를 1982년 6월에 제네바에서 만난 적이 있다.

5. *RFP*, 2, 1, 1928, 그리고 4, 2, 1930~1931. *HPF*, 1, pp. 356~357. E. R., "Loewenstein",

Ornicar?, 31, 1985.

6. 1992년 6월 17일에 카트린느 밀로와 가진 인터뷰에서.

7. J. L.이 1933년 8월 26일에 올레시아 셍키에비츠에게 보낸 편지.

8. J. L.이 1933년 8월 31일에 올레시아 셍키에비츠에게 보낸 편지.

9. J. L., *L'Encéphale*, 1933, 11, pp. 686~695.

10. 1933년 10월 24일에 J. L.이 올레시아 셍키에비츠에게 보낸 편지.

11. 각각 1990년 5월 3일에 시빌 라캉과 가진 인터뷰와 1990년 2월 4일에 셀리아 베르탱과의 인터뷰, 그리고 M.-F. L.과 가진 인터뷰에서. Jacques MIALARET, "Sylvain Blondin(1901~1975)", *Bulletin de l'Académie nationale de médecine*, 159권, 5(1975년 5월 6일 세션에서).

12. 1933년 10월 24일에 J. L.이 올레시아 셍키에비츠에게 보낸 전보에서.

13. 1990년 10월에 알리시아 보린스키(Alicia Borinsky)와의 인터뷰에서. 말 그대로 옮기면 이렇다. "그는 드리외 부인의 어린 연인이었다."

14. 1990년 1월 24일에 폴 시바동과 가진 인터뷰에서.

15. Claude GIRARD, "Histoire de la formation dans la SPP," *RIHP*, 2, 1989.

16. 조르주 베르니에와의 인터뷰에서. 베르니에의 본명은 Georges Weinstein이었다. 2차 세계대전 후 미국에서 돌아온 후 '베르니에'라는 이름으로 바꾸었다.

17. 마리 보나파르트의 미발간 일기에서. 여기에 라캉의 이름은 등장하지 않는다.

18. J. L., "Interventions à la SPP", rééd. *Ornicar?*, 31, 1984.

19. 아래의 2장을 참조하라.

2. 파시즘 : 빈 신화의 붕괴

1. 이 문제에 대해서는 *HPF*, 2, pp. 165~178을 보라. 이와 관련된 모든 참고문헌이 붙어 있다. 또 *Psychanalyse et psychanalystes durant la Deuxième Guerre mondiale, RIHP*, 1, 1988도 함께 참조하라. E. R., "Réponse à Alain de Mijolla à propos de l'affaire Laforgue", *Frénésie*, 6(1986년 가을호). 라포르그 사건에 관한 문헌들은 *Confrontation*, 6(1986년 겨울호)과 *Psyche*, 12(1988년 12월), Frankfurt을 참조하라. G. COOKS, *La Psychothérapie sous le Troisième Reich*, Paris, Les Belles Lettres, 1987.

2. Richard STERBA, *Réminiscences d'un psychanalyste viennois*, Toulouse, Privat, 1986. Max SCHUR, *La Mort dans la vie de Freud*, Paris, Gallimard, 1975. Thomas MANN, "Freud et l'avenir"(1936. 5. 6), 초역, *La Table ronde*, 108, 1956. 12. ; *Freud et la pensée moderne*, Paris, Aubier-Flammarion, 1970.

3. Harald Leupold LÖWENTHAL, "L'émigration de la famille Freud en 1938", *RIHP*, 2, 1989, pp. 459~460.

4. 마리 보나파르트의 미발간 일기에서. Célia BERTIN, *op. cit.*, p. 323. *HPF*, 2, p. 148.

5. 어네스트 존스의 개막 연설과 폐막 연설, "Bulletin of the IPA", *IJP*, 1939, pp. 116~

127("'신일반심리학 연구와 정신치료 연구소'는 1936년 5월에 창립되었으며, '정신분석회'는 이 연구소의 한 부서였다", *IJP*, 1939, pp. 84~92 — 옮긴이).

6. David STEEL, "L'amitié entre Sigmund Freud et Yvette Guilbert", *NRF*, 352(1982년 5월 1일), pp. 84~92.

7. Célia BERTIN, *op. cit.*, p. 382.

8. 1967년 9월 12일에 뢰벤슈타인이 장 미엘에게 보낸 편지. The Collections of the Manuscript Division, Library of Congress, Washington. 또 "The education of an analyst", Selection from an interview with Rudolph Loewenstein, MD. By Bluma Swerdloff and Ellen Rowntree도 함께 참조하라. 1966년 12월 4일에 뢰벤슈타인이 앙리 소게(Henri Sauguet)에게 보낸 편지. Library of Congress, communiqué par Nadine Mespoulhès. 이와 함께 아드리앙 보렐에 관해 준비하고 있는 논문도 함께 참조하라.

3. 철학 학파 : 알렉상드르 코이레와 그밖의 사람들

1. *Littoral*, 27/28(1989년 4월호), pp. 197~198에 재수록. 1989년 12월 14일에 피에르 베레와의 인터뷰에서.

2. *Ibid.*, 그리고 1933년 11월 13일에 J. L.이 피에르 베레에게 보낸 편지, p. 199.

3. Jean AUDARD, "Du caractère matérialiste de la psychanalyse", rééd. *Littoral, op. cit.*에 재수록. *HPF*, 2, p. 67을 보라.

4. Alexandre KOYRÉ, "De la mystique à la science", *Cours, conférences, documents, 1922~1962*, Pietro Redondi 편, *op. cit.*, p. 3.

5. *Cahiers de l'Herne*, 39(앙리 코르뱅 특집호), Paris, 1981. Étienne GILSON, *La Philosophie et la théologie*, Paris, Fayard, 1960.

6. A. KOYRÉ, *Études d'histoire de la pensée philosophique*, Paris, Gallimard, coll. "Tel", 1973, p. 11.

7. A. KOYRÉ, "Entretiens sur Descartes", *Introduction à la lecture de Platon*, Paris, Gallimard, 1962.

8. 이 점에 대해서는 Christian JAMBET, "Y a-t-il une Philosophie française?", *Annales de philosophie*, université Saint-Joseph, Beyrouth, 1989.

9. Edmund HUSSERL, *La Crise des sciences européennes et la philosophie transcendantale*, Paris, Gallimard, 1976, p. 383.

10. Michel FOUCAULT, "La vie, l'expérience et la science", *Revue de métaphysique et de morale*, 1, 1985, Paris, Armand Colin, pp. 3~14.

11. François DOSSE, *L'Histoire en miettes*, Paris, La Découverte, 1987. Jacques REVEL, "L'histoire sociale dans les Annales", *Lendemains*, 24, 1981. André BURGUIÈRE, "La notion de 'mentalité' chez Marc Bloch et Lucien Febvre: deux conceptions, deux filiations", *Revue de synthèse*, 111~112(1983년 7월호, 12월호). Bronislaw GEREMEK, "Marc Bloch, historien et

résistant", *Annales ESC*, 5(1986년 9~10월호), pp. 1091~1105.

12. Lucien FEBVRE, *Pour une histoire à part entière*, Paris, EHESS, 1962, p. 844.

13. André BURGUIÈRE, *loc. cit.*, p. 38을 보라.

14. Jean-Paul SARTRE, *Critique de la raison dialectique*, Paris, Gallimard, 1985, p. 28.

15. Vincent DESCOMBES, *Le Même et l'autre*, Paris, Minuit, 1979. 그리고 *HPF*, 2, pp. 149~156을 보라. Jean WAHL, *Le Malheur de la conscience chez Hegel*, Paris, Rieder, 1928.

16. P. REDONDI, *op. cit.*, p. 24.

17. *La Critique sociale*, reprint, Paris, La Différence, 1983, p. 123.

18. *HPF*, 2, 1부 1장을 보라.

19. Georges BATAILLE, "Figure humaine" 그리고 "Le bas matérialisme de la gnose", *Documents*, Paris, Mercure de France, 1968. Raymond QUENEAU, "Premières confrontations avec Hegel", *Critique*, 195~196(1963년 8~9월호), Minuit, pp. 694~700.

20. *Revue de métaphysique et de morale*(1931년 7~9월호). *La Critique sociale, op. cit.*, p. 6.

21. *Cahiers de l'Herne*(앙리 코르뱅 특집호), *op. cit.*, p. 6.

22. *Bifur*, 8, éd. du Carrefour(연도 미상).

23. Georges BATAILLE, Raymond QUENEAU, "Les fondements de la dialectique hégélienne", *La Critique sociale, op. cit.*, pp. 209~214.

24. A. KOYRÉ, "État des études hégéliennes en France"(1931), "Note sur la terminologie hégélienne"(1931), "Hegel à Iéna"(1934), *Études d'histoire de la pensée philosophique, op. cit.* 또 P. REDONDI, *op. cit.*, p. 42도 함께 참조하라. G. W. F. HEGEL, *La phénoménologie de l'esprit*, Jean Hyppolite 번역, Paris, 1939~1941, Aubier, 2 vol.; Jean-Pierre Lefebvre의 새 번역, 1991. *Logique et métaaphysique*, Paris, Gallimard, 1980.

25. A. KOYRÉ, "Hegel à Iéna", *op. cit.*, p. 189.

26. *Cahiers de l'Herne*(앙리 코르뱅 특집호), *op. cit.*, p. 44.

27. 『자아의 초월성』은 *Recherches philosophiques*, 7에 실렸다. réed. Paris, Vrin, 1965.

28. J. L., *S. VII*, Paris, Seuil, 1991.

29. Georges BATAILLE, *Œuvres complètes*, VI, Paris, Gallimard, p. 416. 그리고 Dominique AUFFRET, *Alexandre Kojève, la philosophie, l'État, la fin de l'Histoire*, Paris, Grasset, 1990.

30. Dominique AUFFRET, *op. cit.*, p. 45.

31. *Ibid.*, pp. 46~49.

32. *Ibid.*, p. 90.

33. 알렉상드르 코제브와 쥘 라포르그의 대담, *La Quinzaine littéraire*, 1968년 7월호. Michel SURYA, *Georges Bataille, la mort à l'œuvre*, Paris, Librairie Séguier, 1987, p. 197. réed. Gallimard, 1992, p. 231. 나는 두번째 판에서 인용하였다.

34. Dominique AUFFRET, *op. cit.*, p. 154.

35. *Ibid.*, p. 238.

36. 알렉상드르 코제브와 쥘 라포르그의 대담, *La Quinzaine littéraire, op. cit.* Michel SURYA, *Georges Bataille, la mort à l'oeuvre*, Paris, Libraire Séguier, 1987. 각각 p. 197과 p. 231.

37. Denis HOLLIER, *Le Collège de sociologie*, Paris, Gallimard, coll. "Idées", 1979, pp. 165~177.

38. Pierre MACHEREY, "Lacan avec Kojève, philosophie et psychanalyse", *Lacan avec les philosophes*, Paris, Albin Michel, 1991, pp. 315~321.

39. Jean-Luc PINARD-LEGRY, "Kojève, lecteur de Hegel", *Raison présente*, 68, 1980. Vincent DESCOMBES, *op. cit.* Dominique AUFFRET, *op. cit.* 헤겔주의가 프랑스에 도입된 과정에 대한 피에르 마슈레의 미발간 강의록(1980~1982)도 함께 참조하라. A. KOJÈ, *Introduction à la "phénoménologie de l'esprit"*, Paris, Gallimard, 1947.

40. *HPF*, 2, pp. 153~155를 보라.

41. 외젠느 민코프스키에 대해서는 *HPF* 1, pp. 413~431을 보라.

42. *Recherches philosophiques*, V, 1935~1936, p. 425.

43. *Ibid.*, p. 430. 라캉은 1935년에 쓴 앙리 에의 *Hallucinations et délires*에 대한 서평에서 이와 똑같은 자기 성인화 행위를 저질렀다.

44. 1935년 5월 4일에 J. L.이 앙리 에에게 보낸 편지. R. E. 소장, Patrick Clervoy 제공.

45. 알렉상드르 코제브의 미발간 기록. Dominique Auffret 제공.

46. Dominique AUFFRET, *Alexandre Kojève, op. cit.*, p. 447을 보라. 그리고 A. Kojève, "Genèse de la conscience de soi"도 함께 참조하라.

47. 여기서 다시 한번 미켈 보르히-야콥슨은 오류를 범하고 있는데, 그는 코기토라는 주제에 대한 라캉의 주요 전거는 "La transcendance de l'Ego"라고 주장하고 있다. 그 논문은 라캉이 똑같은 생각을 고려하기 시작하고 나서 *Recherches philosophiques*에 게재되었다. 라캉의 용어와 사르트르의 용어가 똑같은 것은 다름아니라 두 사람 모두 후설과 하이데거에게서 영향을 받았기 때문이다. 라캉이 훨씬 나중에 사르트르의 논문을 읽는다. Jean ALLOUCH, *Lettre pour lettre, op. cit.* 그리고 Philippe JULIEN, *Le Retour à Freud de Jacques Lacan*, Toulouse, Erès, 1985는 모두 라캉의 헤겔주의에 미친 코제브의 강의의 영향을 최소화시키려고 한다. Alain JURANVILLE, *Lacan et la philosophie*, Paris, PUF, 1984는 이 문제를 따로 검토하지 않는다.

4. 마리엔바트

1. *HPF*, 1, pp. 158~159를 보라. Elisabeth YOUNG-BRUEHL, *Anna Freud*, Paris, Payot, 1991. Phyllis GROSSKURTH, *Melanie Klein, son monde et son œuvre*, Paris, PUF, 1989.

2. Phyllis GROSSKURTH, *op. cit.*, p. 131. 에릭(Erich)과 한스(Hans), 이들의 사례는 프리츠(Fritz)와 펠릭스(Félix)라는 이름으로 명명되었다. Melanie KLEIN, *La Psychanalyse des enfants*, Paris, PUF, 1959.

3. *Ibid.*, pp. 259~260.

4. *Ibid.*, p. 257.

5. Sigmund FREUD, "Le petit Hans", *Cinq Psychanalyses, op. cit.* Hermine von HUG-HELLMUTH, *Journal psychanalytique d'une petite fille*, Paris, Denoël, 1975, rééd. 1987; *Essais psychanalytiques*, présentés 그리고 Dominique Soubrenie 번역, Jacques Le Rider 서문, Yvette Tourne 발문, Paris, Payot, 1991. Pamela TYTELL, *La Plume sur le divan*, Paris, Aubier, 1982.

6. Hanna SEGAL, *Melanie Klein. Développement d'une pensée*, Paris, PUF, 1982.

7. *Ibid.*, p. 37.

8. 멜라니 클라인은 'phantasme'을 무의식적 환상이라는 의미로 사용한다.

9. '거울 단계'라는 개념의 역사에 대해서는 *HPF*, 2, pp. 143~149을 보라.

10. J. L., *E.*, p. 67.

11. Henri WALLON, *Les Origines du caractère chez l'enfant*, Paris, Boivin et Cie, 1934, pp. 190~207을 보라. 또 Bertrand OGILVIE, *op. cit.*, pp. 96~119도 함께 참조하라.

12. J. L., *Ornicar?*, 31, p. 11.

13. René Laforgue가 이 문제를 어떤 식으로 다루고 있는지는 *HPF*, 1, pp. 289~297을 보라.

14. Phyllis GROSSKURTH, *op. cit.*, p. 288.

15. J. L., *E.*, pp. 184~185.

16. J. L., *La Psychanalyse*, 6, 1961, p. 163.

17. 1936년 6월 16일자 F. D.의 미발간 노트 F. D. 소장.

18. Elisabeth YOUNG-BRUEHL, *op. cit.*, p. 468.

19. J. L., "Psychiatrie anglaise", 1947.

20. 기욤므 드 타르드의 1936년 6월 9일자 미발간 일기에서. 프랑수아즈 드 타르드-베르제레가 제공해주었다.

21. J. L., *E.*, p.73.

4부 가족의 역사

1. 조르주 바타이유와 그 일당들

1. Michel SURYA, *op. cit.*, Séguier, p. 109, 그리고 Gallimard, p. 127. Michel LEIRIS, *Journal 1922~1989*, Jean Jamin 주해, Paris, Gallimard, 1992.

2. *HPF*, 1, pp. 343~362.

3. Michel SURYA, *op. cit.*, p. 474과 p. 622.

4. *Ibid.*, p. 105과 p. 122.

5. 조르주 바타이유의 전집은 갈리마르(Gallimard)에서 발간되었다. 여기서는 자서전적 기록인 "Note autobiographique", *Œuvres complètes*, VII, p. 45에서 인용했다.

6. Michel SURYA, *op. cit.*, p. 109과 p. 127. Madeleine CHAPSAL, *Envoyez la petite musique*,

Paris, Grasset, 1984.

7. Théodore FRAENKEL, *Carnets 1916~1918*, Paris, Éd. des Cendres, 1990, p. 7. *HPF*, 1. Marguerite BONNET, *André Breton et la naissance du surréalisme*, Paris, Corti, 1975.

8. 1991년 11월 21일에 미셸 프랭켈과 가진 인터뷰에서.

9. *Carnets, op. cit.*, p. 65.

10. 미셸 프랭켈과 가진 인터뷰.

11. *Ibid.*

12. Laurence BATAILLE, *L'Ombilic du rêve*, Paris, Seuil, 1957, p. 67.

13. 각각 고(故) 로랑스 바타이유, 미셸 프랭켈, 미셸 수리아와 가진 인터뷰에서.

14. Michel SURYA, *op. cit.*, p. 158과 p. 185.

15. André BAZIN, *Jean Renoir*, Paris, Champ libre, 1971, pp. 210~211.

16. Célia BERTIN, *Jean Renoir*, Paris, Perrin, 1986, p. 99.

17. Georges BATAILLE, *Œuvres complètes*, III, p. 60, IV, pp. 433~434, II, p. 130.

18. *Ibid.*, III, p. 161.

19. *Ibid.*, p. 60.

20. Michel LEIRIS, "L'impossible 'Documents'", *Critique*, 195~196(1963년 8~9월호).

21. *Jean Renoir, op. cit.*, p. 145.

22. René GILSON, *Jacques Prévert, des mots et merveilles*, Paris, Belfond, 1990.

23. Jean RENOIR, *Ma vie, mes films*, Paris, Flammarion, 1974, p. 103.

24. Bernard CHARDÈRE, "Jacques Prévert et le groupe Octobre", *Premier Plan*, 14(1960년 11월호).

25. Jean RENOIR, "Entretiens et propos", *Les Cahiers du cinéma*, p. 156.

26. Georges BATAILLE, *Œuvres complètes*, IV, p. 403.

27. *Ibid.*, III, p. 403.

28. 조르주 바타이유는 *ibid.*, V, p. 514에서 이 사건에 대해 설명하고 있다. "Notes au Coupable", 1939년 10월 21일.

29. Laurence BATAILLE, *op. cit.*, p. 55.

30. *Ibid.*, p. 57.

31. André MASSON, *Correspondance 1916~1942. Les années surréalistes*, Françoise Levaillant의 해설과 주석, Paris, La Manufacture, 1990.

32. Michel LEIRIS, *Journal, op. cit.* 피에르 아술린(Pierre Assouline)은 칸바일러의 전기에서 이 사건을 자세히 설명하지 않는다. *L'Homme de l'art: Daniel-Henry Kahnweiler*, Paris, Balland, 1988. 루이즈 고동은 1902년 1월 22일에 태어났으며 1926년 2월 22일에 레리스와 결혼했다. 뤼시와 다니엘은 1919년 7월 2일에 결혼했다.

33. Georges BATAILLE, *Œuvres complètes*, III, p. 395.

34. Michel LEIRIS, *À propos de Georges Bataille*, Éd. Fourbis, 1988, p. 239.

35. 보리스 수바린이 올레시아 셍키에비츠에게 보낸 편지들. 날짜는 표시되어 있지 않다.

36. Jean RENOIR, "Entretiens", *op. cit.*, p. 156.

37. Guy DE MAUPASSANT, *Boule de suif et autres contes*, Paris, Gallimard, coll. "Folio", 1973, p. 197.

38. André BAZIN, *Jean Renoir, op. cit.*, p. 47.

39. *Les Cahiers du cinéma*, 8(1952년 1월호), p. 45.

40. *Acéphale*, 1(1936년 6월 24일), rééd. Jean-Michel Place, 1980.

41. *Ibid.*

42. *HPF*, 2, pp. 116~156.

43. *Acéphale*, 2~3(1937년 1월).

44. Pierre BOUDOT, *Nietzsche et l'au-delà de la liberté*, Paris, Aubier-Montaigne, 1970. Dominique BOUREL/Jacques LE RIDER, *Nietzsche et les Juifs*, Paris, Cerf, 1991. Geneviève BIANQUIS, *Nietzsche en France*, Paris, Alcan, 1928.

45. Marguerite BONNET, *op. cit.*, p. 52.

46. Charles ANDLER, *Nietzsche*, 3 vol., Paris, Gallimard, 1958.

47. H.-F. PETERS, *Nietzsche et sa sœur Élisabeth*, Paris, Mercure de France, 1978, p. 316.

48. Karl JASPERS, *Nietzsche. Introduction à sa philosophie*, 1950년의 번역, 장 발의 서문, Paris, Gallimard, coll. "Tel", 1978. 또 P. HEBBER-SUFFRIN, *Le Zarathoustra de Nietzsche*, Paris, PUF, 1988도 함께 참조하라.

49. Pierre MACHEREY, "Bataille et le renversement matérialiste", *À quoi pense la littérature?*, Paris, PUF, 1980, pp. 97~114.

50. Georges BATAILLE, *Œuvres complètes*, I, p. 389.

51. *HPF*, 2, pp. 19~37.

52. José PIERRE, *Tracts surréalistes*, 1권, Paris, Le terrain vague, 1980, p. 298.

53. Michel SURYA, *op. cit.*, p. 229과 p. 274.

54. Georges BATAILLE, *Œuvres complètes*, II, pp. 62~63.

55. Denis HOLLIER, *Le Collège de sociologie, op. cit.*, p. 17. 또 Carolyne DEAN, "Law and Sacrifice; Bataille, Lacan and the Critic of the Subject", *Représentations*, 13(1986년 겨울호), pp. 42~62도 함께 참조하라.

56. 1990년 4월 14일에 시빌 라캉과 가진 인터뷰에서.

57. 1991년 4월 14일에 티보 라캉과 가진 인터뷰에서.

58. 1984년 2월에 실비아 라캉과 가진 인터뷰. 또 1983년 3월에 고(故) 로랑스 바타이유와 고(故) 제니 오브리와의 인터뷰에서.

59. 티보 라캉과의 인터뷰에서.

60. 1991년 11월 14일에 각각 셀리아 베르탱과 프레데릭 프랑수아(Frédéric François)와의 인터뷰.

414

61. 시빌 라캉과 가진 인터뷰. 그리고 사적인 대화에서.

62. *Balthus*, éd. du Centre Georges-Pompidou, Paris, 1983, p. 328.

63. André MASSON, *Correspondance, op. cit.*, p. 430. 이 그림은 Judith MILLER, *Visages de mon père, op. cit.*에 재수록되어 있다.

2. 뤼시앙 페브르와 에두아르 피숑 사이에서

1. *HPF*, 2, p. 156을 보라. 이 논문의 목차와 세목에 대해서는 이 전기의 부록을 참조하라.

2. 나는 앞으로 이 논문을 간단히 F.로만 표기하고 *Encyclopédie*에서 직접 인용한다. 뤼시앙 페브르의 메모는 1937년 2월 5일에 작성된 것이다. 그의 소장 자료에서 이 기록을 발견한 페테르 쇠틀러(Peter Schöttler)가 내게 전해주었다. 이것은 *Genèses*, 13(1993년 9월)에 실려 있다.

3. 뤼시앙 페브르의 미발간 수고, V. 강조는 그의 것이다.

4. 1990년 1월 11일에 가진 엘렌느 그라시오-알팡데리와의 인터뷰.

5. J.-A. M.에 의한 텍스트들의 재편집에 대해서는 9부를 참조하라.

6. 문제되는 것은 "Les stades précoces du conflit œdipien"(1928)라는 제목으로 번역되어 1930년도 *RFP*지에 실린 멜라니 클라인의 논문이다. Rééd. *Essais de psychanalyse*, Paris, Payot, 1967.

7. 야콥 폰 윅스퀼은 *TPP*에는 인용되어 있지만 F.에는 들어 있지 않다.

8. Bertrand OGILVIE, *op. cit.*, p. 61. 라캉은 자신이 무엇을 하고 있는지를 알았다. 그는 서지 사항에서 콩트와 보날을 인용하고 있다.

9. Thomas MANN, *Freud et la pensée moderne*, Paris, Aubier-Flammarion, 1970, p. 115.

10. J. L., F. section A, 8° 40~46.

11. *Ibid.*, 8° 40~48.

12. *Ibid.*, 8° 40~15.

13. *Ibid.*, 8° 40~16.

14. Jacques LE RIDER, *Modernité viennoise, crises de l'identité*, Paris, PUF, 1990.

15. Édouard PICHON, "La famille devant M. Lacan", rééd. *Cahiers Confrontation*, 3(1980년 봄호)

16. 1938년 7월 21일에 에두아르 피숑이 앙리 에에게 보낸 편지. 르네 에 소장.

17. Édouard PICHON, *loc. cit.*

18. *Ibid.*, pp. 134~135(1870년 8월 4일에 있었던 무혈 혁명은 제3공화국의 선포로 이어지는데, 이 공화국은 1940년까지 존속된다 — 옮긴이).

1. 마르세이유, 비시, 파리

1. Marie BONAPARTE, "Journal inédit", *op. cit.*

2. *HPF*. 1, 에필로그 프로이트의 죽음에 대해서는 Max SCHUR, *op. cit.* 그리고 Peter GAY, *op. cit.*를 보라.

3. *L'Œuvre*(1939년 9월 28일자). *Nervure*, 1, t. 3(1990년 2월호). 샹탈 탈라그랑(Chantal Talagrand)의 기록을 보라.

4. Alain DE MIJOLLA, "La psychanalyse et les psychanalystes entre 1939 et 1945", *RIHP*, 1, 1988, pp. 168~223. 또 *HPF*, 2, pp. 166~178도 참조하라.

5. Célia BERTIN, *La Dernière Bonaparte, op. cit.*

6. *HPF*, 1, p. 430. E. R., "Laforgue ou la collaboration manquée: Paris/Berlin 1939~1942, *Cahiers Confrontation*, 3(1980년 봄호).

7. *HPF*, 2. Alain DE MIJOLLA, *op. cit.*

8. Alain DE MIJOLLA, *op. cit.* p. 170.

9. 1991년 10월 2일에 조르주 베르니에와 가진 인터뷰에서.

10. 1939년 10월 24일에 J. L.이 실뱅 블롱댕에게 보낸 편지에서. 티보 라캉 소장.

11. 1940년 5월 29일에 J. L.이 실뱅 블롱댕에게 보낸 편지에서. 티보 라캉 소장.

12. Jacques MIALRET, "Sylvain Blondin, éloge", *Bulletin de l'Académie nationale de médecine*, 159-5권(1975년 5월 6일).

13. Michel SURYA, *op. cit.*, p. 301과 p. 364.

14. *Ibid.*, p. 288과 p. 344.

15. Judith MILLER, *Visages de mon père, op. cit.*, p. 54.

16. Célia BERTIN, *Jean Renoir, op.* '*cit.*, p. 229.

17. 1984년 2월에 실비아 라캉과 가진 인터뷰에서. 그리고 1991년 10월 2일에 조르주 베르니에와 가진 인터뷰에서.

18. *HPF*, 2, p. 161.

19. 1989년 12월 18일에 카트린느 밀로와 가진 인터뷰에서.

20. 1989년 7월 20일에 다니엘 보르디고니와 가진 인터뷰에서.

21. 생-알방(Saint-Alban)과 제도적 심리 치료에 대해서는 *HPF*, 2, pp. 203~204을 보라. 또 François TOSQUELLES, *Psychiatries*, 21(1975년 5~6월호). Jean ALLOUCH, *Marguerite*, *op. cit.*, p. 523에서 재인용.

22. 조르주 베르니에와의 인터뷰에서.

23. Julien GREEN, *Le Langage et son double*, Paris, Seuil, coll. "Points", 1987, p. 181.

24. 조르주 베르니에와의 인터뷰에서.

25. 1991년 9월 18일에 나디아 파스트레와 가진 인터뷰에서. Michel GUIRAUD, *La Vie*

intellectuelle et artistique à Marseille à l'époque de Vichy et sous l'Occpation. 1940~1944, Marseille, CRDP, 1987.

26. 1991년 9월 12일에 나디아 파스트레와 가진 인터뷰에서. 또 플라비 알바레즈 데 톨레도(Flavie Alvarez de Toledo)와의 인터뷰에서.

27. 조르주 베르니에와의 인터뷰에서. Simone DE BEAUVOIR, *La Force de l'âge*, Paris, Gallimard, coll. "Folio", 1960, p. 579과 p. 595.

28. 1991년 9월 16일에 시빌 라캉과 가진 인터뷰에서.

29. 셀리아 베르탱과의 인터뷰. 라포르그와 나치 '협력' 문제에 대해서는 앞의 주 7과 함께 *HPF* 2, p. 167 이하를 보라.

30. 1991년 4월 14일에 시빌 라캉, 티보 라캉과 가진 인터뷰를 보라. 또 1990년 10월 5일에 M.-F. L.과 가진 인터뷰.

31. 조르주 베르니에와의 인터뷰.

32. 1991년 10월 22일에 프랑수아즈 쇼에와의 인터뷰.

33. 시빌 라캉과의 인터뷰.

34. 1991년 6월 8일에 브뤼노 로제와 가진 인터뷰(사라졌다는 말은 동시에 '죽었다'는 것을 가리키는 완곡어법이다 ― 옮긴이).

35. Sibylle NARBATT, *Le "Réseau allemand" des Cahiers du Sud*, 1990년 12월 6~8일에 열린 프랑스와 독일의 문화적 관계에 관한 콜로키움 자료집, 2권, p. 511. *Zone d'ombres 1933~1944*, sous la dir. de Jacques Grandjonc/Theresia Grundtner, Aix-en-Provence, Alinéa, 1990. J. L.이 장 발라르에게 보낸 두 통의 편지, *RIHP*, 1, *op. cit.*

36. 조르주 베르니에와의 인터뷰.

37. André MASSON, *Correspondance, op. cit.*, p. 475. 마송은 1941년 4월 1일에 그리고 브레통은 3월 25일에 세상을 떠났다.

38. 사적인 대화. 1991년 9월 14일.

39. Michel SURYA, *op. cit.*, p. 350과 p. 425.

40. 1990년 11월 13일에 클로드 레비-스트로스와 가진 인터뷰에서.

41. Jacques DECOUR, *Comme je vous en donne l'exemple*, textes présentés par Aragon, Paris, Éditions sociales, 1945. 시빌 라캉과의 인터뷰에서.

42. G. W. F. HEGEL, *Phénoménologie de l'esprit*, Aubier, 1939/1941. 또 Jacques D'HONDT, "Le destin français de l'œuvre", *Magazine littéraire*, 293(1991년 11월), p. 32을 보라.

43. Simone DE BEAUVOIR, *La Force de l'âge, op. cit.*, p. 640.

44. Michel LEIRIS, *Haut mal*, Paris, Gallimard, 1943.

45. Michel SURYA, *op. cit.*, p. 315과 p. 317, 또 p. 379과 p. 382.

46. Herbert R. LOTTMAN, *La Rive gauche*, Paris, Seuil, 1981을 보라. Deirdre BAIR, *Simone de Beavoir*, Paris, Fayard, 1991.

47. *Les Lettres françaises clandestines*, 12(1943년 12월호).

48. Simone DE BEAUVOIR, *La Force de l'âge, op. cit.*, p. 643.

49. Jean-Paul SARTRE, *Situation I*, Paris, Gallimard, 1947.

50. *Ibid.*, p. 174.

51. Georges BATAILLE, *Œuvres complètes*, VI, p. 90.

52. Pablo PICASSO, *Documents iconographiques*, Genève, Pierre Cailler, 1954.

53. Deirdre BAIR, *op. cit.*, p. 337.

54. 1991년 12월 4일에 자니 캉팡과 가진 인터뷰에서.

55. Simone DE BEAUVOIR, *Le Deuxième Sexe*, I, Paris, Gallimard, coll. "Idées", 1985, p. 287. *HPF*, 2, p. 517.

56. Françoise GILOT, *Life with Picasso*, New York, 1964. Arianna STASSINOPOULOS HUFFINGTON, *Picasso Creator and Destroyer*, Simon and Schuster, New York, 1988, p. 300.

57. 조르주 베르니에와의 인터뷰.

2. 인간의 자유에 관한 고찰

1. 처남과의 편지에서 스스로 이렇게 말하고 있다. 앞에서 인용한 1940년 5월 29일자 편지를 참조하라.

2. J. L., *La Psychiatrie anglaise et la guerre*, 1947.

3. J. L., "Le temps logique et l'assertion de certitude anticipée — Un nouveau sophisme", *Cahiers d'art*, 1940~1944. 개정본은 *E.*에 실림. "Propos sur la causalité psychique", *Les Problèmes de la psychogenèse des névroses*, ouvrage collectif, Paris, Desclée De Brouwer, 1950. 개정본은 *E.*에 실림. "Le nombre 13 et la forme logique de la suspicion", *Ornicar?* 36(1986), pp. 7~20.

4. Sigmund FREUD, "Psychologie des foules et analyse du moi", *Essais de psychanalyse*, Paris, Payot, 1981.

5. Michel PLON, "Au-delà et en deçà de la suggestion", *Frénésie*, 8(1989년 가을호), p. 96.

6. Myriam REVAULT D'ALLONNES, "De la panique comme principe du lien social", *Les Temps modernes*, 527(1990년 6월호), pp. 39~55.

7. J. L., "Propos sur la causalité logique", *loc. cit., E.*, p. 168.

8. *Ibid.*

9. 궤변에 대한 J. L.의 노트(1935년 2월 27일)를 참조하라. J.-A. M. 소장. 프랑수아즈 쇼에와의 인터뷰. E. PORGE, *Se compter trois, le temps logique chez Lacan*, Toulouse, Érès, 1989.

10. J. L., *Cahiers d'art, op. cit.*, p. 32.

11. E. R, "Sartre lecteur de Freud", *Les Temps modernes, Témoins de Sartre*, I, 1990.

12. J. L., "Le temps logique...", *loc. cit.*, p. 42. *E.*에서 'indétermination existentielle'라는 말은 'détermination essentiellemtielle'으로 대체되었는데, 이로써 1945년 사르트르와 실존주의와 현상학의 흔적이 지워진다.

13. Georges CANGUILHEM, *Vie et mort de Jean Cavaillès*, Les carnets de Baudasser, Villefranche, Pierre Laleur éditeur, 1976, p. 39.

3. 이중 생활

1. 각각 1990년 2월 4일에 가진 셀리아 베르탱과의 인터뷰와 1991년 4월 14일에 가진 티보 라캉과의 인터뷰.
2. 1991년 11월 14일에 가진 프레데릭 프랑수아와의 인터뷰.
3. 1989년 11월 30일에 가진 시빌 라캉과의 인터뷰.
4. 1991년 6월 8일에 가진 브뤼노 로제와의 인터뷰.
5. 티보 라캉과의 인터뷰.
6. *Ibid.*
7. 1990년 10월 5일에 가진 M.-F. L.과의 인터뷰.
8. *Ibid.*
9. Judith MILLER, *Visages de mon père, op. cit.*, p. 27.
10. 1990년 10월 5일에 가진 M.-F. L.과의 인터뷰와 1991년 5월 21일에 가진 마들렌느 울롱과의 인터뷰.
11. 1948년 12월 17일에 J. L.이 페르디낭 알키에게 보낸 편지.
12. 1991년 12월 1일에 가진 M.-F. L.과의 인터뷰.
13. 1991년 5월 21일에 마들렌느 울롱과 가진 인터뷰.
14. 1991년 12월 1일에 가진 M.-F. L.과의 인터뷰.
15. 뮈제 쿠르베(Musée Courbet)의 카탈로그, Ornans, 1991. Peter WEBB, *The Erotic Arts*, Farrar, Strauss, Giroux, N. Y. *HPF*, 2, p. 305(이 사진은 1995년에 Musée d'Orsay에서 전시되었는데, 많은 군중이 이를 관람했다 — 옮긴이).
16. Madeleine CHAPSAL, *Envoyez la petite musique*, Paris, Grasset, 1984.
17. Judith MILLER, *Visages de mon père, op. cit.*, p. 34.
18. *Ibid.*, p. 152.
19. 티보 라캉과의 인터뷰.
20. 셀리아 베르탱과의 인터뷰.
21. 1991년 7월 3일에 가진 시릴 로제-라캉과의 인터뷰.
22. 1991년 9월 10일에 가진 시빌 라캉과의 인터뷰.
23. *Balthus, op. cit.*, p. 324.
24. 1983년 3월에 가진 고(故) 로랑스 바타이유와의 인터뷰. J. L.이 D. W.에게 보낸 편지, *Ornicar?*, 33, 1985년 여름, p. 10. *HPF*, 2, pp. 305~306.
25. *HPF*, 2, pp. 135~136.
26. 1990년 1월 11일에 가진 스방 폴랭과의 인터뷰. Jacques Chazaud, "Vestiges du pasaage à Ville-Évrard d'une aliénée devenue illustre", *EP*, 55, 3, 1990, p. 633. *Littoral*, 37(1993년

4월).

27. Marie-Magdeleine CHATEL, "Faute de ravage, une folie de la publication", *Littoral*, 37, *op. cit.*

28. 1992년 10월 15일에 가진 아니 앙지외와의 인터뷰.

29. 1986년 10월 14일에 디디에 앙지외가 E. R.에게 보낸 편지.

30. Jean ALLOUCH, *Marguerite*, *op. cit.*, p. 552.

31. 1993년 2월 4일에 가진 크리스틴느 앙지외와의 인터뷰.

4. 멜라니 클라인과의 잘못된 만남

1. Riccardo STEINER, "La politique de l'émigration des psychanalystes, *RIHP*, 1, *op. cit.*, p. 302. 1940년 4월 28일에 스트래치가 에드워드 글로버에게 보낸 편지.

2. D. W. WINNICOTT, *Lettres vives*, Paris, Gallimard, 1989, p. 195.

3. *HPF*, 2, p. 187.

4. 1948년 1월 28일에 멜라니 클라인이 스콧(C. Scott)에게 보낸 편지. Phyllis GROSSKURTH, *op. cit.*, pp. 486~487.

5. J. L.이 앙리 에에게 보낸 편지(날짜는 명기되어 있지 않음). 르네 에 소장.

6. J. L., "L'agressivité en psychanalyse", *RFP*, 3, 1948. Réed. *E.* 첫 단락은 수정되어 실렸다.

7. J. L., "Le stade du miroir...", *RFP*, 4, 1949. 개정본은 *E.*에 실림. 여기서도 역시 몇몇 부분이 수정되었는데, 예를 들어 radicalement이라는 부사가 directement(이것은 모든 코기토 철학에 속하는 것이다)으로 대체되었다.

8. *HPF*, 2, 그리고 Phyllis 99. Henri FLOURNOY, "Le congrès international de Zurich", *RFP*, 14~1, 1950, pp. 129~137.

9. Phyllis GROSSKURTH, *op. cit.*, pp. 486~487과 503~506. 그리고 1957년 9월 6일, 10월 2일, 1958년 3월 17일, 11월 7일, 1959년 3월 27일의 멜라니 클라인과 다니엘 라가슈 간의 왕복 서신. W. G. 소장. 1992년 6월 18일 장-밥티스트 불랑제가 E. R.에게 보낸 편지.

6부 사유 체계의 기본 요소들

1. 치료 이론 : 친족 관계의 구조

1. 1953년의 분열에 대해서는 *HPF*, 2, pp. 236~265을 보라.

2. 1953년 3월 15일자 편지. "La Scission de 1953", *Ornicar?*, 7, 1976, p. 72.

3. 제3세대에 대해서는 *HPF*, 2, pp. 288~304을 보라.

4. 라캉의 강의인 '변증법적 정신분석?'에 대해서는 뒤에 실려 있는 서지 목록 중 1951년 도의 관련 사항을 참조하라. 또 1953년 3월 2일에 있었던 행정 위원회의 회합에 대해서는 *Analytica* 7, Paris, Navarin, 1978, p. 10을 보라. Juliette FAVEZ-BOUTONIER, *Documents et débats*, 1975년 5월 11일, p. 60. *HPF*, 2, p. 244.

5. 50년대의 라캉의 분석에 대해서는 *HPF*, 2, pp. 245~247을 보라.

6. 1953년 8월 6일에 J. L.이 마이클 발린트에게 보낸 편지. 앙드레 하이날(André Haynal) 소장. M.-C. BECK, "Corresrespondances", *Le Bloc-notes de la psychanalyse*, 10, Geneva, 1991. p. 171.

7. "Discours de Rome"의 다양한 이본(異本)에 대해서는 "Fonction et champ de la parole. . .", 1953을 보라.

8. *HPF*, 2, p. 272를 보라.

9. 1953년 부활절에 J. L.이 M.-F. L.에게 보낸 편지.

10. 정신분석과 교회 문제에 대해서는 *HPF*, 2, pp. 206~218을 보라.

11. 1953년 9월에 J. L.이 M.-F. L.에게 보낸 편지.

12. *HPF*, 2, p. 273.

13. Claude LÉVI-STRAUSS, *Les Structures élémentaires de la parenté*, 1판, Paris, PUF, 1949; 2판, Paris/Hague, Mouton, 1967.

14. Bertand PULMAN, "Les anthropologues face à la psychanalyse: premières réactions", *RIHP*, 4, 1991. "Aux origines du débat ethnologie/psychanalyse: W.H.R. Rivers(1864~1922)", *L'Homme*, 100, 1986. "C. G. Seligman(1873~1940)", *Gradhiva*, 6, 1989.

15. George W. STOCKING, "L'anthropologie et la science de l'irrationnel. La rencontre de Malinowski avec la psychanalyse freudienne", *RIHP*, 4, 1991. Bronislaw MALINOWSKI, *Journal d'ethnographe*, Paris, Seuil, 1985.

16. Bronislaw MALINOWSKI, *La Sexualité et sa répression*, Paris, Payot, "PBP", 1969. Ernest JONES, *Essais de psychanalyse appliquée*, II, Paris, Payot, 1973. Gezà ROHEIM, *Psychanalyse et anthropologie*, Paris, Gallimard, 1969.

17. Jean JAMIN, "L'anthropologie et ses acteurs", *Les Enjeux philosophiques des années cinquante*, Centre Georges-Pompidou, 1989. Maurice MERLEAU-PONTY, "De Mauss à Claude Lévi-Strauss", *Éloge de la philosophie*, Paris, Gallimard, coll. "Folio", 1960.

18. Claude LÉVI-STRAUSS, *Les Structures...*, *op. cit.*, p. 29.

19. Claude LÉVI-STRAUSS, "Place de l'anthropologie dans les sciences sociales et problèmes posés par son enseignement", *Anthropologie structurale*, Plon, 1958.

20. 1990년 1월 13일에 가진 클로드 레비-스트로스와의 인터뷰.

21. Didier ERIBON/Claude LÉVI-STRAUSS, *De près et de loin*, Paris, Odile Jacob, 1988, p. 107.

22. Claude LÉVI-STRAUSS, "De quelques rencontres", *L'Arc*(메를로-퐁티 특집호). rééd. Duponchelle, 1990, p. 43.

23. 1992년 2월 6일에 가진 자크 세다(Jacques Sédat)와의 인터뷰.

24. 루돌프 헤스에 대해서는 1992년 10월 22일에 가진 마들렌느 들레이(Madeleine Delay) 와의 인터뷰. 그리고 Denis Hollier, *Collège de sociologie*의 개정판에 붙인 서문.

25. *De près et de loin, op. cit.*, p. 108. 레비-스트로스는 *Introduction à l'œuvre de Marcel Mauss*에서 라캉의 이름을 딱 한 번밖에 언급하지 않는다. 메를로-퐁티는 *Les Relations avec autrui chez l'enfant*, Paris, CEDES, 1975에서 라캉의 이름을 세 차례밖에 언급하지 않는다. 또 *Le Visible et l'invisible*, Paris, Gallimard, coll. "Tel", 1979도 함께 참조하라.

26. Claude LÉVI-STRAUSS, "Le sorcier et sa magie", *Anthropologie structurale, op. cit.*, p. 202.

27. Ibid., p. XXXII. 또 Robert GEORGIN, *De Lévi-Strauss à Lacan*, Cistre, 1983도 함께 참조하라.

28. J. L., "Intervention sur l'exposé de Claude Lévi-Strauss", 1956년 5월 21일, p. 109.

29. 클로드 레비-스트로스가 1954년 11월 30일에 생트-안느 병원에서 가진 상징적 기능에 대한 강의에 관한 라캉의 촌평에 대해서는 J. L., *S.*, *II*, Paris, Seuil, 1977, pp. 46~48.

30. *HPF*, 2, p. 267. E. R., *Études d'histoire du freudisme*. J. L., "Le symbolique, l'imaginaire et le réel". "Le mythe individuel du névrosé", *Ornicar?*, 17~18, 1979, pp. 289~307. "La chose freudienne ou le sens d'un retour à Freud", *EP*, 1, 1956(이 논문은 대폭 수정되어 *E.*에 재수록되었다).

31. Sigmund FREUD, *Cinq Psychanalyses, op. cit.* Patrick MAHONY, *Freud et l'homme aux rats*, Paris, PUF, 1991.

32. J. L., "Mythe individuel du névrosé", *loc. cit.*, pp. 305~306.

33. J. L., "Intervention sur Claude Lévi-Strauss", *Bulletin de la Société française de philosophie*, 3, 1956.

34. Dan SPERBER, "Le structuralisme en anthropologie", *Qu'est-ce que le structuralisme?*, Paris, Seuil, 1968, p. 173. Patrick MAHONY, *op. cit.*, p. 70. *De près et de loin, op. cit.*, p. 147.

35. Sigmund FREUD, *Cinq Psychanalyses, op. cit.*, p. 70.

36. J. L., *E.*, *op. cit.*, p. 315. *HPF*, 2, pp. 275~280. 특히 Didier Anzieu, Serge Leclaire, Wladimir Granoff의 기고문을 보라.

2. 하이데거에 대한 열렬한 경의

1. Hugo OTT, *Martin Heidegger. Une biographie*, Paris, Payot, 1990, pp. 196~197. Victor FARIAS, *Heidegger et le nazisme*, Paris, Verdier, 1987.

2. Hugo Ott, *op. cit.*, p. 342. Karl LÖWITH, *La Manhpe à l'étoile*, Paris, Hachette, 1988.

3. Hugo Ott, *op. cit.*, p.343.

4. Jean-Paul SARTRE, "À propos de l'existentialisme: mise au point", 1944년 12월 29일자, Michel CONTAT/Michel RYBALKA, *Les Écrits de Sartre*, Paris, Gallimard, 1970, p. 654.

5. *Les temps modernes*(1946년 11월~1947년 7월호). Alexandre KOYRÉ, "L'volution philosophique de Heidegger", *Critique*, 1~2(1946년 6월~7월호). G. FRIEDMANN, "Heidegger et la crise de l'idée de progrès entre les deux guerres", *Éventail de l'histire vivante*, I, *Hommage à Lucien Febvre*, Paris, Armand Colin, 1953. Martin HEIDEGGER, "Le discours

Rectorat: l'université allemande envers et contre tout, elle-même" 그리고 "Le Rectorat, faits et féflexions", *Le Débat*(1983년 10월 27일자). "Martin Heidegger", *Les Cahiers de l'Herne*, 45, 1983. *Magazine littéraire*(하이데거 특집호), 235(1986년 11월).

6. Georges FRIEDMANN, *op. cit.*

7. Jacques HABET, *Nécrologie de Jean Beaufret*, ENS, 1984, pp. 82~94. Joseph ROVAN, "Mon témoignage sur Heidegger", *Le Monde*(1987년 12월 8일자).

8. Jean-Michel PALMIER, "Heidegger et le national-socialisme", *Les Cahiers de l'Herne, op. cit.*, p. 371.

9. Jean BEAUFRET, *Dialogue avec Heidegger*, 4 vol., Paris, Minuit, 1977~1985.

10. Martin HEIDEGGER, *Lettre sur l'humanisme*, Paris, Aubier, 1964. Mouchir AOUN, "Approches critiques de la *Lettre sur l'humanisme* de Heidegger", *Annales de philosophie*, Beyrouth, université Saint-Joseph, 1989.

11. Hugo OTT, *op. cit.*, p. 371.

12. 1989년 12월 21에 가진 사적인 대화에서.

13. 1985년 5월에 가진 코스타스 악셀로스와의 인터뷰와 1992년 3월 26일에 가진 프랑수아즈 가이야르(Françoise Gaillard)와의 인터뷰에서.

14. Marie-Claude LAMBOTTE, "Entretien avec Jean Beaufret", *Spirales*(1981년 4월 3일자).

15. Martin-HEIDEGGER, "Logos", traduit par J. L., *La Psychanalyes*, 1, PUF, 1956.

16. Jean-Paul ARON, *Les Modernes*, Paris, Gallimard, 1984. Jean BEAUFRET, *Dialogue avec Heidegger*, vol. IV, *op. cit.*, pp. 75~88. Lucien GOLDMANN, lettre, *Le Monde*(1988년 1월 25일자).

17. 유감스럽게도 나는 IMEC에 위탁되어 있는 장 보프레의 문서를 참조할 수 없었다. 하지만 주디트 밀레가 *Visages de mon père, op. cit.*, p. 86에서 주장하는 대로 그가 「로고스」의 번역 과정에 협력했을 것 같지는 않다. 보프레 본인이 이야기했듯이 그는 기트랑쿠르에서 세리시 강의를 번역하는 작업을 하고 있었다. 샤르트르로의 여행에 대해서는 *HPF*, 2, pp. 309~310을 보라.

18. 라캉의 번역은 프랑스어 최초의 번역본이었다. 하지만 나중에 이를 다시 번역한 앙드레 프레오는 라캉의 이 번역본에 대해 전혀 언급하지 않는데, 심지어 이것에 대해 전혀 아무것도 몰랐던 것처럼 보인다. Martin HEIDEGGER, *Essais et conférences*, Gallimard, 1958을 보라. 연속적으로 「로고스」에 대해 서평을 쓴 니콜라 랑(Nicholas Rang)도 라캉의 번역에 대해 아무런 언급도 하지 않았다는 점을 지적해야겠다. *Cahiers Confrontation, 8*, Paris, Aubier, 1982 그리고 *Le Cryptage et la vie des oeuvres*, Paris, Auvier, 1989를 보라. 게다가 니콜라 랑은 두번째 서평이 나올 때까지, 즉 빅토르 파리아스(Victor Farias)의 책이 출판될 때까지 라캉의 텍스트가 나치 부역 혐의를 보여준다는 것을 지적하지 않았다. E. R., "Vibrant hommage à Martin Heidegger", *Lacan avec les philosophes, op. cit.*을 보라.

19. Jean BOLLACK/Heinz WISMANN, *Héraclite ou la séparation*, Paris, Minuit, 1979. Jean

BOLLACK, "Heidegger l'incontournable", *Actes de la recherche en sciences sociales*, 5～6, 1975. 그리고 "Réflexions sur les interprétations du logos héraclitéen", *La Naissance de la raison en Grèce*, actes du congrés de Nice, 1987년 5월.

20. 앙드레 프레오는 *Essais et conférences, op. cit.,* p. 254에서 이것을 'non-occultation'으로 번역하고 있다. 그리고 장 보프레는 *Dialogue...*, IV, *op. cit.*, p. 78에서 이것을 'ouvert sans retrait'으로 번역하고 있다.

21. 이것이 빠져 있다는 것을 내게 지적해준 사람은 베르트랑 오질비였다. 스토이안 스토이아노프(Stoian Stoianoff)는 나중에 이 두 판의 차이에 주목할 수 있도록 해주었다. *Festschrift für Hans Jantzen,* Berlin, Gebr. Mann, 1951. 그리고 *Vorträge und Aufsätze,* Pfullingen, Gunther Neske, 1954도 함께 참조하라.

22. J. L., *S. VIII.* 서지 목록을 보라.

23. J. L., "Liminaire", *La Psychanalyse,* 1, 1956, p. VI.

24. J. L., "L'instance...", *La Psychanalyse,* 3, 1957. 대폭 수정되어 *E.*에 재수록되었다. 서지 목록을 보라.

25. *Ibid.,* p. 528.

26. 1956년 2월 29일에 주디트에게 보낸 엽서를 보면 라캉이 얼마나 이를 진지하게 생각했는지를 알 수 있다. 이제 막 라캉의 「로고스」 번역이 출판된 상태였다. 그는 이렇게 쓰고 있다. "오늘 마르틴 하이데거를 보아야 했는데, 날씨가 궂어 보지 못했단다. 마음을 달래기 위해 하루 종일 그의 글을 읽으면서 그에 대해 엄마에게 설명해주고 있단다"(*Visages de mon père, op. cit.,* p. 88).

27. 1988년 3월 18일에 모리스 드 강디악이 공개적으로 밝힌 일화. 1958년 3월 26일자 장 발의 편지(IMEC).

28. G. Granel/S. Weber, *Sein und Zeit,* éd. allemande, p. 348. *Lacan avec les philosophes, op. cit.,* p. 52과 p. 224.

29. 1990년 5월에 가진 카트린느 밀로와의 인터뷰.

3. 교차하는 운명 : 라캉과 프랑수아즈 돌토

1. F. D., *Correspondance 1913～1938,* 콜레트 페르셰니니에(Colette Percheininier), Paris, Hatier, 1991.

2. *Ibid.,* p. 106. 1921년 3월 29일자 아나스타스 데믈러(Anastase Demmler)의 편지.

3. *Ibid.,* p. 125. 1922년 9월 20일자 수잔느 마레트(나중에는 마레트-데믈러 Marette-Demmier)의 편지

4. 프랑스어에서 아동 정신분석(psychanalyse d'enfant)은 이론적 영역을 가리키기 위해 그리고 복수로 된 아이들의 정신분석(psychanalyse d'enfants)이라는 말은 실천을 가리키기 위해 사용한다.

5. F. D., *Enfances,* Paris, Seuil, coll. "Point-Actuels", 1986.

6. F. D., *Correspondance, op. cit.*, p. 51. 편지의 철자법을 그대로 따랐다.

7. *Ibid.*, p. 57.

8. *Ibid.*, pp. 44, 53, 64.

9. *Ibid.*, p. 215.

10. 라포르그와의 분석은 1934년 2월 17일부터 1937년 3월 12일까지 계속되었다. F. D.가 *HPF*, 2를 위해 내게 준 정보는 틀린 것이었다.

11. F. D., *Correspondance*, pp. 560~574. 1938년 6월 15일자 편지.

12. *Ibid.*, p. 571.

13. *Enfances*에서 F. D.는 자기 가족의 모라스주의적인 성향에 대해서는 아무런 언급도 하지 않는다. 다른 사람들과 관계를 맺기가 얼마나 어려웠는지에 대해서는 그토록 자세히 이야기하면서도 그녀는 인종주의나 반유대주의에 대해서는 전혀 언급하지 않는다.

14. 우연히 그녀에게 이러한 것을 질문할 수 있는 기회가 있었다.

15. F. D., *Psychanalyse et pédiatrie*, Paris, Seuil, 1971.

16. F. D.의 박사 학위 논문에 대한 Édouard Pichon의 원고로 된 노트와 두 사람간의 편지 교환. F. D. 소장.

17. SPP의 용어 위원회에 대해서는 *HPF*, 1, pp. 376~395을 보라. Edouard PICHON, *Développement psychique de l'enfant et de l'adolescent*, Paris, Masson, 1938(Aimance라는 말은 aimer[사랑하다]를 명사화시킨 신조어이다— 옮긴이).

18. F. D./E. R., "Des jalons pour une histoire, entretien", *Quelques pas sur lechemin de Françoise Dolto*, Paris, Seuil, 1988., p. 12.

19. *Ibid.* 1988년에 F. D.와 인터뷰를 가질 당시 나는 그녀의 기억의 신빙성을 확인하기 위해 그녀의 문서에 접근할 수는 없었다. 하지만 확인해보니 보나파르트의 일기와 마찬가지로 그녀의 일기도 1938년의 만남에 대해서는 아무런 언급도 하고 있지 않다.

20. 마리 보나파르트의 미발간 일기에서.

21. E. R./Philippe SOLLERS, "Entretien sur l'histoire de la psychanalyse en France", *L'Infini*, 2(1983년 봄호).

22. Claude HALMOS, "La planète Dolto", *L'Enfant et la psychanalyse*, coll., Paris, éd. Esquisses paychanalytiques, CFRP, 1993.

23. Jean-Chrysostome, 1943년 2월 20일생으로 나중에 'Carlos'로 불리게 된다.

24. *Quelques pas..., op. cit.* F. D.는 이것을 진정한 우정이라기보다는 커다란 존경심의 표시라고 생각하고 있다.

25. 개인적 추억.

26. *HPF*, 2, pp. 277~278. 그리고 F. D., *Au jeu de désir*, Paris, Seuil, 1981, pp. 133~194.

27. *La Psychanalyse*, I. op. *cit.*, p. 226과 p. 250.

28. *Ibid.*, p. 224.

29. 1986년 5월에 루아요몽에서 있었던 콜로키움에서.

30. J. L.이 F. D.에게 보낸 편지. F. D. 소장.
31. 1933년 3월 3일에 가진 카트린느 돌토-톨리취와의 인터뷰.